OS **100**
MELHORES
CONTOS DE
HUMOR
DA LITERATURA
UNIVERSAL

# FLÁVIO MOREIRA DA COSTA

Seleção, introdução, tradução e notas

## OS 100 MELHORES CONTOS DE HUMOR DA LITERATURA UNIVERSAL

### 4ª Edição

Traduções adicionais de Gloria Rodríguez, José Laurênio de Melo, Leonardo Fróes, Antonio Nojiri & Katsunori Wakisaka, Mário Quintana, Millôr Fernandes, Octávio Marcondes, Otto Schneider, Paulo Rónai e Aurélio Buarque de Holanda, Álvaro Lorencini e Letícia Zini Arantes, Ruy Castro, Vera Pedroso e Rolando Roque Silva.

EDIOURO

Coordenação editorial | SHEILA KAPLAN

Preparação de originais | JULIANA FREIRE

Produção editorial | CRISTIANE MARINHO

Assistentes de Produção | CRISTIANE CARDOSO, FELIPE SCHUERY, GILMAR MIRÂNDOLA

Revisão | GLAUCIA CRUZ e MARYANNE BENFORD LINZ

Capa, Projeto Gráfico | FOLIO DESIGN - CRISTIANA BARRETTO e FLÁVIA CAESAR

Editoração | CARLOS ALBERTO RIOS e MARCELO VISEU

Produção Gráfica | JAQUELINE LAVOR

CIP-Brasil. Catalogação-na-fonte.
Sindicato Nacional dos Editores de Livros, RJ

C388
    Os 100 melhores contos de humor da literatura universal / Flávio Moreira da Costa (org.). – Rio de Janeiro : Ediouro, 2001

    ISBN 85-00-00910-1

    1. Humorismo.  2. Antologias (Contos).  I. Costa, Flávio Moreira da, 1942–.

01-1577.

CDD 808.87
CDU 82-7 (082)

02   03   04   05        8  7  6  5  4

EDIOURO PUBLICAÇÕES S/A

**Rio de Janeiro**
Sede, Deptº de vendas e expedição
Rua Nova Jerusalém, 345 – CEP 21042-230 – Rio de Janeiro – RJ
Tel.: (21) 3882-8240 / 8323 / 8284 – Fax: (21) 3882-8212 / 8313
E-mail: livros@ediouro.com.br

**São Paulo**
Rua Catulo da Paixão Cearense, 631 - Vila Saúde – CEP 04145-011 São Paulo – SP
Tel.: (11) 5589-3300 – Fax vendas: (11) 5589-3300 – ramal 233
E-mail: ediouro@ediouro.com.br / E-mail Vendas: vendasp@ediouro.com.br
Internet: www.ediouro.com.br

*Dedico este trabalho aos anônimos palhaços de circo que, no interior da minha infância, me ensinaram o riso. A comediantes como Oscarito, Carlitos e Cantinflas, com os quais continuei a exercitá-lo na adolescência. E à literatura de Mário Quintana, Gogol e outros tantos que me ajudaram a não levar a vida muito a sério. Ou, como dizia o ex-primeiro ministro inglês Gladstone, que meu pai costumava citar: "A vida é muito curta para ser pequena."*

# SUMÁRIO

# INTRODUÇÃO

## A SÍNDROME DE AKAKI AKAKIÉVICH

## E OS HUMORES

Flávio Moreira da Costa

Nada ao mesmo tempo mais individual, cultural e universal do que o riso, o sorriso, a gargalhada. Individual porque cada um de nós tem o humor que tem ou que merece, e nada se pode fazer a esse respeito — a não ser, em caso de muita falta de humor, algum tipo de terapia, mas isso é outra história. Cultural, no sentido antropológico da palavra, porque o humor resulta de uma infinidade de condicionantes locais, sociais, históricas, raciais, climáticas etc., de tudo aquilo enfim condensado numa determinada formação coletiva — e nesse sentido não se pode esperar que o humor de um russo seja igual ao de um esquimó, ou, para ficarmos no plano brasileiro, que o humor de um gaúcho da fronteira seja o mesmo que o de um nordestino do agreste, ou ainda, reduzindo a paisagem, de um carioca ao de um paulista. Ao mesmo tempo, como querer que o humor da Antigüidade, por exemplo, do grego Aristófanes ou dos latinos Plauto e Terêncio, tenha a mesma constituição e os mesmos matizes de riso do que o da Idade Média do saxão Chaucer e do florentino Boccacio, ou do pródigo Renascimento do espanhol Cervantes, do francês Rabelais e do inglês Shakespeare? Finalmente, o humor é universal porque rir faz parte do ser humano — sabemos que o homem é o único animal que ri. (A hiena não conta, é claro). Dito isso, os contos desta nossa antologia (porque é deste gênero de literatura, conto, que se trata, em primeiro lugar) não são contos de humor: são contos de humores. E como resultado desta dificuldade inicial de pesquisar o assunto e organizar o livro, nós outros, leitores – e um "autor" de antologia deve ser antes de mais nada um bom leitor –, o que temos é uma imensa diversidade: do alto destas narrativas aqui agrupadas, quase 28 séculos nos contemplam. Em outras palavras: apesar da tragédia da história humana, há pelo menos 28 séculos que a humanidade consegue rir dela mesma.

O homem comum acha que o humor é apenas o cômico: o tombo do palhaço, a piada de salão, a anedota da esquina ou aquele filme ou programa de televisão cujo bordão ele sabe de cor. Não que o senso comum esteja errado (vamos evitar o preconceito), mas com certeza sua percepção se limita apenas a uma das mil faces do simples ato de abrir a boca, mostrar os dentes e fazer os olhos e a inteligência brilharem ao longo da humanidade. Apesar de sua simplicidade aparente, o humor por vezes é muito perigoso, e não são poucos os autores presentes que pagaram com prisão ou exílio, como Voltaire, para citar só um caso. (No Brasil Colônia, a Inquisição portuguesa matou o comediógrafo Antônio José, o Judeu; o Estado Novo prendeu o Barão de Itararé tantas vezes que ele colocou um cartaz na redação do seu "A Manha": "Entre sem bater"; e a "Revolução" de 1964 perseguiu humoristas do "Pasquim", mas não só.) Também é descontraído o humor, infantil, brincalhão, tenso ou intenso; é sério, é sátira, crítica social ou de costumes; é o *humour* e o *wit* inglês, o *spirit* e o burlesco francês; o tragicômico e o melodramático do Norte europeu; o racional e o absurdo da Europa Central; é sofisticado e irreverente, civilizado e primitivo; é saudabilíssimo e é *noir*; é de morrer de rir ou serve apenas para, sutilmente, nos fazer pensar; é inofensivo e corrosivo; é chanchada, pastelão, moralista e psicológico. E *so on*, assim por diante. A Unesco cataloga cerca de 500 conceitos para a palavra "cultura" (daí a eterna confusão nesta área, principalmente... burocrática). Sobre "humor" creio não haver um levantamento semelhante. As definições dos dicionários, seja o Petit Robert, o Webster ou o Aurélio, são apenas insuficientes ou limitadoras. Não teria graça teorizar sobre ele aqui. Mas vale lembrar que Monteiro Lobato, um homem sério e que por isso mesmo fez e pensou o humor, considerava-o "a maneira imprevisível, certa e filosófica de ver as coisas", acentuando, no final, que a essência desses três itens era a imprevisibilidade. Uma curiosidade: para Lobato, e para tantos outros, a Inglaterra é o país do humor por excelência ("E o que é a excentricidade inglesa senão o humor da conduta?"), e, por outro lado, "o alemão tem incompatibilidade orgânica com o humor". Será?

Sim, são muitos e variados os humores. Deles, não todos, mas uma boa gama está representada nesta antologia. O humor da ou na literatura, feito por escritores, antigos, ocidentais, orientais, medievais, renascentistas, clássicos, modernos, contemporâneos e em geral seríssimos e... mal-humorados. Sílvio Romero já dizia, há mais de um século: o bem-humorado não faz humor; quando alguém faz humor é sinal que está mal-humorado. Paradoxos fazem parte do raciocínio lógico e têm lá sua graça. Quem pode rir melhor é o leitor, que ri por último, como se diz. É o que eu chamo aqui de síndrome de Akaki Akakiévich, o personagem de *O Capote*, de Gogol, e um dos mais conhecidos do mundo. Nada mais triste e patético do que este pequeno funcionário e sua vida. E no entanto... Parece ser o mesmo e misterioso mecanismo que nos faz rir quando vemos alguém cair em plena rua: nós somos cruéis e não sabemos. Nós rimos e não sabemos por que rimos, talvez por isso a história da Filosofia, preocupada com o primado da razão, só venha a se ocupar dele muito recentemente: um pouco de Nietzsche, Bergson, Clément Rosset, e sobretudo Freud, que abriu as portas da percepção do inconsciente (a não-razão, simplificando) ao estudar o sonho, o chiste e o ato falho. E, ao contrário de seitas e religiões orientais, o cristianismo exclusiviza a palavra "graça" no sentido da revelação e da solenidade divinas. Não foi à toa que os monges copistas da Idade Média desapareceram com a parte da Comédia da *Poética* de Aristóteles. (Para quem lembra, esse é o tema de *Em Nome da Rosa*, de Umberto Eco.) A expressão judaico-cristã, nesse sentido, não se justifica: não há humoristas na Bíblia, embora sinais deles possam ser encontrados no Talmud, como observa Mordecai Richler, na introdução de seu *The Best of Modern Humor* (Alfred Knopf, New York,1983).

Mas chega, senão esta introdução corre o risco de ser escrita de terno, gravata e de colarinho duro. O leitor, calculo eu, está querendo roupa folgada e um lugar confortável para ter lá seus bons momentos de humor, e não ser obrigado a pensar sobre ele. Daí por que esta introdução, na verdade, continua nos pequenos textos, mais descontraídos, que antecedem os contos. Contos de bom humor, de mau humor, de humores achados e perdidos, ainda bem que não para sempre. Vale a sabedoria popular: (só) rir é o melhor remédio. Provem e me digam.


**P.S. pessoal, porém necessário.** Só ousei aceitar o convite da Ediouro, feito por Sheila Kaplan, porque há algumas décadas venho lendo e escrevendo contos; porque minha estréia, nos meus vinte anos, foi com uma *Antologia do Conto Gaúcho*, e de lá pra cá, em paralelo aos meus livros de ficção, organizei cerca de oito antologias de diferentes temas e autores, inclusive os dois volumes de *Viver de Rir (*Ed. Record); e porque, há uns 18 anos, tenho trabalhado com o conto (de humor também) na oficina de ficção permanente que coordeno. Por outro lado, sou o primeiro a lamentar a ausência de alguns textos, por dificuldades ou impossibilidades de aquisição de seus direitos autorais, contos de Woody Allen, James Thurber, Kurt Vonnegut, Philip Roth, Mário de Andrade, Clarice Lispector e poucos outros. Mas garanto que as substituições ficaram à altura das escolhas iniciais. A realização desta antologia foi um *tour de force*. Além da minha própria leitura ou releitura de cerca de 2.000 textos em suas línguas originais, contei ainda com sugestões e lembranças de alguns amigos, como Brás Chediak, Fábio Lucas, Chico Octávio, Octávio Marcondes, Márcia Denser e os participantes das minhas oficinas de ficção que comigo testaram o humor de alguns dos contos. Mas esse projeto não teria sido realizado — pelo menos, não como resultou — sem o trabalho de retaguarda de Juliana Freire. Destacada pela editora, a princípio, para resolver o intrincado problema de direitos autorais, ela foi-se envolvendo na leitura dos contos a ponto de virar uma peça fundamental na execução do nosso projeto. Execução que teve a cumplicidade de todos os citados. Mas cuja responsabilidade final, para o bem (do humor) ou para o mal (do... mau humor), é minha.


*(Bairro Peixoto/Rio, setembro, 2001)*

# 1

## BATRACOMIOMÁQUIA
### (A guerra entre rãs e ratos)

### HOMERO
#### (Circa 850 a.C. | Grécia)

*O primeiro (e soberano) grande autor da literatura européia, Homero é mais um nome lendário do que um escritor com uma biografia própria. Supõe-se originário da Ásia Menor, onde teria vivido entre os anos 1100 e 900 antes de Cristo. "Um poeta desconhecido que teria escrito a Ilíada e, provavelmente, a Odisséia." Além destas obras imortais, a ele são também atribuídos os* Hinos Homéricos, Epigramas, A pequena Ilíada *e* Batracomiomáquia, *aqui presente. Este "poema heróico-cômico", inicialmente atribuído, por Plutarco, a Pigres de Cárie, só foi publicado em Veneza, em 1489, e é considerado como "a primeira manifestação humorística da literatura européia".*

Ao iniciar, rogo ao coro de Helicon que assista a minha alma para entoar o canto que recém registrei nas tábuas sobre meu joelho — uma luta imensa, obra marcial plena de bélico tumulto —, desejando que chegue aos ouvidos de todos os mortais como os ratos se distinguiram ao atacar as rãs, imitando as proezas dos gigantes filhos da terra. Tal como entre os homens se conta, seu princípio aconteceu da seguinte maneira:

Sedento, depois de se livrar de uma doninha, um rato submergia sua ávida barba ali perto, num lago, e se reconciliava na água doce como mel, quando viu uma rã tagarela, que no lago tinha suas delícias, e que assim lhe falou:

*Inchabochechas:* — Quem és tu, forasteiro? De onde chegastes nestas ribeiras? Quem te engendrou? Dize-me tudo honestamente, e que não perceba eu que mentes. Se te considerar digno de ser meu amigo, levar-te-ei a minha casa e te darei muitos e bons presentes de hospitalidade. Eu sou Inchabochechas e no lago me honram como perpétuo guerreiro das rãs; meu pai Lodoso me criou e deu-me à luz Rainha-das-águas, que com ele se juntara amorosamente às margens do Erídano. Observo que também és formoso e forte, mais ainda do que os demais; e deves ser rei e valoroso combatente nas batalhas. Mas, ande, revele-me já tua linhagem!

*Roubamigalha:* — Por que me perguntas por minha linhagem? Conhecida é ela de todos os homens e deuses, e até das aves que no céu voam. Eu me chamo Roubamigalha, sou filho do magnânimo Róipão e tenho por mãe Lambedentes, filha do rei Róipresunto. Mas... Como poderás conseguir que eu seja teu amigo, se minha natureza é completamente diversa da tua? Para ti, a vida está na água, mas eu costumo roer o quanto os homens possuem; não se me oculta o pão enfeitado que se guarda no redondo cesto; nem a grande torta recheada de gergelim; nem a talhada de presunto; nem o fígado dentro de sua branca túnica; nem o fresco queijo, de doce leite fabricado; nem os ricos doces, que até aos imortais apetecem; nem coisa alguma das que preparam os cozinheiros para os festins dos mortais, espargindo condimentos de toda sorte aos borbotões. Jamais fugi da horrível gritaria insana das batalhas, mas sempre me encaminho para o tumulto e imediatamente me junto aos combatentes mais avançados. O homem com seu grande corpo é coisa que não me assusta, pois imiscuído-me na cama em que repousa, mordo-lhe a ponta do dedo e até o pego pelo calcanhar, sem que sinta ele qualquer dor nem o desampare o doce sono enquanto eu o mordo. Dois são os inimigos a quem, em grande forma, eu temo sobre tudo o mais na terra: o gavião e a doninha, que terríveis pesares me causam; e também o lutuoso cepo onde se oculta a traidora morte. Mais temo porém a doninha, que é fortíssima e, ao me esconder numa toca, na própria toca vai ela me procurar. Não como rábanos, nem couves, nem abóboras; nem me alimentos de verdes acelgas nem aipo; que estes são vossos manjares próprios dos que habitam a lagoa.

Inchabochechas, sorrindo, respondeu:

*Inchabochechas:* — Ó, forasteiro, das coisas do ventre muito te envaideces; também nós, as rãs, temos muitas coisas admiráveis de se ver, tanto no lago como em terra firme, pois Zeus Cronion nos deu um duplo modo de viver, e tanto podemos saltar na terra como mergulhar na água, habitando moradas que de ambos elementos participam. Se desejares comprová-lo, mui fácil te há de ser: monta nas minhas costas, agarra-te a mim para não escorregares e chegarás tranqüilo ao meu palácio.

Assim falou — e deu as costas a ele. O rato, subindo de um salto ao lugar indicado, prendeu as mãos no pescoço macio. E a princípio regozijava-se contemplando os hortos vizinhos e deleitando-se com o nado de Inchabochechas; mas assim que se sentiu molhado pelas ondas cor de púrpura, brotaram-lhe copiosas lágrimas e, tardiamente arrependido, lamentava-se e arrancava os cabelos, apertando com suas patas o ventre da rã, com o coração aos pulos com o insólito da aventura, ansiando em voltar à terra firme; enquanto isso, um glacial terror fazia-o gemer. Estendeu então a cauda sobre a água, movendo-a como um remo; e, enquanto pedia às divindades que o ajudassem a chegar no chão firme, as ondas cor-de-púrpura iam banhando-o. Gritou finalmente — e estas foram as últimas palavras que sua boca proferiu:

*Roubamigalha*: — Com toda a certeza não foi assim que sobre seus ombros levou a amorosa carga o touro que, através das ondas, conduziu à Creta a ninfa Europa — como, nadando, a mim transporta sobre os seus esta rã que mal ergue seu amarelo corpo por entre a branca espuma.

De repente apareceu uma hidra com o pescoço sobre a água. Que amargo espetáculo para os dois! Ao vê-la, submergiu Inchabochecha sem lembrar da qualidade do companheiro que, abandonado, ia morrer. Foi-se portanto a rã ao fundo do lago e assim evitou a negra morte. O rato, quando a rã o soltou, caiu de costas na água; e apertava as patinhas; e, em sua agonia, soltava guinchos agudíssimos. Muitas vezes submergiu ele na água, muitas outras conseguiu flutuar, aos coices; não conseguiu no entanto escapar ao seu destino. O pêlo molhado aumentava seu peso. E, ao perecer nas águas, tais palavras pronunciou:

*Roubamigalha*: — Teu proceder não haverá de passar despercebido, ó Inchabochechas, que este náufrago fizeste despencar do teu corpo como uma pedra. Em terra, ó mui perversa, não me vencerias nem no vale-tudo, nem na luta, nem na corrida; mas te valeste da fraude para jogar-me n'água. Tem a divindade um olho vingador e pagarás teu crime ao exército de ratos, sem que consigas escapar.

E assim expirou ele na água. Mas aconteceu de vê-lo Lambeprato, que se achava sobre a branda relva da ribeira; e a proferir horríveis chiados correu para dar notícia aos ratos. Assim que estes a souberam, ficaram dominados de terrível ira. Ordenaram em seguida aos arautos que, ao romper da aurora, convocassem todos para uma reunião na morada de Róipão, pai do desditado Roubamigalha, cujo cadáver apareceu estendido na lagoa, pois o mísero já não se achava mais próximo da ribeira: ia flutuando no meio do charco. E quando, ao surgir da madrugada, todos acudiram ao encontro, Róipão, irritado com a sorte do filho, foi o primeiro a falar:

*Róipão*: — Amigos! Embora a mim em particular as rãs causaram tanta dor, a atual desventura a todos nós alcança. Sou muito desgraçado, pois perdi três filhos. Ao mais velho, matou-o a muito odiada doninha, pondo-lhe as garras em uma toca. Ao segundo, levaram-no à morte os cruéis homens, inventando uma engenhosa armadilha à qual chamam ratoeira e que é a perdição dos ratos. E o que era meu terceiro filho, tão caro a mim e a sua veneranda mãe, afogou-o Inchabochechas, levando-o para o fundo da lagoa. Mas eia, armai-vos, guarnecei vossos corpos com lavradas armaduras e saiamos todos contra as rãs.

Expondo tais razões, a todos persuadiu a que se armassem; e a todos armou Ares, que é quem cuida da guerra. Primeiro ajeitaram a seus músculos bainhas de verdes favas bem preparadas, que então abriram e que durante a noite haviam roído das plantas. Puseram-se couraças de peles hastes, dispostas com grande habilidade, depois de esfolarem uma doninha. O escudo consistia numa tampa, das que levam uma lamparina no centro; as lanças eram longuíssimas agulhas, labor de Ares em bronze; e o capacete era uma casca de ervilha por sobre as frontes.

Assim armaram-se os ratos. Ao perceberem isso, as rãs saíram da água e, reunidas, celebraram uma comissão para tratar do pernicioso embate. E, enquanto procuravam saber qual a causa daquele levante e tumulto, acercou-se deles um arauto com uma varinha na mão — Furaondas, filho do magnânimo Róiqueijo — e anunciou-lhes a funesta declaração de guerra:

*Furaondas*: — Ó, rãs! Os ratos nos ameaçam com guerra e me enviaram para vos dizer para se armarem para a luta e o combate, pois viram n'água a matar Roubamigalhas vosso rei Inchabochechas. Pelejai, pois, vós, os mais valentes entre as rãs.

Assim começou, e seu discurso penetrou em todos os ouvidos e mexeu com as mente de todas as rãs. E como sobrou a culpa para Inchabochecha, ele falou:

*Inchabochechas*: — Amigos! Não levei o rato à morte, nem o vi perecer. Deve ter-se afogado enquanto brincava às margens do lago, imitando o nadar das rãs; e os perversos me acusam — a mim, que sou inocente. Mas, adiante, busquemos de que modo nos será possível destruir os pérfidos ratos. Vamos cobrir o corpo com as armas e vamos nos colocar nos altos da ribeira, no lugar mais abrupto; e quando vierem eles nos atacar, fisguemos os que de nós se aproximarem pelos cascos e tiremo-los rapidamente do lago, dentro de suas próprias armadilhas. E depois que na água se afogarem, pois não sabem nadar, vamos erigir um alegre troféu que o ratocídeo comemore.

E assim a todos persuadiu que se armassem. Cobriram suas pernas com folhas de malca; puseram-se as couraças de verdes acelgas; transformaram habilmente em escudos folhas de couve; tomaram como se lança fosse cada qual os seus juncos longos; e cobriram a cabeça com elmos que eram conchas de caracóis. Vestida a armadura, enfileiraram-se no alto da ribeira, brandindo as lanças, cheios de furor.

Então, ao estrelado céu, chamou Zeus as divindades, e mostrando-lhe a batalha e os fortes combatentes, que eram muitos e manejavam longas lanças — como se pusesse em marcha um exército de centauros ou de gigantes —, perguntou sorridente quais deuses ajudariam as rãs e quais os ratos? E disse a Atenéia:

*Zeus*: — Filha! Irás por ventura auxiliar os ratos, já que todos saltam em teu templo, onde se divertem com o vapor da gordura queimada e com manjares de toda espécie?

E Atenéia respondeu-lhe:

*Atenéia*: — Ó pai! Jamais iria prestar ajuda aos aflitos ratos porque eles já me causaram um sem-número de males, destruindo os diademas e as lâmpadas para beberem o azeite. E ainda mais me atormenta o ânimo o fato de me roerem e ainda esburacarem uma túnica de sutil trama que eu mesma havia tecido; e agora o costureiro me constrange pelo ocorrido — horrível situação para uma imortal! —, pois comprei fiado o tecido para tecer e agora não sei como irei devolver a ele. Mesmo assim, não pretendo defender as rãs, que tampouco elas têm juízo: recentemente, ao voltar de um combate em que muito me cansei, elas não me permitiram cerrar os olhos com seu alarido; e estive deitada, sem dormir e com a cabeça dolorida até ouvir o galo cantar. Portanto, ó Deuses!, vamos nos abster de dar-lhes a nossa ajuda, pois combaterão corpo a corpo mesmo que uma divindade se lhes oponha — vamos nos divertir todos contemplando aqui do céu a batalha.

Assim falou, e os restantes deuses obedeceram-na e todos juntos se encaminharam para determinado lugar estratégico. E então os mosquitos anunciaram, com grandes trombetas, o fragor horroroso do combate; e Zeus Cronida no céu troou, dando o sinal para a funesta luta.

Começou com Chiaforte ferindo Lambehomem com a lança, cravando-a no ventre e no fígado: o rato caiu de boca para baixo, os pêlos manchados e, ao tombar com grande baque, as armas ressoaram sobre seu corpo. Depois Habitatocas, como alcançara Lamacento, enterrou-lhe no peito a forte lança: a negra morte apresou o caído e voou-lhe a alma do corpo. Acelguívoro matou Penetraondas atirando-lhe o dardo no coração e nas mesmas margens matou também Róiqueijo.

Rãdojunco, ao ver Furapresunto, começou a tremer, tirou o escudo e fugiu, saltando na água. Descansanalama, o irrepreensível, matou o Comedordecapim e Gozadoraquático feriu também de morte ao rei Róipresunto, atingindo-lhe com o cabo da arma na parte de cima da cabeça: o cérebro do rato fluiu-lhe pelo nariz e a terra manchou-se de sangue! Lambepratos matou com a lança Descansanalama, o irrepreensível: a escuridão velou seus olhos. Ao vê-lo, Comealho agarrou Farejado pelos pés e, ao apertar o tendão com força, afogou-o no lago. Ladrãodemigalha quis vingar seu companheiro defunto e feriu Comealho no ventre, bem no meio do fígado: caiu a rã a seus pés e o espírito dela foi para o Hades. Andaentrecouves atirou-lhe de longe um punhado de lama que lhe borrou o rosto todo e por pouco não o cegou. Ficou raivoso o rato e, colhendo com a mão uma enorme pedra, verdadeiro obus da terra, com ela feriu Andaentrecouves abaixo do joelho: partiu-se a perna direita da rã, que caiu de costas no pó. Tagarela veio em seu auxílio e, atacando Ladrãodemigalha, feriu-o no ventre: enterrou-lhe todo o afiado junco e, ao arrancar a arma, os intestinos esparramaram-se no solo. E assim que o viu do alto da ribeira, Habitatocas — o qual, sentindo-se bastante abatido, retirava-se coxeando do combate — saltou num fosso para escapar da horrível morte. Róipão feriu Inchabochechas na extremidade do pé; e este, aflito, jogou-se no lago. Ao vê-lo caído e exausto, Alguívoro abriu caminho por entre os combatentes dianteiros e avançou sobre Róipão com seu junco em lance, não conseguindo, porém, romper-lhe a couraça, na qual cravou a ponta da arma. Feriu-o, no entanto, no forte casco de reforço, fazendo-se êmulo do próprio Ares, o divinal Cataorégano, único combatente que se destacava por entre a multidão de rãs. Mas partiram contra ele que, ao perceber-se assim acuado, não quis esperar seus esforçados heróis e acabou submergindo na parte mais profunda do lado.

O mancebo Roubaparte, entre todos destacado e filho do irrepreensível Roedorque-espreitaopão, recebeu deste a ordem para que se juntasse ao combate, e o filho garantiu, esbravejando, que haveria de exterminar toda a linhagem das rãs. Foi a elas com ganas de luta; rompeu ao meio uma casca de noz e armou-se. Temerosas, as rãs retiraram-se para o lago. E haveria ele de levar a cabo seu propósito, pois grande era sua força, se não o houvesse percebido imediatamente o pai dos homens e dos deuses: Zeus, que compadecido das rãs, moveu a cabeça e assim falou:

*Zeus*: — Ó Deuses! Enorme é a façanha que meus olhos vão contemplar. Muito perplexo deixou-me Roubaparte ao se vangloriar de que haverá de destruir as rãs do lago. Enviemos o quanto antes Palas Atenas, que é quem produz o tumulto da guerra, ou Ares, para que o retirem da batalha, independente de sua valentia.

Ares respondeu-lhe:

*Ares*: — Nem o poder de Palas Atenas nem o de Ares haverão de bastar para livrar as rãs da horrível derrota. Mas mesmo assim sigamos em seu auxílio, ou então move tu a tua arma, com a qual mataste os titãs, que eram em muito melhores do que todos; e desta maneira será dominado o mais valente, tal como em outros tempos fizeste perecer o robusto varão Capaneo, o grande Enceladonte e as ferozes famílias dos Gigantes.

Assim disse, e Zeus arremessou seu brilhante raio. Antes, emitiu um trovão que fez estremecer o vasto Olimpo, e em seguida lançou o raio — a terrível arma de Zeus — que voou serpenteando da sua soberana mão. A queda do raio a todos causou pavor, tanto às rãs quanto aos ratos; mas nem por isso o exército destes últimos abandonou o combate, talvez esperando ainda mais do que destruir a linhagem das beligerantes rãs, se Zeus, no Olimpo, compadecendo-se delas, não lhes houvesse imediatamente enviado ajuda.

De pronto apresentaram-se uns animais com ombros como bigornas, de garras curvas e andar oblíquo, pés torcidos, com bocas como tesouras, peles de crustáceos, com ossos consistentes, costas largas e reluzentes, cambaios, lábios prolongados, e que olhavam pelo peito e tinham oito pés e duas cabeças, indomáveis; eram caranguejos que puseram-se a cortar com suas bocas as caudas, pés e mãos dos ratos, cujas lanças se dobravam ao enfrentar os novos inimigos. Temeram-nos os tímidos roedores e, cessando qualquer resistência, puseram-se em fuga.

E assim, ao pôr-do-sol, terminava aquela batalha que só um dia durara.

# O GALO E A RAPOSA

**ESOPO**
*(Circa 550 a.C. | Grécia)*

*As fábulas de antigamente pertencem à infância do conto. Ao dar voz aos animais, e finalizar com uma "moral da história", elas tinham um inegável valor didático (ou de auto-ajuda da época?). E o humor era quase sempre um desdobramento inevitável, ou um componente intrínseco da grande sabedoria popular que estas histórias mínimas encerram. O que talvez explique a permanência das fábulas de Esopo como um patrimônio da humanidade.*

Na copa de uma elevada azinheira, um Galo dava ao vento seus cantares, como quem pede divertimento e um momento de conversa. Certa Raposa faminta, que não tinha inconveniente em almoçar carne com penas, chegou rapidamente ao local do concerto. Mas notando que o cantor estava num ponto alto demais, onde ela não poderia subir, disse-lhe assim:

— Por que não desces para junto de mim, meu amigo? Trago-te boas notícias. Não lestes a última proclama, a que estabelece a paz e a concórdia entre as bestas e as aves? Acabou-se o tempo de nos caçar e nos devorar mutuamente: só o amor e a harmonia presidem agora os destinos do mundo. Desce, portanto, e falaremos de coisas tão gratas a nós.

O Galo, como quem não quer nada, quis antes de descer colocar a Raposa em prova, e por isso disse a ela:

— Vou, amiga, vou, sim; mas espera só que cheguem aqui aqueles dois cachorros que estão correndo na nossa direção.

Ao ouvir isso, a Raposa respondeu:

— Sinto muito por não poder esperar. Preciso seguir em frente!

— Mas por que vais tão cedo assim? — disse o Galo. — Por acaso está com medo dos cachorros? Mas não existe paz agora entre todos nós?

— Sim, mas acho que esses cachorros que estão vindo para cá não leram as proclamas.

E foi acabar de falar e a Raposa desapareceu sem mais delongas.

*É preciso viver sempre prevenido. Nossos inimigos muitas vezes vão querer nos enganar com palavras enganosas.*

# 3

## AS MÃOS, OS PÉS E O VENTRE

### ESOPO

Cheios de inveja, os Pés e as Mãos disseram ao Ventre:

— Só você se aproveita dos nossos trabalhos, e não faz outra coisa do que receber nossos ganhos sem ajudar-nos no mínimo que seja. Portanto, escolhe uma destas duas coisas: ou encarregue-se você mesmo da sua manutenção, ou morra de fome.

Ficou, pois, abandonado o Ventre, e não recebendo comida durante muito tempo, foi perdendo seu calor e ficou debilitado, com o que os demais membros do corpo se enfraqueceram também, foram perdendo as forças até que pouco depois todos eles morreram.

*Ninguém se basta a si mesmo para tudo.*

# O LEÃO VENCIDO PELO HOMEM

### ESOPO

Um bom dia, um Homem e um Leão saíram de viagem. Logo chegaram a uma cidade onde havia uma estátua que representava um atleta, ou o deus Hércules, dominando um formidável Leão.

— Isto que você está vendo — disse o Homem ao seu companheiro Leão — prova que nós, homens, somos mais fortes e poderosos do que vocês,  leões.

O Leão então respondeu:

— Se entre nós houvesse escultores, veria você representados muito mais homens despedaçados por leões do que leões mortos por homens.


*Muitas nações pintam as coisas como convém a seu orgulho e a sua raça, e às vezes se vangloriam de proezas que nunca realizaram.*

# O ASNO E O CACHORRINHO

### ESOPO

Vendo um Asno que seu dono acarinhava muito a um Cachorrinho, porque este vinha ao seu encontro saudando-o com mimos e caretas, disse a si mesmo:

"Se um animal tão pequeno é tão querido do meu amo e da sua família, muito mais eles iriam agradecer meus carinhos, uma vez que eu valho mais e presto maiores serviços."

Disto convencido, o Asno, assim que viu o amo chegar, saiu correndo e relinchando do estábulo, e entre pulos e coices pôs-se a bailar na presença do dono. Atônito o homem com tal recepção asnal começou a rir com muita vontade. E o Asno, acreditando que estava no caminho certo, se pôs a relinchar no ouvido do amo, colocou as patas em cima dos ombros dele, sujou suas vestes e tratou de lamber-lhe o rosto. Cansado o dono daquela estranha brincadeira pegou numa estaca e partiu-a nas costas do espantado Asno.

*Causas iguais às vezes têm efeitos desiguais. Geralmente, os néscios pensam agradar quando não fazem outra coisa que causar desgosto e enfado.*

# O HOMEM BOM, O FALSO E OS MACACOS

### ESOPO

Dois homens, dos quais era Bom um e o outro Falso, viajando juntos chegaram ao país dos Macacos. O rei destes animais mandou que eles fossem detidos e trazidos a sua presença.

— O que dizem de mim nos outros países? — perguntou-lhes.

O homem Falso respondeu-lhe desmanchando-se em elogios, dizendo que ele parecia ser um excelente monarca, sábio e poderoso, e que sua corte estava cheia de grandes cavaleiros e valorosos capitães. O rei Macaco muito deliciou-se com tais lisonjas e ordenou que aquele homem ganhasse uma recompensa.

Considerando o homem Bom que o Falso conseguira mercês do monarca dizendo mentiras, acreditou o infeliz que seria ainda mais premiado se dissesse a verdade. E em seguida, perguntado pelo rei o que achava dele e dos que o rodeavam, o Bom respondeu sinceramente:

— Não sois todos nem mais nem menos do que macacos.

Indignado, o soberano mandou que tirassem a vida do homem Bom.


*Assim caminha o mundo comum. Quem ama ser lisonjeado não aprecia a verdade.*

# DUAS HISTÓRIAS ZEN

## ANÔNIMO
### (Circa Séc.VIII | Japão)

*A velha sabedoria do Oriente ("A lua vem da Ásia", já dizia um título do grande humorista Campos de Carvalho) compreende o humor com efeitos sempre inesperados do zen-budismo — inesperados porque sempre questionando o pensamento lógico tradicional. São ensinamentos de vida disfarçados em históriinhas aparentemente inocentes — uma filosofia que tanto influenciou escritores ocidentais como Kerouac e Salinger, para citar apenas dois nomes.*

## Espelho no Cofre

De volta de uma longa peregrinação, um homem carregava sua compra mais preciosa  adquirida na cidade grande: um espelho, objeto até então desconhecido para ele. Julgando reconhecer ali o rosto do pai, encantado, ele levou o espelho para sua casa.

Guardou-o num cofre no primeiro andar, sem dizer nada a sua mulher. E assim, de vez em quando, quando se sentia triste e solitário, abria o cofre para ficar contemplando "o rosto do pai".

Sua mulher observou que ele tinha um aspecto diferente, um ar engraçado, toda vez que o via descer do quarto de cima. Começou a espreitá-lo e descobriu que o marido abria o cofre e ficava longo tempo olhando para dentro dele.

Depois que o marido saiu, um dia ela abriu o cofre, e nele, espantada, viu o rosto de uma mulher. Inflamada de ciúme, investiu contra o marido e deu-se então uma grave briga de família.

O marido sustentava até o fim que era o seu pai quem estava escondido no cofre.

Por sorte, passava pela casa deles uma monja. Querendo esclarecer de vez a discussão, ela pediu que lhe mostrassem o cofre.

Depois de alguns minutos no primeiro andar, a monja comentou ainda lá de cima:

— Ora, vocês estão brigando em vão: no cofre não há homem nem mulher, mas tão-somente uma monja como eu!


## Quinhentos volumes, três palavras


Conta-se que na Pérsia vivia um rei de nome Zemir. Coroado bastaste jovem, ele achou que precisava de instrução. Reuniu à sua volta numerosos eruditos provenientes de todos os países e pediu a eles que editassem para seu uso a história da humanidade.

Todos os eruditos se concentraram nesse trabalho. Vinte anos se ocuparam no preparo da edição do livro. Finalmente foram recebidos no palácio, carregados de quinhentos volumes acomodados no dorso de doze camelos. O rei Zemir já passara dos 40 anos.

— Estou velho — disse ele. — Não terei mais tempo de ler tudo isso antes da minha morte. Nessas condições, por favor, preparai-me uma edição resumida.

Por mais vinte anos, trabalharam os eruditos na feitura dos livros e voltaram ao palácio com três camelos apenas.

Mas o rei envelhecera mais ainda. Com sessenta anos, sentia-se meio alquebrado:

— Não me será possível ler todos esses livros. Por favor, fazei-me deles uma versão ainda mais resumida.

Os eruditos trabalharam mais dez anos. Voltaram depois ao palácio com um elefante carregado de suas obras. A essa altura, com setenta anos e quase cego, o rei não podia mesmo ler. Mesmo assim pediu ele uma versão mais resumida ainda. Os eruditos também tinham envelhecido. Concentraram-se por mais cinco anos e, momentos antes da morte do monarca, voltaram com um só volume.

— Morrerei, pois, sem nada conhecer da história do homem — disse ele.

À sua cabeceira, o mais idoso dos eruditos respondeu-lhe:

— Vou explicar-vos em três palavras a história do homem: o homem nasce, sofre e finalmente morre.

E foi nesse exato momento que o rei expirou.

# AMOR

## SAADI
### (1184-1291 | Pérsia)

*Mucharrif al-Din, conhecido como Saadi, foi poeta e "contista divino, centro do sonho persa".*
*Viveu cento e sete anos. Viveu uma vida de pobreza em várias cidades do Oriente. Foi estudante em*
*Bagdá, arrieiro em Istambul, carregador de água em Jerusalém e prisioneiro dos cruzados na Síria.*
*Esteve quinze vezes em Meca; percorreu o Egito, Marrocos, o Turquestão e a Índia, onde iniciou-se no*
*bramanismo, apesar de iniciado na tradição sufi. Seu livro de maior fama é Gulistan (O Jardim das*
*Rosas), escrito em prosa entremeada de poesia. Amor é desta obra secular.*

Uma ratinha amava um gato. Que história! E como irei contá-la? Logo de começo, dir-me-eis: "Não te acreditamos. Como podes afirmar que uma ratinha estava apaixonada por um gato, como a doce e flexível Khalila, em Ispaã, por um terrível guerreiro tártaro que lhe matara pai e mãe? Acaso te revelou a ratinha os seus sentimentos, ou a ouviste confessá-los ao gato? Admitimos que esses dois encantadores animais se entendessem bem, como uma ovelha e um lobo que fossem criados juntos; mas não é possível ir mais longe. Se tens novas informações acerca dos amores de Khalila e do seu guerreiro tártaro, então serás escutado com interesse." Vejo que não freqüentastes a Universidade Nizhamiya, onde se fala de coisas muito mais surpreendentes. Porventura um estudante, lá, abana a cabeça, incrédulo, quando o professor lhe ensina que Dario obteve a coroa graças à jumenta do seu escudeiro Mavuz? Ou levanta os ombros ao ouvir que, em Tebas, um crocodilo salvou o filho do faraó Nectanebo, que se ia afogando no Nilo? Noutra ordem de idéias: ousa ele formular objeções se lhe afirmam que tal borboleta pode ir diretamente ao encontro da fêmea, a mil parasangas do jardim onde esta foi capturada? Limito-me a repetir-vos que devemos acreditar em tudo, porque tudo ignoramos. A verdadeira ciência consiste em saber que não sabemos nada.

Enquanto eu vos fazia esta digressão, tivestes ensejo de vos arrepender e de pensar na ratinha e no gato. Eles são tais como os vistes. Rogo-vos, pois, não cuideis mais em Khalila, apesar do vestido de seda que usa minha ratinha, nem no guerreiro tártaro, não obstante os rijos bigodes do meu gato. Agora, estais enganado se imaginais que essa ratinha e esse gato se encontravam numa casa ou numa loja, numa água-furtada ou numa adega, num terreno devoluto ou num campo. Não: era numa mesquita em ruínas, onde ele desfrutava de grande consideração, em virtude do sacrifício que o profeta Moamede se impôs, um dia, para não despertar seu gato adormecido. Eis por que os gatos, como bem o sabeis, são os únicos animais que podem entrar no Paraíso.

Essa mesquita não era mais bela nem mais fresca do que outra qualquer. Pelo contrário! De todas aquelas de que se orgulhava Tabriz, era ela a mais miserável e a mais exposta às intempéries.

Conheço as mais nobres mesquitas do mundo. No Cairo, recolhi-me à mesquita de Amru, que tem vinte e nove naves paralelas e quatro *mihrab*[1]. Em Jerusalém, orei na mesquita de Ornar, onde se erguia o tribunal de Davi. Em Bagdá, ouvi arrulhar as pombas da mesquita de Al Mamum. Em Mussul, ouvi arrulhar as fontes da mesquita de Saíf Ed Din Ghazi. Em Ispaã, não podia afastar-me da área interna da mesquita Djumá. Oito dias passei na mesquita de Ocba, em Cairuane, e cinco noites na mesquita Karauiyin, em Fez. Vi, pois, as mais belas mesquitas do mundo, mas, em minhas recordações, a todas ultrapassa a humilde mesquitinha de Tabriz. Abandonada desde um século, era ela o asilo de uns vinte mendigos e de ladrões errantes, de quatro pobres de espírito e três sábios a quem a excessiva ciência tornara incapazes de viver como toda a gente. Posso estar em erro, mas creio que o Senhor devia de considerar com benevolência essa reunião, no seu templo, de tão grande número de vítimas do destino. E tanto mais o creio quanto aquele refúgio me foi precioso em certa época da vida em que eu acabava de sucumbir numa luta com minha consciência, minha honra e minhas aspirações. Uma bela e cruel rapariga de Tabriz fora a causa dessa luta, de que, afinal, eu poderia ter saído vencedor, se com isto me houvesse preocupado a sério. Mas eu sabia haver tantas rosas nessa mesquita em ruínas, e tantas estranhas personagens! Estava, pois, vencido de antemão.

*Durante a batalha, o bom guerreiro deve ter, a um tempo, o olho no inimigo e numa posição de retirada.*

Eu escolhera, pois, aquele recanto, onde ficava sozinho quando a temperatura permitia aos ladrões e aos mendigos irem tratar de seus negócios. Em tais dias, procurava desalentar os três sábios, que logo se iam embora, e, por outro lado, tratava de livrar-me dos pobres de espírito, mandando-os a lugares muito distantes em busca de coisas extraordinárias, que não existiam. Uns regressavam na mesma tarde, outros no

---

[1] *mihrab:* santuário, ou, simplesmente, nicho aberto na parede duma mesquita, voltado sempre em direção a Meca, e para o qual devem olhar os fiéis quando rezam.

dia seguinte, todos empenhados em recomeçar a procura, tanto é certo que os homens, insensatos ou não, têm necessidade de esperar.

Ora, cada manhã, à mesma hora, chegava um belo gato cinzento, que também tinha a pretensão de reinar como soberano naquela mesquita.

*"Secretamente apaixonado, ó gato, esperas ou procuras, mas logo desdenhas o que alcançaste: a carícia ou a presa.*

*O pássaro, em seu ninho, tem medo de ti, e o peixe, nas ervas da margem do rio, e o grilo, à beira de seu esconderijo.*

*A mulher em que te roças, estremece. O menino que te pega, examina as tuas garras. O homem que deseja castigar-te, hesita.*

*Sultão veloz das noites serenas, tranqüilo sultão das noites tempestuosas, gemes de amor, ou de cólera, quando vagas pelas açotéias inundadas de luar?"*

Compunha estes versos, e muitos outros, enquanto, imóvel, observava o gato. Como tudo é possível, a princípio eu havia imaginado que a paz da mesquita o atraíra também. Mas, na realidade, como logo percebi, o que lá o atraía não era outra coisa senão os camundongos que infestavam o templo. Durante quatro dias seguidos esse paciente e ágil soberano fez carnificinas que eu comparo às de Dario contra os babilônios e os citas. Fulminante como o raio, pulava de uma cornija ou saltava de um canto de parede, e logo jaziam, ofegantes, dez camundongos. No quinto dia, uma ratinha, que conseguira escapar à última chacina, saiu do seu abrigo e, a passo lento, caminhou em direção ao guerreiro.

— Ó gato — disse ela, de longe —, és verdadeiramente superior aos homens, pois eles são incapazes de realizar as tuas façanhas! Os sobreviventes e as sobreviventes da nossa tribo consideram-te o senhor do Universo, e aqui me vês muito feliz por ter sido incumbida de transmitir-te esta notícia.

Piscando os olhos, com ar muito sereno, o gato respondeu:

— Eu sou meio surdo. Não entendo o que me dizes. Queres-te aproximar um pouco?

— Não se deve falar de perto aos sultões e aos heróis — tornou a ratinha. — Agradeço-te muito a honra que me fazes pretendendo violar, em meu favor, essa regra absoluta. Entretanto, insisto em observá-la: minhas irmãs me espreitam, e delas recebi ordem de ser muito respeitosa para contigo, por mais bondosamente que me tratasses.

Ficou neste pé a conversa, e a nossa ratinha voltou à sua toca, sem perder de vista o poderoso.

Mal foi entrando, as amigas cercaram-na.

— Ouviram o que ele me disse? — perguntou, sentada em sua traseirinha, com olhos perscrutadores.

— Não! não! — responderam as outras. — Diga logo!

Ela começou:

— Que gato! Que graça, que delicadeza! Declarou-me que teria o maior prazer em conversar sempre comigo e que me daria prova de sua deferência permanecendo longe do lugar onde eu estivesse. Pedi-lhe que não me tratasse com essa atenção, com essa cortesia exagerada, mas ele não me atendeu. Em vão tentei convencê-lo a dar alguns passos: não se mexeu. Serei, certamente, mais feliz na próxima vez. Agora, deixem-me sozinha. Vou pensar no meio que empregarei para fazê-lo afastar-se desta mesquita.

Devo concluir, para não vos fatigar a atenção. O essencial da minha história é que a ratinha ficou apaixonada pelo gato — incrivelmente apaixonada. Ela disse consigo mesma: "As palavras que lhe dirigi, certamente o impressionariam se eu tivesse o porte dele. Como é triste ser pequenina e tímida! Mas, afinal de contas, por que razão não poderia um gato amar a uma ratinha, por que não seria ele sensível à minha fraqueza e à minha doçura, justamente por ser forte e ousado? Ah! como eu seria feliz se dormisse no seu pêlo, que tem o cheiro da areia quente! Sem dúvida, algumas vezes ele brincará rudemente comigo... Mas o vento também maltrata as flores! À sua brutalidade eu oporei a minha submissão; e às suas cóleras, a minha serenidade."

Na manhã do dia seguinte, após haver alisado cuidadosamente o pêlo, ela se aproximou do gato, que dormia enroscado, com uma pata sobre a cabeça.

— Aqui estou eu — disse a ratinha. — Pensei que talvez me amasses...

— Amo-te muito — murmurou ele, espreguiçando-se. Queria confessá-lo ao teu ouvido, repeti-lo entre carícias. As confidências de amor não se fazem à distância. Queria, também, recitar-te alguns versos. Passei dias em casa de um poeta que os dizia maravilhosos à filha do vizinho. Decorei-os, mas só podem ser exalados baixinho, como suspiros. Aproxima-te. Fecha os olhos. Escuta.

Carícias, versos... Já desfalecida de emoção, a ratinha aconchegou-se ao gato.

Com uma pata quebrada, o flanco aberto, ela conseguiu escapar-se e ganhar o esconderijo.

— Não é nada — declarou às comadres que tinham vindo novamente recebê-la. — O gato não me obedeceu quando o mandei ir-se embora daqui. Tentei castigá-lo. Brigamos, e eu fiquei um tanto arranhada.

Alguns instantes depois, morria, sussurrando:

— Adormeço... Estou um pouco fatigada, vocês compreendem...

*Tradução de Paulo Rónai e Aurélio Buarque de Holanda*

# O CORCUNDA RECALCITRANTE

## As Mil e Uma Noites

*Copilado por árabes (persas e turcos, em épocas diferentes) entre os séculos XII e XVI, As Mil e Uma Noites remontam à Índia milenar, em sânscrito. Na realidade, este tesouro do imaginário da humanidade mistura motivos e temas provenientes de (quase) todos os cantos da terra. (Por exemplo: a própria princesa Xerezade evocaria a rainha Ester do Velho Testamento hebraico.) Com certa predominância de relatos fantásticos e sobrenaturais e maravilhosos, é obra de enorme popularidade no mundo ocidental, desde a tradução francesa de Gallard, em 1704, e posteriormente das traduções inglesas de Edward William Lane e de Sir Richard Burton, no século XIX. O Corcunda Recalcitrante é um bom exemplo de humor negro.*

Era uma vez, na cidade de Casgar, no Turquestão chinês, um alfaiate que vivia com a esposa, mulher dotada das melhores qualidades, que o amava muito. Num dia em que ele estava trabalhando, um corcunda acocorou-se à porta da oficina e pôs-se a cantar e a tocar o tamborim que trazia nas mãos.

"Nada mau!", pensou o alfaiate. "Gostaria de convidá-lo a ir a minha casa, pois, sem falar em sua corcunda, creio que nos divertiríamos durante algum tempo em sua companhia."

E, aproximando-se do corcunda, convidou-o:

— Dê-me o prazer de voltar esta tarde e iremos juntos a minha casa.

— Com satisfação — disse o outro.

Assim, o alfaiate levou o corcunda consigo. Durante o jantar, pôs diante dele um prato de peixe frito, e todos sentaram-se para comer. Num dado momento, o alfaiate pegou um pedaço de peixe e ofereceu-o ao corcunda. Por infelicidade, uma espinha do peixe entalou-se em sua goela de tal modo que o homem caiu morto. O anfitrião não perdeu tempo. Com a ajuda de sua mulher, carregou-o às pressas até à casa de um médico vizinho, um judeu. À criada que desceu para abrir a porta, ordenou:

— Suba e avise seu amo que aqui estão um homem e sua esposa com um doente para que ele o examine.

Entregou nas mãos da criada uma moeda de ouro de um quarto de dinar destinada a seu amo. E, assim que ela subiu, levou o corpo do corcunda ao alto da escada e colocou-o bem encostado à parede. Ganhando novamente a rua, ele e sua mulher fugiram correndo, sem querer saber o que ia acontecer.

Enquanto isso, lá em cima, a criada dizia ao amo:

—Senhor, está lá embaixo um homem, doente de não sei que espécie de fraqueza. As pessoas que o trouxeram pagaram com esta moeda para que o senhor o examine e lhe prescreva os remédios adequados.

À vista da moeda de ouro que lhe vinha às mãos em troca de apenas descer alguns degraus, o judeu alegrou-se com o lucro inesperado a ponto de esquecer de acender a lâmpada. Ao sair na escuridão, gritou de longe para a criada:

— Ilumine isto aqui!

Mas, logo ao primeiro passo, tropeçou no corpo do corcunda, de maneira que o cadáver, desequilibrado, degringolou escada abaixo até o rés-do-chão. O judeu, sem enxergar o que estava acontecendo, gritou mais forte para a criada:

— Traga a lâmpada, depressa! Preciso saber o que está se passando aqui.

Quando foi trazida a luz, o médico examinou o corcunda e constatou que ele estava morto.

— Venha em meu socorro, ó Esdras! — exclamou ele. — Ó Moisés, ó Aarão, ajudem-me!... Tropecei no doente e ele, ao cair do patamar ao rés-do-chão, acabou morrendo. Como me desembaraçar deste cadáver sem atrair a atenção dos vizinhos? Valei-me, Josué!

O judeu pegou o corpo, levou-o para cima e contou à mulher o desagradável acidente. A esposa explodiu em reprimendas:

— E você vai ficar aí plantado sem tomar nenhuma providência?! O dia surgirá logo, e com isto na casa não sei o que será de nós! E se alguém, por pouco que seja, olhar para dentro mais de perto? Neste caso, não é preciso ser adivinho para predizer que sua morte será violenta.

Após censurá-lo por não se precaver contra as reviravoltas da sorte, prosseguiu:

— Vamos ao trabalho, rápido! Vamos, os dois, transportar o corpo para o terraço. Uma vez ali, nós o faremos deslizar para a casa do vizinho, que é um muçulmano, um estrangeiro.

O vizinho do judeu era o despenseiro do sultão. Seu trabalho consistia em adquirir boa quantidade de víveres, guardá-los em sua casa e liberá-los à medida que fossem necessários. Tais mercadorias, no entanto, estavam desaparecendo sob os dentes dos gatos e dos ratos, que causavam grandes prejuízos. Nem mesmo o celeiro, construído de maneira a barrar a entrada de quem quer que fosse, impedia o desperdício.

O judeu e sua mulher levaram o corcunda ao terraço e, pegando-o pelos pés e pelas mãos, fizeram-no escorregar pela chaminé da casa do vizinho. Por fim, quando o cadáver assentou no solo, em pé, bem arrimado à parede do conduto, os dois foram para casa.

Mal terminada a operação, surgiu o despenseiro. Chegava de uma festa organizada por um casal de amigos cujo filho havia completado a leitura do Corão. Era meia-noite, e o homem trazia na mão um círio. Abriu a porta, subiu a escada e entrou em seus aposentos. Foi então que percebeu a silhueta de um homem, em pé, no canto da parede, exatamente debaixo da abertura que descia do terraço, pela qual a peça era arejada.

— Por Alá! — exclamou o despenseiro. — E você que acusava os cães, os gatos e os ratos pelos desaparecimentos! Agora você sabe, meu rapaz, que as provisões se evolam graças a um filho de Adão. A carne, ele rouba-me; rouba-me a gordura; a cauda do carneiro, ele furta-me... E todos esses gatos e esses cães que matei por nada agora pesam-me na consciência! Ah, e é você o culpado, seu imundo! É você que desce do terraço pela chaminé para roubar meus víveres! Por Alá! Seu cálculo é perfeito, mas eu não preciso de ninguém para fazer justiça.

Pegando um pesado macete de madeira, o funcionário saltou sobre o corcunda. Tomado de furor, assestou um primeiro golpe, que atingiu o peito do cadáver e fez com que ele desmoronasse; o derradeiro atingiu-o nas costas. Quando susteve a pancadaria, o despenseiro debruçou-se sobre o corpo a fim de ver se conhecia o homem. De perto e tentando soerguer as pálpebras de quem ali estava, constatou que o corcunda estava morto.

Então, emitiu um forte grito:

— Misericórdia! Eu o matei. Não há poder e força senão em Alá, o Altíssimo! — Depois, observando a vítima um pouco melhor, percebeu que era um corcunda. — Maldito corcunda! — exclamou. — Como se não lhe bastasse o defeito físico! Era preciso que, além de carregá-lo, você viesse me roubar! E agora, como sair deste embaraço? Ó Deus que encobre nossas feiúras, conceda-me a sua proteção!

Então, ergueu o cadáver e, com o fardo às costas, desceu a escada, saiu de casa e caminhou até a entrada do mercado público. Chegando ali, descarregou-o junto de uma loja, encostou-o na parede, debaixo de um alpendre que ainda retinha uns restos de escuridão. Em seguida, desapareceu na noite.

Mas o corpo não ficou muito tempo só. Pouco depois, passou por lá o corretor do sultão, um cristão que possuía um moinho movido a água. Como sempre acontecia quando estava embriagado, tinha saído às pressas de casa à procura do balneário da cidade, acreditando que ia soar a hora da prece matutina. Com passo ziguezagueante, chegou à altura do corcunda e, sem o ver, agachou-se ali para urinar. Ao se arrumar, passeou o olhar a sua volta e deparou com um homem em pé diante dele. O cristão não tinha na cabeça a musselina que lhe servia de turbante: no começo da noite, alguém a tinha arrancado. Por isso, ao ver o corcunda, imaginou que ele pretendia roubar o que usava à guisa de turbante. E isso lhe bastou para fechar o punho e arremessá-lo contra a nuca do cadáver. E eis o corcunda derrubado e o corretor a gritar pela guarda.

Mas, sob o império do vinho, continuava a socar o adversário abatido, maltratando-o e apertando-lhe a garganta.

Quando os homens da ronda chegaram com suas lanternas, encontraram um cristão sentado sobre um muçulmano, a quem socava com seus punhos.

— Que lhe fez este homem? — perguntou um dos soldados.

— Quis roubar meu turbante — respondeu o cristão.

— Saia de cima dele.

O corretor levantou-se. Um soldado debruçou-se sobre o corcunda e viu que ele estava morto.

— Que é isto?! Um cristão que mata um muçulmano?

Então, agarrando o cristão, amarrou-lhe as mãos atrás das costas. A patrulha levou o prisioneiro ao governador. O cristão não compreendia; para ele, a vítima não poderia ter morrido em razão de uns poucos e infelizes socos. A embriaguez dissipou-se, dando lugar, no resto de noite passado em casa do governador, a uma confusão de pensamentos que durou até o despertar do dia.

Assim que amanheceu, o governador foi informar o rei que seu corretor cristão havia matado um muçulmano. O rei pronunciou a sentença: execução por enforcamento. De volta, o governador mandou apregoar pela cidade o suplício do condenado. Ao mesmo tempo, ordenou que fosse erguido o cadafalso. Logo depois, o cristão foi arrastado ao patíbulo. O carrasco, aproximando-se do condenado, passou-lhe a corda em torno do pescoço. Já se preparava para içá-lo à forca quando o despenseiro do sultão abriu caminho entre a multidão e, chegando até ele, exclamou:

— Pare! Este homem não matou o corcunda. O assassino sou eu!

— Que é que você está dizendo? — gritou o governador.

— Que fui eu que o matei!

E contou toda a sua história: como tinha golpeado o corcunda com o macete, como havia transportado o cadáver para colocá-lo de pé num canto do mercado.

— Já me basta suportar o remorso do crime que cometi matando um muçulmano — acrescentou. — Não quero, além disso, sobrecarregar minha consciência com a morte de um cristão. É a mim que devem enforcar, agora que ouviram minha confissão.

Ouvindo isso, o governador ordenou ao carrasco:

— Liberte o cristão e enforque este homem em seu lugar, uma vez que confessou o crime.

O carrasco agarrou o despenseiro e colocou-o diante da forca. Pegou a corda e passou-a em torno do pescoço do condenado. Já se preparava para puxá-la quando o médico judeu, abrindo passagem através da turba, gritou para o carrasco:

— Pare! Este homem não matou o corcunda. Fui eu que o matei, e nenhum outro. Nesta noite, depois do fechamento do mercado, um homem, acompanhado de sua mulher, veio bater a minha porta para falar comigo. Minha criada desceu e foi abri-la. Eles traziam o corcunda, que se achava num estado de estrema debilidade.

Deram à criada uma moeda e ela subiu para entregá-la a mim. Durante esse tempo, os dois visitantes, por certo não acreditando que eu descesse para ver o enfermo, transportaram-no ao alto da escada e retiraram-se. Ao sair do apartamento, no escuro, choquei-me com o doente e degringolamos ambos do patamar ao rés-do-chão. A morte foi instantânea. Sou o único responsável por ela. Eu e minha mulher levamos o corpo para o terraço e, como a casa do despenseiro aqui presente é pegada à minha, fizemos deslizar o cadáver por sua chaminé. Conseguimos encostá-lo, em pé, num canto da parede. Quando o vizinho entrou em casa, encontrou ali um homem e acreditou tratar-se de um ladrão. Bateu-lhe com o macete. O corcunda caiu de borco e meu vizinho acreditou tê-lo matado. Porém, estava equivocado. Fui eu que o matei. Já me basta ter causado a morte de um muçulmano, por ignorância e sem premeditação; não quero sobrecarregar minha consciência com a morte de um segundo muçulmano e o derramamento de seu sangue. Não o enforque. Fui eu, e ninguém mais, que matou o corcunda.

Após ouvir este discurso do judeu, o governador disse ao carrasco:

— Solte o despenseiro e enforque o judeu.

O carrasco agarrou o médico e passou-lhe a corda em torno do pescoço. Mas, subitamente, viu-se o alfaiate destacar-se da multidão, aproximar-se do carrasco e fazer esta declaração:

— Pare! Ele não matou o corcunda. Fui eu que o matei, e ninguém mais. — E, virando-se para o governador, completou seu relato: — Ninguém, além de mim, matou esse corcunda. Eis como aconteceu esta desgraça: ontem, depois de ter passeado durante o dia, eu voltava para casa, à hora do jantar, quando avistei o corcunda, embriagado. Tinha na mão um tamborim e cantava, fazendo-o percutir. Convidei-o a comer comigo e conduzi-o a minha casa. Depois, saí por um momento para comprar peixe frito, que coloquei diante dele. Ele engasgou-se com uma espinha e morreu imediatamente. Fiquei amedrontado, e minha mulher e eu o transportamos à casa do judeu. Bati. Veio a criada, a quem eu disse: "Suba e avise seu amo que estão aqui um homem e sua esposa com um doente para que ele o examine." Dei a ela uma moeda de ouro de um quarto de dinar para ser entregue ao médico. Depois que ela subiu, carreguei o corcunda para o patamar no alto da escada, encostei-o à parede, desci e afastei-me da casa com minha mulher. O judeu saiu, tropeçou no cadáver e imaginou tê-lo matado. Esta é a história toda.

Tendo assim falado, o alfaiate perguntou ao judeu:

— Não é verdade tudo quanto eu disse?

— É verdade — confirmou o judeu.

Então, virando-se para o governador, o alfaiate prosseguiu:

— Deixe o judeu em liberdade e enforque-me em lugar dele, pois quem matou o corcunda fui eu.

Após este último relato, o governador, atônito, exclamou:

— Eis uma história admirável! Merece ser consignada nos anais do reino e ser transcrita em letras de ouro! — E, dirigindo-se ao carrasco, ordenou:

— Solte este judeu e enforque o alfaiate, como sua própria confissão nos obriga a fazer.

O carrasco libertou o judeu e pôs em seu lugar o alfaiate.

— Bem — resmungou ele, então —, acabou de uma vez por todas essa coisa de enganchar um e desenganchar o outro? Ou esse negócio ainda vai demorar?

Ora, era o corcunda o bufão titular do rei. O soberano divertia-se com seus gracejos e não podia ver-se privado de sua presença nem pelo tempo de uma piscadela. Na noite anterior, o bufão se embriagara e desaparecera do palácio. O rei esperou por sua volta até aproximadamente o meio-dia subseqüente. Como o corcunda não aparecesse, pediu a todos notícias dele.

— Ó rei — respondeu um dos cortesãos —, ouvi dizer que o governador da cidade esteve às voltas com o caso de um corcunda morto e de seu assassino, a quem pretendia enforcar. Mas então um indivíduo apareceu para acusar-se do crime em lugar do condenado, e a seguir surgiu outro a acusar-se do mesmo crime. E todos afirmavam: "Fui eu que matei o corcunda!" Ao que parece, ainda estão discutindo este caso e cada qual está dando uma versão diferente da morte do corcunda.

O rei chamou então um de seus camareiros e ordenou:

— Vá à cidade e convide o governador a vir aqui com a vítima, os assassinos e tudo o que concerne a este caso.

O camareiro apressou-se a deixar o palácio à procura do governador. Vendo que o carrasco já tinha passado a corda no pescoço do alfaiate e preparava-se para içá-lo, ordenou-lhe que parasse. Após ser obedecido, virou-se para o governador e transmitiu as ordens do rei.

O governador não perdeu tempo. Tomou consigo, além do corpo do corcunda, que mandou colocar numa padiola, o alfaiate, o judeu, o despenseiro e o corretor cristão. Depois, com todo o bando, foi para o palácio. Perante o soberano, beijou o chão e narrou, do princípio ao fim, a história de cada um dos quatro com o corcunda.

Ouvindo-as todas, o rei, entre atônito e maravilhado, disse que desejava ver tais aventuras transcritas e registradas com todos os detalhes.

— Vocês já ouviram algo mais extraordinário? — perguntou ele às pessoas que o rodeavam.

Então o corretor cristão avançou uns passos, beijou o chão diante do rei e disse:

— Ó rei do tempo, se o senhor permitir, contarei os infortúnios que me assaltaram. A desgraça de que fui vítima poderia fazer chorar as próprias pedras. Minha aventura será mais surpreendente ainda que esta do corcunda...

— Fale! — ordenou o rei.

*Tradução de Rolando Roque Silva*

# 10

## OS TRÊS CEGUINHOS DE COMPIÈGNE

### ANÔNIMO
### (Séc. XIII | França)

*O pícaro de ontem e o malandro de hoje convivem num dos filões mais ricos da história da literatura. Os Três Ceguinhos de Compiègne, representante do picaresco na literatura francesa (bem anterior ao clássico espanhol* El Lazarillo de Thormes), *sendo originário da Picardia, é um bom exemplo da popularidade deste tipo de humor, que permanece cheio de graça. É da época dos fabliaux (fábulas morais, possivelmente de origem oriental), quando a França era a velha Lutécia, apenas um agrupamento de vilas isoladas entre altos muros, época em que François Villon cantava a alegre vida popular das tavernas. O conto foi recolhido por Conterbarbe, segundo a versão em francês arcaico de Joseph Bédier.*

Caminhavam três ceguinhos pelos arredores de Compiègne, todos no mesmo passo, sem ninguém que os guiasse. Cada um com seu alforje e miseravelmente trajados, os três se dirigiam a Senlis.

Um cavaleiro que vinha de Paris, contumaz tanto no bem quanto no mal, com esplêndido ginete e escoltado por seu escudeiro, aproximou-se a passos rápidos dos três cegos, graças aos passos céleres da sua montaria, e, observando que não havia quem os guiasse, perguntou a si mesmo, por que eles não se desviavam de rumo, acrescentando em seguida:

— Que me cresçam chifres na testa se estes malandros não enxergarem!

Os três cegos ouviram o cavaleiro se aproximar e os três afastaram-se para um lado da estrada, implorando-lhe uma esmola, nos seguintes termos:

— Fazei-nos uma caridade, pelo amor de Deus; somos pobres e mais pobres ainda por sermos cegos!

Para melhor certificar-se da cegueira que ele presumia ser somente um embuste dos mendigos, o cavaleiro resolveu enganá-los, fingindo dar-lhes a esmola pedida.

— Eis aqui — disse-lhes — uma moeda de ouro para repartir entre vocês.

— Que Deus e a Santa Cruz lhe gratifique, pois nada desprezível é a vossa generosidade — responderam os ceguinhos, supondo cada qual que o companheiro tivesse recebido a moeda.

O cavaleiro fingiu continuar viagem; mas, curioso de presenciar a partilha, parou o cavalo, desmontou-o e ouviu o que os três cegos discutiam entre eles. O mais engenhoso dos três disse:

— Ele não nos contentou com migalhas, pois que esplêndido presente nos deu! Sabeis o que devemos fazer? Voltar à cidade, coisa que há muito tempo não desfrutamos, e é justo que cada um de nós se divirta à vontade e gosto, e assim o faça em Compiègne, pródiga e abundante em toda sorte de atrativos.

— Ante palavras tão persuasivas — acrescentou outro cego —, vamos apressar a atravessar a ponte.

E para Compiègne lá foram eles, tal como combinado. E iam os três alegres e satisfeitos, sempre seguidos pelo cavaleiro que se prometera não perdê-los de vista, para saber quais eram seus propósitos.

E os cegos entraram na cidade, onde ouviram alguns pregões:

"Ao bom e novo vinho fresco de Auxarre e de Suisson! Ao pão fresco, carne assada e peixes recheados! Albergue para todos com excelente hospedagem! O que eu anuncio merece ser acreditado, e confiado pode ficar quem entrar na minha hospedaria."

Ao qual responderam os ceguinhos:

— Oportuno é tal pregão, pois embora seja muito desmerecedora a nossa figura, vamos nos contentar com umas tristes migalhas? Queremos ser bem tratados e para isso pagaremos com o maior desprendimento, pois de tudo queremos o melhor.

O hospedeiro, pensando que diziam a verdade e que às vezes gente de tal catadura dispõe de mais dinheiro do que outros, se apressou em conduzi-los ao quarto mais confortável da hospedaria, dizendo-lhes:

— Respeitáveis cavalheiros, por que não permaneceis na minha hospedaria por uma semana inteira? Podereis viver a bom gosto e com conforto! Juro-vos que não haverá em toda cidade pratos mais suculentos e bebidas mais saborosas do que eu vos possa oferecer.

Ao que os ceguinhos responderam:

— Ide, logo, senhor hospedeiro, por tudo o que ofereceis, e mandai trazer logo essas preciosidades.

E assim dizendo, apresentou o hospedeiro três abundantes pratos, consistentes em carne, empadas e leitões, bem temperados e acompanhados de saborosos nacos de pão branco e regados a jarros de um generoso vinho e bebidas que serviu, após ter acendido a lareira junto à qual se puderam aquecer os hóspedes, antes de se sentarem ao redor da enorme mesa.

Enquanto isso, o cavaleiro deixou o ginete na cavalariça e aprestou-se, mesmo com o apuro de sua indumentária, para almoçar e cear com o hoteleiro de manhã e à noite, se fosse preciso, enquanto os cegos nos melhores cômodos da hospedaria, conforme já se disse, eram servidos e atendidos como grandes senhores. Promoviam grande algazarra, ofereciam-se vinhos mutuamente, como se fossem pessoas de destaque.

— Beba tu, agora, que em seguida hei de beber eu — se diziam —, e assim daremos fim ao que tão excelente vinho propiciou.

Ninguém suspeitava que algo os importunasse, em tão festiva comemoração. Chegaram à meia-noite tranqüilos, e sem presumir perigo algum, recolheram-se aos alvos e macios leitos nos quais haveriam de repousar até bem tarde da manhã seguinte.

O fino cavaleiro, de sua parte, estava sempre presente, pois queria presenciar o fim de toda aquela grande burla.

Despertou-se o hoteleiro de madrugada e, em companhia de seu servidor, repassou e recontou os gastos feitos pelos mendigos. E disse o rapaz a seu amo:

— De tal maneira beberam e comeram esses famintos, que só de pão, vinho e empadas lhes sobe a mais de dez moedas.

— O senhor cavaleiro, por sua vez, gastou por cinco!! —, respondeu o criado.

— Não é por ele que devemos temer — acrescentou o patrão — mas sim pelos outros. Ande, sobe lá e cobre deles.

O rapaz chegou logo aos aposentos onde os três ainda dormiam.

— Vamos, aprontai-vos o mais depressa possível — disse-lhes —, pois meu amo quer cobrar os vossos gastos.

— Nada de impaciência — lhe responderam os três — que pagaremos o que é devido, basta saber a quanto sobem nosso gastos!

E o mancebo atalhou:

— Só dez moedas.

— Nem vale o trato que recebemos! — responderam os mendigos, já em pé e abandonando o quarto.

O cavaleiro que, embaixo, fingia dormir em duro leito, ouviu os três cegos dizerem ao hoteleiro mais ou menos o que se segue:

— Senhor hoteleiro, temos como pagar, apenas uma moeda; porém, como podereis verificar, é de bom peso, o que significa que tereis de nos devolver o sobrante antes que façamos maior consumo.

Ao que o hoteleiro respondeu:

— Assim o farei.

E um dos cegos acrescentou:

— Pois que pague o que tem a moeda. Não serei eu que o faça, pois não a tenho.

— Quem a guarda, então, é o Roberto Barbaflorida! — replicou o segundo.

— Eu? Eu não tenho moeda nenhuma! Só resta tu — aduziu o terceiro.

— Por todo o sangue que corre nas minhas veias, juro que não carrego um só centavo.

— Então quem a tem? — voltou a indagar o primeiro.

— Quem haverá de tê-la? Tu! — insistiu o segundo. — E, se não for tu, não resta outro que não este aqui — ajuntou, referindo-se ao terceiro companheiro.

Ao que novamente teve de declarar o aludido:

— Já disse que não tenho moeda nenhuma!

Assistindo tal disputa, o hospedeiro interrompeu-os para dizer:

— Se não me pagais, grandessíssimos tratantes, juro pelo meu nome que sereis açoitados até que nos vossos nojentos corpos não fique um só lugar sem cicatriz, e depois disso, para um castigo maior ainda, sereis encarcerado em um medonho calabouço.

Os cegos começaram a implorar, ao ouvirem tamanha ameaça:

— Não! Isso não! Em nome de Deus, caridade, e esperai, bom hoteleiro, que sereis pago até o último real!

E mais uma vez começou a disputa entre os três.

— Paga, Roberto! Paga e entrega a moeda, já que foste tu que a recebeste, porque ias na dianteira e foi a ti que a deram.

— Pelo contrário — respondeu Barbaflorida. — És tu que tens de pagar, pois vindo logo atrás de nós, é lógico que tu a recebestes.

E vendo tais acusações de uns aos outros, deste àquele e daquele a estes, o hoteleiro, já enfurecido, gritou:

— Vamos acabar com isso! A semelhantes malandragens costumo responder eu com pancadas!

E assim dizendo, fez com que seu servidor estalasse a ponta do longo chicote.

O cavaleiro de bolsa bem repleta e com o queixo cansado de tanto rir ao ouvir a disputa do hoteleiro com seus hóspedes, e notando o perigoso rumo que a coisa ia tomando, aproximou-se do hoteleiro perguntando a razão de tanta discussão e o que pretendia aquela pobre gente.

— Comeram e beberam do melhor até ficarem empanturrados e agora pretendem dar o calote! — respondeu o hospedeiro, acrescentando: — Pretendo adornar-lhes com o açoite estes rostos desavergonhados, de maneira que não poderão mais se apresentar ante pessoas honestas.

— Pois se é esse o motivo, termina aqui a contenda, acrescentando ao meu os gastos deles — disse o cavaleiro. — E se vos devia cinco moedas, assim vos deverei quinze, por serem dez, segundo escutei, o que estes infelizes vos devem. E observai que faz mal o que aos pobres e desvalidos importuna, da maneira com que pretendei fazer com estes delituosos.

— Valente, leal e generoso senhor — respondeu o hoteleiro —, de bom grado concordo com vossos desejos.

Contentes partiram então os três cegos, por se terem livrado de tão difícil situação e por terem liquidado suas dívidas de tão estranha maneira.

Mas escutai ainda a tramóia de que se valeu o cavaleiro para não pagar gasto algum.

Precisamente naquele momento se ouviu o repicar do sino da igreja próxima, chamando para a missa, e que sugeriu ao distinto cavaleiro isto, que em seguida disse ao hoteleiro:

— Com certeza, senhor, conheceis alguém da abadia, que responderá pelas quinze moedas que vos devo e ante tal garantia me fiarei essa soma.

— Desde logo, senhor cavaleiro — acrescentou o hoteleiro —, por São Silvestre bendito, como não fiar no nosso bom pároco, a quem não já a quantia que me deveis, mas sim trinta libras emprestaria com toda a confiança?

— Ah! Pois então — respondeu o cavaleiro —, tende por certo que quando voltar da abadia a minha dívida será saldada.

Concordou o hospedeiro e, satisfeito, disse o distinto cavaleiro ao escudeiro que se dispusesse a partir, que ajaezasse os animais e preparasse a equipagem. Rogou depois ao hoteleiro que o acompanhasse, e ambos se dirigiram à abadia, onde entraram, posicionando-se junto ao altar.

O cavaleiro e devedor pegou seu credor pela mão, fazendo com que se sentasse a sua esquerda; mas de repente disse:

— Não terei tempo de ficar até o final; mas como pretendo cumprir o que vos ofereci, vou dizer ao vigário que em meu nome lhe pague as quinze moedas, assim que acabar de oficiar a missa.

E nele acreditando piamente, assim lhe respondeu o hoteleiro:

— Como desejais, senhor.

Pôs-se então o fino cavaleiro entre o vigário revestido com seus paramentos sagrados e, em pé, com a graça e a nobreza de seu porte, extraiu do bolso doze moedas, entregando-as de mão própria ao oficiante, enquanto lhe dizia:

— Senhor! Por São Germano vos rogo que me presteis ouvidos e recebais este dinheiro: todos os homens de boa vontade devem ser amigos, e por isso me atrevi a me aproximar do altar e chegar até vós e dizer que, na noite passada, dormi em uma hospedaria, da qual o dono é um homem de bem, prudente e sem malícia como assim consta ser o bendito Jesus, Nosso Senhor. Mas uma cruel doença atacou-o subitamente, ontem à noite, alterando seu juízo, precisamente quando os hóspedes e ele encontravam-se em meio a uma grande confusão. Pouco tardou, graças a Deus, a recobrar o discernimento. Porém ainda tem perdida a razão e seria uma grande caridade conseguir a sua cura completa; e para tanto vos rogo ler sobre sua cabeça o Evangelho inteiro, assim que termineis vossos cânticos religiosos.

— Pois vos juro em nome de São Gil — respondeu o vigário — que hei de fazer tudo o que me estais pedindo.

E dirigindo-se ao hoteleiro, com voz firme lhe disse:

— Assim que acabar a missa, cumprirei o que este cavaleiro me pede.

Ao que o hoteleiro respondeu:

— Não quero outra coisa, senhor vigário, e a Deus e a vós me recomendo.

Obtida a promessa, despediu-se o cavaleiro do oficiante:

— Que o Senhor cuide de vós, pai e mestre!

O vigário aproximou-se do altar e deu início à missa maior, a qual era muito concorrida por ser festa de domingo. No entanto, o devedor se aproximou do credor para despedir-se dele, e o credor, solícito e reconhecido, acompanhou-o até a hospedaria. O cavaleiro e seu cavalo, seguido pelo escudeiro, empreendeu a marcha em trote rápido enquanto que o hoteleiro regressava com pressa para a abadia, na ilusão de reaver suas quinze moedas. E ali, perto do altar, esperou o remate da missa e que o sacerdote se despojasse de suas sagradas vestes.

Concluído o divino ofício, o clérigo apanhou o missal, tendo, provavelmente, rodeado seu peito com a estola, e, aproximando-se do hoteleiro, disse-lhe com voz imperativa:

— Ajoelhai-vos mestre Nicola — ordem e palavras que não agradaram ao hoteleiro, como ele o demonstrou ao replicar:

— Senhor vigário, eu não vim aqui para isto, mas sim para que me pagueis as minhas quinze moedas.

O clérigo respondeu:

— Salta aos olhos que este infeliz não raciocina — e, elevando os olhos aos céus, acrescentou: — Ajudai-me, Senhor meu, e devolvei o juízo a este desventurado. Sabei, Santo Deus, que ele está louco, basta ouvi-lo para sabê-lo.

Ao escutar tais palavras, o hoteleiro encarou os fiéis ajoelhados para dizer o que segue:

— Ouçam, ouçam como brinca este santo varão! Ainda não fiquei louco, mas ele fará com que eu perca a razão se assim continuar este clérigo a farsa de pretender fazer-me voltar a razão, colocando o livrete em cima da minha cabeça!

Insistiu o cura, desta vez já em tom de prece:

— Escutai-me! Escutai-me bem, que tudo o que nos chega pela vontade de Deus nunca traz desventura! Este livro, que pela segunda vez coloco sobre sua cabeça, é o Evangelho.

— Não duvido disso, senhor sacerdote — replicou o hoteleiro, não convencido da eficácia do ritual. — Mas como nada disso tudo me importa, e na taverna o trabalho me aguarda, pela terceira vez vos digo que a única coisa que eu quero é que meu dinheiro seja pago.

De nada serviu tal insistência, pois o vigário, chateado já com a insistência do hoteleiro, agrupou em torno de si os fiéis para lhes dizer:

— Este infeliz está completamente maluco!

Aos gritos, o hoteleiro protestou:

— Pelo sangue de Santa Cornélia e pela fé que tenho na minha filha, não existe em mim pingo desta tal loucura! Exijo que parem com a enganação e que me paguem o que me devem!

O vigário, assustado diante da atitude violenta do reclamante, ordenou aos fiéis a sua volta:

— Segurem-no!

E os fiéis, sem esperar uma segunda ordem, caíram sobre o hospedeiro, segurando-o com força pelos pés e pelas mãos. Todos tiveram o cuidado, com boas falas, enquanto o cura, com a estola no pescoço, levantava e descia de novo o missal sobre a cabeça do mestre Nicola, lendo o Evangelho do princípio ao fim. E, sempre supondo a demência do mestre Nicola, lhe aspergiu borrifos de água benta.

Finalmente o assustado hoteleiro pede para voltar à hospedaria, prometendo não reclamar mais nada de pessoa alguma.

Benzeu-o então o clérigo, dizendo:

— Vai, bendito de Deus, filho meu, que já estás livre do teu mal!

Guardou o hoteleiro um prudente silêncio e, cego de vergonha e de desgosto por ter sido causa de tal afronta e engodo, voltou cabisbaixo e sem mais demoras para a sua hospedaria.

# 11

## O SERMÃO DE NASRUDIN

### KHAWAJAH NASR AL-DIN
### (Séc. XIV | Turquia)

*No século XIV, o Mullá Nasrudin escreveu histórias em que ele mesmo era personagem. São histórias que atravessaram fronteiras desde sua época, enraizando-se em várias culturas. Elas compõem um imenso conjunto que integra a chamada Tradição Sufi, ou o Sufismo, seita religiosa ou de sabedoria de vida, de antiga tradição persa e que se espalha pelo mundo até hoje. (Em Londres, nos anos 1960, Doris Lessing foi uma de suas seguidoras). Como o budismo e o zen-budismo, o sufismo sempre aliou o (bom) humor com sabedoria.*

Certo dia, os moradores de um pequeno lugarejo quiseram pregar uma peça no Mullá Nasrudin. Na época ele já era considerado uma espécie meio indefinível de homem santo, e então, para testá-lo, resolveram convidá-lo para fazer um sermão na mesquita. Nasrudin concordou.

No dia marcado, ele subiu ao púlpito e falou:

— Ó, fiéis! Vocês sabem sobre o que eu vou falar para vocês?

— Não, não sabemos — responderam eles, em coro.

— Já que não o sabem, não poderei vos falar nada. Gente ignorante, isso é que vocês todos são. Assim não é possível começar o que quer que seja — disse o Mullá, bastante indignado com a ignorância daquela gente que o fazia perder tempo.

Para surpresa geral, Nasrudin desceu do púlpito e foi para casa.

Dias depois, um pouco envergonhados, formaram uma comissão de fiéis que seguiu até a casa de Nasrudin para, mais uma vez, convidá-lo para fazer o sermão da sexta-feira seguinte, dia da oração.

Nasrudin subiu ao púlpito e começou o sermão com a mesma pergunta da semana anterior:

Desta vez a congregação respondeu em coro:

— Sim, Mullá, sabemos.

— Neste caso — disse Nasrudin —, não existe razão para prender-vos aqui por mais tempo. Podem se retirar.

E voltou para casa.

Por fim, conseguiram persuadi-lo a fazer o sermão da sexta-feira seguinte, que começou com a mesma pergunta:

— Sabem ou não sabem?

A congregação, julgando-se preparada, respondeu:

— Alguns sabem e outros não.

— Ótimo — disse Nasrudin —, já que é assim, que aqueles que sabem transmitam o que sabem para aqueles que não sabem.

E foi para casa.

# 12

## COMO NASRUDIN CRIOU A VERDADE

### KHAWAJAH NASR AL-DIN

— As leis não fazem com que as pessoas fiquem melhores — disse Nasrudin ao Rei. — Elas precisam, antes, praticar certas coisas de maneira a entrar em sintonia com a verdade interior, que se assemelha apenas levemente à verdade aparente.

O Rei, no entanto, decidiu que ele poderia, sim, fazer com que as pessoas observassem a verdade, que poderia fazê-las observar a autenticidade — e assim o faria.

O acesso a sua cidade dava-se através de uma ponte. Sobre ela, o Rei ordenou que fosse construída uma forca.

Quando os portões foram abertos, na alvorada do dia seguinte, o Chefe da Guarda estava a postos em frente de um pelotão para testar todos os que por ali passassem. Um edital fora imediatamente publicado: "Todos serão interrogados. Aquele que falar a verdade terá seu ingresso na cidade permitido. Caso mentir, será enforcado."

Nasrudin, na ponte entre alguns populares, deu um passo à frente e começou a cruzar a ponte.

— Onde o senhor pensa que vai? — perguntou o Chefe da Guarda.

— Estou a caminho da forca — respondeu Nasradin, calmamente.

— Não acredito no que está dizendo!

— Muito bem, se eu estiver mentindo, pode me enforcar.

— Mas se o enforcarmos por mentir, faremos com que aquilo que disse seja verdade!

— Isso mesmo — respondeu Nasrudin, sentindo-se vitorioso. — Agora vocês já sabem o que é a verdade: é apenas a *sua* verdade.

# 13

## O RELÓGIO

### KHAWAJAH NASR AL-DIN

O relógio de Nasrudin vivia marcando a hora errada.

— Mas será que não dá para tomar uma providência? — alguém comentou.

— Qual providência? — falou o Mullá.

— Bem, o relógio nunca marca a hora certa. Qualquer que seja a providência já será uma melhora.

Nasrudin deu uma martelada no relógio. O relógio parou.

— Você tem toda a razão — disse ele. — De fato, já dá para sentir uma melhora.

— Eu não quis dizer "qualquer providência", assim literalmente. Como é que agora o relógio pode estar melhor do que antes?

— Bem, antes ele nunca marcava a hora certa. Agora, pelo menos, duas vezes por dia ele vai estar certo.


*Moral: É melhor estar certo algumas vezes do que jamais estar certo.*

# 14

## COM ARTE E MALÍCIA, UMA SICILIANA ALIVIA UM MERCADOR TOSCANO DE TUDO AQUILO QUE LEVARA A PALERMO PARA VENDER; MAS ELE, POR SUA VEZ, FAZENDO CRER QUE VOLTARA COM MUITO MAIS MERCADORIAS QUE ANTES, CONSEGUE COM ELA DINHEIRO EMPRESTADO E DEIXA-LHE, EM TROCA, ESTOPA E ÁGUA.

### GIOVANNI BOCCACIO
### (1313-1375 | Itália)

*Há livros que são um marco, não só na História da Literatura, como também na história de seus países e da própria humanidade. Como a centena de histórias encadeadas por Boccacio em seu Decameron. Costumes, personagens e situações da época costuradas num fluxo contínuo e num tom irreverente de narrativa.*

Relato de Dioneo:

— *Graciosas senhoras, é fato manifesto que, quanto mais sutil for um logro e mais esperta a pessoa enganada, mais prazer se tirará dele. Por isso, embora todos tenham contado coisas belíssimas, eu pretendo a todos exceder narrando-lhes uma história que lhes dará mais satisfação que quantas me antecederam; que conta da enganada, a qual, mais que qualquer outra aqui descrita, era mestra na arte de enganar.*

Havia o costume, que talvez ainda exista hoje, naqueles países banhados pelo mar, que todo mercador chegando a um porto devia, após desembarcar a carga que portava, levá-la a um depósito que chamavam Armazém da Alfândega, mantido pelo Estado ou pelo Príncipe local; onde o mercador, depois de declarado o valor das mercadorias, tinha a seu dispor local para guardá-las bem seguras, e tendo os funcionários tudo escrito no livro de registros e pagas as taxas de direito, davam-lhe chave e recibo de modo que ele assim pudesse retirá-las, de uma vez, ou pouco a pouco, ao passo que as vendesse. Era freqüente que o livro de registros, que guardava contabilidade fiel de tais negócios, fosse usado, por muitos banqueiros do lugar, como fonte de informação e garantia do crédito e fortuna dos mercadores; esses banqueiros, sabendo da quantidade e qualidade do que havia, podiam, desta forma, melhor negociar.

Era assim em Palermo, na Sicília, lugar de belíssimas mulheres que eram, no entanto, famosas por sua falsidade; tendo a aparência, para quem não as conhecesse, de damas virtuosas e de grande honestidade. E, sendo elas mais propensas a tirar a pele que a lã de suas ovelhas, tão logo punham os olhos num mercador estrangeiro imediatamente corriam ao Registro da Alfândega de modo a saber o valor da presa. Então, com olhares amorosos, gestos insinuantes e palavras de mel, se empenhavam em atrair e envolver o estranho na teia de seu amor. Muitos eram aqueles que, caindo no engodo, viam-se aliviados de boa parte do que possuíam, sem falar em outros que deixavam levar a carga e a nave, a carne e os ossos, tal era a habilidade dessas damas na arte de tosquiar.

Ora, não faz muito tempo que um jovem nosso patrício, o florentino Nicolò de Cignano, dito Salabaeto, ali chegou. Vinha, a mando de sua firma, para vender em Palermo uma carga de tecidos que lhe havia sobrado da feira de Salerno, carga essa avaliada em quinhentos florins de ouro. Tendo passado à Alfândega, depois de feito o recibo e no depósito guardar sua carga, Salabaeto sem apuro foi conhecer a cidade. Sendo pálido e louro, e não lhe faltando elegância, em pouco tempo ouviu falar dele uma das tosquiadoras, que se fazia chamar Madonna Iancofiore; que imediatamente pôs o olho em Salabaeto. Ao jovem, que percebera ser alvo deste interesse, impressionou a beleza da esperta siciliana e, imaginando tratar-se de uma importante senhora, passou a fazer-lhe a corte; tomado de mil cautelas e sem dizer nada a ninguém. Para ver os seus olhos, passeava várias vezes diante da casa dela. Iancofiore deixou que passassem alguns dias, ao fim dos quais, inflamada a paixão que despertara em Salabaeto, e fingindo estar também ela apaixonada por ele, mandou que o procurasse uma sua alcoviteira que, com os olhos chorosos e depois de muito teatro, disse ao rapaz que ele, com a beleza de seu rosto e o brilho de seu olhar, fizera sua senhora perder-se enamorada e que por ele dia e noite Iancofiore suspirava, e mais, que por tudo isso, sua senhora desejava, mais que outra coisa no mundo, que ele, secretamente, em um *bagno*, fosse com ela encontrar-se; depois, tirando um anel da bolsa, o deu a Salabaeto da parte de sua ama, como prova de amor. Ouvindo isto, o rapaz, tomado de enorme alegria e sentindo-se o mais feliz dos mortais, tomou o anel e, beijando-o, colocou em seu dedo; dizendo à mulher que, se Madonna o amava, esse amor era mais que recíproco, pois ele também a amava, mais que tudo na vida, e que para vê-la ele iria a qualquer lugar do mundo, na hora que ela ordenasse.

Com tal resposta voltou a mulher à sua ama. E Salabaeto foi, pouco depois, informado do local do *bagno* onde devia encontrá-la à tarde do dia seguinte. Sem comentar com ninguém, à hora marcada, Salabaeto se apresentou ao *bagno*, que fora já reservado pela siciliana; e depois de pouco esperar, viu aparecerem duas escravas, uma carregando, sobre a cabeça, um belo e grande colchão de algodão macio e a outra um enorme cesto de vime cheio com diversas coisas; depois de estenderem o colchão em uma das câmeras de banho, sobre um estrado que ali havia, cobriram-no com lençóis, de fino linho, bordado com fio de seda, cobrindo tudo com uma colcha, da mais branca lã de Chipre, e dois travesseiros magnificamente trabalhados; terminado isto as duas se despiram e entraram ambas na piscina, que com escova, sabão e muita cura  lavaram toda, antes de enchê-la de água. Iancofiore chegou então, com outras duas escravas e, depois dos primeiros beijos e de um grande suspiro, disse ao jovem:

— Não sei de outra pessoa capaz de me arrastar a isto; tal é o fogo que me queima a alma por culpa sua, é um demônio o meu pequeno toscano.

Conforme o desejo dela, despiram-se e entraram no banho onde estavam as duas servas; sem deixar que outra mão o tocasse, usando um sabão de sândalo, ela mesma, com meticuloso carinho, o lavou da cabeça aos pés, deixando então que as escravas fizessem o mesmo com ela. Terminado o banho, vieram as escravas com dois alvíssimos lençóis que, perfumados de rosas, fizeram que tudo em torno cheirasse como um rosal; assim cada uma delas mantendo aberto um lençol ajudou a que neles se enrolassem, num a sua ama e no outro Salabaeto, e os conduziram ao leito. Quando os dois se secaram do suor, as escravas se retiraram levando com elas os lençóis, deixando-os nus; da cesta saíram então vários frascos de prata, contendo finos perfumes, de rosas, flor de laranjeira e jasmim, com os quais foram borrifados pelas duas outras servas que, feito isso, retiraram ainda do cesto frutas e iguarias, bons copos e finos vinhos. Salabaeto sentia-se transportado ao Paraíso e, olhando o corpo da amada, cada vez a via mais bela; maldizendo o tempo, um século lhe parecia, que demoravam as servas em terminar e sair; enfim, tendo arranjado tudo e deixando aceso apenas um dos archotes, partiram a um comando da dama, e os dois ficaram a sós. Então, a dama e o jovem se uniram num abraço que, para o enorme deleite de Salabaeto, durou horas; tempo que ele viveu acreditando ter nos braços alguém tanto ou mais enamorada que ele mesmo. Quando chegou, enfim, a hora de partir, depois que se haviam vestido, Iancofiore chamou as escravas, que vieram com água perfumada de flores para que eles lavassem o rosto e as mãos e com comida e vinho com que se reconfortassem. Despedindo-se, disse a dama a Salabaeto:

— Se fosse de seu agrado, a mim daria enorme prazer que viesse a minha casa, esta noite, para jantar.

Salabaeto, já então prisioneiro de sua beleza e artifícios, e acreditando-se correspondido em seu amor, respondeu:

— Madonna, qualquer um dos seus desejos  é grato a meu coração, desta noite para sempre, serão, para mim, comandos.

Voltou, assim, a dama a sua casa e, arrumando seu quarto com tudo que possuía de melhor e mais belo, ordenou que fosse preparada uma magnífica ceia para esperar Salabaeto, que, tão logo se fez noite, ali compareceu. Iancofiore o recebeu com grande demonstração de amor e esplendidamente jantaram; depois passaram ao quarto dela tomado pelo canto de raríssimos pássaros de Chipre e pelo fino odor do lenho de aloé, o leito recoberto de brocado e as muitas coisas caras espalhadas nas estantes fizeram Salabaeto convencer-se de que Iancofiore era, na verdade, uma nobre e rica *donna*; e se algum comentário ouvira contra ela debitou-o na conta do despeito de algum amante rejeitado e, se acaso a um outro não amara, com ele, por certo, seria diferente. E, em prazeres, com ela passou a noite, sempre mais apaixonado.

Chegado o amanhecer, Iancofiore fez-lhe presente de um cinto de prata trabalhada de onde pendia rica bolsa e entre os abraços e beijos da partida, disse:

— Meu doce Salabaeto, não esqueça que, assim como sou sua, também é seu tudo aquilo que possuo, disponha de mim e do que eu possa como melhor for do seu prazer — e, com isso, deixou que ele voltasse ao mercado.

Assim esteve o jovem com ela várias vezes, sem que isso lhe custasse coisa alguma. Aconteceu então que ele vendesse, à vista e por bom preço, seus tecidos. O fato chegou logo aos ouvidos da mulher que teve a informação, de fonte sua, bem antes que o toscano falasse sobre isto; e estando com Salabaeto, nesta noite, o abraçou e beijou com redobrada paixão, como se quisesse morrer de amor em seus braços; ofereceu-lhe, como presente, dois belos copos de prata que ele não quis aceitar, tendo já recebido dela mais de trinta florins, sem que ela jamais tivesse tocado no seu dinheiro. Nesse ponto, depois de haver inflamado sua paixão com tantas demonstrações de amor, entrou no quarto uma escrava e, como previamente arranjado, a chamou; Iancofiore saiu do quarto e, logo depois, voltou transtornada e atirou-se na cama em prantos e lamentações desesperadas como jamais se vira antes mulher alguma chorar.

Salabaeto, sem compreender, tomou-a em seus braços e implorando lhe disse:

— Conte, meu coração, que foi que, tão de repente, fez você ficar assim, qual a causa de tanta dor. Ah, minha alma, me diga!

Falando entre soluços, depois de ouvi-lo, algum tempo, implorar uma explicação, finalmente, ela contou:

— Ah! Meu doce senhor! Não sei o que lhe dizer. Não sei o que faça de mim. Justo agora me chegou uma carta de Messina, uma carta de meu irmão, pedindo que no máximo em oito dias eu lhe mande mil florins de ouro. Pede-me que venda tudo que não consiga empenhar. Se não lhe mando o dinheiro estará condenado à morte. Eu não sei como fazer para, em tão pouco tempo, levantar tal quantia; tivesse ao menos duas semanas para vender umas terras ou conseguir um empréstimo, mas em tão pouco tempo... era melhor estar morta que receber esta carta — dito isto, ela voltou as suas lamentações sem parar de chorar.

Salabaeto, a quem o ardor da paixão privara de seu bom senso, acreditando verdadeiras as lágrimas e as palavras da *donna*, disse:

— Madonna, não posso dispor de mil florins, mas se quinhentos podem servir de alguma forma e for-lhe possível reparar-me em quinze dias, estão à sua disposição, pois por fortuna, justo esta manhã, vendi minha carga por esta quantia; fosse estado de outra forma nada poderia emprestar-lhe, pois este dinheiro é tudo que tenho.

— Oh! Meu pobre querido, você tem estado sem dinheiro todo este tempo. E por que não me pediu? De fato, não tenho mil, o que não me impediria de emprestar-lhe algum dinheiro, ao menos uns cem ou duzentos. E agora você me oferece o que de mim não pediu.

— Não por isso minha senhora que, houvesse eu tido a necessidade que lhe aflige, por certo teria contado com sua generosidade — disse Salabaeto, exaltado pelas palavras de Iancofiore.

— Oh, meu Deus! — disse a mulher. — Salabaeto querido! Vejo bem quanto é sincero o seu amor por mim, quando, sem que lhe pedisse nada, me oferece assim tão grossa quantia no meu momento de maior necessidade. Eu era sua sem esse gesto e depois dele duas vezes sua serei, para sempre, em reconhecimento pela vida de meu irmão. Sabe Deus que é contra minha vontade que aceito sua oferta, sabendo quanto é necessário o dinheiro na vida de um mercador, mas é na certeza de poder pagá-lo que o tomo. Se for preciso, empenharei esta casa, com tudo que nela há, para honrar este compromisso.

Ainda chorando abraçou Salabaeto que, a confortando, passou com ela a noite. E pela manhã, antes que ela o lembrasse do prometido, foi em busca dos quinhentos florins de ouro que ela recebeu, sorrindo com o coração enquanto chorava com os olhos, com muitos agradecimentos, mas sem recibo algum.

Depois que Iancofiore pegou o dinheiro tudo mudou. A liberalidade com que o jovem era recebido, de um momento para o outro, desapareceu, e ele já não a tinha, como antes, sempre que queria. Quando a procurava, ela estava fora de casa ou, naquele dia, não podia recebê-lo. Seis vezes em sete ele nem mesmo a via, quando a via, faltavam os carinhos e doçuras de outros tempos e ela ficava com ele apenas o tempo necessário para dar-lhe uma desculpa e despedi-lo. E, passados um mês, e logo dois, e tendo ele afinal falado da dívida, tudo que recebeu em pagamento foram palavras e histórias. E, assim, Salabaeto afinal compreendeu a arte e malícia da mulher e a própria estupidez; e entendeu também que nada podia reclamar, não havendo documento do contrato ou testemunha. Envergonhado de haver sido logrado como um tolo, não contou nada a ninguém com temor de se ver, além de depenado, alvo do riso e do ridículo, e assim ficou duplamente amargurado.

Tendo já recebido várias cartas da firma em Pisa, pedindo que enviasse o dinheiro; vendo que seu erro seria descoberto e sem saber o que fazer, decidiu partir e embarcou numa nave, não para Pisa, mas para Nápoles.

Nessa época, em Nápoles vivia nosso patrício Pietro dello Canigiano, tesoureiro da Senhora Imperatriz de Constantinopla, homem de grande inteligência e de sutil engenho, muito amigo de Salabaeto e de sua família, a quem o jovem, envergonhado, contou o seu segredo, pedindo ao amigo que o ajudasse a encontrar uma posição com a qual pudesse refazer a vida, já que a Florença não podia mais voltar. Canigiano ouviu, com desprazer, a sua história e disse:

— Você agiu mal. Comportou-se horrivelmente com seus empregadores. E como um tolo gastou uma fortuna com prazeres. Mas que fazer? O erro já foi feito, agora nos resta achar-lhe o remédio — e sendo um homem prático de idéias, em pouco tempo vislumbrou um plano o qual explicou a Salabaeto, que com tudo concordou.

Com algum dinheiro que lhe emprestou o Canigiano, Salabaeto comprou vinte tonéis de óleo e muitos fardos, cobertos de tela e muito bem atados, e com isto voltou a Palermo, onde na Alfândega registrou a carga no valor de dois mil florins de ouro e guardou-a num grande depósito, dizendo esperar ainda a chegada de outra carga no valor de três mil florins; e que a carga ficaria ali até quando lhe chegasse a outra. Iancofiore logo soube da notícia e do valor da carga depositada, bem como daquela que ainda chegaria e pensou que lhe havia tirado pouco e, decidindo restituir-lhe os quinhentos para ter os cinco mil, mandou chamá-lo.

Salabaeto, agora já com os olhos bem abertos, foi vê-la; e ela, como se nada soubesse do que havia ele registrado na alfândega, o recebeu com grande demonstração de afeto, e começou:

— Cheguei a pensar que você se aborrecera comigo por não haver restituído seu dinheiro no prazo marcado... — rindo, Salabaeto a interrompeu, dizendo:

— Algo, sim, me aborreceu pensar que por tão pouco minha senhora sentisse algum constrangimento, quando eu de bom grado lhe daria até a alma. Mas para provar-lhe que jamais deixei de amá-la, escute o que lhe conto: tão grande é o amor que lhe devoto que vendi boa parte do que tinha e tudo investi em mercadorias; já no porto tenho uma carga no valor de dois mil florins e ainda espero outra, vinda do Levante, que vale mais de três. Aqui, em Palermo, quero estabelecer o meu negócio para nunca estar longe de você, pois me sinto mais feliz com seu amor que qualquer outro amante que viveu.

Ouvindo isso, Iancofiore respondeu:

— Veja, Salabaeto, que muitíssimo me alegra tudo que lhe enaltece, sendo você aquele que amo mais que a mim mesma; mais feliz ainda me sinto em saber de suas intenções de aqui viver, já que assim mais tempo teremos para amar-nos; mas, ainda assim, devo-lhe desculpas; antes de você partir, por várias vezes, sei que o decepcionei, seja por não tê-lo recebido ou por havê-lo recebido sem o calor que você esperava e merecia e por fim houve ainda o fato, mais constrangedor, de não poder pagar no prazo combinado o dinheiro que você me emprestou. Queria que soubesse que eu, nesse tempo, vivia cheia de angústias e de dor, e quando se padece tantas penas, mesmo a quem se ama muito, acaba-se por tratar com amargor; são enormes os transtornos por que tem que passar uma mulher para conseguir, em pouco tempo, a quantia de mil florins, e salvar a vida de um irmão. Assim, na impossibilidade de cumprir o prometido, se termina por inventar histórias e contar mentiras. Entre nós há uma dívida em suspenso. Saiba que, pouco após sua partida, consegui o dinheiro, afinal, mas então não sabia onde enviá-lo, e guardei-o esperando por você. — E dando-lhe a bolsa, que era a mesma que ele havia lhe emprestado, disse: — Verifique por favor se aí estão quinhentos.

Salabaeto sentiu-se felicíssimo de ver de volta os seus florins e respondeu:

— Madonna, sei que é verdade o que diz, e seu gesto é prova eloqüente da sua sinceridade; mais ainda, lhe digo que de mim pode esperar que lhe sirva sempre e quando for preciso, com qualquer quantia que esteja em minhas posses.

Assim, reconciliados, voltaram a ser amantíssimos como antes; ele a gozar de seus favores, e ela, dulcíssima, tudo fazendo para agradá-lo e demonstrar o seu amor.

Mas, Salabaeto estava decidido a fazê-la pagar o seu engano e provar do seu próprio veneno; assim, um dia que ela o convidara a comer em sua casa, Salabaeto chegou com um ar de desespero, como se estivesse para morrer de angústia; Iancofiore, tomando-o nos braços e entre beijos, começou a perguntar-lhe o que tanto o afligia ao que ele, só depois de muita insistência, respondeu:

— Estou arruinado, pois o barco que transportava minhas mercadorias foi aprisionado por corsários de Mônaco que pedem um resgate de dez mil florins de ouro para libertar a nave, dos quais, a mim toca por rateio a quantia de mil florins e não tenho, comigo, uma moeda. Os quinhentos que recebi de você eu os mandei investir, a Nápoles, em tecidos para o negócio que quero montar. Se vendo a carga que tenho aqui, com o mercado como está, necessitando do dinheiro rapidamente e vendendo no atacado, não conseguirei nem a metade do que vale; não sendo ainda conhecido dos mercadores daqui, não sei a quem poderia recorrer. O que sei é que, se eu não consigo enviar este dinheiro logo, minha carga irá para Mônaco com os corsários e eu não tornarei a vê-la; daí meu desespero.

A mulher, ouvindo isto, ficou muito preocupada, com medo de perder todos os cinco mil florins com que contava, e começou a pensar no meio de impedir que a carga fosse levada a Mônaco, e com tudo isto em mente disse a ele:

— Deus sabe como, pelo amor que tenho a você, tudo isto me entristece, mas de que serve desesperar-se? Tivesse eu tal soma, tenho Deus por testemunha, por certo a emprestaria, mas não tenho, e assim o único recurso que me ocorre é ir falar com um banqueiro, que já me emprestou da outra vez quinhentos mil, por certo que com juros de usurário (de mim ele tomou trinta por cem) e exigindo boas garantias; se você quiser, eu posso servir de intermediária e ainda oferecer, como penhor por uma parte do empréstimo, meu crédito e tudo o que tenho nesta casa, mas que garantias você pode oferecer pelo restante?

Salabaeto entendeu, logo, quais eram os motivos por trás de tal oferta; assim como percebeu que era dela o dinheiro e que ela esperava ganhar os tais juros de usurário; o que vinha de encontro aos seus desejos. Então o jovem começou por agradecê-la muito e dizer que não estava em circunstâncias que lhe permitissem discutir taxas de juros e que assim servia-lhe o negócio; quanto às garantias, pensava que podia empenhar a carga que tinha na alfândega dando ao banqueiro o recibo do registro e guardando consigo a chave do depósito, assim estaria o outro garantido que nada seria retirado e ele mesmo também se assegurava que a carga não seria manuseada ou substituída, além de poder, usando a chave, mostrar a um possível comprador o que tinha para vender.

A mulher achou a proposta razoável e ótima a garantia, e assim, no outro dia, mandou vir um seu associado a quem, depois de explicar a história e dar-lhe mil florins, apresentou-o como o banqueiro. E o homem emprestou a Salabaeto os mil florins depois de fazê-lo assinar documento de seu débito e registrar no livro da Alfândega a carga como sua caso não fosse paga, na data, a promissória.

Salabaeto, sem perder tempo, embarcou-se para Nápoles, com seus mil e quinhentos florins de ouro. Ali chegando, enviou os quinhentos a Florença, assim liquidando seu débito com a firma. Pagou também tudo que devia a Pietro dello Canigiano e outras dívidas, menores, que ali tinha. Muito riram ele e Canigiano, pensando no golpe que deram na siciliana. Então, decidido a abandonar o comércio, partiu de Nápoles e veio para Ferrara.

Iancofiore, vendo que Salabaeto partira de Palermo, ficou muito surpresa e começou a suspeitar de alguma coisa; depois de passados dois meses e vendo que Salabaeto não voltava, mandou que o banqueiro abrisse o depósito. Examinados os tonéis, que deviam conter óleo, descobriu-os cheios de água do mar sobre a qual boiavam dois dedos magros de azeite. Abrindo os fardos, verificou que em dois deles apenas havia panos, os outros estavam cheios de estopa, o que, tudo somado, não valia duzentos florins. E Iancofiore, quando pensava nos quinhentos devolvidos e outros mil emprestados, muitas vezes pensava: "Quem se mete com florentino tem que ser muito ladino." E assim ficou com o prejuízo e o engano, aprendendo que aquilo que alguém sabe fazer outro alguém poderá fazer melhor.

*Tradução de Octávio Marcondes*

# 15

## MASETTO DE LAMPORECCHIO FINGE-SE DE MUDO E TORNA-SE JARDINEIRO EM UM CONVENTO DE FREIRAS, AS QUAIS TERMINAM, TODAS, POR SE DEITAR COM ELE.

### GIOVANNI BOCCACIO

*Relato de Filostrato:*

*Belas senhoras, muitos são aqueles, homens e mulheres, que tão mal informados quanto tolos, acreditam piamente que é bastante cobrir com um véu branco a cabeça de uma jovem, e sobre ele colocar a touca negra, para que ela deixe de ser fêmea e, assim, não sinta mais os desejos de seu sexo, como se o fato de se fazer freira transformasse a carne em pedra; e se acaso escutam alguma coisa que se oponha a esta sua crença reagem conturbados, como se um dano enorme e criminoso houvesse sido perpetrado contra a própria natureza; sem pensar, nem querendo olhar o próprio exemplo, eles que, com plena liberdade de fazer como quiserem, não estão nunca saciados, nem atentam tampouco para a força tentadora que exercem o ócio e a solidão. E da mesma forma há ainda outros, cegos, que pensam que a pá, a enxada, a comida rústica e a vida dura que levam, aqueles que trabalham a terra, lhes roubem da carne os desejos e os deixem embrutecidos e estúpidos. Mas como se enganam, uns e outros, os que assim pensam; eu, com prazer atendendo ao comando da rainha e fiel ao tema que por ela foi proposto, aqui pretendo prová-lo com o meu pequeno conto:*

Aqui mesmo nestes nossos campos, há pouco tempo havia, e ainda há, um convento de freiras famoso por sua santidade (o qual não nomearei para evitar que em qualquer forma se diminua tal reputação); eram oito as freiras nessa época, mais uma Abadessa, e todas jovens. Seu belo jardim era cuidado por um simplório e bom homem que, pouco satisfeito do salário que lhe pagavam, decidiu abandonar o seu trabalho; feita as contas com o gestor do convento, partiu de volta a Lamporecchio de onde era originário. Entre aqueles que com boas-vindas o receberam de volta a sua terra, havia um jovem forte e robusto, chamado Masetto, que, mesmo sendo um camponês, era um homem de bela figura e que lhe perguntou por onde estivera tanto tempo. Nuto, que assim se chamava o jardineiro, contou que trabalhara num convento. E Masetto então perguntou que tipo de trabalho ele lá fazia. Ao que Nuto respondeu:

— Eu cuidava de um grande e belo jardim e da horta, ia ao bosque buscar lenha, carregava água e ainda fazia pequenas outras coisas; mas a paga que me davam era tão pouca que mal dava para manter-me calçado. Além do que, as freiras, todas jovens, pareciam como endiabradas, de forma que nunca o meu trabalho ficava ao gosto delas. Mais ainda, algumas vezes, enquanto eu trabalhava no jardim, vinha uma e dizia: "Ponha isto aqui"; e outra dizia: "Não, ali"; e uma outra, tirando a enxada da minha mão: "Não é assim que se faz"; e me cansavam tanto que eu terminava largando tudo e saindo do jardim; então, seja por uma coisa ou por outra, resolvi pedir as contas e vir-me embora. O gestor até que me pediu, antes que eu partisse, que se encontrasse alguém capaz que o mandasse a ele, mas, embora lhe tenha prometido, deixe que Deus cure seus rins, eu não vou me ocupar com isto.

Ouvindo as palavras de Nuto, Masetto foi tomado pelo desejo de estar com aquelas freiras, que havia bem visualizado, e de tudo aquilo que Nuto havia dito, ele intuiu como seus desejos poderiam ser satisfeitos; e sabendo que seus planos se arruinariam caso Nuto percebesse suas intenções, ele disfarçou:

— Ah! Você fez bem em despedir-se! Como pode o homem viver cercado de mulheres? É melhor viver com mil demônios; seis vezes em sete elas mesmas não sabem o que querem.

Depois de terminada a conversa, Masetto começou a pensar em que modo devia proceder para ver seus desejos satisfeitos. Ele se sabia bastante competente para o trabalho que Nuto descrevera e não tinha receios quanto a isto, mas temia não ser aceito devido a sua juventude e sua bela figura. Então, depois de dar tratos à imaginação, ele pensou: "O convento é longe daqui e lá ninguém me conhece; se eu me fizer de surdo-mudo é certo que me aceitarão."

Com seu plano em mente e uma trouxa nas costas ele partiu sem dizer nada a ninguém e, com a aparência de um mendicante, foi para o convento; lá chegando entrou pelo portão e, logo no pátio, encontrou o gestor, a quem, por gestos, como fazem os mudos, pediu um prato de comida pelo amor de Deus e mostrou também com mímicas que se fosse necessário poderia rachar a lenha. O gestor, satisfeito com a idéia, lhe deu de comer e depois lhe mostrou certos troncos de lenha que Nuto não tinha sido capaz de partir, os quais Masetto, que era muito forte, em pouco tempo reduziu a pedaços. Mais tarde, tendo de ir ao bosque, o gestor consigo o levou e, lá, o fez cortar mais lenha e depois, com gestos, mostrou-lhe o asno e o fez entender que ele devia carregar a lenha e voltar ao convento, o que ele fez muito bem feito. Assim, realizando pequenos trabalhos que eram necessários, o gestor o manteve alguns dias, até que a Abadessa o viu e perguntou quem era ele. Disse o gestor:

— Senhora, este é um pobre surdo-mudo que, um destes dias, bateu à nossa porta esmolando o que comer, o que lhe dei, e o mantive aqui fazendo várias coisas que precisavam se fazer. Se soubesse trabalhar no jardim e quisesse aqui permanecer, creio que nos prestaria bom serviço, pois precisamos de alguém e ele é forte e capaz para qualquer serviço, além do que, sendo surdo-mudo, não daria a minha senhora nenhuma preocupação quanto a importunar as suas jovens freiras — ao que a Abadessa respondeu:

— Por Deus que isso é verdade! Descubra se ele sabe cuidar da horta e do jardim e se quer ficar conosco, em tal caso dê a ele uns sapatos e uma capa velha, e trate de agradá-lo, cuide bem do seu estômago — o que o gestor prometeu fazer. Masetto, não muito longe, enquanto isso, fingindo varrer o pátio, ouvia tudo que diziam a Abadessa e o gestor e pensava com ele mesmo: "Se me deixam entrar nesse convento eu mostro a eles como se cuida de uma horta e de um jardim."

Vendo o gestor que Masetto trabalhava muito bem, com sinais lhe perguntou se queria ficar empregado, e este lhe respondeu, também por sinais, que desejava aquilo que quisesse o outro; e estando os dois, assim, de acordo, o gestor, mostrando o que devia ser feito na horta da cozinha, determinou que ele trabalhasse ali e, tendo outros assuntos que tratar, o deixou. Masetto trabalhava agora, dia após dia, junto às freiras; as jovens começaram com zombarias a rir dele (como a gente costuma fazer com os surdos-mudos) e, convencidas de que ele não ouvia, usavam palavras das mais sujas para dizer as coisas mais explícitas; a Abadessa da coisa não cuidava, talvez pensando que, como lhe faltasse a fala, outra coisa também lhe faltaria.

Aconteceu então que um dia, Masetto, depois de muito trabalhar, estava descansando, e duas freiras, das mais jovens, passeando pelo jardim, o viram e foram lá onde estava para olhá-lo, enquanto ele fingia que dormia. Então a que era mais ousada disse à outra:

— Se você fosse capaz de guardar segredo eu contaria uma idéia que me ocorre e que talvez lhe sirva como a mim — e a outra disse:

— Pode contar sem receio que jamais repetirei nada a ninguém — então a mais ousada começou:

— Não sei se você já refletiu no quanto vivemos isoladas e no fato de nunca vermos homens, a não ser o gestor que é um velho e este mudo; muitas vezes tenho ouvido, de senhoras que visitam o convento, que todos os prazeres desse mundo não são nada comparados com aquele que a mulher tem com o homem. Muitas vezes assim tenho pensado, e, já que com outro homem é impossível, por que não prová-lo com o mudo? E o melhor de tudo é que, mesmo que quisesse, ele nunca poderia nos delatar; veja, ele é só um tolo que cresceu com a mente de um menino. Gostaria de sentir o seu juízo sobre todas as coisas que lhe disse.

— Oh, você — disse a outra — o que é que vai dizendo? Esqueceu que as nossas virgindades nós as prometemos a Deus?

— Ah! — respondeu a outra — Quantos votos são feitos, todo dia, para jamais serem cumpridos por ninguém. Se Ele quer tanto assim à virgindade que encontre outra ou outras que a guardem.

— E se acaso nós engravidássemos?

— Você pensa nos problemas antes mesmo que eles apareçam; fosse o caso de tal acontecer, então a solução se buscará, há mil modos de cuidar da coisa desde que se aja com discrição.

Assim reassegurada, a outra tinha agora mais vontade de saber do que a primeira que gosto tinha o homem afinal; e foi assim dizendo:

— E, bem, como faremos? — ao que a amiga respondeu:

— Você vê que ele dorme a nona hora e, como ele, as irmãs estão dormindo, basta olhar o jardim para ver que não há ninguém, exceto nós; assim, tudo aquilo que temos a fazer é pegá-lo pela mão e levá-lo à cabana, onde ele se abriga quando chove; e enquanto uma esteja dentro, que a outra, fora, monte guarda. Ele é só um tolo que fará tudo aquilo que quisermos.

Masetto, fingindo que dormia, ouvia todo o argumento e apenas esperava que uma delas o levasse pela mão. Depois de olhar por toda parte, certas de que ninguém as via, aquela que primeiro tivera a idéia aproximou-se de Masetto e, sacudindo seu corpo para acordá-lo, puxou-o pela mão; Masetto foi logo levantando e, com um sorriso idiota, a seguiu; mas depois, na cabana, foi desnecessário que ela lhe mostrasse o que queria para que ele cumprisse seu papel. Com leal companheirismo, tendo já satisfeito seu desejo, a jovem freira deixou que sua irmã provasse também do mesmo pão; e, antes de partir, por várias vezes, se revezaram no provar com que habilidade sabia o mudo cavalgar. Mais tarde, discutindo o sucedido, as duas concordavam que o prazer era ainda bem mais doce do que tudo que haviam ouvido comentar. E sempre que encontravam uma chance, um bom momento, com o mudo voltavam a praticar.

Veio o dia que uma irmã, de sua cela, avistasse, olhando da janela, o que as duas faziam e, chamando outras duas, mostrou-lhes o que via; o primeiro que pensaram foi em tudo contar à Abadessa, mas depois de conversar, tendo bem ponderado a questão, decidiram que melhor era entrar em um acordo com aquelas no jardim, e assim participar, dividindo de Masetto os favores e atenções, em justa sociedade. E as outras três que faltavam, por outros tantos acidentes, foram também, finalmente, uma a uma, se juntar à companhia. E por fim a Abadessa, que nada ainda sabia de tudo o que acontecia, vindo um dia, solitária, a andar pelo jardim, ali encontrou deitado Masetto, cansado do seu trabalho noturno, numa tarde muito quente dormindo à sombra da amendoeira, com as roupas desarranjadas, levantadas pelo vento, que o deixavam com o corpo descoberto. O efeito de tal visão e o fato de estar sozinha despertaram na Abadessa aqueles mesmos desejos que há tempos se entregavam todas as suas freirinhas, e despertando Masetto, sem muitas explicações, o levou diretamente ao seu quarto de dormir, onde o teve para ela, provocando o desconsolo e a revolta de todas as suas freiras que ficaram com a horta no mais completo abandono; para si o guardou, provando por muitas vezes delícias que, antes de haver provado, ela sempre condenara.

Por fim deixou que voltasse ao trabalho, mas tantas vezes o chamava e, pior, sem saber da divisão e dos arranjos que as outras haviam feito, o queria só para si; Masetto se via, assim, numa bela situação, sem ter forças nem poder para tantas satisfazer, e começou a pensar que o fato de ser mudo, que tanto o ajudara no início, já agora começava a atrapalhar e foi assim que, estando uma noite com a Abadessa, quebrou a mudez dizendo:

— Senhora, eu tenho ouvido que um galo só é capaz de contentar dez galinhas, mas que dez homens se cansam e com muito sacrifício satisfazem a apenas uma mulher; e eu, pobre desgraçado, servindo a nove mulheres, acho que nesse mundo nada pode me salvar, peço que sendo assim minha senhora me deixe ir, com Deus e sua benção, de volta para o lugar de onde vim, ou então se encontre a forma que me permita com todos os meus encargos a eles sobreviver.

A Abadessa, assustada, ouvindo falar Masetto, disse:

— O que é isto? Mudo eu te acreditava!

— Senhora — disse Masetto —, eu era, não de nascença, foi uma doença que me fez ficar assim até esta mesma noite, quando voltei a falar, louvado seja o Senhor, que me devolveu a voz.

A Abadessa, acreditando na explicação, perguntou-lhe o que queria dizer com a história de a nove mulheres ter que satisfazer.

Masetto contou-lhe tudo. A Abadessa, ouvindo seu relato, pensou que nenhuma das freiras tivera muito mais juízo que ela mesma. E entendeu que o melhor a fazer era encontrar um modo de discretamente solucionar tudo de comum acordo com suas irmãs, ou do contrário se arriscaria o bom nome da casa com o que Masetto poderia contar delas, sem falar em tudo mais que se perderia, caso ele partisse. Assim se reuniram as freiras em conselho e, como havia pouco tempo morrera o gestor, concordaram todas que Masetto o substituísse e decidiram também repartir seus serviços de modo a fazê-los suportáveis; e, ainda, fazer crer à gente do lugar que suas orações, mais a intercessão do santo patrono do convento, fossem a causa do milagre de haver Deus devolvido a fala ao mudo. E assim viveram vários anos e muitos fradinhos nasceram desse arranjo, mas feito tudo tão discretamente que, até quando morreu a Abadessa, do caso todo nada transpirou; mas, então, já rico e envelhecido, Masetto quis voltar a Lamporecchio, o que, sem muitos problemas, foi a ele concedido.

Assim, tendo sabiamente vivido a juventude, Masetto, que dali partira com uma trouxa, voltou à aldeia velho, rico e patriarca de uma prole que nunca lhe deu despesas para criar e alimentar. E dizia, aos que lhe perguntavam da fortuna que tivera, que assim tratava o Cristo a quem, com chifres, Lhe enfeitara a testa.

*Tradução de Octávio Marcondes*

# 16

## DOM POMPÓRIO, MONGE, É DENUNCIADO AO ABADE PELA SUA EXAGERADA GULA; E CRITICANDO O ABADE COM UMA FÁBULA, LIVRA-SE DA CENSURA.

### FRANCO SACCHETTI
#### (Circa1332-1400 | Itália)

*Mais jovem do que Boccacio, mas seu contemporâneo e um de seus inúmeros discípulos, o fidalgo Franco Sacchetti é autor de* O Livro das 300 Novelas (Trecentonovelle), *obra cheia de anedotas, historietas cômicas baseadas em fatos reais e que nos fornecem uma eficaz imagem dos costumes (e do humor moralista) do Renascimento italiano.*

Em tempos que lá se vão, havia num famoso mosteiro um monge de idade madura, mas notável e grande comilão. Vangloriava-se de comer numa única refeição um quarto de gordo vitelo e um par de capões. Tinha este monge, que se chamava Dom Pompório, um prato ao qual pusera o nome de oratório de devoção, e onde cabiam sete grandes escudelas de sopa. E, além do conduto, ele, cada dia, tanto ao almoço como ao jantar, enchia o pratinho de caldo ou de outra qualquer espécie de sopa, não deixando sobrar a menor migalha. E todos os restos que os outros monges deixavam, fossem poucos ou muitos, eram apresentados ao oratório e ele os punha na devoção. E, por mais sujos e imundos que fossem, pois que tudo servia aos fins do seu oratório, devorava-os a todos que nem lobo esfomeado. Vendo os outros monges a sua desenfreada gula e voracidade, e admirados em extremo de tanta indolência, com palavras ora boas ora más o repreendiam. Porém, quanto mais o corrigiam os monges, tanto mais lhe crescia o desejo de juntar mais caldo ao seu oratório, pouco se lhe dando de qualquer repreensão. Tinha entretanto o glutão uma virtude: não se zangava nunca; e cada um podia contra ele dizer o que quisesse, que ele não o levava a mal.

Deu-se que um dia o denunciaram ao reverendo abade; o qual, ouvida a queixa, o mandou vir, e lhe disse:

— Dom Pompório, fizeram-me uma grande representação contra ações vossas, a qual, além de constituir grande vergonha, suscita escândalo em todo o mosteiro.

Respondeu Dom Pompório:

— E que oposição me fazem a mim esses acusadores? Sou o monge mais mansueto e mais pacífico de vosso mosteiro; não molesto nem estorvo nunca a ninguém, antes vivo com tranqüilidade e quietude, e se sou por outrem injuriado, sofro com paciência e nem por isso me escandalizo.

Disse o abade:

— Então, parece-vos louvável este ato? Tendes um prato não de religioso, mas de fétido porco, no qual, além do vosso trivial, pondes todos os restos dos outros, e sem respeito nem vergonha, não como criatura humana nem como religioso, mas como besta esfaimada, os devorais. Não percebeis, homem grosseiro e inútil, que todos vos têm como seu bufão?

Respondeu Dom Pompório:

— E como deveria envergonhar-me, padre? Onde se encontra agora a vergonha no mundo? E quem a teme? Mas, se me dais licença para falar com segurança, responder-vos-ei; se não, obedecerei a vossas ordens, e observarei em silêncio.

Disse o abade:

— Dizei o que vos aprouver, que estamos contentes em que faleis.

Tranqüilizado, disse Dom Pompório:

— Pai abade, estamos na situação daqueles que carregam odres às costas: cada um vê o do companheiro, mas não vê o seu. Se eu comesse iguarias lautas, como o fazem os grandes senhores, decerto comeria muito menos do que como. Mas, comendo iguarias grosseiras, de fácil digestão, não me parece vergonhoso o muito comer.

O abade, que vivia suntuosamente, com o prior e outros amigos, de bons capões, faisães, perdizes e demais espécies de aves, compreendeu o que queria dizer o monge; e receando ser apontado por ele às claras, absolveu-o, permitindo-lhe comesse a seu talante; pior para quantos não sabiam bem comer e beber.

Indo-se o abade, Dom Pompório, absolvido, dia a dia dobrou a comida, acrescentando ao santo oratório do bom prato a devoção; e porque era seriamente repreendido dos monges por semelhante bestialidade, subiu ao púlpito do refeitório e com belos modos contou esta breve fábula:

— Encontraram-se, já faz muito tempo, o vento, a água e a vergonha numa taverna, e comeram juntos; e, praticando de coisas várias, disse a vergonha ao vento e à água: — "Quando, irmão e irmã, voltaremos a estar juntos tão pacificamente como agora?" A água respondeu: — "Certamente a vergonha diz a verdade; pois quem sabe quando virá ocasião de nos reencontrarmos juntos? Mas, se eu te quisesse encontrar, ó irmão, onde fica a tua morada?" Disse o vento: — "Minhas irmãs, cada vez que me quiserdes encontrar para gozarmos o prazer de estar juntos, olhai por qualquer porta aberta, ou rua estreita qualquer, que logo me encontrareis, pois é ali a minha residência. E tu, água, onde moras?" — "Eu estou, disse a água, nos mais baixos pauis, entre aqueles caniços; e por mais seca que seja a terra, sempre lá me encontrareis. E tu, vergonha, qual é a tua estância?" — "Eu, em verdade, respondeu a vergonha, não sei; pois que sou pobrezinha e por todos enxotada. Se olhardes entre os grandes, não me encontrareis, porque não querem ver-me e zombam de mim. Se olhardes entre a piche, são tão desavergonhados que não se importam comigo. Se olhardes entre as mulheres, tanto casadas como viúvas e donzelas, tampouco me encontrareis, dado que fogem de mim como de coisa monstruosa. Se olhardes entre os religiosos, longe deles estarei, pois que com bastões e galhas me espantam; de sorte que até agora eu não tenho habitação onde pousar; e, se não puder acompanhar-vos, veja-me privada de toda a esperança." Ouvindo isto, o vento e a água moveram-se a compaixão e acolheram-na em sua companhia. Não ficaram juntos por muito tempo, porque se levantou grandíssima tempestade, e a pobrezinha, trabalhada do vento e da água, não tendo onde pousar-se, afundou no mar. Pelo quê eu a tenho procurado em muitos lugares, e ainda a procuro; mas não consegui encontrá-la, nem a ela, nem a ninguém que me soubesse dizer onde ela estava. E, não a encontrando, não me importo dela nem muito nem pouco; e por isso obrarei à minha maneira, e vós à vossa, pois que hoje no mundo não se encontra a vergonha.

*Tradução de Paulo Rónai e Aurélio Buarque de Holanda*

## BELFAGOR
### Uma novela agradabilíssima

### NICOLAU MAQUIAVEL
#### (1469-1527 | Itália)

*O florentino Nicolau Bernardo Maquiavel, diplomata, homem de Estado, historiador e escritor, virou um nome consagrado (a ponto de virar adjetivo: "maquiavélico") como autor de O Príncipe, obra que é um marco do Renascimento italiano, até hoje indispensável nos estudos das ciências políticas. Belfagor, sua única história curta conhecida, está presente em várias antologias do humor universal.*

Nas antigas memórias das crônicas de Florença lê-se uma história relacionada a um homem santíssimo que, em meio à devassidão da época, era mui respeitado por todos seus contemporâneos. Certo dia, absorto em suas piedosas meditações, conseguiu ver que as almas dos infelizes mortais que morriam pecadores e que iam para o inferno lamentavam — se não todos, pelo menos a maior parte — que a razão de tal desdita devia-se ao fato de terem-se casado. Minos e Radamanto, juntos com outros juízes do inferno, ficaram deveras admirados e, não podendo dar crédito às calúnias que tais almas lançavam ao sexo feminino, deram ciência disso a Plutão, tanto mais que tais lamentações só faziam crescer. Plutão então deliberou examinar o caso de perto com todos os príncipes do Inferno para, só depois, tomar partido do que fosse julgado o mais conveniente para descobrir a falácia e saber a verdade por inteiro. Convocou-os, pois, ao conselho, e falou nos seguintes termos:

— Embora eu, meus diletos amigos, por disposição celeste e vontade do destino, e ainda que me encontre acima do juízo de Deus e dos homens, no entanto, como maior prova de sabedoria e prudência, resolvi consultar-vos hoje sobre a conduta que devo seguir num caso que poderia redundar em infâmia para nosso império. Todas as almas dos homens que entram em nosso reino pretendem ter sido causa disso a própria mulher, o que não nos parece possível. Condenando tal afirmação, talvez os levianos nos acusem de maldade; caso não o fizermos, talvez os injustos nos considerem demasiado indulgentes e pouco afeitos à justiça. Querendo evitar uma e outra acusação, e não encontrando um meio para tal, decidimos convocar-vos a fim de que nos ajudeis com vossos conselhos e façais com que este reino continue a viver sem infâmia, como sempre tem vivido.

Nenhum daqueles príncipes das trevas deixou de considerar o caso importantíssimo e de grande monta. Estavam todos de acordo em que era necessário descobrir a verdade, mas discordavam quanto à maneira de assim proceder. Alguns julgavam que se devia mandar um deles ao mundo, outros que vários, para ali pessoalmente conhecerem, sob a forma humana, qual era a verdade. A outros parecia desnecessário tal transtorno: bastaria obrigar algumas almas, por meios de diversos tormentos, a confessá-la. No entanto, como a maioria optasse pela primeira opinião, foi essa a adotada. Mas ninguém se ofereceu voluntariamente para a empreitada; assim, recorreram eles a um sorteio. A sorte recaiu sobre Belfagor, arquidiabo, que anteriormente — antes de cair do Céu — tinha sido arcanjo.

Foi com relutância que ele aceitou o encargo, mas o poder de Plutão o constrangera a executar o que o conselho deliberara e teve assim de consentir nas condições solenemente aceitas por todos. Fora deliberado que aquele em quem recaísse a sorte receberia imediatamente cem mil ducados, e com eles viria nascer no mundo. A casar-se sob a forma de um homem e a viver com a mulher durante dez anos; depois, fingindo morrer, voltaria e exporia a seus superiores, fundamentado na própria vivência, quais eram os encargos e os incômodos do casamento. Deliberou-se também que, durante o tempo em apreço, ele ficaria submetido a todos os achaques e males a que os homens estão sujeitos, inclusive a pobreza, a prisão, as doenças e todas as desgraças que aos mortais ocorrem, salvo se por meio de engano e astúcia conseguisse livrar-se delas.

Aceitas pois as condições e os ducados, foi-se Belfagor ao mundo e, devidamente provido de cavalos e acompanhantes, entrou ele em Florença com o maior aparato. Escolhera esta cidade para domicílio, entre todas as demais, por lhe parecer a mais plausível para quem quisesse viver empregando seu dinheiro em negócios. Fez-se chamar Rodrigo de Castela e alugou uma casa no bairro de Todos os Santos [*Ognissanti*]. Para que não pudessem lhe descobrir os antecedentes, disse ter partido da Espanha ainda criança; dali fora à Síria e a Alepo, onde ganhara tudo o que possuía; de lá viajara para a Itália e a fim de se casar num lugar mais humano e mais conforme à vida civilizada e à sua própria índole.

Era Rodrigo um moço formoso, que aparentava trinta anos. Em poucos dias demonstrara ele quantas riquezas tinha e dera provas de sua liberalidade e humanidade; logo vários cidadãos nobres, providos de muitas filhas e pouco dinheiro, lhe ofereceram seus préstimos. Entre todas, Rodrigo escolheu uma belíssima donzela chamada Honesta. Filha de Américo Donati, que tinha mais três filhas, quase em idade de se casar, e três filhos já adultos. De família muito nobre e tido em bom conceito em Florença, era no entanto muito pobre, levando-se em conta sua numerosa prole e sua condição.

Rodrigo celebrou suas núpcias com esplendor e grandeza, não descuidando de nada que seja necessário em tais circunstâncias, pois entre as obrigações que lhe foram impostas ao sair do Inferno, estava a de sujeitar-se a todos os caprichos humanos; assim, logo passou a deleitar-se com as honrarias e pompas do mundo e a gostar de ser louvado entre os homens, coisas que o levaram a grandes gastos. Por outro lado, não tardou muito a apaixonar-se perdidamente por sua D. Honesta e quase não conseguia viver quando a encontrava triste ou aborrecida.

Com sua nobreza e formosura, a senhora Honesta levara consigo para a casa de Rodrigo um orgulho tão desmesurado que mesmo Lúcifer não o tivera igual. Rodrigo, que podia comparar um e outro, considerava o de sua mulher infinitamente superior, e consta que ainda chegou a ser maior quando percebera o amor que seu marido sentia por ela. Imaginando ser por todas as maneiras a dona absoluta, dava suas ordens sem consideração ou piedade, e se ele relutasse a fazer as suas vontades, desatava em recriminações e injúrias, o que era para o pobre Rodrigo motivo de viva pena e aflição. Sem dúvida, por consideração a seu sogro, a seus cunhados e demais parentes, por respeito aos deveres do casamento e pelo amor que dedicava à esposa, sofria seus males com a maior paciência. Quero passar em silêncio sobre os grandes gastos a que era obrigado para contentá-la, vestindo-a segundo os novos costumes e as modas mais recentes, que nossa cidade varia por hábito natural; nem lembrarei que, para ela o deixar em paz, teve ele de ajudar o sogro a casar as outras filhas, o que lhe fez despender também considerável importância. Depois, querendo manter-se em boa paz com a mulher, consentiu em mandar um dos irmãos dela ao Oriente com casimira e outro para o Ocidente levando sedas, ao passo que para o terceiro irmão abriu em Florença uma oficina de ourives, em que despendeu a maior parte do dinheiro que possuía. Além disso, nas festas de Carnaval e de S. João, celebradas pela cidade inteira segundo tradição antiga, quando grande número de cidadãos nobres e ricos se honravam uns aos outros com magníficos banquetes, D. Honesta, para não ficar atrás de outras damas, queria que seu Rodrigo superasse a todos os demais com suas festas. Tudo isso, suportava-o Rodrigo pelos motivos supracitados; apesar de gravíssimas, nem graves as teria achado se houvessem introduzido a paz em sua casa, permitindo-lhe aguardar em sossego o momento de sua própria ruína. Mas foi o contrário o que aconteceu, pois a índole insolente da esposa, além das despesas insuportáveis, carreara-lhe inúmeros aborrecimentos. Nenhum criado a agüentava, não digo por muito tempo, mas nem sequer por alguns dias. Para Rodrigo era o mais duro dos incômodos não possuir um criado que tivesse amor a sua casa. Os próprios diabos que trouxera consigo como domésticos preferiram voltar aos fogos do Inferno a viver no mundo sob as ordens daquela mulher.

Assim prosseguia a vida tumultuada e inquieta de Rodrigo. Tendo já consumido nos gastos desenfreados o que recebera em espécie, começou a viver à espera das entradas financeiras que aguardava do Ocidente e do Oriente. Como ainda tivesse bom crédito, pediu dinheiro emprestado para não ficar aquém de sua condição; e já certo número de letras sacadas por ele circulavam na praça, o que logo foi percebido pelos que trabalhavam neste ramo de negócios. Já era bem precária a situação de Rodrigo quando, de súbito, chegaram notícias do Oriente e do Ocidente: aqui, um dos irmãos de D. Honesta perdera no jogo todo o dinheiro de Rodrigo; ali, o outro, ao voltar de um navio carregado de suas mercadorias, que não estavam no seguro, naufragou com toda a carga.

Mal estas novas circulavam pela cidade, os credores de Rodrigo reuniram-se. Consideravam-no um homem liquidado, mas ainda não podiam tomar providências por não haver expirado o prazo das cobranças; resolveram, pois, que mandariam quem o observasse habilmente, para que num abrir e fechar de olhos não resolvesse fugir. Por sua parte, Rodrigo, sem ver outro remédio e sabendo das obrigações de seu pacto infernal, decidiu fugir a todo o transe. Certa manhã montou a cavalo e saiu da cidade pela porta do Prato, perto da qual residia. Espalhada a notícia de sua fuga, os credores recorreram alarmados às autoridades e puseram-se no encalço dele, acompanhados não apenas de meirinhos como também de muitos populares.

Mal se distanciara da cidade cerca de uma milha, souberam eles de sua fuga, de sorte que, vendo-se perdido, resolveu Rodrigo, para melhor se esconder, abandonar a estrada principal e tentar a sorte em outras direções; porém o terreno árduo e abrupto dificultava tremendamente a sua marcha. Percebendo que era impossível seguir a cavalo, decidiu-se salvar-se a pé mesmo, deixando o animal no meio do caminho, e depois de ter muito tempo andado por entre vinhas e canaviais que cobriam os campos, aproximou-se de Pretola, detendo-se na casa de Giovanni Matteo de Bricca, um dos colonos de Giovanni del Bene. Felizmente àquela hora chegava também ao local o próprio Giovanni Matteo para alimentar o gado. A ele se recomendou o fugitivo, prometendo-lhe que, se o salvasse dos inimigos que o perseguiam para fazer com que morresse na prisão, o tornaria rico, coisa que lhe daria prova antes mesmo de sair de sua casa; se não o fizesse, concordaria que o próprio camponês o entregasse a seus adversários.

Embora simples camponês, era Giovanni Matteo homem de coragem. Pensou que nada tinha a perder se tentasse salvá-lo, e prometeu-lhe auxílio. Em frente à casa havia um monte de estrume: foi lá que o escondeu, cobrindo-o de caniços e ramos colhidos para fazer fogo.

Mal acabara Rodrigo de esconder-se, seus perseguidores chegaram. Por mais ameaças que fizessem a Giovanni Matteo, não conseguiram fazê-lo confessar o que tinha visto. Assim, partiram, e depois de procurá-lo todo aquele dia e mais o seguinte, retornaram exaustos para Florença.

Afastada a agitação, Giovanni Matteo tirou Rodrigo do esconderijo e pediu-lhe que cumprisse a promessa, ao que Rodrigo lhe disse:

— Irmão meu, tenho uma grande obrigação para contigo e desejo cumpri-la de qualquer maneira; e para que acredites em que eu possa fazer, vou dizer-te quem sou.

Nisso revelou a sua identidade, contando em que condições saíra do Inferno e como se casara. Em seguida, explicou-lhe como pretendia fazê-lo rico. O seu plano, resumindo, era o seguinte: quando Giovanni Matteo soubesse que alguma mulher estava tomada pelos espíritos, devia saber que era ele, Rodrigo, que se apoderara dela; nem sairia do corpo da vítima sem que Giovanni Matteo viesse a tirá-lo: assim, poderia o camponês pedir aos parentes da endemoninhada o preço que bem entendesse. Giovanni Matteo aceitou a proposta e Rodrigo partiu.

Decorridos alguns dias, propagou-se por toda Florença a notícia de que a filha de mestre Ambrósio Amadei, casado com Bonaiuto Tebalducci, estava tomada pelos maus espíritos. Não descuidaram os parentes de nenhum dos remédios a que se recorria em casos semelhantes; assim, puseram-lhe na cabeça o crânio de S. Zenóbio e o manto de S. João Gualberto. Rodrigo, no entanto, zombava de tudo aquilo. E para dar a entender a todos que o mal da moça era um espírito e não qualquer imaginação fantástica, falava em latim, discutia coisas de filosofia, descobria os pecados de muita gente, desmascarando-os, entre outros, a um frade que guardara em sua cela durante mais de quatro anos uma mulher vestida à maneira de um fradinho, coisas que a todos enchiam de espanto. Estava Mestre Ambrósio irritadíssimo e, havendo experimentado em vão todos os remédios, perdera já a esperança de curar a filha, quando Giovanni Matteo veio ter com ele, prometendo-lhe a saúde da filhinha se lhe dessem quinhentos florins para comprar uma propriedade em Pertola. Mestre Ambrósio aceitou a proposta. Então Giovanni Matteo, depois de mandar dizer certo número de missas e executar certas cerimônias para embelezar a coisa, aproximou-se da moça e segredou-lhe ao pé do ouvido:

— Rodrigo, aqui estou eu esperando que me cumpras a promessa.

Ao que Rodrigo respondeu:

— Com o maior prazer. Mas isto não chega ainda a te tornar rico. Eis por que, apenas saído daqui, entrarei na filha do rei Carlos de Nápoles, e de lá não sairei sem que me chames. Exigirás então uma recompensa segundo a tua vontade, e depois disso não deverás mais me importunar.

Nisso saiu do corpo da moça doente, para a alegria e admiração de toda Florença.

Não tardou e espalhava-se por toda Itália a mesma desgraça ocorrida, desta vez com a filha do rei Carlos. Como os remédios dos frades de nada adiantassem, o rei, que ouvira falar em Giovanni Matteo, mandou que ele fosse conduzido até ele. Chegando a Nápoles, o camponês, depois de algumas cerimônias de fachada, curou-a. Mas antes de sair do corpo da princesa, Rodrigo disse-lhe:

— Bem vês que hei cumprido a minha promessa de enriquecer-te. Agora que recompensei o serviço que me fizeste, nada mais te devo; assim, aconselho-te a que não mais apareças à minha frente, pois se te fiz benefícios até aqui, daqui por diante poderia causar-te dissabores.

Giovanni Matteo retornou a Florença muito rico, pois o rei lhe havia dado mais de 50 mil ducados, e não pensava senão em desfrutar de sua riqueza, com muito gosto e sossego, sem cogitar que Rodrigo pudesse, em qualquer época, lhe causar algum dissabor. Bem cedo, no entanto, se desiludiu, ante a notícia de que uma filha de Luís VII, rei da França, estava possuída pelo demônio. Notícia essa que tumultuou de todo a alma de Giovanni Matteo, que não conseguia parar de pensar na autoridade daquele monarca e nas palavras que lhe dissera Rodrigo. De fato, o rei, não encontrando remédio para o mal de sua filha, e tendo ouvido falar da capacidade de Giovanni Matteo, mandou chamá-lo, primeiro através dos correios, simplesmente; mas em vista de que o homem alegava certa indisposição, viu-se o rei forçado a recorrer ao governo de Florença, o qual obrigou Giovanni Matteo a obedecer.

Desesperado, foi Giovanni para Paris, onde foi logo explicando ao rei que efetivamente curara já certas pessoas endemoninhadas, mas que isso de modo algum significava que soubesse ou pudesse curá-las todas, pois algumas havia de natureza tão pérfida que não temiam ameaças nem encantamentos, nem religiões, seja qual for; que, no entanto, estava disposto a fazer o que pudesse, mas pedia desculpa e perdão se não viesse a ser bem-sucedido. Enfastiado, o rei declarou que, se não lhe curasse a filha, mandaria enforcá-lo. Viu-se Giovanni Matteo em péssimos lençóis, mas fez de sua fraqueza sua força: mandou vir a possuída e, aproximando-se-lhe do ouvido, recomendou-se humildemente a Rodrigo, lembrando-lhe o benefício prestado e como seria ingrato se o desamparasse naquele imbróglio. Rodrigo então assim reagiu:

— Traidor infame! Como te atreves a aparecer perante mim? Acreditas que podes te vangloriar de ter enriquecido à minha custa? Pois hei de mostrar-te a ti e a todos que sei muito bem dar e tomar qualquer coisa, como melhor me prover; e antes de que partas daqui, farei enforcar-te, custe o que custar.

Dando-se por perdido, Giovanni Matteo, não vendo outro remédio, resolveu arriscar a sorte por outro meio. Mandou que levassem dali a possuída e disse ao rei:

— Senhor, como falei a Vossa Majestade, há espíritos tão malignos que com eles ninguém pode; pois este é um dos tais. Mas quero fazer uma última tentativa: se for bem-sucedido, Vossa Majestade e eu teremos alcançado o nosso objetivo; caso contrário, estarei nas mãos de Vossa Majestade, que saberá ter comigo a compaixão que faz jus a minha inocência. Ordene Vossa Majestade que se erga na Praça de Notre Dame um grande palco onde caibam todos os barões e todo o clero desta cidade; mande orná-lo de panos de seda e de ouro, e mande erguer no meio dele um altar. Preciso que no domingo próximo Vossa Majestade se reúna no estrado do palco com todos os seus príncipes e barões, numa pompa real, vestidos de trajes ricos e esplêndidos. Depois da missa celebrada, Vossa Majestade fará vir a possuída. Preciso, além disso, que num ângulo da praça haja pelo menos vinte pessoas reunidas com trompas, cornetas, tambores, cornamusas, címbalos, timbales e outros instrumentos de toda sorte. Quando eu erguer o chapéu todos deverão tanger seus instrumentos e encaminhar-se na direção do estrado. Estas coisas, juntas com alguns remédios secretos, poderão fazer, julgo eu, com que o espírito maligno desapareça.

Tudo isso o rei ordenou. Chegou a manhã de domingo. O palco improvisado estava cheio de personalidades, e a praça, cheia do povo. Celebrada a missa, a endemoninhada foi conduzida ao estrado por dois bispos e muitos senhores. Ao ver tamanha multidão e tanto aparato, Rodrigo ficou meio tonto e disse consigo mesmo: "Que será que inventou esse traidor miserável? Será que está pensando me espantar com toda essa pompa? Ignora que estou acostumado a assistir as pompas do Céu e as fúrias do Inferno? Haverei de castigá-lo de qualquer maneira."

Quando, logo depois que Giovanni Matteo se aproximou novamente e lhe pediu que saísse, Rodrigo assim lhe falou:

— Bela idéia a tua, para dizer a verdade! Que pensas alcançar com todo esse aparato? Acreditas escapar assim ao meu poder e à ira do rei? Ladrão miserável, farei com que te enforquem haja o que houver!

Como não parasse de dizer tais palavras, acrescentando-lhes outras menos injuriosas, Giovanni Matteo houve por bem não perder mais tempo. Ergueu o chapéu e todas as pessoas encarregadas de fazer barulho tocaram seus instrumentos e com o rumor que atingia o Céu foram-se aproximando do estrado. O barulho aguçou os ouvidos de Rodrigo que, sem entender do que se tratasse, pediu assombrado que Giovanni Matteo lho explicasse, e Giovanni respondeu-lhe de forma bem perturbada:

— Ai, meu Rodrigo, é a tua mulher que vem te buscar!

Foi, em verdade, maravilhoso ver até que ponto Rodrigo horrorizou-se ao ouvir o nome de sua mulher. Tamanho lhe foi o espanto que, sem indagar a si mesmo se seria possível que ela ali estivesse, fugiu sem dizer uma palavra e assim deixou a princesa livre; preferiu voltar ao inferno para dar conta de suas ações a submeter-se outra vez ao jugo matrimonial, suportando tantos desgostos, aborrecimentos e perigos.

E eis aqui como Belfagor, de volta ao Inferno, pode dar testemunho dos males que uma mulher leva consigo a um lar, e como Giovanni Matteo, que foi mais astuto do que o diabo em pessoa, pôde retornar a sua casa cheio de alegria.

## O VELHO CAOLHO

### MARGARIDA DE NAVARRA
#### (1492-1549 | França)

*Espirituosa e às vezes frívola, a prosa de* Heptameron, *de Marguerite d'Angoulême, ou Rainha de Navarra, ou Margarida de Navarra, deve muito ao caminho aberto por Boccacio, com seu* Decameron. *Suas histórias mostram um pouco do humor da Renascença, contemporâneo das gargalhadas irreverentes de Rabelais e dos contos licenciosos do bispo Bandello.*

Charles, o último Duque d'Alençon, tinha como criado de quarto um cego de um olho que era casado com uma mulher muito mais nova do que ele. O duque e a duquesa gostavam mais desse criado do que qualquer outro dos seus domésticos. Em conseqüência disso, ele não podia sair muito para ver sua esposa com a freqüência que desejava. E assim ela acabou esquecendo-se de sua honra e de sua lealdade a ponto de se apaixonar por um jovem da vizinhança. Por fim, a ligação tornou-se falada e houve tantos rumores a esse respeito que acabaram chegando aos ouvidos do marido, que mal podia acreditar em tal coisa, tão calorosa era a afeição que a mulher lhe demonstrava. Um dia, no entanto, resolveu investigar o que havia de verdade e vingar-se, se fosse o caso, da pessoa que lhe fazia a dolorosa afronta. Com esse intuito, fingiu viajar para lugar distante por uns dois ou três dias. E assim que ele partiu, a esposa mandou chamar o conquistador. Não fazia sequer meia hora que os dois estavam juntos quando o marido voltou e bateu com força na porta. A esposa, sabendo perfeitamente bem que era ele, disse de sua certeza ao amante, tão amedrontado que naquele momento desejaria mil vezes estar ainda no ventre materno do que ali. Mas enquanto o amante praguejava e se lamentava, censurando-a por tê-lo metido em tal encrenca, ela o acalmava, dizendo-lhe que não ficasse nervoso, pois arranjaria as coisas de modo que ele saísse sem um arranhão. Tudo o que ele precisava fazer era vestir-se o mais rápido possível.

Enquanto isso, o marido continuava batendo na porta e chamando pela mulher tão alto quanto podia, mas ela fingia ignorá-lo.

— Por que não se levantam — gritou ela para o pessoal de casa — e vão lá silenciar estes que estão fazendo tanto barulho em frente da nossa porta? Isso lá são horas de alguém bater à porta de pessoas honestas? Se meu marido estivesse aqui, esses atrevidos iam ver uma coisa!

O marido, ouvindo-lhe a voz, gritou mais alto ainda:

— Deixa-me entrar, ó mulher! Ou vais querer que eu fique do lado de fora até amanhecer?

Quando viu por fim que o amante estava pronto para partir, ela respondeu:

— Ah, é você, meu marido? Estou tão contente por ter voltado! Estava dormindo e sonhei um sonho que me deu o maior prazer da minha vida. Sonhei que você estava recobrando a visão do outro olho!

Abriu a porta e, abraçando o pescoço do marido, beijou-o e colocou uma das mãos sobre o olho sadio, perguntando-lhe se com o outro ele não estava vendo tão bem quanto via antes de perdê-lo. Enquanto o marido ficava assim vedado, o conquistador pôde escapulir-se sem ser visto. Mas o marido, imaginando o que poderia ter acontecido, declarou:

— Eu não irei te vigiar, mulher. Pensei que te enganaria mas eu próprio fui logrado, através do mais hábil truque que criatura alguma jamais conseguiu inventar. Que Deus te emende! Porque está além da força humana trazer uma mulher ordinária dos caminhos do mal a não ser matando-a. Mas se o carinho que tive por ti não te fez proceder bem, talvez o desprezo que te demonstrarei daqui por diante toque mais de perto a tua consciência e produza melhor resultado.

Dito isso, partiu, deixando-a na maior das confusões.

Acabou, porém, cedendo tanto aos conselhos dos parentes e amigos como às lágrimas de arrependimento e desculpas da mulher, passando a viver com ela mais uma vez.

# O CASAMENTO ENGANOSO

## CERVANTES
### (1547-1616 | Espanha)

*Miguel de Saavedra Cervantes, o pai do gênero romance com* Las Aventuras del Ingenioso Hildalgo Don Quijote de la Mancha, *ou simplesmente* D. Quixote, *o livro mais famoso do mundo depois da Bíblia e até hoje a obra mais original e humorística criada pelo engenho humano, escreveu poemas, comédias e farsas, além de suas* Novelas Exemplares. O Casamento Enganoso *é um ótimo exemplo de comédia de costumes da época.*

Saía do Hospital da Ressurreição, em Valladolid, além da Porta do Campo, um soldado que, por usar a espada como bordão e pela fraqueza das pernas e a palidez do semblante, revelava claramente — embora a temperatura não fosse tão quente — que ele deveria ter transpirado durante vinte dias toda a disposição que, com toda a certeza, adquirira numa só hora. Andava ziguezagueando, tropeçando toda hora, como um convalescente, e, ao transpor o portal da cidade, percebeu aproximar-se em sua direção um amigo a quem não via há mais de meio ano. O amigo, benzendo-se como se visse alguma assombração, aproximou-se e lhe disse:

— O que aconteceu, Senhor Alferes Campuzano? Como é possível que estejais por aqui? Imaginava-o em Flandres, de lança em riste, e não por estas bandas arrastando a espada. Que palidez, que fraqueza é essa?

Campuzano respondeu:

— Se estou ou não nesta terra, senhor Licenciado Peralta, a minha simples presença lhe responde. Quanto às outras perguntas, nada tenho a responder senão que estou saindo daquele hospital onde sofri quatorze suadouros por causa de uma mulher a quem escolhi como minha, quando jamais o deveria ter feito.

— Quer vossa mercê dizer que se casou? — perguntou Peralta.

— Sim — respondeu Campuzano.

— E teria sido por amor? — disse Peralta, acrescentando em seguida: — Tais casamentos sempre trazem arrependimento.

— Não saberei se foi por amor — respondeu o alferes —, embora possa garantir ter sido por amargor, pois do meu casamento, ou "cansamento", carrego tais coisas no corpo e na alma que as do corpo, para curá-las, me custaram quarenta suadouros, mas para as da alma não encontro remédio sequer para aliviá-las. Mas você me perdoe; não posso manter longas conversas neste lugar. Qualquer outro dia, com mais comodidade, contar-lhe-ei minhas aventuras; são as mais novas e originais que vossa mercê terá ouvido em todos os seus longos dias de vida.

— Não será como dizeis — falou o Licenciado —, pois gostaria que venha à minha pousada para ali desabafarmos nossas mágoas. Além disso tenho lá uma comida muito própria para convalescentes. Embora tenha sido preparada para dois, meu criado se contentará com um pastel. E se a sua convalescença o permitir, umas fatias de presunto servirão para nos abrir o apetite. A boa vontade com que lhe ofereço, não somente agora, mas todas as vezes quer vossa mercê quiser, fica acima de qualquer dúvida.

Agradeceu-lhe Campuzano, aceitando o convite e as ofertas. Foram ambos a São Llorente, onde ouviram missa e depois Peralta levou o amigo para a sua casa, dando-lhe o prometido e insistindo para que repetisse. Mal Campuzano concluíra pediu-lhe Peralta que narrasse os acontecimentos que tanto o haviam abalado. Campuzano não se fez de rogado e pôs-se logo a falar:

— Vossa Mercê bem se lembra, senhor licenciado Peralta, como fui nesta cidade amigo do capitão Pedro de Herrera, que agora vive em Flandres.

— Bem me lembro — respondeu Peralta.

— Pois um dia — prosseguiu Campuzano —, mal acabávamos a refeição na pousada da Solana onde vivíamos, quando entraram duas mulheres de belo porte, acompanhadas de dois criados. Uma delas pôs-se logo a falar com o capitão, encostados ambos a um canto da janela. A outra sentou-se numa cadeira junto à minha, cobrindo-se com o xale até o pescoço, sem deixar ver o seu rosto mais do que a transparência do xale o permitia. Embora cortesmente lhe suplicasse que se descobrisse, não me foi possível consegui-lo. E para completar a história, fosse de caso pensado ou por simples acaso, ela exibiu suas mãos muito brancas e cobertas de excelentes jóias. Da minha parte, eu estava importantíssimo com aquela grande corrente que vossa mercê terá talvez conhecido, o sombreiro com plumas e cordões, o traje colorido e a arrogância de um militar, tão imponente aos olhos da minha própria vaidade que me considerava a pairar no ar. Mesmo assim, roguei-lhe que descobrisse a face, ao que ela respondeu: "Não sejais importuno. Tenho minha casa; fazei com que um pajem me siga, pois embora seja mais honrada do que esta resposta sugere, quero ver se vossa discrição corresponde à vossa galhardia. Só então folgarei que me vejais."

— Beijei-lhe as mãos pela grande mercê com que me contemplava, em troca da qual lhe prometi punhados de ouro. O capitão concluíra sua conversa. Elas se foram, com seus criados atrás. O capitão me disse que a dama lhe pedira para levar algumas cartas a outro capitão, em Flandres. Dizia serem para um primo, mas ele bem sabia que eram para o amante. Eu ficara abrasado pelas mãos de neve que havia visto e ansioso pelo rosto que desejava ver. E assim, no dia seguinte, guiado pelo meu criado, fui visitá-la. Encontrei uma bela residência e uma mulher de quase trinta anos, a quem reconheci pelas mãos. Não era extremamente bela, mas era-o de modo a poder nos prender pelo tato, pois tinha um tom de voz tão suave e penetrante que ia até a alma. Mantivemos longos e amorosos colóquios. Adulei, garganteei, prometi, dei enfim todas as demonstrações que me pareciam necessárias para me tornar benquisto. Mas ela parecia feita para ouvir semelhantes ou maiores ofertas e discursos. Era toda ouvidos e nenhuma surpresa. Concluindo, nossos colóquios duraram quatro floridos dias. Continuei a visitá-la sem que chegasse, no entanto, a colher o fruto cobiçado.

— Nos momentos em que a visitei — prosseguiu ele —, encontrei sempre a casa livre; jamais percebi indícios de parentes, reais ou fingidos. Servia-lhe certa moça mais astuta do que simplória. Tratando de meus amores como a um soldado em vésperas de partir, apertei finalmente a senhora Dona Estefânia de Caicedo — é esse o nome de quem assim me deixou — que respondeu: "Tola seria eu, senhor alferes Campuzano, se quisesse me vender a vossa mercê por santa. Pecadora tenho sido e ainda sou, embora não tanto que os vizinhos cochichem e os empregados comentem. Nem de meus parentes herdei coisa alguma, mas apesar disso, o que tenho aqui em casa vale — bem contados —dois mil e quinhentos escudos. E isto em coisas que, vendidas, se converterão em bom dinheiro. Com essa fortuna procuro marido a quem entregar-me e a quem obedecer. A quem, juntamente com o arranjo da minha vida, entregarei uma incrível solicitude em agradar e servir. Príncipe algum terá cozinheira mais cuidadosa ou quem melhor saiba fazer um guisado no ponto. Tanto sei dirigir uma casa como orientar uma cozinha ou receber visitas. Na verdade, sei mandar e ser obedecida. Nada desperdiço e muito economizo. O dinheiro não vale menos e sim mais quando gasto sob minha orientação. A roupa branca que é minha, é muita e da melhor, mas não foi adquirida em lojas ou com vendedores ambulantes; estes dedos e os de minhas criadas fizeram-na, e se fosse possível tê-la tecido em casa, assim teríamos feito. Digo isso sem modéstias, pois não há mal algum quando a necessidade nos obriga a dizê-las. Acrescento ainda que procuro marido que me ampare, dirija e honre, e não amante que se aproveite e depois saia por aí falando... Se vossa mercê souber apreciar a prenda que nesse momento se lhe oferece, eis-me aqui a vossa disposição, sujeita a tudo quanto vossa mercê ordenar, e isso sem me pôr em leilão, que é a mesma coisa que andar em língua de casamenteiros. Não há nada para consertar o conjunto, como as suas próprias partes."

— Eu, que estava com o juízo não na cabeça mas nos calcanhares, julgando a felicidade ainda maior do que a imaginação me pintava e, oferecendo-se-me tão à mão tal quantidade de bens — já os convertera mentalmente em dinheiro! —, sem mais comentários do que aqueles a que dava lugar à ventura (que me embrulhava o raciocínio), respondi-lhe que me sentia muito alegre e afortunado por haver-me dado o céu, quase por milagre, companheira tal, para fazê-la senhora da minha vontade e dos meus haveres, que não eram tão poucos que não valessem, junto com aquela corrente que trazia no peito e outras joiazinhas que estavam em casa, além das minhas galas de soldados, mais de dois mil ducados, os quais, juntos aos mil e quinhentos dela, formavam quantia mais do que suficiente para vivermos na aldeia onde nasci e ainda possuía alguns bens. Tais haveres, convertidos em dinheiro, renderiam seus frutos com o tempo, permitindo-nos uma vida alegre e descansada. Em suma, naquelas noites acertamos o nosso casamento e esclarecemos nossa vida de solteiros. E nos próximos três dias de festas que vieram logo pela Páscoa fizeram-se as proclamas e no quarto dia nos casamos, encontrando-se presentes dois amigos meus e um rapaz que dizia ser primo dela. Tratei-o como se fosse um parente, com amabilidades, como as que até então ele dirigira à minha nova esposa. Falava porém com intenção tão falsa e hipócrita que prefiro ficar calado. Embora esteja dizendo apenas verdades, não são verdades de confessionário, dessas que não podem deixar de ser ditas.

O criado conduziu meu baú da pousada para a casa da minha mulher. Enfiei nele, diante dela, minha esplêndida corrente, mostrando-lhe outras três ou quatro, não do mesmo tamanho, porém na melhor qualidade possível, assim como três ou quatro cintos de diversos tipos. Mostrei-lhe também as roupas e os chapéus e entreguei-lhe os quatrocentos reais que possuía para as despesas da casa. Seis dias desfrutei calmamente a lua-de-mel, como genro pobre em casa de sogro rico. Pisei caros tapetes, amassei colchas da Holanda, iluminei-me com candelabros de prata. Almoçava na cama, levantando-me às onze horas, comendo às doze e sesteando às duas. Dona Estefânia e a criada excediam-se em agrados e cuidados. Meu criado, que até ali fora lerdo e preguiçoso, tornara-se num azougue. Os momentos que Dona Estefânia não passava ao meu lado, era fácil encontrá-la na cozinha, toda solícita em ordenar guisados que me despertassem o gosto e avivassem o apetite. Minhas camisas, colarinhos e lenços, pelo perfume que exalavam, pareciam um novo Aranjuez de flores, banhados que eram em água de flor de laranjeira.

Dias que passaram voando como os anos sob o império do tempo. Por ver-me tão regalado e bem servido, transformara-se em boa a má reputação com que começara aquele negócio. Ao fim deles, certa manhã — quando ainda no leito de Dona Estefânia — ouviram-se grandes batidas na porta. Ouvi a criada dizer, assomando à janela:

— Ah! Seja bem-vinda! Vejam só, chegou antes do que dizia na sua carta...

— Quem é que chegou, mulher? — perguntei.

— Quem? — respondeu ela. — Minha Senhora Dona Clemente Bueso. Acompanhada por Dom Lope Melendez de Armendárez, dois criados e Hortigosa, a ama.

— Corra, mulher, e vai abrir a porta, que eu já vou — disse Dona Estefânia à criada, que parara sem saber que atitude tomar. — E vós, senhor, pelo amor que me tendes, não os assusteis nem respondais em meu nome à coisa alguma que contra mim ouvires.

— Mas quem vos ofenderá, ainda mais em minha presença? Dizei: que gente é essa que tanto alarma vos causa?

— Não tenho tempo para vos responder — disse Dona Estefânia —, sabei somente que tudo o que aqui se passar será fingido e visa a certo desígnio, o qual sabê-lo-eis depois.

Quis replicar-lhe, mas a senhora Dona Clementa Bueso não permitiu, pois entrou no quarto arrastando a cauda do longo vestido verde todo enfeitado com cordões de ouro, capinha da mesma qualidade, chapéu de plumas verdes, brancas e vermelhas, e um rico cinto de ouro. Metade do rosto vinha oculto por um véu leve. Em sua companhia entrou o Senhor Dom Lope Melendez de Almendárez, não menos bizarro nem menos ricamente paramentado.

Dona Hortigosa foi a primeira a falar, exclamando:

— Meu Deus! O que é isto? Ocupando o leito da Senhora Clementa, e além disso, com um homem? Estou vendo milagres hoje nesta casa! Não há dúvida de que Dona Estefânia tomou o pé pela mão e abusou da amizade da minha senhora!

— Tendes razão, Dona Hortigosa, mas a culpa é minha. Não devia me aborrecer arranjando amigas que só o sabem ser quando lhes interessam!

A tudo isso, Dona Estefânia respondeu:

— Não fique aborrecida, Dona Clemente Bueso, e acredite que não é sem mistério que a senhora vê estas coisas em sua casa. Quando ficar sabendo do que realmente aconteceu, tenho certeza que haverá de me desculpar e não haverá de sua parte nenhum motivo de queixa.

A esta altura eu já vestira as calças e a camisa e Dona Estefânia me tomou pelo braço e me levou para o outro quarto e ali me disse que aquela sua amiga pretendia enganar Dom Lope, com quem pretendia se casar. Que o engano era dar-lhe a entender que aquela casa e tudo quanto nela estava lhe pertencia e disso tudo ela faria seu dote. Assim que se realizasse o casamento, pouco se lhe dava que descobrissem o engano, confiada como estava no grande amor de Dom Lope.

— E logo ela me devolverá tudo. Não se pode levá-la a mal nem a nenhuma outra mulher que procure marido honrado, embora por meios escusos.

Respondi-lhe que era uma prova de grande amizade o que pretendia fazer, e que primeiro pensasse bem porque poderia, depois, sem ter necessidade, necessitar da justiça para readquirir seus bens. Mas ela respondeu com tanta e tais razões, mostrando quantas coisas obrigavam-na a servir Dona Clementa — coisas de pouca importância, era verdade — que, embora de má vontade e com remorso, concordei com a vontade de Dona Estefânia. Assegurou-me ela que o engano duraria oito dias, durante os quais ficaríamos em casa de outra amiga sua. Acabamos de nos vestir e logo, despedindo-se de Dona Clementa Bueso e do Senhor Lope Melendez de Almendárez, disse a meu criado que carregasse o baú e a seguisse. Também eu a segui, sem me despedir de ninguém.

Dona Estefânia parou em casa de uma amiga e, antes que entrássemos, esteve lá dentro um bom tempo, falando com ela. Depois apareceu uma criada mandando que entrássemos — eu e o criado. Levou-nos a um pequeno aposento, no qual havia duas camas tão juntas uma da outra que pareciam uma só. Não havia espaço para separá-las; as cobertas pareciam beijar-se. Ali permanecemos durante seis dias e em todos eles não passou uma hora em que não tivéssemos alguma discussão. Dizia-lhe da loucura que fizera em deixar sua casa e pertences, embora fosse para a própria mãe. Durante as discussões, ela ia e vinha pelo quarto, tanto que a dona da casa, um dia em que Dona Estefânia fora ver em que pé estavam as coisas, quis saber qual a causa que me levava a discutir tanto com ela e o que fizera que tanto a ofendia, sobretudo insistindo em dizer que fora uma notável loucura e não um perfeita amizade o que a levara a fazer o que fez. Contei-lhe toda a história, falei que me casara com Dona Estefânia e do dote que ela trouxera. Quando lhe disse da grande tolice que fizera em deixar a casa e pertences à Dona Clementa, embora com a boa intenção de conseguir um marido do quilate de Dom Lope, começou ela a benzer-se e a persignar-se com tanta agitação e com tantos ai! Jesus! ai! Jesus!... que não pude deixar de ficar perturbado. Ela então me disse: "Senhor Alferes: não sei se vou contra a minha consciência ao contar-lhe o que também nela pesaria se eu permanecesse calada. Mas, por Deus e pelo destino, seja lá o que for, viva a verdade e morra a mentira! A verdade é que Dona Clementa Bueso é a verdadeira dona da casa e dos pertences que lhe deram como dote. Mentira foi tudo quanto lhe contou Dona Estefânia. Ela não possui casa nem bens, nem outro vestido a não ser aquele que trás no corpo. E, para tornar visível esse logro, foi que Dona Clementa andou visitando parentes seus em Placêncio e dali esteve fazendo uma novena para Nossa Senhora de Guadalupe. Neste espaço de tempo deixou Dona Estefânia cuidando de sua casa, pois são realmente grandes amigas. Claro que não se deve culpar a pobre mulher, pois soube arranjar para marido uma pessoa como o senhor Alferes."

Aqui ela deu fim à conversa e dei princípio eu ao meu desespero, e sem dúvida o teria prolongado se o meu anjo da guarda não acudisse, dizendo ao meu coração para não esquecer que eu era cristão e que o maior pecado dos homens era o desespero por ser o pecado dos demônios. Esta consideração, ou boa inspiração, confortou-me um pouco, mas não tanto que deixasse de apanhar a capa e a espada e saísse à procura de Dona Estefânia, com a intenção de lhe dar um castigo exemplar. A sorte porém, que não saberei dizer se melhorava ou piorava as coisas, ordenou que em nenhum lugar onde pensava encontrá-la, ela estivesse. Fui a São Llorente e encomendei-me a Nossa Senhora; sentei-me depois num banco e com o desgosto fui tomado por um sono tão pesado que não despertaria tão cedo se não me sacudissem. Fui cheio de pensamentos e de aflições à casa de Dona Clementa e encontrei-a tão à vontade como senhora que era dos seus próprios bens; não ousei dizer-lhe nada porque Dom Lope estava presente. Voltei à casa da minha hospedeira que me disse haver contado a Dona Estefânia como eu já sabia de toda a sua hipocrisia e falsidade e que ela lhe havia perguntado que cara fizera eu com a notícia. Havia-lhe respondido que uma cara muito má e que, segundo o seu modo de ver, eu saíra a procurá-la com más intenções e piores determinações. Finalmente disse que Dona Estefânia carregara com tudo que estivesse no baú, sem nele deixar uma só peça de roupa sequer.

Aqui foi que a coisa se deu! Aqui teve-me Deus de novo em suas mãos. Fui ver o baú, encontrando-o aberto, como um túmulo à espera do cadáver. Com boas razões seria o meu, se tivesse calma para sentir e ponderar tamanha desgraça...

— Bem esperta ela foi — disse, neste momento, o Licenciado Peralta — por haver Dona Estefânia levado tanta corrente e tantos cintos pois, como se diz, todos os enterros... etc. etc.

— Esta falta nenhuma pena me deu — respondeu o alferes —, pois também poderei dizer: "Pensou Dom Simueque que me enganava com sua filha caolha e, por Deus, coxo sou eu de um lado..."

— Não sei a que propósito pode vossa mercê dizer isso — respondeu Peralta.

— O propósito — disse o alferes — é de que aquele embrulho e aparato de correntes, cintos e brincos poderia valer quando muito dez ou doze escudos.

— Não é possível — disse o licenciado —, porque a corrente que o senhor trazia no pescoço parecia pesar mais de duzentos ducados.

— Assim seria — respondeu o alferes — se a verdade fosse o que a aparência mostrava; mas como nem tudo que reluz é ouro, as correntes, os cintos e as jóias e os brincos não passavam de imitações. Estavam tão bem feitas que somente o toque ou o fogo poderiam descobrir sua qualidade.

— Assim — disse o licenciado —, entre vossa mercê e a Senhora Dona Estefânia, o jogo ficou empatado?

— E tão empatado — respondeu o alferes — que poderíamos embaralhar as cartas de novo. Mas o estrago está em que ela poderá se desfazer das minhas correntes e eu não do laço em que caí. Sim, porque embora muito me pese, ela é minha mulher.

— Dai graças a Deus, senhor Campuzano — disse Peralta —, que ela se foi e que não estais obrigado a ir buscá-la.

— Assim é — respondeu o alferes. — Porém, com isso tudo, embora não a procure, tenho-a sempre no pensamento, e onde quer que ela esteja está presente a desonra.

— Não sei o que responder — disse Peralta — a não ser lhe trazer à memória dois versos de Petrarca:

*Chi chi prende diletto di far frode*
*Non sidé lamentar s'altri l'inganna*

— o que significa em nossa língua: "Aquele que tem o costume e o gosto de enganar a outros, não deve queixar-se quando é enganado."

— Não me queixo — respondeu o alferes —, e sim lamento, pois o culpado, nem por reconhecer a culpa, deixa de sentir pena do castigo. Bem sei que tentei enganar e fui enganado, feriram-me com as minhas próprias armas, mas não posso permitir que tais sentimentos deixem de vir à tona. Finalmente o que mais importa no meu romance — que tal nome se pode dar à narrativa das minhas aventuras — é ter sabido que Dona Estefânia se fora com o primo, o mesmo que se encontrava em nosso casamento e que tempos atrás fora seu amigo para todas as coisas. Não quis procurá-la para não encontrar o mal que me faltava. Mudei de pousada e de cabelo em poucos dias, pois começaram a cair-me os pêlos das sobrancelhas e dos cílios antes do tempo: arrumaram-me uma doença que chama calvície. Achei-me deveras limpo: não possuía nem cabelos para pentear nem dinheiro para gastar. A enfermidade caminhou ao mesmo passo da minha miséria, e como a pobreza atropela a honra e a uns leva à forca, a outros ao hospital e a outros ainda os faz bater nas portas dos seus inimigos com pedidos e súplicas, o que é uma das maiores desgraças que pode acontecer a qualquer infeliz, e por não ter podido cuidar das roupas que me protegeriam e assegurariam a saúde, ao chegar o tempo em que se dão os suadouros no Hospital da Ressurreição, para ele me dirigi e nele tomei quarenta suadouros. Dizem que ficarei curado, se me tratar. Espada ainda possuo; o resto Deus irá de remediar.

# A MULHER E O CACHORRO

## OTTO MELANDER
### (1571-1640 | Alemanha)

*O alemão Melander sabia latim tão bem quanto seus colegas italianos e franceses. Protes-*
*tante, quando podia alfinetava frades e freiras. Ele inclui-se no grupo de humanistas da Renascença,*
*escrevendo num gênero típico da época, que constituía em coletâneas ao mesmo tempo instrutivas*
*e recreativas, misturando anedotas e fatos curiosos. O conto em questão faz parte de Joco-seria (Coi-*
*sas Jocosas e Sérias) e inclui-se dentro da tradição boccaciana.*

Costumava certo fidalgo da Vestefália convidar para o almoço domingueiro o
seu presbítero, homem moço, conversador e faceto, conduzido havia pouco ao leme da
Igreja. Um dia teve de viajar para o estrangeiro. Estando já a meia milha de seu castelo,
disse ao escudeiro, de repente:

— Lembro-me agora de uma coisa de que faço muita questão que minha esposa
seja advertida; para ela também é muito importante. Volta, pois, imediatamente, e
adverte-a em meu nome, de modo grave e solene, que não dê ao presbítero, em minha
ausência, nem almoço nem jantar; não o deixe entrar em casa durante todo o tempo
em que eu não estiver lá; e, principalmente, não ponha os pés em casa dele, e se
abstenha de qualquer conversa com ele.

O escudeiro prometeu a seu amo cumprir a ordem, e regressou ao castelo. Mas,
apenas se afastara um pouco, pôs-se a meditar e a resmungar: — "Decerto o meu amo
assustou-se com a idéia de que esse nosso presbítero novato, cheio de seiva como é
natural em um moço, rapaz forte, formoso e lúbrico, se pusesse a assaltar o pudor da
senhora. Deve ser por isso que lhe proibiu toda espécie de familiaridade com ele. Mas
eu, por Hércules, conheço os costumes dessas mulherezinhas. Elas praticam de preferência justamente as coisas de que têm ordem de se abster. Portanto, para que em
nossa ausência ela não tenha ligações com o tal acólito, nada lhe direi, absolutamente,
sobre a ordem do meu amo, mas inventarei algum outro recado por ele dado a mim."

Mal entrara o escudeiro no castelo, já à senhora acudia, e, com lágrimas nos
olhos, perguntou-lhe:

— Que significa a tua volta tão apressada? Será que os negócios de meu marido não andam bem?

— Andam, sim, muito bem — respondeu o criado. — Meu senhor mandou-me voltar para, em seu nome, advertir-vos de uma coisa. Quer e manda o meu nobre senhor que em sua ausência não vos ponhais a brincar com aquele nosso grande molosso, acostumado a rédeas, nem o monteis. Teme que aquele cachorro irritável e sempre disposto a morder venha a morder-vos, por acaso.

— Não entendo muito bem esta proibição — respondeu a mulher. — Por Hércules, nunca tive a idéia de acariciar o molosso, ainda menos de montá-lo. Digo mais: não há ninguém no mundo que me haja visto brincar com ele. Por tudo isso, esta recomendação era inteiramente supérflua.

Mas o escudeiro, antes de se ir, insistiu:

— Compreendestes, então, minha senhora, o recado de vosso marido? Ponde, pois, todo o empenho em lhe obedecer.

— Volta a meu marido — respondeu a mulher —, transmite-lhe os meus votos de felicidade, e dize-lhe que fique tranqüilo, não se preocupe comigo, pois farei todo o possível para lhe provar, pelo meu procedimento, quanto lhe estou submissa neste ponto, como em outro qualquer.

Mal o escudeiro tinha virado as costas, eis que a mulher começa a matutar: — "Não posso imaginar por que razão meu marido me proíbe de acariciar o molosso ou montar nele. Deve haver aí algum motivo oculto. Não me lembro, por Castor, de o ter feito ou mesmo tentado. Bem, de qualquer maneira está certo: morra eu se tocar o cão com um dedo sequer!"

Depois de tais reflexões, vai buscar alguns pedaços de pão e joga-os ao cachorro. Verificando que este os devora avidamente e vem lisonjeá-la depois, traz mais pão e repasta o animal até saciá-lo. Acaba acariciando-o, sem dúvida para experimentar se é tão irritável como pretende o marido. Vendo que o animal suporta bem o tratamento, exclama:

— Vejam só como é tratável o nosso molosso!

Nisto, senta-se no cão, apertando-lhe um tanto as costas com as nádegas. O cachorro se enfurece, arreganha os dentes e crava-os no braço da mulher. Ensangüentada, agoniada pela dor, ela vê-se forçada a chamar um médico para tratar-lhe da ferida.

Passam-se os dias. Retorna o fidalgo, e encontra a esposa de cama, com ar abatido, muito pálida.

— Que desgraça te aconteceu, minha luz? — pergunta-lhe, alarmado.

— Tudo isto é por tua causa — respondeu ela. — Se não me houvesses recomendado, pelo escudeiro, que não brincasse com o molosso, nunca me haveria atrevido a tocá-lo.

O fidalgo, surpreendido, procura justificar-se por todos os meios e jura por Júpiter não ter mandado dizer pelo escudeiro nada de semelhante; depois, chama-o:

— Então, patife, eu mandei dizer a minha mulher que não acariciasse o molosso?

— Nada disso — responde o criado. — Mandastes-me proibi-la de introduzir o presbítero em vossa casa enquanto estivésseis ausente. Eu, porém, inventei outro recado, por saber do costume que têm as mulheres de fazer precisamente o que se lhes proíbe. Se de fato eu lhe tivesse vedado todo e qualquer contato com o padrezinho, sem nenhuma dúvida ela o haveria introduzido em casa, e agora, em vez de terdes uma esposa honesta, teríeis o vosso lar transformado em hediondo prostíbulo. Foi isso que eu quis evitar, convencido de que a mulher procura sempre o que se lhe proíbe; e podeis ver a prova manifesta disso no fato de ter ela acariciado o cachorro e tê-lo montado, embora eu lho houvesse vedado com a maior insistência.

O fidalgo não deixou de aprovar a atitude do prudente criado, a quem daí em diante teve em melhor conceito, e encerrou o incidente com estas palavras:

— Prefiro ver minha mulher mordida pelo cachorro a sabê-la desonrada pelo acólito.

*Tradução de Paulo Rónai e Aurélio Buarque de Holanda*

# O ALGUAZIL ENDEMONINHADO

### FRANCISCO DE QUEVEDO
### (1580-1645 | Espanha)

*Francisco Gómez de Quevedo y Villegas, o mais versátil escritor da literatura espanhola do "Século de Ouro", foi poeta, polígrafo, político e um grande satírico, além de renovador da língua castelhana. Como poeta, em O Parnaso Espanhol, combateu o Gongorismo, embora nem sempre tenha se livrado de uma forma pessoal paradóxica e rebuscada. Como ficcionista, deu continuidade à "novela pícara", com O Gatuno, entre outros. O Alguazil Endemoninhado ("alguazil" era um antigo funcionário administrativo e judicial, ou qualquer empregado da justiça) está presente em muitas antologias universais do conto de humor.*

Foi o caso que entrei em São Paulo à procura do licenciado Calabrês,[1] clérigo de barrete de três bicos feito a modo de meio celamim; ourelo por cinto, e não muito apertado; olhos perscrutadores, vivos e buliçosos; punhos de Corinto, assomo de camisa fazendo às vezes de colarinho, rosário na mão, disciplina à cinta, sapato grande e tosco, e orelha surda, mangas em ruínas e lavores de rasgões, os braços em jarra e as mãos em garfo; fala entre penitente e disciplinante, o pescoço desabado sobre o ombro, como o bom atirador que aponta ao alvo (sobretudo se é alvo do México ou de Segóvia); os olhos baixos e mui cravados no chão, conto aquele que cobiçoso, nele procura quartos,[2] e os pensamentos tiples;[3] a tez a espaços enrugada e a espaços embaciada; muito vagaroso na missa e rápido na mesa; grande caçador de diabos tanto que sustentava o corpo de puros espíritos. Metia-se a ensalmar, fazendo, ao benzer, umas cruzes maiores que as dos malcasados. Trazia na capa remendos sobre a

---

[1] O licenciado Calabrês existiu realmente e chamava-se Jenaro Andreini. De origem italiana, desempenhava as funções de capelão do Conde de Lemos, e granjeou tal fama de exorcista e conjurador que o Santo Ofício julgou necessário expulsá-lo da Espanha.

[2] *quarto:* antiga moeda espanhola.

[3] *tiple:* voz de soprano.

parte perfeita; fazia do desalinho santidade, contava revelações, e, se se descuidavam em crê-lo, obrava milagres, e tais que me cansou.

Era este, senhor, um daqueles a quem Cristo chamou sepulcros caiados, por fora brancos e cheios de molduras, e por dentro podridão e vermes; fingindo no exterior honestidade, e sendo no íntimo da alma dissoluto e de mui tolerante e rasgada consciência. Era, em bom romance,[4] hipócrita, embuste vivo, mentira com alma e fábula com voz. Encontrei-o na sacristia a sós com um homem que, atadas as mãos ao cíngulo, a estola posta e solta a língua, descompostamente dava vozes com frenéticos movimentos.

— Que é isto? — perguntei-lhe com espanto.

— Um homem endemoninhado — disse, embebido em seu *flagellum demonium*.[5]

E neste ponto respondeu o espírito que nele usurpava a possessão de Deus:

— Não é homem, e sim alguazil. Vede lá como falais, que pela pergunta de um e resposta do outro se nota que sabeis pouco. E, assim, se há de advertir que os diabos nos alguazis estamos por força e de má vontade, pelo quê, se me quereis tratar com justeza, deveis chamar-me a mim demônio alguazilado, e não a este alguazil endemoninhado; e entendeis-vos melhor, os homens, conosco, indefinidamente melhor do que com eles, pois nós fugimos da cruz e eles a tomam por instrumento para a prática do mal. Quem poderá negar que demônios e alguazis não temos um mesmo ofício? Posto que nosso cárcere é pior, nossa prisão perdurável, bem feitas as contas nós procuramos condenar, e os alguazis também; para nós, é bom que haja no mundo vícios e pecados, e os alguazis o desejam e procuram com maior afinco, pois disso hão mister para seu sustento, e nós para nossa companhia. E é muito mais de reprovar este ofício nos alguazis do que em nós, pois eles fazem mal a homens como eles e aos de seu gênero, e nós não, que somos anjos, embora sem graça. Além disto, os demônios o fomos por querermos ser como Deus, e os alguazis são alguazis por quererem ser menos que todos. Assim, demasiado te cansas, ó padre, em adornar de relíquias a este, pois não há santo que, caindo-lhe nas mãos, não fique nelas. Persuade-te de que alguazis e nós, somos todos de uma ordem; com a diferença de que os alguazis são diabos calçados, e nós diabos recoletos, que levamos áspera vida no Inferno.

Espantaram-me as sutilezas do Diabo; enfadou-se Calabrês, resolveu os seus esconjuros, quis fazê-lo calar e não pôde, e ao deitar-lhe água benta às costas começou ele a fugir e a dar vozes, dizendo:

— Clérigo, olha que não dá estas demonstrações o alguazil por ela ser benta, mas por ser água; não há coisa que tanto aborreçam os alguazis, pois até, para não vê-la em seu nome, chamando-se propriamente *aguazis*, encaixaram um *L* no meio,

---

[4] *romance:* "língua românica" derivada do latim; no caso presente, o espanhol. *Em bom romance* = 'em bom espanhol', 'para falar claro'.

[5] *flagellum demonium:* "o flagelo dos demônios".

passando a chamar-se *alguazis*.[6] Eu não trago meirinhos, nem delatores, nem escrivão; tirem-me a tara como ao carvão, e faça-se confronto entre mim e o gatuno. E, para que acabeis de saber quem são e quão pouco têm de cristãos, adverti que, de poucos nomes que do tempo dos mouros ficaram na Espanha, um foi o deles, que, chamando-se antes meirinhos, terminaram por lhes chamar alguazis, que alguazil é palavra mourisca; e bem fazem, que se ajusta o nome à vida e ela aos seus feitos.

— É coisa muito insólita ouvi-lo — disse furioso o licenciado —, e, se damos licença a este embusteiro, dirá outras mil velhacarias e muito mal da justiça, porque ela corrige o mundo e lhe tira, com seu zelo e diligência, as almas que ele tem negociadas.

— Não o faço por isso — replicou o Diabo —, mas porque é teu inimigo o que o é do teu ofício; e tem piedade de mim e tira-me do corpo deste alguazil, pois que sou demônio de prendas e qualidades, e depois muito perderei no Inferno por haver estado por cá em más companhias.

— Tirar-te-ei hoje — disse Calabrês —, de pena desse homem a quem por momentos aporreias e maltratas; que tuas culpas não merecem piedade, nem a ela faz jus a tua obstinação.

— Pede-me alvíssaras — respondeu o Diabo —, se me tiras hoje; e considera que estes golpes que lhe dou e a aflição que lhe causo é tão-só porque eu e sua alma disputamos aqui sobre quem há de estar em melhor lugar, e vivemos a discutir qual dos dois é mais diabo.

Acabou estas palavras com uma grande risada; vexou-se o bom do meu esconjurador, e determinou-se a emudecê-lo.

Eu, que havia começado a gostar das sutilezas do Diabo, roguei-lhe que, pois estávamos a sós, e ele, como meu confessor, sabia as minhas coisas secretas, e eu, como amigo, as suas, que o deixasse falar, obrigando-o somente a que não maltratasse o corpo do alguazil. Assim se fez, e então disse ele:

— Onde há poetas, temos, os diabos, parentes na corte, e todos vós nos deveis pelo que no Inferno por vós sofremos; que tendes achado tão fácil maneira de vos condenardes, que ferve todo ele em poetas. E fizemos uma ampliação em seu dístico, e são tantos que nos votos e eleições competem com os escrivães; e não há coisa tão engraçada como o primeiro ano do noviciado de um poeta em torturas, pois há quem lhe leve, de cá, cartas de empenho para ministros, e acredite que vai topar com Radamanto,[7] e pergunte pelo Cérbero[8] e Aqueronte,[9] e convencido fique de que lhos escondem.

---

[6] *aguazis, alguazis*. O jogo feito pelo Diabo com estas duas formas é compreensível em espanhol, onde *alguacil* veio depois de *aguacil*, que se arcaizou. Em português, ao contrário, *aguazil* é a forma preferida.

[7] *Radamanto:* um dos três juízes dos Infernos, na mitologia; filho de Júpiter e irmão de Minos.

[8] *Cérbero:* cão de três cabeças que guarda a porta do Inferno.

[9] *Aqueronte:* rio dos Infernos; o Inferno.

— Que gêneros de torturas dão aos poetas? — indaguei.

— Muitas — disse ele — e apropriadas. Uns se atormentam ouvindo louvar as obras de outros, e para a maioria o castigo é limpá-los. Há tal poeta que tem mil anos de Inferno e não deixa de lér umas endechinhas que fez aos ciúmes; outros verás, em outra parte, espancarem-se e darem-se tiçoadas, na dúvida sobre se hão de dizer face ou cara. Este, para achar um consoante,[10] não há cerro no Inferno em que não tenha rolado a morder as unhas. Porém os que mais sofrem, pelas muitas maranhas que fizeram, e pior lugar têm, são alguns poetas de comédias, pelas muitas rainhas a quem fizeram adúlteras, as infantas de Bretanha a quem desonraram, os casamentos desiguais que realizaram nos fins das comédias, e as pauladas que deram em muitos homens honrados ao cabo dos entremezes. Mas é de saber que os poetas de comédias não estão entre os demais, porém, porque tratam de fazer enredos e maranhas, se incluem entre os procuradores e solicitadores, gente que só trata disso. E no Inferno se acham todos alojados com tal ordem que um artilheiro que lá baixou outro dia, querendo que o pusessem entre os homens de guerra, — como, ao perguntarem-lhe que ofício tivera no mundo, dissesse que era dar tiros, foi remetido ao quartel dos escrivães, pois são os que maiores os dão neste mundo.[11] Um alfaiate, porque disse que vivera de cortar vestidos, foi aposentado com os maldizentes. Um cego, que pretendeu encaixar-se com os poetas, foi levado ao grupo dos namorados, por serem-no todos. Outro, que disse que enterrava defuntos, foi hospedado com os pasteleiros. Os que vêm por ser loucos, pomo-los com os astrólogos, e os mentecaptos, com os alquimistas. Um veio por umas mortes, e o mandamos alojar com os médicos. Os mercadores que se condenam por mercar estão com Judas. Os maus ministros, pelo que pilharam, acomodamo-los com o mau ladrão. Os néscios estão com os verdugos. E um aguadeiro que disse ter vendido água fria foi levado com os taberneiros. Chegou há três dias um trapaceiro, e disse que se condenava por ter vendido gato por lebre, e pusemo-lo no mesmo nível que os estalajadeiros, que dão o mesmo. Enfim, todo o Inferno está dividido por esta ordem e maneira.

— Ouvi-te dizer há pouco dos namorados, e, por ser coisa que a mim me toca, gostaria de saber se há muitos por lá.

— Mancha é a dos namorados — respondeu — que toma tudo, porque todos o são de si mesmos; alguns de seus dinheiros, outros de suas palavras, outros de suas obras e alguns das mulheres. E destes últimos há menos que de todos no Inferno, porque as mulheres são tais que com ruindades, maus-tratos e piores correspondências dão aos homens cada dia motivos de arrependimento. Como digo, destes há pou-

---

[10] *consoante:* rima consoante; rima.

[11] Trocadilho com a expressão *dar tiros* (*hacer tiros*), empregando-a no sentido normal no primeiro caso, em relação ao artilheiro, e na acepção figurada de fazer trapaças, furtos, no segundo caso, em relação aos escrivães.

cos, porém bons, e de bom humor, se isto lá se permitisse. Alguns há que com zelos e esperanças, amortalhados em desejos, vão correndo para o Inferno, sem saber como nem quando nem de que maneira. Há amantes alacaiados que ardem cheios de laços; outros crinitos à feição de cometas, cheios de cabelos; e outros que só com os bilhetes que trazem de suas damas poupam vinte anos de lenha à fábrica da casa, abrasando-se lardeados neles. São para ver os amantes de monjas, bocas abertas e mãos estendidas, condenados por falar sem tocar nenhuma peça, feitos bufões dos outros, enfiando e puxando os dedos através de umas grades, sempre em vésperas do contentamento, sem verem jamais o dia, e só com o título de pretendentes a Anticristo. Logo a seu lado estão os que desejaram donzelas e se condenaram pelo beijo como Judas, conjecturando sempre os gostos sem os poder descobrir. Atrás destes, em masmorra, estão os adúlteros: estes são os que melhor vivem e a quem mais se faz sofrer, pois outros lhes sustentam a cavalgadura e eles a desfrutam.

— Gente é essa — disse eu — cujos agravos e favores são todos do mesmo jeito.

— Abaixo, num aposento sujíssimo, cheio de mondaduras de ancinho (quero dizer, cornos), estão aqueles a quem por cá chamamos cornudos, gente que nem no Inferno perde a paciência; os quais, submetidos antes à prova da má esposa que tiveram, nada os espanta. Depois deles vêm os que se enamoram de velhas, todos atados com grilhões; que os diabos, de homens de tão mau gosto ainda não pensamos estar seguros; e, se não estivessem agrilhoados, nem Barrabás teria bem segura deles a traseira; e tais como somos, lhes parecemos brancos e ruivos. A primeira coisa que com estes se faz é condenar-lhes a luxúria e seus instrumentos à prisão perpétua. Mas, deixando isto, quero dizer-vos que mui sentidos estamos das confusões que fazeis conosco, pintando-nos com garras, sem sermos aves de rapina; com caudas, havendo diabos rabões; com cornos, não sendo nós casados; e pouco barbados sempre, quando entre nós há diabos que podem ser ermitães e corregedores. Remediai isto, que pouco há que para lá foi Jerônimo Bosco,[12] e, perguntando-se-lhe por que havia feito de nós tantos guisados em suas fantasias, disse que porque jamais acreditara que havia demônios deveras. Outra coisa, e a que mais sentimos, é que, falando comumente, costumais dizer: "Olhem o diabo do alfaiate", ou "É o diabo esse alfaiatezinho". A alfaiates nos comparais, que com eles damos lenha ao Inferno, e até nos fazemos rogados para recebê-los; que, a não ser a apólice de quinhentos, nunca passamos recibo, para não os deixar mal acostumados e para que não aleguem possessão; *Quoniam consuetudo est altera lex*;[13] e, como têm possessão no furtar e desmanchar os prazeres, mostram-se agravados se não lhes abrimos as portas de par em par como se fossem de casa. Também nos queixamos de que não há coisa, por má que

---

[12] *Jerônimo Bosco* (ou *Jeronimus Bosch*): pintor holandês da segunda metade do século XV, famoso por seus quadros de tendência moralizadora, em que pintou com realismo terrificante cenas infernais.
[13] "Porque o costume é uma segunda lei."

seja, que não a deis ao Diabo; e basta que vos enfadeis um pouco para dizerdes: "O Diabo te leve." Pois sabei que os que vão lá são mais do que os que trazemos; que nem de tudo fazemos caso. Dais ao Diabo um italiano, e não o leva o Diabo, porque há italianos que levariam ao próprio Diabo; e sabei que as mais das vezes dais ao Diabo o que ele já tem consigo, digo, nós temos.

— Há reis no Inferno? — perguntei-lhe eu.

E ele satisfez à minha dúvida, dizendo:

— Todo o Inferno são figuras, e há muitas, porque o sumo poder, liberdade e mando lhes faz sair as virtudes do seu meio, e chegar os vícios ao seu extremo; e, vendo-se, na suma reverência de seus vassalos e com a grandeza, elevados a deuses, querem valer um ponto menos e parecê-lo; e têm muitos caminhos para se condenarem, e muitos que os ajudam; porque um se condena pela crueldade e, matando e destruindo os seus, é um gadanho coroado de vícios e uma peste real de seus reinos; outros se perdem pela cobiça, fazendo armazéns de suas vilas e cidades à força de grandes peitos que, em vez de nutrir, enfraquecem; e outros vão para o Inferno por causa de terceiros e são vítimas do poder, fiando-se de infames ministros; e dá gosto vê-los penar, porque, como boçais no trabalho, a dor se lhes abranda com qualquer coisa. Só passam bem os reis, que, como gente honrada, nunca vêm sós, mas com uma cauda de dois ou três privados, e às vezes o intrometido; e trazem após si todo o reino, pois todos são governados por eles, posto que isso de privado e rei é mais penitência do que ofício, e mais carga do que prazer; nem há coisa tão atormentada como a orelha do príncipe e do privado, pois nunca a deixam pretendentes queixosos e aduladores, e esses tormentos os qualificam para o descanso. Em suma, os reis, muitos se vão para o Inferno pelo caminho real, e os mercadores pelo da prata.

— Quem te falou agora em mercadores? — disse Calabrês.

— Manjar é este que nos enfastiou e provocou indigestão, e ainda o vomitamos; chegam lá aos milhares, condenando-se em castelhano e em algarismos. Mais almas nos deram Besançon e Placenza que Mafoma; e haveis de saber que em Espanha os mistérios das contas dos estrangeiros[14] são dolorosos para os milhões que vêm das Índias, e que os canhões de suas plumas são de bateria contra as bolsas; e não há renda que, se eles a tomam entre as mãos, o Tejo de suas plumas e o Jarama de sua tinta não a afoguem. E, afinal, tornaram entre nós suspeito esse nome de assentos, que, como significa "traseiros", não sabemos quando falam ao negociante ou quando ao sodomita. De homens que tais já houve um no Inferno que, vendo a lenha e fogo que se gasta, quis fazer monopólio do lume; e outro quis arrendar os tormentos, parecendo-lhe que com eles ganharia muito. Estes, conservamo-los lá junto aos juízes que cá os permitiram.

— Então há por lá alguns juízes?

---

[14] Alusão aos banqueiros genoveses, de rapacidade notória.

— Pois não! — disse o espírito. — Os juízes são nossos faisães, nossos pratos de regalo, e a semente que mais proveito e fruto nos dá a nós diabos; porque, de cada juiz que semeamos, colhemos seis procuradores, dois relatores, seis solicitadores, quatro escrivães, cinco letrados e cinco mil negociantes, e isto cada dia. De cada escrivão colhemos vinte oficiais, de cada oficial trinta alguazis, de cada alguazil dez meirinhos; e, se o ano é fértil em trapaças, não há celeiros no Inferno onde recolher o fruto de um mau ministro.

— Também quererás dizer que não há justiça na Terra, ó tu, rebelde a Deus e sujeito a seus ministros?

— Certo que não há justiça! Pois nunca ouviste falar do caso de Astréia, que é a justiça, quando, fugindo da Terra, subiu ao Céu?[15] Ora, se o não sabes, eu to quero contar. Vieram à Terra a Verdade e a Justiça, à procura de com quem estar: uma não se sentiu a gosto por estar nua, nem a outra por ser rigorosa. Erraram longo tempo assim, até que, movida pela necessidade, a Verdade foi morar com um mudo. A Justiça, desacomodada, vagou pela Terra implorando a todos; e, vendo que dela não faziam caso e lhe usurpavam o nome para honrar tiranias, deliberou fugir, volvendo ao Céu. Deixou as grandes cidades e cortes, e dirigiu-se às aldeias de vilãos, onde por alguns dias, escondida em sua pobreza, hospedada foi pela Simplicidade, até que enviou contra ela precatórias a Malícia. Então fugiu inteiramente, e foi de casa em casa pedindo abrigo. Perguntavam todos quem era; e ela, que não sabe mentir, dizia que era a Justiça. Respondiam-lhe todos: — "Justiça, mas não em minha casa; procure outra"; e, assim, não entrava em nenhuma; subiu ao Céu, e aqui mal deixou o rasto. Os homens, que isto viram, batizaram com o nome dela algumas varas que, além das cruzes, ardem lá muito bem, e cá só têm nome de justiça elas e os que as conduzem. E é de maneira que tornou a baixar em Cristo, depois, e a justiça de cá a fez sua; porquanto há muitos destes em quem a vara furta mais que o ladrão com gazua e chave falsa e escada. E haveis de advertir que a cobiça dos homens tem feito instrumentos de furto todas as suas partes, sentidos e potências, que Deus lhes deu umas para viver e as outras para viver bem. Não furta a honra da donzela com o desejo o namorado? Não furta a lei com a razão o letrado que lhe torce o sentido? Não furta com a memória o diplomata que nos leva o tempo? Não furta o amor com os olhos, o discreto com a boca, o poderoso com os braços, pois não medra quem não tem os seus; o valente com as mãos, o músico com os dedos, o cigano e o ladrão de bolsas com as unhas, o médico com a morte, o boticário com a saúde, o astrólogo com o céu? E, afinal, cada um furta com uma parte ou membro. Só o alguazil furta com todo o corpo, pois espreita com os olhos, segue com os pés, agarra com as mãos e testemunha com a boca; e, por fim, são de tal sorte os alguazis que deles e de nós outros defende os homens a Santa Igreja romana.

---

[15] Segundo antiga lenda, contada por Ovídio, foi Astréia, deusa da Justiça, a última divindade que abandonou a Terra depois de os costumes dos homens se terem corrompido.

— Admira-me — disse eu — ver que entre os ladrões não incluís as mulheres, que são gente de casa.

— Não me fales delas — respondeu —, que nos trazem enfadados e cansados; e, a não existirem tantas lá, não seria má habitação o Inferno; e muito daríamos para que o Inferno enviuvasse, que, como se urdem intrigas, e elas desde que morreu Medusa, a feiticeira, não praticam outra coisa, temo que haja alguma tão atrevida que queira provar sua habilidade com algum de nós, para ver se saberá dois pontos mais. A despeito disso, uma coisa têm de bom as condenadas, pela qual se pode tratar com elas: como estão desesperadas, nada pedem.

— Quais as que se condenam mais, as feias ou as formosas?

— As feias — disse ele no mesmo instante — seis vezes mais; porque, como os pecados, para aborrecê-los, não é preciso mais que os cometer, e as formosas acham tantos que lhe satisfaçam o apetite carnal, fartam-se e arrependem-se; mas as feias, como não acham ninguém, para lá nos vão em jejum, e com a mesma fome implorando aos homens. E, desde que se usam olhinegras e de perfil aquilino, ferve o Inferno em brancas e ruivas, e em velhas mais que tudo, as quais, de inveja às moças, obstinadas expiram a grunhir. Outro dia levei eu uma de setenta anos, que comia argila e fazia exercício para impedir as opilações, e queixava-se de dor de dentes para que se pensasse que os tinha; e, com ter já amortalhadas as fontes com o lençol branco de suas cãs, e despida a fronte, fugia dos ratões e usava trajes de gala, pensando agradar-nos. Pusemo-la, por castigo, ao lado de um pisa-flores, desses que vão para o Inferno de sapatos brancos, com espiguilhas, informados de que lá é terra seca e sem lodos.

— Tudo isso está muito bem — disse-lhe eu. — Só queria saber se no Inferno há muitos pobres.

— Pobres? Que é isso? — replicou.

— O homem — disse eu — que não tem nada de quanto tem o mundo.

— Ora! Está claro que não! — disse o Diabo. — Se o que condena os homens é o que têm do mundo, e esses não têm nada, como hão de ser condenados? Nesta parte os nossos livros estão em branco. E não vos espanteis, porque até diabos faltam aos pobres; e, assim, os deixamos; e às vezes mais diabos sois uns para outros do que nós mesmos. Há diabo como um adulador, como um invejoso, como um amigo falso e como uma companhia má? Pois todos estes faltam ao pobre, a quem não adulam, nem invejam, que não tem amigo mau nem bom, nem o acompanha ninguém. Estes são os que verdadeiramente vivem bem e morrem melhor. Qual de vós sabe estimar como todos eles o tempo e dar preço ao dia, sabendo que tudo que passou o tem a morte em seu poder, e governa o presente e aguarda todo o porvir?

— Quando o Diabo prega, o mundo se acaba. Pois, como sendo tu o pai da mentira — disse Calabrês — dizes coisas que bastam a converter uma pedra?

— Como? — respondeu. — Para fazer-vos mal e que não possais dizer que faltou quem vo-lo dissesse. E advirta-se que em vossos olhos vejo muitas lágrimas de tristeza e poucas de arrependimento; e da maior parte delas se devem as graças ao pecado, que vos farta ou cansa, e não à vontade, que por mau o aborreça.

— Mentes — disse Calabrês —, que muitos santos e justos há hoje. E agora vejo que em tudo quanto disseste mentiste; e em castigo sairás hoje deste homem.

Fez os seus exorcismos, e, não podendo eu com ele, compeli-o a calar-se; mas, se um Diabo por si é mau, mudo é pior que o Diabo.

Leia isto V. Sª com curiosidade e atenção, e não olhe quem o disse; que Herodes profetizou, e pela boca de uma serpente de pedra sai um jato de água; na queixada de um leão há mel, e o salmo diz que às vezes recebemos salvação de nossos inimigos e da mão daqueles que nos detestam.

*Tradução de Paulo Rónai e Aurélio Buarque de Holanda*

# HISTÓRIA DAQUELE QUE SE
# FEZ MUDO PARA OBEDECER A SUA
# DAMA E AFINAL A DESPOSOU

## CHARLES SOREL
### (1582-1674 | França)

*Hoje completamente esquecido, Sorel foi um dos escritores mais lidos de seu tempo: seu A Verdadeira História Cômica da Francion (1622) teve 60 edições em vida do autor. Este conto é uma pequena amostragem do humor e da França do século XVII.*

Vivia na corte del-rei Francisco I um jovem fidalgo ornado de várias perfeições, chamado o Senhor de Beauregard, que se encontrou nas guerras de Itália, onde deu mostras de muito valor. Quando o seu rei foi preso diante de Pavia, ele, por honra insigne, em vez de tornar à França, permaneceu em Turim, onde adquirira tantas amizades que foi tão bem-visto por toda parte como se fora do país.

O que principalmente o detinha naquela cidade era a beleza de Aurélia, viúva de um gentil-homem piemontês, por quem perdidamente se enamorara. Não deixava de lhe fazer freqüentes visitas e de apresentar-lhe o ardor da sua afeição; ela, porém, tinha tão má opinião acerca do caráter dos franceses que julgava não haver neles fidelidade nem constância, e custava-lhe resolver-se a escolher um dentre eles para amante ou marido. Não lhe desagradava Beauregard no que dizia respeito ao exterior da sua pessoa, sendo homem belo e de boa aparência; confessaria até que o preferia a qualquer outro se fosse forçada a escolher, mas por prudência continha a sua inclinação e não lhe testemunhava senão frieza e severidade.

A Beauregard desgosta ver tão mal-empregados os seus serviços, e daí concebe tal desgosto que em todas as companhias em que se encontra não pode furtar-se a falar mal das mulheres da região e censurar-lhes a índole áspera, incivil e ingrata, dando a entender que deseja atacar principalmente Aurélia, e que o seu amor está prestes a mudar-se em furor se não logra curá-lo pelo desdém. Entretanto continua a arder por aquela dama, e, quando alcança aproximar-se dela, reitera-lhe as mesmas súplicas. Ela, porém, advertida da insolência de seus desabafos, trata-o com mais rudeza que nunca, e o reduz a estranhos excessos até fazê-lo compreender o motivo desse redobramento de rigor.

Para pôr-lhe termo, de repente o fidalgo muda de linguagem em todas as conversações em que toma parte, e acha meio de, estando com Aurélia a sós, pedir-lhe perdão pelo que se passou; chora, suspira, ajoelha-se-lhe aos pés, e faz-lhe tantos belos protestos que outra qualquer mulher tivera sido por eles vencida. Obteve pelo menos não ver inteiramente repelidas a sua requesta e as suas instâncias, mas a dama disse-lhe que, como concebera a seu respeito uma opinião desfavorável, pelo vício natural que atribuía à nação dele e pelo seu recente proceder, — se queria vê-la mudar de pensamento e, um dia, ser levada a tratá-lo melhor que no passado, não podia dar-lhe provas demasiado grandes de constância e de obediência; e, visto haver ele pecado sobretudo pela língua, queria castigá-lo por aquela parte e desejava passasse ele um ano sem falar.

Considerou Beauregard que, se a afeição dela só dependia de tal condição, não convinha desobedecer-lhe. Por isso limitou-se a dizer:

— Como últimas palavras que hei de vos dirigir, declaro que nunca mais falarei sem que mo ordeneis.

Nisto fez-lhe uma grande reverência e retirou-se.

Chegado a casa, como fosse muito tarde, deitou-se sem nada dizer a ninguém, e no dia seguinte, depois de levantar-se, tudo quanto ordenava a seus criados era por meio de sinais. Julgavam estes, a princípio, que ele obrava desta maneira por gravidade ou alguma melancolia que lhe vedasse a fala; mas, observando que a um dos amigos que viera ter com ele, e procurara fazê-lo falar, tampouco lhe respondia, consideraram que houvesse emudecido deveras. O tal amigo comparte-lhes o espanto, e pergunta como aconteceu aquilo, mas, como eles nada soubessem responder, perguntou-o também a Beauregard, o qual dava mostras de compreender quanto se lhe dizia, faltando-lhe apenas o dom da palavra. Deu a entender que tal acidente lhe ocorrera em conseqüência de súbito mal-estar, o que muito maravilhou o amigo, que foi contar o caso a muitos conhecidos do fidalgo francês, de sorte que decorreram quatro ou cinco dias sem que se lhe desenchesse o quarto, e só a custo encontrou ele gestos e ademanes para atender a tantos visitantes.

Entre os que o viram, vários havia que freqüentavam a casa de Aurélia, e puderam dar-lhe essa notícia, que a deixou surpreendida, posto que de uma surpresa diferente da dos outros, porquanto não imaginava que o seu namorado fosse fazer o que lhe mandara, e só lhe falara naquilo para ver se o despedia. Nem por isso declarou saber o motivo daquela mudez, e a respeito dele guardou reserva.

Entretanto Beauregard não perdeu nem o seu amor nem o desejo de lhe ver a linda causa, deixando transparecer que não tinha outra doença a não ser a falta da palavra. Foi visitar a sua cruel dama e deu-lhe a entender que, se lhe era proibido falar-lhe, a ela ou a qualquer outra pessoa, devia ela ao menos tolerar que lhe declarasse por sinais o excesso da sua paixão. E então fingia que atirava um arco perto de seus olhos; tocava o lugar do seu coração; passava os dedos uns sobre outros como se desse um nó, e depois erguia as mãos ao alto soprando com a boca tudo isso para mostrar-lhe que tinha o coração ferido das frechas dos seus olhos, que se encontrava fortemente atado, e que ardia das suas chamas. Representava, depois, várias cenas, e torturas que sentia, para lhe inspirar compaixão, porém a dama não achou graça naquela farsa e disse que Beauregard devia sofrer em segredo e longe dela, e que desejava vê-lo demonstrar a sua constância noutro lugar que não Turim, especialmente na corte de seu rei, onde, tendo ele muito do hábito da conversação, melhor se veria se era capaz de abster-se de falar. Deu-lhe a entender o fidalgo que estava disposto a obedecer a mais essa ordem, e, uma vez que ela lhe proibia que a visse, pouco lhe importava o lugar para onde havia de retirar-se durante o tempo da sua penitência.

Tornou, pois, à corte del-rei Francisco, que a essa altura se libertara dos espanhóis. Muito se admirou este príncipe, quando Beauregard foi a saudá-lo, de o saber emudecido de um dia para outro sem nenhum mal aparente. Tocado o coração pela memória de suas boas ações e pela pena de ver tão aflito um belo e jovem fidalgo, ordenou a seus médicos e cirurgiões que se consultassem para saber o motivo da perda que sofrera e prescrever-lhe os remédios mais convenientes.

Alguns dos convocados foram de um parecer, e outros de outro, acerca daquela doença; uns diziam que os órgãos estavam inteiramente estragados, outros que se encontravam apenas impedidos de funcionar; quanto aos remédios, uns ordenavam cautérios em várias partes do corpo, outros sangrias, sem que se pudessem facilmente pôr de acordo. Diga-se que Beauregard de modo algum se prestava a deixar-lhes aplicar as receitas. A maioria ficou satisfeitíssima de não ter de comprometer-se num caso que não oferecia saída honrosa. Assim, os alquimistas, os empíricos e todos os charlatães que nisto ouviram falar tiveram a audácia de se adiantarem para exibir vãs promessas e provas de seus segredos, na falta dos médicos comuns, que o haviam desamparado, tanto mais excitados quanto el-rei prometera boa recompensa a quem lhe restituísse a palavra.

Mas entre as pessoas que prometiam curá-lo com mais certeza teve-se notícia de uma dama estrangeira, chegada à corte havia pouco, e em quem se confiava mais, por ser de boa condição e não parecer movida da esperança de lucro mercenário. Tendo-o sabido, mandou el-rei chamá-la e, em presença de Beauregard, perguntou-lhe se insistia nas suas promessas. Respondeu ela que não podia deixar de sustentá-las e cumpri-las, e que lhe bastava uma única palavra para tornar aquele fidalgo capaz de bem falar pelo resto da vida, contanto que se lhe permitisse proferir tal palavra baixinho ao ouvido dele. Vários escrupulosos que lá estavam concluíram servir-se ela de magia, o que era defeso; el-rei, porém, que tinha boa opinião a respeito de tudo o que vinha do belo sexo, sendo ele mesmo de compleição mui amorosa e incapaz de imaginar pudesse tão bela dama ser origem de qualquer malefício, convidou-a a pronunciar a tal palavra sem receio, ajuntando que a garantiria contra toda a espécie de calúnia. Então ela se limitou a dizer a Beauregard:

— Falai!

Este, havendo reconhecido nela a Aurélia cujas leis com tamanho respeito observava, abriu imediatamente a boca para dizer a el-rei:

— *Sire*, mui humildes graças dou a Vossa Majestade pelo extremo cuidado que teve com a minha cura. Há de também permitir-me Vossa Majestade agradecer a esta bela dama ter cessado de ser cruel para comigo, e ter-me restituído a palavra, de que me privara.

Extremamente satisfeito ficou el-rei ao ouvir aquilo, e quis saber todo o segredo do caso. Contou-o Beauregard da maneira mais agradável, e Aurélia confirmou a maior parte do que ele dizia. Maravilhados ficaram todos de tamanha obediência para com uma amante, mas el-rei disse que, para curar Beauregard do seu mal mais grave, cumpria recebesse ele a recompensa de seu amor e desposasse aquela a quem tão bem servira. Aurélia não resistiu muito, porque já ouvira dizer quão grande crédito Beauregard tinha na corte, e, arrependida dos maus-tratos a que o submetera e do silêncio que lhe impusera, viera à França, sob cor de visitar alguns parentes, e resolvera pôr-lhe fim àquele ano de provação com um acolhimento favorável. Foram, pois, casados com grande satisfação de uma e outra parte, e Aurélia não mais temeu a inconstância de um homem de quem experimentara a constância.

*Tradução de Paulo Rónai e Aurélio Buarque de Holanda*

# UMA MODESTA PROPOSTA

## JONATHAN SWIFT
### (1667-1745 | Irlanda)

*O gênio de Jonathan Swift, incontestável na história da literatura mundial com* Viagens de Gulliver, *romance que consta de oito entre dez listas dos melhores de todos os tempos, não foi, no entanto, autor de um livro só. Personalidade complexa, como religioso e polígrafo, é até hoje "the greatest satiristic" da língua inglesa. Mesmo não sendo um conto, a atualidade desta sátira contundente torna sua presença enriquecedora, e complementar, em nossa antologia.*

*Para Impedir que os Filhos de Gente Pobre da* Irlanda
sejam um Peso para os seus Pais ou o País; e para
torná-los úteis ao Povo

É um Fato melancólico, para aqueles que passeiam por esta grande Cidade ou viajam pelo País, ver as *Ruas,* as *Estradas* e as *Portas dos Casebres* repletas de *Mendigas* seguidas por três, quatro ou seis Crianças, *todas esfarrapadas* e a importunar os Passantes, pedindo Esmolas. Tais *Mães,* ao invés de poderem trabalhar para a sua honesta Manutenção, são obrigadas a passar todo o Tempo andando ao léu, a esmolar o Sustento dos seus *desamparados Filhos; os* quais, depois que crescem, ou bem viram *Ladrões,* por falta de Trabalho, ou bem abandonam o seu *querido País Natal para lutar pelo Pretendente*[1] *na Espanha,* ou se vender à Ilha de *Barbados.*

JULGO haver concordância, entre todos os Partidos, de que esse prodigioso Número de Crianças nos Braços, ou nas Costas, ou nos *Calcanhares* das *Mães,* e freqüentemente dos *Pais,* é, na *atual e deplorável Situação do Reino,* um grandíssimo dissabor a mais; por conseguinte, quem pudesse encontrar um Método simples, barato

---

[1] James Stuart, conhecido como o Pretendente por pleitear o trono perdido por seu pai, James (ou Jaime) II da Inglaterra, em 1688. Católicos irlandeses eram recrutados pelos exércitos da Espanha e da França para lutar contra a Inglaterra.

e lícito para transformar essas Crianças em Membros úteis e sadios da Comunidade, mereceria tais louvores do Povo, a ponto de ter a sua Estátua erigida como Salvador da Pátria.

MAS mui longe está a minha Intenção de limitar-se a cuidar apenas dos Filhos dos *Mendigos professos:* ela é de Espectro bem mais amplo e levará em conta o Total de Infantes de uma certa Idade, nascidos de Pais que, com efeito, são tão pouco capazes de os manter como os que apelam à nossa Caridade nas Ruas.

DE minha Parte, tendo voltado os meus Pensamentos, por muitos Anos, para essa importante Questão, e considerado maduramente as diversas *Propostas de outros Planejadores,* sempre cheguei à conclusão de que eles se equivocavam grosseiramente nos seus Cálculos. Verdade é que uma Criança *recém-saída do Ventre* pode ser susten- tada pelo Leite materno, durante um Ano Solar, com um pingo de outro Alimento; a um Gasto de não mais de dois Xelins, que certamente a Mãe pode obter, ou um Valor equivalente em *Migalhas,* na sua Ocupação legal de *Pedinte. E* é exatamente quando estão com um Ano de idade que eu proponho cuidar dessas Crianças, de um Modo que, ao invés de serem um Peso para os seus *Pais* ou a *Paróquia,* ou de *carecerem de Comida e Roupas pelo resto da Vida,* venham elas a contribuir, pelo contrário, para Alimentar e Vestir parcialmente milhares de Pessoas.

HÁ também outra grande Vantagem no meu *Plano,* a de evitar os *Abortos vo- luntários* e esse hórrido Costume, infelizmente tão comum entre nós, de *as Mulheres matarem os seus Filhos Bastardos;* sacrificando os *pobres Inocentes,* desconfio eu, mais para evitar as Despesas do que a Vergonha, o que comoveria até às Lágrimas, e à Compaixão, o Peito mais inumano e Selvagem.

O Número de Almas da *Irlanda* é geralmente estimado em um Milhão e meio; calculo que possa haver aí cerca de Duzentos Mil Casais cujas Mulheres são Reprodutoras; desse Total, subtraio trinta mil Casais que estão em condições de man- ter seus próprios Filhos, embora eu tema que nem sejam tantos assim, sob *as presen- tes Aflições do Reino;* porém, admitindo-se isso, sobrarão Cento e Setenta Mil Reprodutoras. Subtraio mais Cinqüenta Mil, referentes às Mulheres que abortam ou cujos Filhos morrem por Acidente, ou Doença, no primeiro Ano. Restam então apenas Cento e Vinte Mil Crianças anualmente nascidas de Pais pobres. A Questão portanto é: Como há de ser criado e sustentado esse Número? O que, como eu já disse, é totalmen- te impossível, nas atuais Circunstâncias, por qualquer dos Métodos até agora propos- tos: pois não as podemos *empregar em Ofícios Manuais* ou na *Agricultura,* nem cons- truímos Casas (quero dizer, no Campo) ou cultivamos a Terra: mui raramente elas poderão fazer *do Roubo* o seu Meio de Vida antes de atingirem os seis Anos de idade; a menos que tenham Dons precoces, embora eu reconheça que aprendem os Rudimen- tos bem mais cedo; durante esse Tempo, contudo, o mais correto é considerá-las tão-somente *Aprendizes;* pois fui informado por um distinto Cavalheiro do Condado de *Cavan,* que me asseverou nunca ter sabido de mais de um ou dois Exemplos abaixo dos seis Anos, mesmo nessa Parte do Reino *tão renomada pela rápida proficiência em tal Arte.*

GARANTEM-ME os nossos Negociantes que um Menino ou Menina de menos de doze Anos não é Mercadoria vendável; e, mesmo quando chegam a essa Idade, não valem no Mercado mais de Três Libras ou, quando muito, Três Libras e uma Meia-Coroa; o que nem para os Pais nem para o Reino pode ser bom Negócio, pois as despesas com Nutrição e Trapos já terão importado, pelo menos, em quatro Vezes tal Valor.

ASSIM sendo, hei de agora humildemente propor as minhas próprias Idéias, que não serão passíveis, espero, da menor Objeção.

UM *Americano* muito sabido, do meu Conhecimento em *Londres*, assegurou-me que uma Criancinha sadia e bem criada é, com um Ano de idade, o Alimento mais delicioso, nutritivo e benéfico que existe, seja *Cozida, Grelhada, Assada ou Ferventada;* e não duvido de que sirva igualmente para um Fricassê ou um *Ragu*.

SUGIRO pois humildemente à *Consideração pública* que, das Cento e Vinte Mil Crianças já computadas, Vinte mil sejam reservadas para Procriação; sendo, dessas, só uma Quarta Parte de Machos, o que é mais do que permitimos a *Carneiros, Touros, ou Porcos;* e a minha Razão é que tais crianças raramente são Frutos de Casamento, *Circunstância não muito apreciada pelos nossos Selvagens;* por conseguinte, um *Macho* será suficiente para atender a *quatro Fêmeas.* Para que as Cem mil restantes, com um Ano de idade, possam ser oferecidas à Venda a *Pessoas de Qualidade* e *Fortuna,* por todo o Reino; sempre se aconselhando às Mães que as deixem mamar à farta durante o último Mês, a fim de ficarem rechonchudas e gordas para uma boa Mesa. Uma Criança dará dois Pratos numa Recepção para Amigos; e, quando a Família jantar sozinha, um dos Quartos, traseiro ou dianteiro, será um Prato razoável que, tempera-do com um pouco de Pimenta e Sal, dará um ótimo Ensopado no quarto Dia, especial-mente no *Inverno*.

CALCULEI que um Recém-nascido deva pesar em Média Doze Libras; e que ele aumente em um Ano solar, se regularmente amamentado, para vinte e oito.

RECONHEÇO que essa Comida será um pouco cara e, portanto, mais *adequada para Proprietários de Terras;* que, já tendo devorado a maioria dos Pais, parecem plena-mente fazer Jus aos Filhos.

ESTENDER-SE-Á por todo o Ano a Época de Carne de Criança, que porém será mais abundante um pouco antes e depois de *Março*: pois um grave Autor,[2] eminente Médico *Francês*, diz-nos que, *sendo o Peixe uma Dieta prolífica*, nos *Países católicos Romanos* há mais Crianças nascidas cerca de Nove Meses após a *Quaresma* do que em qualquer outra Época: dentro de um Ano a partir da *Quaresma*, assim, os Mercados estarão mais fornidos que de hábito, porque o Número de *Infantes Papistas*, neste Reino, é no mínimo de três para um; e isso terá portanto outra Vantagem Colateral, por diminuir entre nós o Número de *Papistas*.

JÁ calculei que o Custo da criação de um Filho de Mendigo (Categoria em que também incluo todos os *Lavradores, Trabalhadores manuais* e Quatro quintos dos *Ren-*

---

[2] *S: Rabelais.*

*deiros)* seja mais ou menos de dois Xelins *per Anuum,* incluídos os Trapos; e acredito que nenhum Gentil-homem se queixaria de pagar Dez xelins pela *Carcaça de uma Criança gordinha em bom estado,* que, como eu já disse, dará quatro Pratos de Carne nutritiva e excelente, quando ele só tiver para jantar a sua própria Família, ou algum Amigo íntimo. Assim o Fidalgote aprenderá a ser um bom Landelorde e se tornará popular entre os seus Rendeiros, ao passo que a Mãe terá Oito Xelins de Lucro líquido, ficando apta para o Trabalho até produzir outra Criança.

OS que aproveitam tudo *(como devo reconhecer que os Tempos exigem)* podem esfolar a Carcaça, cuja Pele, artificialmente tratada, dará admiráveis *Luvas para Senhoras* e *Botas de Verão para Cavalheiros finos.*

NO que à nossa Cidade de *Dublin* se refere, podem-se prever Matadouros para esse Fim nos seus Lugares mais apropriados, e com toda a certeza não faltarão Açougueiros; se bem eu recomende comprar Crianças vivas e prepará-las ainda quentes da Facada, como fazemos com os *Leitões assados.*

A uma Pessoa de grandes méritos, *verdadeiro Amante da Pátria,* cujas Virtudes tenho em alta estima, aprouve recentemente, ao discorrer sobre a Questão, sugerir um Aprimoramento do meu Plano. Disse ele que, havendo muitos Gentis-homens deste Reino dizimado ultimamente os seus Veados, ocorria-lhe que a Escassez de tal Carne bem poderia ser suprida pelos Corpos de Rapazelhos e Moçoilas, com não mais de quatorze Anos e não menos de doze, já que é tão grande o Número dos que, de ambos os Sexos e em todos os Condados, ora se acham prestes a morrer de Fome, por Falta de Trabalho e de Ajuda: e deles assim se desfariam os Pais, se vivos fossem, ou, caso contrário, os seus Parentes mais próximos. Porém, com a devida Deferência para com tão excelente Amigo, e tão meritório Patriota, não posso compartilhar de todos dos seus Sentimentos. Pois, no que tange aos Machos, garantiu-me o meu Conhecido *Americano,* com base na Experiência freqüente, que a Carne deles era dura e magra, como a dos nossos Escolares, por causa dos Exercícios contínuos, e não valia a Pena engordá-los. No que tange às Fêmeas, penso eu, com toda a Humildade, que ia ser *uma Perda para o Povo,* porque dentro em breve elas próprias se tornariam Reprodutoras: e não é improvável, ademais, que algumas Pessoas escrupulosas tendessem a censurar tal Prática (embora mui injustamente) como algo que beira a Crueldade; o que, confesso, sempre foi para mim a mais forte Objeção contra qualquer Projeto, por mais bem intencionado que seja.

MAS, a fim de justificar o meu Amigo; confessou-me ele que esse Expediente lhe fora posto na Cabeça pelo famoso *Salmanazor,*[3] Natural da Ilha de *Formosa,* que veio a *Londres,* há mais de vinte Anos atrás, e em Conversa com o meu Amigo disse que lá no seu País, quando acontecia a um jovem ser condenado à Morte, o Carrasco vendia

---

[3] Georges Psalmanazar, pretenso autor de urna descrição histórica e geográfica de Formosa, publicada em Londres em 1704.

a sua Carcaça, como delicada Iguaria, a *Pessoas de Qualidade;* e que, por essa Época, o Corpo de uma Garota roliça de 15 Anos, crucificada por Tentativa de envenenar o Imperador, tinha sido vendido ao *Primeiro-ministro de Sua Majestade Imperial* e outros grandes *Mandarins* da Corte, *depois de esquartejado no Patíbulo,* por Quatrocentas Coroas. Com efeito, não posso negar que o Reino não estaria pior, se o mesmo Uso fosse feito de muitas donzelas roliças desta Cidade, as quais, nem a mais ínfima moeda tendo por Fortuna, não podem porém sair de Casa sem dispensar a Cadeirinha, e aparecem no *Teatro* e nas *Assembléias* com Adereços importados que jamais pagarão.

CERTAS Pessoas de Espírito desalentado acham-se em grande Preocupação quanto ao vasto Número de Gente pobre que está Velha, Doente ou Aleijada; e fui solicitado a concentrar meu Pensamento em Medidas que pudessem ser tomadas para aliviar a Nação de tão aflitivo Estorvo. Nenhum Transtorno porém esse Problema me causa; porque é bem sabido que Dia a Dia eles estão *apodrecendo* e *morrendo,* seja de *Frio* e *Fome,* seja por *Imundície* e *Pragas,* com toda a rapidez que é lícito esperar. Quanto aos Trabalhadores mais jovens, é quase tão esperançosa a Situação em que eles estão agora: não podendo arranjar Trabalho, conseqüentemente definham por Falta de Comida, a tal Ponto que, se nalgum Momento forem por acaso contratados para um Serviço qualquer, não mais têm Forças para o fazer; e assim tanto o País quanto eles mesmos acham-se bem Encaminhados para logo se verem livres dos Males que estão por vir.

APÓS tão longas digressões, eis que volto ao meu Tema. Penso serem óbvias e muitas, bem como da mais alta Importância, as Vantagens da Proposta que fiz.

POIS, *Primeiramente,* como eu já observei, assim se diminuiria enormemente o *Número de Papistas* que de ano para ano nos assolam, sendo os principais Reprodutores da Nação, bem como os nossos mais perigosos Inimigos; e que aqui ficam de Propósito, com o Desígnio de *entregar o Reino ao Pretendente,* esperando tirar Proveito da Ausência *de tantos bons Protestantes* que preferiram abandonar o País a permanecer em casa e pagar Dízimos, contra a sua Consciência, a um *Clero Episcopal* idólatra.

SEGUNDAMENTE, os Rendeiros mais pobres terão algo valioso de seu que, por Lei, poderá ser utilizado, em caso de Desgraça, para ajudar a pagar o Arrendamento ao seu Senhorio; pois que o Trigo e o Gado já lhes foram confiscados, e o *Dinheiro é Coisa que eles nem conhecem.*

TERCEIRAMENTE, como a Manutenção de Cem Mil Crianças, de dois Anos de idade para cima, não pode ser calculada em menos de dois Xelins por Cabeça *per Annum,* desse modo as Reservas Nacionais aumentarão anualmente em Cinqüenta Mil Libras; sem contar o Ganho de acrescentar-se um novo Prato à Mesa de todos os *Gentis-homens de Fortuna* do Reino que tenham algum Refinamento de Gosto; e que o Dinheiro há de circular entre nós, pois que são totalmente de nossa própria Criação e Manufatura os Produtos.

QUARTAMENTE, os Reprodutores permanentes, além do Ganho de Oito Xelins *Esterlinos per Annum* pela Venda dos seus Filhos, ver-se-ão livres do Encargo de os sustentar após o primeiro Ano.

QUINTAMENTE, essa Comida também atrairia grande *Freguesia às Tabernas,* onde os Bodegueiros, sem dúvida, tomarão o cuidado de obter as melhores Receitas para prepará-la à Perfeição, tendo as suas Casas, conseqüentemente, freqüentadas por todos *os distintos Cavalheiros* que com justeza se envaidecem dos seus Conhecimentos Gastronômicos; e um bom Cozinheiro, que saiba agradar aos Comensais, sempre há de dar um jeito para torná-la tão cara quanto lhes convém.

SEXTAMENTE, isso seria um grande Incentivo ao Casamento, que todas as Nações criteriosas têm estimulado com Recompensas, ou pela imposição de Leis e Penalidades. E aumentaria o Desvelo e a Ternura das Mães para com os seus Filhos, quando elas se certificassem de que a Sociedade propiciaria aos pobres Bebês, de certa Forma, uma Posição na Vida, e de que eles lhes dariam, ao invés de despesas, Lucros anuais. Logo veríamos uma honesta Emulação entre as Mulheres casadas, *qual delas levaria ao Mercado a Criancinha mais gorda?* Os Homens passariam a *gostar* tanto das Esposas, durante o Tempo de Gravidez, quanto gostam agora das suas *Éguas* Prenhes, das suas *Vacas* com Bezerro ou das *Porcas* que estão por parir; e não ameaçariam mais espancá-las nem dar-lhes pontapés (Prática hoje tão *freqüente),* por medo de um Aborto.

MUITAS outras Vantagens poderiam ser enumeradas. Por exemplo, a Adição de alguns Milhares de Carcaças na nossa Exportação de Carne embarricada: a Difusão da *Carne de Porco* e o Progresso na Arte de fazer um bom *Toicinho defumado;* de que entre nós há tanta escassez, devido à grande Matança de *Leitões,* tão comuns nas nossas Mesas mas de modo algum comparáveis, quer em Sabor ou Pompa, a uma Criança de um Ano bem criada e gorducha; a qual, assada inteira, fará considerável Figura num *Banquete do Senhor Prefeito,* ou em qualquer Recepção pública. Atento à Brevidade que sou, passo porém por cima desse, e de muitos outros pontos.

SUPONDO-SE que Mil Famílias desta Cidade fossem Fregueses constantes de Carne de Criança, além de outras que a tivessem em *Reuniões festivas,* particularmente *Casamentos* e *Batizados,* calculo eu que *Dublin* consumiria por Ano cerca de Vinte Mil Carcaças, e o resto do Reino (onde provavelmente elas custariam um pouco mais barato), as demais Oitenta Mil.

NENHUMA Objeção me ocorre que possa vir a ser erguida contra esta Proposta; a não ser que se alegue que assim se reduziria em muito o Número de Habitantes do Reino. Isso eu de bom grado admito; e, com efeito, foi um dos principais Desígnios de sua apresentação ao Mundo. Oxalá note o Leitor que concebo o meu Remédio *tão-só para este Reino específico da* IRLANDA, *e não para qualquer outro que exista, tenha existido ou que eu pense ainda poder existir na Terra.* Que ninguém me fale, por conseguinte, de outros Expedientes:[4] *de taxar os nossos Não-residentes em cinco Xelins por Libra: de não usar Roupas nem Móveis Domésticos que não os de nossa Criação e Fabrico:*

---

[4] Na verdade, as medidas que se seguem foram sugeridas pelo próprio Swift em vários de seus outros panfletos em defesa da Irlanda.

de rejeitar completamente os Artigos e Utensílios que fomentem o Luxo estrangeirado: de curar as nossas Mulheres dos seus Esbanjamentos por Orgulho, Vaidade, Ociosidade, Jogatina: de introduzir uma Veia de Parcimônia, Prudência e Temperança: de aprender a amar o nosso País, no que diferimos até mesmo dos LAPÕES e dos Habitantes da Terra dos TUPINAMBÁS: de deixar de lado as nossas Facções e Animosidades, e não mais agir como os judeus, que se matavam uns aos outros no exato Momento em que a sua Cidade era tomada: de sermos um pouco mais cautelosos, para não vendermos a troco de nada o nosso País e as nossas Consciências: de ensinar os Proprietários de Terras a terem, pelo menos, certo Grau de Compaixão pelos seus Rendeiros. Finalmente, de incutir um Espírito de Honestidade, Dedicação e Competência nos nossos Comerciantes; os quais, se fosse possível tomar agora a Decisão de só comprar Produtos nacionais, imediatamente se uniriam para nos enganar e extorquir em Preço, Quantidade e Qualidade; e que nunca puderam ser levados a fazer uma boa Proposta de Negócio justo, apesar de instados a isso com freqüência e insistência.

QUE Ninguém pois me venha falar desses ou de Expedientes análogos, repito, antes de pelo menos ter um Vislumbre de Esperança de que algum dia se fará uma Tentativa sincera e enérgica de colocá-los em Prática.

QUANTO a mim, cansado que estou de há tantos Anos oferecer Idéias visionárias, ociosas e vãs, para ao fim desesperar-me por completo do Êxito, eis que felizmente a presente Proposta me ocorreu; a qual, por ser de todo nova, tem algo de real e sólido, não importando em Gastos e só em poucos Problemas, ao alcance do nosso Poder; com ela não correremos o Risco de desagradar à INGLATERRA: pois esse Tipo de Produto não se adequará à Exportação, sendo a Carne de consistência mui tenra para agüentar longa Permanência no Sal; embora eu talvez pudesse mencionar um País que, mesmo sem Sal, bem se alegraria de devorar nossa Nação inteira.

AFINAL, não sou tão ferrenhamente apegado à minha própria Opinião, para rejeitar qualquer Sugestão partida de Homens sensatos, que se constate ser igualmente inofensiva, barata, eficaz e fácil. Porém, antes de alguma coisa dessa Espécie ser apresentada em Contradição do meu Plano e sugerindo um melhor, espero que o seu Autor ou Autores tenham a bondade de considerar maduramente dois Pontos. O primeiro é que, tal como agora andam as Coisas, serão eles capazes de arranjar Comida e Roupa para Cem Mil inúteis Bocas e Corpos? E o segundo é que há em torno de um Milhão de Criaturas com Aparência humana pelas extensões deste Reino, cuja Subsistência integral, tomada no seu Conjunto, deixá-los-ia num Débito de dois Milhões de Libras Esterlinas; somando-se os que são Mendigos de Profissão à Massa de Rendeiros, Lavradores e Trabalhadores Manuais em geral, com as suas Mulheres e Crianças, que são Mendigos na Prática, quisera eu que os Políticos aos quais a minha Sugestão desagrade, e que podem talvez ousar dar-lhe Refutação, fossem primeiro perguntar aos Pais desses Mortais se eles não achariam uma grande Felicidade, hoje em Dia, tê-los vendidos como Comida com um Ano de idade, à Maneira por mim prescrita; e evitando assim as Cenas perpétuas de Infortúnio por que têm passado, pela Opressão *dos Proprietários;* a Impossibilidade, sem Dinheiro ou um Ofício, de pagar pelo Arrendamento; a Falta do mais comezinho Sustento, não tendo Casa nem Roupas para abrigá-los da Inclemência do Clima, e a inevitabilíssima Perspectiva de para sempre legar Misérias idênticas, ou ainda maiores, à sua Prole.

DECLARO, com toda a Sinceridade do meu Coração, não ter o menor Interesse pessoal ao me empenhar em promover essa Obra tão necessária; um só Motivo me impele, e é *o Bem-estar de todo o nosso País, desenvolvendo para tanto o Comércio, cuidando das crianças, socorrendo os Pobres e dando um pouco de Prazer aos Ricos.* Não tenho Filhos pelos quais eu me possa habilitar a ganhar sequer um Vintém; o mais novo já está com nove Anos e a minha Esposa passou da idade de ser Mãe.

*Tradução de Leonardo Fróes*

# CARTA DE UM TURCO
### (Sobre os faquires e o seu amigo Bababec)

## VOLTAIRE
### (1694-1778 | França)

*Clássico da cultura francesa, François-Marie Arouet de Voltaire, o escritor mais popular da França no século XVIII, foi historiador, filósofo, diplomata, jurisconsulto, dramaturgo, romancista, poeta, contista, além de homem de negócio e ator de suas próprias comédias. "Pai da Revolução Francesa", foi no entanto preso em Bastilha e por pouco não acabou na guilhotina, por lhe ter sido atribuída a autoria de uma sátira contra Luís XIV. Cândido, ou o Otimismo, Zadig, ou o Destino, Dicionário Filosófico e outros títulos são obras publicadas até hoje no mundo todo. Brilhante e polêmico, aos 84 anos, de volta a Paris, assistiu a apoteose que foi a estréia de sua peça Irene. Três meses depois, falecia — e seu cadáver não foi aceito em nenhum dos cemitérios da capital francesa.*

Quando me achava na cidade de Benarés, à margem do Ganges, procurava me instruir. Compreendia mediocremente o hindu; escutava muito e observava tudo. Eu ficava na casa do meu correspondente Omri, o homem mais digno que conheci na vida. Era ele da religião dos brâmanes. Quanto a mim, tenho a honra de ser muçulmano. Mas nunca trocamos uma palavra dissonante a respeito de Maomé e de Brama. Fazíamos as abluções matinais cada qual para o seu lado; bebíamos da mesma limonada; comíamos do mesmo arroz, como irmãos.

Fomos um dia juntos ao pagode de Gavani. Assistimos ali vários grupos de faquires. Uns eram janguis, isto é, faquires contemplativos; os outros eram discípulos dos antigos ginossofistas, que levavam uma vida ativa.

Possuem eles, como se sabe, uma língua erudita que é dos mais antigos brâmanes e, nesta língua, um livro chamado *Vedas* . É com certeza o mais antigo livro de toda a Ásia, sem excetuar o *Zend-Avessa*. Passei por um faquir que estava lendo esse livro.

— Ah, desgraçado infiel! — exclamou ele. — Tu me fizeste perder o número das vogais que eu estava contando; e por isso a minha alma vai passar para o corpo de uma lebre, em vez de ir para o de um papagaio, como tenho motivo para acreditar!

Para consolá-lo, dei-lhe uma rúpia. Alguns passos adiante, me aconteceu a desgraça de espirrar; e o barulho que fiz despertou um faquir que se encontrava em estado de êxtase.

— Onde estou? — disse ele. — Que queda horrível! Não vejo mais a ponta do nariz! [*Quando os faquires querem ver a luz celeste, o que é muito comum entre eles, fixam os olhos na ponta do nariz.*] A luz celeste desapareceu!

— Se sou eu a causa disso — disse-lhe eu —, de que, afinal, enxergues além da ponta do nariz, eis aqui uma rúpia para reparar o mal. Retoma tua luz celeste!

Depois de assim contornar discretamente a situação, fui ter com os ginossofistas; vários deles me trouxeram vários preguinhos muito bonitos para fincá-los nos meus braços e coxas, em honra de Brama. Comprei-lhes os pregos com os quais mandei pregar os meus tapetes. Outros dançavam sobre as mãos; outros na corda bamba; outros andavam num pé só. Havia os que carregavam correntes, caixas... De resto, era a melhor gente do mundo.

Meu amigo Omri levou-me ao cubículo de um dos mais famosos deles; chamava-se Bababec; estava nu como um macaco e trazia ao pescoço uma cadeia que pesava mais de sessenta libras. Achava-se sentado num banco de madeira, lindamente guarnecido de pregos que lhe penetravam nas nádegas, e dir-se-ia que estava num leito de cetim. Muitas mulheres vinham consultá-lo; ele era o oráculo das famílias; e pode se dizer que gozava de grande reputação. Fui testemunha da grande conversa que Omri teve com ele.

— Acreditas, meu pai — perguntou-lhe Omri —, que após haver passado pela prova das sete metempsicoses, possa eu chegar à morada de Brama?

— Isto depende — disse o faquir. — Como vives?

— Trato de ser bom cidadão — explicou Omri —, bom esposo, bom pai, bom amigo. Empresto dinheiro sem juros aos ricos e dou esmola aos pobres. Incentivo a paz entre meus vizinhos...

— Não colocas, vez por outro, pregos nas nádegas?

— Nunca, reverendo.

— Sinto muito; dessa maneira só irás para o décimo-nono céu; é uma pena.

— Qual o quê! Está muito certo. Sinto-me muito contente com a minha parte. Que me importa o décimo-nono ou o vigésimo, contanto que eu cumpra o meu dever na minha peregrinação e seja bem recebido na última morada? Não será suficiente ser um homem direito neste país e depois um homem venturoso no país de Brama? Para que céus pretendes ir tu, então, com os teus pregos e as tuas correntes?

— Para o trigésimo-quinto céu — disse Bababec.

— És muito engraçado — replicou Omri — com essa história de querer ficar alojado acima de mim; talvez isso não passe de uma má ambição! Se condenas aqueles que buscam honrarias nesta vida, por que então ambicionas honrarias tão grandes na outra? E de resto, por que motivo pretendes ser mais bem tratado do que eu? Fica sabendo que em apenas dez dias dou mais esmolas do que te custam em dez anos todos os pregos que enfias no teu traseiro! A Brama pouco se lhe dá que passes o dia nu, com uma corrente no pescoço. Que belo serviço prestas assim à pátria! Considero cem vezes mais a um homem que semeia legumes ou planta árvores do que todos os teus colegas que olham para a ponta do nariz ou carregam uma sela, por excesso de nobreza d'alma.

Depois de assim falar, Omri se acalmou, mostrou-se gentil, acarinhou-o, persuadindo-o enfim a que deixasse os pregos e as correntes e fosse viver uma vida direita na sua companhia.

E assim, tiraram-lhe o cascão do corpo, jogarem-lhe perfumes, vestiram-no decentemente. Viveu quinze dias muito sensatamente, e confessou que era mil vezes mais feliz do era antes.

Mas... Ficou desacreditado entre o povo e as mulheres não vinham mais consultá-lo. Ele deixou Omri e voltou aos pregos para ter consideração dos outros.

# MÊMNON OU A SABEDORIA HUMANA

VOLTAIRE

Certo dia, Mêmnon concebeu o insensato projeto de transformar-se em um perfeito sábio. Não existe homem a quem essa loucura não tenha ocorrido alguma vez na vida.

"Para ser um perfeito sábio, e portanto perfeitamente feliz", ponderou Mêmnon, "basta evitar as paixões; e, como se sabe, nada mais fácil do que isso. Antes de mais nada, jamais amarei mulher alguma, pois, ao contemplar uma beleza perfeita, direi comigo mesmo: 'Esse rosto um dia irá se enrugar; esses belos olhos cobrir-se-ão de vermelho; esses seios durinhos se tornarão flácidos e pendentes; essa cabecinha linda perderá os cabelos.' Basta olhá-la agora com os olhos com que a verei então, e essa cabeça não haverá de ser minha."

"Em segundo lugar, serei sóbrio. Por mais que a boa mesa me tente, os deliciosos vinhos, a sedução da sociedade, basta imaginar as conseqüências dos excessos, a cabeça pesada, o estômago estragado, a razão perdida, assim como a saúde e o tempo; comerei apenas o necessário; minha saúde sempre será igual, minhas idéias sempre puras e luminosas. Tudo isso é tão fácil que mérito algum há em consegui-lo."

"Depois", dizia Mêmnon, "preciso pensar um pouco na minha fortuna. Meus desejos são moderados; meus bens estão em segurança, nas mãos do procurador-geral das finanças de Nínive; tenho o necessário para viver com independência; esse é o maior de todos os bens. Jamais me verei na necessidade cruel de ter de freqüentar a corte; não invejarei ninguém, e ninguém me invejará. Eis o que também é bastante fácil. Tenho amigos", continuava ele, "e haverei de conservá-los, pois nada terão eles a disputar comigo. Nunca irei me indispor com eles, nem eles comigo. Não há nisso dificuldade alguma."

Tendo assim, no interior do seu quarto, elaborado seu pequeno plano de sabedoria, Mêmnon pôs a cabeça para fora da janela. Viu duas mulheres passeando sob os plátanos, perto da sua casa. Uma era idosa e não parecia pensar com coisa alguma. A outra era jovem e aparentava alguma preocupação. Suspirava, chorava, e com isso só conseguia aumentar as suas graças. O nosso filósofo ficou impressionado, não com a beleza da dama (tinha certeza de não se entregar a tais fraquezas), mas com a aflição que nela via. Saiu à rua e abordou a jovem, no intuito de consolá-la como um sábio. A linda garota contou a ele, com o ar mais ingênuo e comovente do mundo, todo o mal que lhe causava um tio que ela não tinha; com que artimanhas lhe roubara ele uns bens que ela jamais possuíra; e o muito que temia de sua violência. "O senhor me parece um homem tão preparado", disse-lhe ela, "que se tivesse a bondade de me acompanhar até a minha casa para examinar meus negócios, tenho certeza que me tiraria do embaraço cruel em que me encontro." Mêmnon não hesitou em segui-la para examinar — como um sábio — os negócios dela e dar-lhe um bom conselho.

A aflita dama encaminhou-o para um salão perfumado e, polidamente, fez com que ele se sentasse num largo sofá, onde ambos ficaram, pernas cruzadas, um perto do outro. A dama falou baixando os olhos, de onde vertiam lágrimas de vez em quando e que, ao erguerem-se, cruzavam sempre com os olhares do sábio Mêmnon. As frases dela eram cheias de uma ternura que redobrava cada vez que os dois se olhavam. Mêmnon levava a uma seriedade extrema o registro dos seus negócios, e de tempos em tempos cada vez mais aumentava sua vontade de socorrer a uma tão honesta e desgraçada criatura. No calor da conversa, sem sentir deixaram de estar um em frente ao outro. As suas pernas se descruzaram. Mêmnon aconselhou-a de tão perto, com conselhos tão ternos, que nenhum dos dois conseguia falar dos negócios, e nem sabiam mais onde estavam.

E como estavam em tal ponto, eis que chega o tio, como era de se esperar; vinha armado da cabeça aos pés; e a primeira coisa que disse foi que ia matar, como que em nome da razão, o sábio Mêmnon e a sobrinha; a última coisa que deixou escapar foi que ainda poderia perdoar aquilo tudo mediante considerável quantia em dinheiro. Mêmnon foi obrigado a entregar tudo o que tinha consigo. E que se dessem por muito felizes em livrar-se da confusão com quantia tão mediana; a América ainda não fora descoberta e as damas aflitas não eram tão perigosas como hoje.

Envergonhado e desesperado, Mêmnon voltou para casa; encontrou um bilhete convidando-o para jantar com alguns amigos íntimos. "Caso eu fique em casa sozinho", ponderou ele, "meu espírito vai se ocupar com a minha triste aventura e não poderei comer e vou acabar adoecendo. Melhor comer uma refeição frugal com meus amigos. No embalo do convívio deles, esquecerei a tolice que fiz esta manhã." Vai ao encontro deles; eles acham que ele está meio taciturno. Fazem com que ele beba para dissipar a tristeza. Um bom vinho bebido com moderação é um remédio para a alma e o corpo. Assim pensa o sábio Mêmnon; e embriaga-se. Depois, alguém propõe uma partida. Um joguinho entre amigos é um honesto passatempo. Ele joga; os outros ganham-lhe tudo o que tem na bolsa e ele ainda fica devendo quatro vezes mais. No meio do jogo surge uma discussão; os ânimos se exaltam; um dos seus amigos íntimos joga-lhe à cara um copo de dados e lhe vaza um olho. O sábio Mêmnon é carregado para casa, embriagado, sem dinheiro e com um olho a menos.

Esquenta um pouco de vinho; e assim que sente a cabeça mais leve, manda o criado apanhar dinheiro com o procurador-geral das finanças de Nínive, para pagar seus amigos íntimos: é informado que seu credor, pela manhã, abrira falência fraudulenta, deixando cem famílias em pânico. Consternado, Mêmnon segue para a corte, com um emplastro no olho e uma petição na mão, para pedir justiça ao rei contra o escroque. No salão de espera encontra várias damas da sociedade, todas elas vestindo comodamente saias de uns oito metros de circunferência. Uma delas, conhecendo-o de vista, exclamou, ao olhá-lo de soslaio:

— Ai, que horror!

E outra, que o conhecia mais um pouco, disse-lhe:

— Boa tarde, senhor Mêmnon. Muito encantada em vê-lo, senhor Mêmnon. A propósito, senhor Mêmnon, como foi que perdeu um olho?

E seguiu em frente, sem esperar resposta. Mêmnon se escondeu num canto, à espera do momento em que pudesse se aproximar do rei. Quando o momento chegou, beijou três vezes o chão e apresentou sua petição. Sua Graciosa Majestade recebeu-o muito favoravelmente e entregou a petição a um dos sátrapas para maiores informações. O sátrapa chama Mêmnon à parte e, com ar altivo, diz a ele, com um riso amargo:

— Que belo caolho você me saiu, ao dirigir-se ao rei e não a mim! E ainda por cima ousa pedir justiça contra um honesto escroque que é honrado com a minha proteção, além de ser sobrinho de uma camareira da minha amante. Quer saber de uma coisa? Esqueça esta história, meu amigo, se é que pretende conservar o olho que ainda lhe resta...

Tendo assim, pela manhã, renunciado às mulheres, aos excessos da mesa, ao jogo, a qualquer discussão e sobretudo à corte, antes da noite chegar, Mêmnon, enganado e roubado por uma bela dama, embebedara-se, jogara, metera-se em discussão, perdera um olho e recorrera à corte, onde haviam zombado dele.

Petrificado de espanto, transido de dor, regressa ele com a morte no coração. Pretendia entrar em casa: lá encontrou oficiais de justiça que, em nome dos credores, o despejavam. Pára, a ponto de desmaiar, sob um plátano, onde se encontra com a bela dama da manhã a passear com seu querido tio, que explode numa gargalhada ao ver Mêmnon com seu emplastro. A noite caiu; Mêmnon deitou-se em cima de palha junto aos muros de sua casa. Surge-lhe a febre; adormeceu assim; e um espírito celeste lhe apareceu em sonhos.

Ele era todo resplandecente de luz. Tinha seis belas asas, mas nem pés, nem cabeça, nem cauda, e a coisa alguma se assemelhava ele.

— Quem é você? — diz-lhe Mêmnon.

— O seu anjo da guarda — respondeu-lhe o outro.

— Então me devolva o meu olho, a minha saúde, o meu dinheiro, a minha sabedoria — pediu-lhe Mêmnon.

Contou-lhe, em seguida, como perdera tudo aquilo em um único dia.

— Eis aí tipos de aventuras que jamais nos acontecem no mundo em que habitamos — observa o espírito.

— E em que mundo você habita? — indaga o infeliz.

— Minha pátria fica a quinhentos milhões de léguas do Sol, numa pequena estrela perto de Sírius, que você não consegue ver daqui.

— Que belo país! — exclamou Mêmnon. — Quer dizer que lá não há malandronas a enganar um pobre homem, nem amigos íntimos que lhe ganham o dinheiro e ainda lhe furam um olho, nem escroques, nem sátrapas que zombem da gente recusando-nos justiça?

— Não — respondeu o habitante da estrela —, nada disso. Jamais somos enganados pelas mulheres, posto que não as temos; não nos entregamos a excessos da mesa, posto que nada comemos; não temos escroques, posto que não há entre nós nem ouro nem prata; não nos podem furar os olhos, porque não temos corpos como os vossos; e os sátrapas nunca nos fazem justiça, porque na nossa estrela todos somos iguais.

— Sem mulher e sem dinheiro — disse Mêmnon —, como então vocês conseguem passar o tempo?

— Vigiando — respondeu o espírito — os outros mundos que nos são confiados; e eu vim para consolar você.

— Ah! — suspirava Mêmnon. — Por que você não veio na noite passada para me impedir que eu cometesse tantas insanidades?

— Eu estava ao lado de Assan, o seu irmão mais velho — responde o ente celeste. — Ele é mais digno de pena do que você. Sua Graciosa Majestade, o rei das Índias, em cuja corte ele tem a honra de servir, mandou-lhe furar os dois olhos, por conta de uma pequena indiscrição, e Assan atualmente encontra-se num calabouço com ferros nos pulsos e nos tornozelos.

— Ora, de que adianta ter um gênio na família se, de dois irmãos, um esteja caolho e o outro cego, um dormindo nas palhas e o outro na prisão?

— A sua sorte vai mudar — retomou o ser da estrela. — É bem verdade que você continuará caolho; mas fora isso, haverá ainda de ser bastante feliz, desde que não realize o tolo projeto de ser um sábio perfeito.

— Quer dizer que isso é impossível de se conseguir? exclamou Mêmnon, suspirando.

— Tão impossível — respondeu o outro — como ser o hábil perfeito, o forte perfeito, o poderoso perfeito, o feliz perfeito. Nós mesmos estamos muito longe disso. Existe um globo em tais condições; mas, nos cem milhões de mundos esparsos pela imensidão, tudo se encadeia por gradações. Tem-se menos sabedoria e prazer no segundo do que no primeiro, menos no terceiro do que no segundo. E assim sucessivamente até o último, onde todos são completamente loucos.

— Receio muito — disse Mêmnon — que este nosso pequeno globo terrestre seja precisamente o hospício do universo que você me deu a honra de mencionar.

— Nem tanto — respondeu o espírito —, mas está muito perto disso: cada coisa no seu lugar.

— Ah! — exclamou Mêmnon. — Dá para entender por que certos poetas e certos filósofos não têm razão alguma em dizer que *tudo está bem.*

— Ao contrário, eles têm toda a razão — retrucou o filósofo das alturas —, se levarmos em conta o arranjo do universo inteiro.

— Ah! Só vou acreditar nisso — replicou o pobre Mêmnon — quando deixar de ser caolho.

# O PRECEPTOR FILÓSOFO

## MARQUÊS DE SADE
### (1740-1814 | França)

*Condenado em vida a morar em masmorras e hospícios, maldito também depois de morto e recuperado pela intelectualidade francesa (Simone de Beauvoir, Pierre Kussowski) mais de um século depois, Donatien Alphonse François, o Marquês de Sade, ficou mais famoso pelas palavras derivadas de seu sobrenome — sadismo, sádico — do que pela extensa obra que deixou publicada. Seu texto ilustra aqui um período rico de literatura libertina, ou seja, de um moralismo às avessas. Sua suposta libertinagem, frente a certas notícias dos jornais modernos, parece brincadeira, ou mera irreverência.*

De todas as ciências que se incutem numa criança quando se trabalha sua educação, os mistérios do cristianismo, ainda que sendo, sem dúvida, uma das disciplinas mais sublimes desta educação, não são, no entanto, as que se introduzem com mais facilidade em seu jovem espírito. Persuadir, por exemplo, a um garoto de quatorze ou quinze anos de que Deus pai e Deus filho são apenas um, que o filho é consubstancial a seu pai e que o pai o é em relação ao filho etc., tudo isso, ainda que seja necessário, não obstante, para a felicidade da vida, é mais difícil de se fazer entender do que a álgebra, e quando se quer obter êxito, a gente se vê obrigado a empregar certas equivalências físicas, certas explicações materiais que, por desproporcionadas que sejam, facilitam, no entanto, a um rapaz a compreensão da misteriosa disciplina.

Ninguém estava tão plenamente convencido deste método quanto o padre Du Parquet, preceptor do pequeno conde de Nerceuil, que tinha uns quinze anos de idade e o rosto mais formoso que era possível de se contemplar.

— Padre — dizia quase todos os dias o conde a seu preceptor —, a verdade é que a idéia de consubstancialidade está além da minha compreensão; me é absolutamente impossível conceber que duas pessoas possam converter-se em uma só: esclareça-me esse mistério, é o que lhe suplico, ou coloque-o ao menos ao meu alcance.

O virtuoso eclesiástico, desejoso de obter êxito na educação do pequeno conde, satisfeito de poder facilitar a seu discípulo todo aquele mistério que um dia poderia fazer dele um homem de proveito, idealizou um procedimento bastante satisfatório para clarear as dificuldades que perturbavam o pequeno conde, e esse procedimento, tomado necessariamente da natureza, teria de ter bons resultados. Fez vir a sua casa uma jovenzinha de treze a quatorze anos, e depois de instruí-la convenientemente juntou-a a seu jovem discípulo.

— Muito bem, meu amigo — pergunta ele ao jovem —, entendeis agora o mistério da consubstancialidade? Compreendeis agora com menos dificuldade que é possível duas pessoas se converterem em uma só?

— Ah, meu Deus, claro que sim, padre — respondeu o encantador energúmeno. — Agora estou entendendo tudo com uma facilidade surpreendente. Não estranho que esse mistério constitua, segundo se diz, toda a alegria dos seres celestes, pois é agradabilíssimo divertir-se fazendo de dois um só.

Alguns dias mais tarde o jovem conde rogou a seu preceptor que lhe desse outra lição, pois pretendia que havia ainda alguma coisa no mistério que não compreendia bem e que não conseguiria se explicar mais do que celebrando uma vez mais da forma que já havia feito antes. O complacente clérigo, a quem aquela cena divertia provavelmente tanto quanto a seu discípulo, fez com que a garotinha voltasse a sua casa e a lição teve início de novo, mas desta vez o clérigo, singularmente emocionado com o delicioso panorama que se oferecia a seus olhos o belo rapaz de Nerceuil consubstancializando-se com sua companheira, não conseguiu resistir a intervir na explicação da parábola evangélica, e às belezas que com este motivo evocam, suas mãos acabam por tomá-lo totalmente.

— Parece-me que estão indo depressa demais — exclama Du Parquert, agarrando o pequeno conde pela cintura —, excessiva elasticidade nos movimentos; isso acaba resultando que, não sendo tão íntima a conjunção acaba não refletindo adequadamente a imagem do mistério que se quer demonstrar aqui... se nos colocarmos exatamente nesta posição — prossegue o pícaro, obsequiando a seu jovem discípulo com o mesmo que ele oferece à garota.

— Ai, meu Deus, que assim o senhor me machuca, padre — exclamou o rapaz. — E além disso esta cerimônia me parece inútil. Que outra coisa ela me ensina sobre o mistério?

— Com os diabos! — contesta o eclesiástico, balbuciando de prazer. — Mas não percebe você, meu caro amigo, que te ensino tudo de uma vez? Isto é a Trindade, meu filho... Hoje estou te explicando a Trindade, cinco ou seis lições mais e serás doutor pela Sorbonne.

# A MEGERA DOMADA

### CHARLES & MARY LAMB
### (1775-1834 | Inglaterra)
### (1764-1847 | Inglaterra)

*Clássico da literatura inglesa,* Tales from Shakespeare *(Contos de Shakespeare, na tradução do poeta Mário Quintana), escrito em 1806 pelos irmãos Charles e Mary Lamb, que conseguiram recriar todas as peças do maior dramaturgo do mundo como narrativas curtas. Das comédias do "bardo", selecionamos uma das mais conhecidas, que é* A Megera Domada.

Catarina era a filha mais velha de Batista, um rico gentil-homem de Pádua. Dama de espírito intratável e índole selvagem, solta de língua, ficara conhecida em Pádua pelo nome de Catarina, a Megera. Parecia improvável, e mesmo impossível, que algum cavalheiro se atrevesse a desposá-la. Por isso, Batista era muito censurado por adiar seu consentimento às muitas e excelentes propostas feitas à sua segunda filha, a amável Bianca. Despachava todos os pretendentes com a desculpa de que só após o casamento de Catarina consentiria no de Bianca.

Aconteceu, no entanto, de um cavalheiro chamado Petruchio chegar a Pádua com o propósito de arranjar esposa. Sem se desanimar com o que diziam de Catarina e sabendo-a rica e bonita, resolveu desposar a famosa fúria e domá-la, transformando-a numa esposa boa e maleável. Na verdade, não havia ninguém tão apropriado para empreender esse trabalho de Hércules do que Petruchio, cujo espírito era tão altaneiro quanto o de Catarina. Disposto, engenhoso e firme de propósitos, era capaz de fingir os mais furiosos ataques enquanto seu espírito permanecia sereno, divertindo-se com o falso arrebatamento, pois na verdade possuía um gênio calmo e despreocupado.

Os terríveis ares que assumiria, ao se tornar marido de Catarina, eram pura farsa, ou, melhor falando, foram o jeito que ele achou para se impor a Catarina, com as mesmas armas dela.

Petruchio resolveu, pois, cortejar Catarina, a Megera. Antes de tudo, dirigiu-se a Batista, para que lhe permitisse manter relações com sua "amável filha Catarina", acrescentando ironicamente que, tendo ouvido falar de seu recato e brandura, viera expressamente de Verona para lhe solicitar o amor. Embora desejasse casá-la, o pai foi forçado a confessar que Catarina não correspondia a tal retrato. E logo ficou clara a qualidade de seu recato e brandura, quando o mestre de música entrou na sala para se queixar de que a amável Catarina, sua aluna, lhe havia quebrado a cabeça com o alaúde, por ele ter criticado sua execução. Ouvindo-o, Petruchio comentou:

— É uma excelente moça. Cada vez mais desejo vê-la. — E, instando com o velho por uma resposta positiva, acrescentou: — Tenho pressa, *signior* Batista, e não posso vir todos os dias cortejá-la. O senhor conheceu meu pai: morreu, deixando-me herdeiro de todas as terras e bens. Queira dizer-me, se eu conseguir o amor de sua filha, que dote lhe dará.

Batista achou as maneiras dele um tanto broncas para um namorado, mas, contente por casar Catarina, respondeu que daria vinte mil coroas de dote e lhe deixaria metade dos seus bens por testamento.

Assim, logo ficou fechado o estranho contrato, e Batista foi comunicar à megera da filha as intenções de seu pretendente, dizendo-lhe que fosse falar com Petruchio.

Nesse meio tempo, Petruchio cogitava em como lhe faria a corte, ensaiando consigo mesmo:

— Farei algum hábil cumprimento quando ela chegar. Se ralhar comigo, direi que é mais melodiosa do que um rouxinol; se fechar a cara, que é tão fresca como as rosas recém-orvalhadas. Se mantiver o silêncio, louvarei a eloqüência de sua linguagem. E, se me mandar embora, agradecerei, como se tivesse me permitido ficar com ela por uma semana.

Nisso, entrou a altiva Catarina e Petruchio assim se lhe dirigiu:

— Bom dia, Kate, pois assim te chamas, pelo que ouvi dizer.

Detestando esse tratamento, Catarina falou com desdém:

— Quem me fala chama-me de Catarina.

— Mentes — replicou o enamorado. — Todos te chamam simplesmente de Kate, a bela Kate. Às vezes, de Kate, a Megera. Mas tu, Kate, és a mais formosa Kate de toda a cristandade. Por isso, Kate, tendo ouvido louvar teu bom gênio em todas as cidades, aqui estou para solicitar tua mão.

Foi uma estranha corte aquela. Ela, em altas vozes, a mostrar o quanto merecia o apelido de Megera, e Petruchio a louvar suas doces e corteses palavras, até que, ouvindo o pai aproximar-se, ele resolveu abreviar ao máximo essas preliminares:

— Querida Catarina, deixemos de palavras ociosas, pois teu pai consentiu em que sejas minha esposa. Teu dote já está estipulado e, quer queiras quer não, casarei contigo.

Quando Batista entrou, Petruchio informou que sua filha o acolhera afavelmente e prometera casar com ele no próximo domingo. Catarina desmentiu-o, dizendo que preferia vê-lo enforcado naquele mesmo domingo, e censurou o pai por pretender casá-la com um rufião da laia de Petruchio. Este recomendou a Batista que não reparasse em tais expressões, pois haviam combinado que ela se mostraria relutante na presença do pai, mas que, quando estavam a sós, se havia mostrado bastante amável e carinhosa. E disse a Catarina:

— Dá-me tua mão, Kate. Irei a Veneza comprar-te um lindo enxoval de bodas. Prepare a festa, pai, e distribua os convites. Hei de trazer anéis, adornos e ricos vestidos, para que minha Catarina se apresente o melhor possível. Beija-me, Kate, pois nós nos casaremos no próximo domingo.

No domingo aprazado, estavam todos os convidados reunidos, mas tiveram de esperar muito pelo noivo. Catarina chorava de vexame, pensando que Petruchio estivera apenas a troçar dela. Finalmente, ele apareceu, mas nada trazia do fino enxoval que prometera a Catarina, nem ele próprio estava vestido como convinha a um noivo. Usava um esquisito traje em desalinho, como se considerasse uma brincadeira o sério passo que ia dar. Mesmo seu criado e os cavalos que montavam tinham o aspecto da maior penúria.

Ninguém pôde convencer Petruchio a mudar de roupa. Alegou que Catarina ia casar-se com ele, não com sua roupa. Vendo que era inútil insistir, dirigiram-se todos para a igreja, continuando o noivo empenhado em se comportar mal, como adiante se verá. Quando o padre lhe perguntou se aceitava Catarina por esposa, respondeu que sim num tamanho brado que o padre, zonzo, deixou cair o livro. E, enquanto o padre apanhava o livro, deu-lhe o desmiolado noivo tamanha bofetada que padre e livro foram para o chão.

Durante toda a cerimônia, ele sapateou e praguejou de tal maneira que a valente Catarina tremia de medo. No final, ainda na igreja, reclamou vinho, bebendo um grande trago à saúde dos assistentes e atirando o resto do copo à cara do sacristão — justificou o estranho ato dando como motivo que a barba do homem era tão esquálida que parecia pedir que a regassem. Certamente, nunca houve um casamento assim. Mas, se Petruchio se atirava a tais selvagerias, era para melhor levar a cabo o plano que concebera para domar a megera de sua mulher.

Batista organizara um suntuoso festim de bodas, mas, quando voltavam da igreja, Petruchio apoderou-se de Catatina, declarando que a levaria para casa no mesmo instante. Nem as censuras do sogro, nem os raivosos protestos de Catarina puderam demovê-lo desse intento. Alegou seus direito maritais de dispor da esposa como bem entendesse e carregou às pressas Catarina: tão perigoso e resoluto parecia que ninguém se atreveu a detê-lo.

Fez a esposa montar num miserável e esquelético cavalo, que desentocara para tal fim, e ele próprio e o criado não seguiram em melhor montaria. Viajaram por íngremes e lamacentas estradas, e cada vez que o cavalo de Catarina tropeçava, ele avançava sobre a pobre besta, praguejando e moendo-a de bordoadas, como se fosse o maior apaixonado do mundo.

Afinal, após uma exaustiva jornada, em que Catarina não ouvira mais do que as pragas de Petruchio contra o criado e os cavalos, chegaram a seu lar. A mesa estava posta e logo foi servida a ceia. Petruchio, porém, apontou defeitos em cada prato, e atirou a comida ao chão, ordenando aos criados que carregassem tudo dali. Disse que fazia tal coisa por amor de Catarina, para que ela não comesse nada que não fosse bem preparado. E quando Catarina, exausta e com fome, retirou-se para o quarto, ele achou o mesmo defeito na cama, arremessando ao chão os travesseiros e cobertas, de modo que ela foi obrigada a ficar sentada em uma cadeira, onde, quando lhe sucedia adormecer, era logo despertada pelo vozeirão do marido, a tempestear contra os criados, por haverem preparado tão mal o leito de noivado da esposa.

No dia seguinte, prosseguiu Petruchio com a mesma manobra. Dirigia amabilidades a Catarina, mas quando ela fazia menção de comer, ele, achando tudo ruim, arremessou o almoço ao chão, como fizera no dia anterior com a ceia. E a altiva Catarina viu-se obrigada a pedir aos criados que lhe dessem secretamente um pouco de comida. Orientados por Petruchio, eles replicaram que não ousavam dar-lhe coisa alguma às ocultas de seu amo.

— Ah! — exclamou Catarina. — Então casou comigo para me matar de fome? Aos mendigos que batiam à porta de meu pai não era negado alimento. Mas eu, que nunca soube o que fosse pedir, estou a morrer por falta de comida e de sono. Seus ralhos não me deixam dormir e só de pragas me alimento. O que mais me aborrece é que ele faz tudo isso sob o pretexto de um amor perfeito. Parece que, se comer ou dormir, corro um perigo de morte.

Esse monólogo foi interrompido pela entrada de Petruchio. Não querendo que ela morresse de fome, ele lhe trouxera uma pequena porção de carne:

— Como vai minha querida Kate? Olha, amor, como cuido de ti. Eu mesmo te preparei a carne. Estou certo de que esta gentileza merece agradecimentos. Como? Nem uma palavra? Então não gostas de carne e de nada serviu todo o trabalho que tive?

Ordenou então ao criado que levasse o prato embora. A extrema fome, que abatera o orgulho de Catarina, obrigou-a a pedir, embora a rebentar de cólera:

— Deixe ficar o prato.

Mas não era só o que Petruchio pretendia obter dela. E ele replicou:

— O mais humilde serviço é pago com um agradecimento, e assim tens de fazer antes de tocar na comida.

A isto, Catarina respondeu um relutante "Obrigada, senhor".

Só então, Petruchio permitiu-lhe fazer a parca refeição, dizendo:

— Que isso faça bem ao teu amável coração, Kate; come depressa. Agora, meu doce amor, voltaremos à casa de teu pai, onde te apresentarás o melhor possível, com capas de seda, chapéus e anéis de ouro, com rendas, fitas e leques, todas as coisas mais finas. — Para convencê-la de que realmente tencionava dar-lhe todo esse luxo, mandou chamar um alfaiate e um lojista, que trouxeram todas as encomendas feitas. Mas, antes que ela tivesse saciado a fome, ele entregou o prato ao criado, com fingida admiração: — Como!? Já comeste?

O lojista apresentou um chapéu, dizendo:

— Aqui está o chapéu que Vossa Senhoria encomendou.

Nisso, Petruchio começou a esbravejar, afirmando que o chapéu fora moldado numa tigela e não era maior do que uma casca de noz. Mandou o homem levá-lo de volta e aumentá-lo.

— Mas eu quero este — protestou Catarina. — Todas as damas distintas usam chapéus assim.

— Quando fores distinta — replicou Petruchio —, terás um também. Mas, por enquanto, não.

O alimento que Catarina ingerira havia lhe reavivado um pouco o decaído ânimo e ela replicou:

— Ora, senhor, acredito que tenho todo o direito de falar, e vou falar! Gente muito melhor do que o senhor tem ouvido o que me apraz dizer. Se não quiser ouvir-me, é melhor tapar os ouvidos.

Petruchio não deu atenção a essas raivosas palavras, pois felizmente descobrira um meio melhor de conduzir a mulher do que discutir com ela. Por conseguinte, assim lhe falou:

— Tens razão. É um chapéu miserável, e gosto de ti por não gostares dele.

— Gostes ou não de mim, eu gosto do chapéu e quero este ou nenhum.

— Ah, queres ver o vestuário? — indagou Petruchio, fazendo-se de desentendido.

O alfaiate mostrou então o fino vestido que fizera para ela. Petruchio, cuja intenção era não lhe dar nem chapéu nem vestido, achou-lhe mil defeitos.

— Meu Deus, que monstrengo! Chamais isto de manga? Mais parece um pedaço de canhão. E ainda por cima toda retalhada que nem uma torta!

— Mas o senhor recomendou que o fizesse à última moda — defendeu-se o alfaiate. Catarina, por sua vez, disse que nunca vira um vestido mais elegante.

Isto bastou a Petruchio, que (embora mandando pagar secretamente aqueles homens, com desculpas pela acolhida que lhes dera) pôs a ambos no olho da rua, com palavrões e gestos desabridos. Voltando-se depois para Catarina, declarou:

— Bem, minha Kate, vamos à casa de teu pai com as mesmas roupas que temos.

E mandou selar os cavalos, afirmando que chegariam à casa de Batista pela hora do jantar, pois eram apenas sete da manhã. Como já não era de manhã, ela observou discretamente, quase dominada pela veemência das suas maneiras:

— Permita-me dizer-lhe, senhor, que são duas da tarde e já terá passado a hora do jantar quando chegarmos.

Mas Petruchio, antes de levá-la à casa do pai, pretendia que Catarina ficasse submissa a ponto de concordar com qualquer coisa. E, como se fosse dono do sol e pudesse mandar no tempo, afirmou que seriam as horas que ele quisesse, sob pena de não irem a lugar algum.

— Tudo o que eu digo, tu logo contradizes — acrescentou ele. — Por isso, não irei hoje. Quando lá formos, será na hora que eu quiser que seja.

No dia seguinte, Catarina viu-se forçada a praticar sua recente obediência. E enquanto não levou seu orgulhoso espírito à tão perfeita submissão que ela não se atrevesse nem a pensar que existia a palavra "contradizer", Petruchio não a deixou visitar o pai. Mesmo quando iam a meio caminho, ela esteve em risco de retroceder, somente por sugerir que era o sol, quando ele afirmava que era a lua que brilhava em pleno meio-dia.

— Pelo filho de minha mãe, que sou eu mesmo — disse ele —, há de ser a lua, ou as estrelas, ou o que eu bem entender. Senão, não vamos à casa de teu pai.

E fingiu que ia voltar para casa. Mas Catarina, não mais Catarina, a Megera, e sim a obediente esposa, disse:

— Vamos adiante, peço-lhe, já que viajamos tanto. E que seja o sol, ou a lua, ou o que lhe aprouver. Se acaso achar o senhor que aquilo é uma lanterna ambulante, a mesma coisa acharei.

Era isso que ele queria experimentar e, assim, continuou:

— Pois eu digo que é a lua.

— Bem sei que é a lua — replicou Catarina.

— Mentes, é o bendito sol — contrariou Petruchio.

— Então é o bendito sol — concordou Catarina —, mas não o é quando o senhor disser que não. Qualquer nome que lhe dê, por esse nome o chamará Catarina.

Petruchio permitiu então a continuidade da viagem. Mais adiante, porém, resolveu testar se ela continuava na mesma cordura e dirigiu-se a um ancião com que depararam na estrada, como se o homem fosse uma linda moça.

— Bom dia, gentil senhora. — Perguntou a Catarina se ela já vira jovem mais bela, louvando as faces rosadas do velho e comparando-lhe os olhos a duas estrelas brilhantes. E dirigiu-se de novo ao homem: — Mais uma vez bom dia, encantadora moça. — E disse à esposa: — Encantadora Catarina, beija-a por amor de sua beleza.

Completamente vencida, Catarina adotou a opinião do esposo e dirigiu-se ao velho da mesma forma.

— Ó linda virgem em botão, és formosa, fresca e encantadora. Aonde vais e onde moras? Felizes os pais que tal filha tem!

— Que é isso, Kate? — interrompeu Petruchio. — Estarás louca? Não vês que é um homem, velho, curvado e encarquilhado, e não uma rapariga, como tu dizes?

Disse, então, Catarina:

— Perdoe-me, velho senhor. Tanto o sol castigou meus olhos que tudo me parece verde. Vejo agora que o senhor é um respeitável pai de família e espero que me perdoe o louco equívoco.

— Queira perdoar-lhe, venerável senhor — disse Petruchio. — E diga-nos para que lado vai. Teremos grande prazer em viajar na sua companhia.

— Meu caro senhor e minha jovial senhora — respondeu o velho —, este nosso encontro foi uma grande surpresa. Chamo-me Vicentio e vou visitar um filho que mora em Pádua.

Então Petruchio ficou sabendo que o velho era pai de Lucentio, o jovem que ia casar com Bianca, a filha mais moça de Batista, e deu ao velho uma grande alegria, contando-lhe o rico casamento que o filho ia fazer.

Juntos, viajaram alegremente até a casa de Batista, onde havia uma grande reunião para celebrar o casamento de Bianca e Lucentio, pois Batista logo consentiu em casar Bianca, depois de se desfazer de Catarina.

Ao chegarem, Batista recebeu-os no festim, a que estava presente também um outro par de recém-casados.

Lucentio, o marido de Bianca, e Hortensio, o outro recente marido, não podiam deixar de se divertir, à socapa, do gênio da mulher de Petruchio. Pareciam encantados com a meiguice das mulheres que haviam escolhido, rindo-se à custa de Petruchio, por causa da sua escolha infeliz. Petruchio não deu atenção às ironias, até que as senhoras se retiraram após o jantar, quando viu então que o próprio Batista se associara aos que dele riam. Foi aí que afirmou que sua esposa era mais obediente do que as outras.

— Com franqueza, bom Petruchio, acho que escolheste a pior de todas, infelizmente — disse o pai de Catarina.

— Pois afirmo que não. E para provar que falo a verdade, proponho que cada um de nós mande chamar sua mulher. Aquele cuja esposa se mostrar mais solícita em atender ao chamado, este ganhará a aposta que se fizer.

Os outros dois maridos concordaram de bom grado, certos de que as suas dóceis esposas se mostrariam mais obedientes do que a azeda Catarina. E propuseram uma aposta de vinte coroas. Petruchio retrucou que apostaria tal quantia no seu falcão ou no seu cachorro, mas que na sua mulher só podia ser vinte vezes mais.

Lucentio e Hortensio elevaram então a aposta a cem coroas. E foi Lucentio quem primeiro mandou o criado chamar Bianca. Logo o criado voltou, dizendo:

— Senhor, a patroa manda dizer que está muito ocupada e não pode vir.

— Como! — exclamou Petruchio. — Então diz ela que está muito ocupada e não pode vir? É isto resposta que se dê a um marido?

Os outros dois riram da observação de Petruchio e garantiram que ele teria sorte se Catarina não lhe mandasse resposta muito pior.

Aí foi a vez de Hortensio mandar chamar sua esposa.

— Vai dizer à minha mulher que faça o favor de vir aqui.

— Oh, oh! Que faça o favor!? — exclamou Petruchio. — Mande-lhe dizer que venha e pronto!

— Com esse seu método, senhor Petruchio — observou Hortensio —, acho que sua esposa não se mostrará disposta a obedecer.

Mas esse delicado esposo empalideceu ao ver o criado voltar sem a patroa.

— Como é isso? — estranhou ele. — Onde está minha esposa?

— Senhor — respondeu o criado —, a patroa manda dizer que com certeza está caçoando dela e por isso ela não vem. Diz que vá lá o senhor.

— Cada vez pior! — comentou Petruchio. E falou para o criado: — Anda cá, patife. Vai dizer à tua patroa que eu lhe ordeno que venha falar comigo.

Mal haviam os outros começado a pensar que Catarina não obedeceria a tal ordem, quando Batista, no cúmulo do espanto, anunciou:

— Caramba! Lá vem Catarina!

E ela, com efeito, chegou, dizendo amavelmente a Petruchio:

— Que deseja de mim, senhor, para me mandar chamar?

— Onde estão tua irmã e a esposa de Hortensio? — perguntou ele.

— Conversam junto à lareira da sala — respondeu Catarina.

— Vá buscá-las! — ordenou Petruchio.

Sem uma réplica, Catarina se retirou para cumprir a ordem do marido.

— Eis um verdadeiro prodígio! — exclamou Lucentio.

— Assim é — confirmou Hortensio. — Que significa tal coisa?

— Por Deus, significa paz — disse Petruchio. — Significa amor, vida tranqüila e a verdadeira preponderância, enfim, tudo quanto há de doçura e felicidade.

Radiante com a transformação da filha, o pai de Catarina exultou:

— Tens sorte, Petruchio! Ganhaste a aposta e, além disso, vou acrescentar outras vinte mil coroas ao dote de Catarina, como se ela fosse na verdade outra filha, pois está agora como nunca foi.

— Pois ainda vou ganhar melhor a aposta — disse Petruchio — e apresentar novas provas da recente obediência e virtude de Catarina.

Como Catarina agora entrasse com as companheiras, ele se dirigiu aos dois maridos:

— Olhai como vem ela, trazendo vossas insolentes esposas cativas de sua persuasão. — E virou-se para a mulher: — Catarina, esse chapéu não te assenta bem. Tira isso e joga-o fora.

Ela imediatamente tirou o chapéu e jogou-o fora.

— Meu Deus! — exclamou a esposa de Hortensio. — Que eu nunca chegue a tão estúpida condição!

Bianca também se revoltou:

— Meu Deus, que sujeição mais tola!

Ao que o marido dela retrucou:

— Eu desejaria que tua sujeição fosse tão tola assim. A sensatez que julgas ter, minha linda Bianca, custou-me cem coroas depois do jantar.

— O maior tolo és tu — replicou Bianca —, por apostares dinheiro sobre minha obediência.

— Catarina — disse então Petruchio —, encarrego-te de dizeres a essas cabeçudas esposas qual a obediência que elas devem aos seus senhores e maridos.

Para espanto de todos, a arrependida megera falou com a maior eloqüência sobre os deveres e obediência das esposas, tais como ela os começara a praticar numa rápida submissão à vontade de Petruchio.

Mais uma vez, Catarina tornou-se famosa na cidade, não como a Megera de antigamente, mas como a mais obediente e compenetrada esposa de Pádua.

*Tradução de Mário Quintana*

# O SISTEMA DO DOUTOR TARR
# E DO PROFESSOR FETHER

### EDGAR ALLAN POE
### (1809-1849 | Estados Unidos)

*Um marco literário, principalmente no que diz respeito à arte do conto, Edgar Alan Poe, desde que foi traduzido para o francês por Charles Baudelaire, é conhecido pela gravidade de seus temas, por seus contos de mistério, terror e imaginação. É também considerado o pai da literatura policial, com os contos* O Assassinato da Rua Morgue *e* Carta Roubada. *O humor, quase uma exceção em sua obra, de* O Sistema do Doutor Tarr e do Professor Fether *antecipa em quase um século as discussões sobre os tratamentos dispensados em manicômios e asilos de alienados. (Até que ponto ele não influenciou nosso Machado, em* O Alienista?)

Durante o outono de 18..., fazendo um *tour* pela Provence, no Sul da França, meu trajeto levou-me a algumas milhas de uma certa *Maison de Santé,* ou uma casa de loucos privada sobre a qual muito ouvira falar em Paris, da parte de alguns médicos, amigos meus. Como nunca havia visitado um lugar deste gênero, achei a oportunidade boa demais para não aproveitá-la; e assim propus ao meu companheiro de viagem (cavalheiro com quem travara relações havia poucos dias) que fizéssemos um pequeno desvio do caminho, de cerca de uma hora ou mais, a fim de dar uma olhada naquele estabelecimento. Idéia que ele rejeitou — dizendo primeiro que tinha muita pressa e, em segundo lugar, que tinha um verdadeiro e muito comum horror na presença de um lunático. Ele quase me implorou, no entanto, para que eu não sacrificasse a minha curiosidade a um sentimento de cortesia para com ele, acrescentando que iria seguir caminho, cavalgando devagar, de maneira que eu pudesse alcançá-lo no mesmo dia ou, quando muito, no dia seguinte. Mas, ao nos despedirmos, lembrei-me da dificulda-de que eu poderia ter no acesso ao estabelecimento e comentei com ele a este respeito. Ele me respondeu que, de fato, se eu não conhecia pessoalmente o Sr. Maillard, o diretor, nem levava comigo carta de apresentação, poderia muito bem ter dificuldades de lá entrar, porque os regulamentos daquelas casas particulares de malucos eram muito mais severos do que os hospícios públicos. Mas como ele conhecia um pouco o

Sr. Maillard, resolveu me acompanhar até a porta e me apresentar a ele; embora seus sentimentos em relação à loucura não lhe permitiriam que entrasse na casa.

Agradeci-lhe e, saindo da estrada principal, entramos por um atalho que em cerca de meia hora nos levou para dentro de uma floresta espessa aos pés de uma montanha. E através daquela mata densa e sombria andamos cerca de duas milhas, até avistarmos a *Maison de Santé*. Era um castelo fantástico e meio decadente e, a se julgar pela deterioração externa, devia ser quase inabitável. O seu aspecto me inspirou tal sentimento de pavor que estive a ponto de não seguir em frente e retornar. Mas envergonhei-me da minha própria fraqueza e segui em frente.

Ao entrarmos no portal, percebi-o já entreaberto e um rosto que nos olhava. No instante seguinte, o homem se aproximou, saudou meu companheiro pelo nome, aper-tou-lhe a mão cordialmente e convidou-o a que apeasse. Era o próprio Sr. Maillard, um verdadeiro cavalheiro de outros tempos: bela presença, de aspecto nobre, maneiras polidas e certo ar de seriedade, dignidade e autoridade que cativava simpatia e impu-nha respeito.

Meu amigo então apresentou-me; e depois de mencionar a minha vontade de visitar seu estabelecimento, e de o Sr. Maillard prometer atendê-la com a maior aten-ção possível, despediu-se de nós. Nunca mais tornei a vê-lo.

Logo o diretor me fez entrar numa pequena sala elegantemente mobiliada, onde se viam, entre outros indícios de um gosto refinado, grande quantidade de livros, desenhos, vasos de flores e instrumentos musicais. Um bom lume ardia na lareira. Uma moça bonita, vestida de luto fechado e sentada ao piano, cantava uma ária de Bellini. Levantou-se quando entramos e veio me receber com uma cortesia cheia de graça. A voz era baixa. Pensei também ter percebido traços de tristeza e melancolia em seu semblante que era por demais, embora, pelo meu gosto, não desagradavelmente pálido. Parecia sob profundo luto, o que provocou em meu peito uma sensação combi-nada de respeito, interesse e admiração.

Tinham-me dito em Paris que o estabelecimento do Sr. Maillard obedecia a um preceito conhecido vulgarmente como "sistema suave", isto é, evitava-se o sistema de castigos, a reclusão era pouco empregada e os doentes, vigiados secretamente, goza-vam aparentemente de perfeita liberdade, podendo até mesmo, a maior parte deles, circular por todo o prédio e pelo jardim, como se fossem pessoas de pleno juízo.

Lembrando-me desses pormenores, cuidei das minhas palavras na presença da moça de luto porque nada me garantia que ela tivesse o juízo perfeito. Pelo contrário, havia nos seus olhos certo brilho intermitente que me induzia quase a acreditá-la louca. Limitei pois as minhas observações a assuntos gerais ou àqueles que julguei incapazes de desagradar ou de excitar mesmo uma lunática. A moça respondeu a tudo o que eu disse de um modo inteiramente sensato; e as suas observações pessoais testemunhavam mesmo critério de raciocínio; mas um longo estudo sobre a metafísica da *mania* havia-me ensinado a desconfiar de semelhantes evidências de saúde mental, e continuei a usar a prudência durante toda nossa conversação.

Eis que um criado muito elegante, de libré, trouxe uma bandeja cheia de frutas, vinhos e refrescos, dos quais me servi com prazer; a moça logo se despediu. Assim que ela se retirou, dirigi ao Sr. Maillard um olhar de interrogação.

— Não, disse ele. Ah, não!... Ela é da minha família... minha sobrinha, uma senhora perfeita.

— Ah, meu senhor, peço-lhe mil perdões pela minha desconfiança. A excelente orientação desta casa é muito conhecida em Paris; assim, imaginei que não seria impossível... O senhor compreende, não é mesmo?

— Sim, sim! Não falemos mais nisso; sou eu que tenho de lhe agradecer a louvável prudência com que se portou, coisa rara em gente moça. E mais de uma vez tivemos de lamentar alguns acidentes bem desagradáveis, causados pelo irreflexão dos visitantes. Na época em que ainda aplicávamos meu primeiro sistema, e quando os doentes tinham o privilégio de andar por toda parte, bem à vontade, acontecia algumas vezes de caírem em crises perigosas, devido à irreflexão de alguns visitantes. Foi por isso que acabei adotando um sistema mais rigoroso de exclusão, em conseqüência do qual as pessoas que sabemos discretas são admitidas a nos visitarem.

— Como assim, na época do seu primeiro sistema? — disse eu, repetindo as palavras do próprio Maillard. — Então o tal "sistema suave" de que tanto me falaram já não é mais aplicado na sua casa?

— Não, senhor — replicou ele. — Há algumas semanas que decidimos abandoná-lo para sempre.

— Fala sério?

— É verdade — disse ele, suspirando. — Foi absolutamente necessário voltarmos aos processos antigos. O "sistema suave" era um perigo constante, e as suas vantagens não eram tantas quanto pareciam. Não pode haver uma experiência mais honesta do que a que se fez nesta casa, onde se praticou tudo o que a humanidade pode racionalmente sugerir. Lamento que não nos tenha visitado antes, para poder julgar pessoalmente. Mas conhece todos os tratamentos do "sistema suave", não é mesmo?

— Não, senhor. O pouco que sei foi simplesmente por ouvir dizer.

— Vou contar em poucas palavras como era o sistema. A base principal era não contrariar o doente, deixá-lo fazer a sua vontade. Não contradizíamos *nenhuma* fantasia que entrasse no cérebro do louco. Ao contrário, não só éramos indulgentes a esse respeito como os encorajávamos; e muitas de nossas curas permanentes foram efetivas. Não existe argumento que toque mais a frágil razão dos alienistas do que o *reductio ad absurdum* [redução ao absurdo]. Tivemos alguns homens, por exemplo, que fantasiavam serem galinhas. A cura consistia em insistir nisso como se um fato fosse — acusar o paciente de estupidez caso não percebesse o tempo todo isso como uma realidade — , e daí recusar-lhe qualquer dieta semanal que não constasse da dieta das galinhas. Nesses casos, um pouco de milho podia operar milagres.

— Mas o sistema constituía apenas na aquiescência à loucura?

— Não. Tínhamos também bastante fé em certos divertimentos simples, como música, dança, ginástica em geral, cartas, mesmo alguns livros, e assim por diante... Cuidávamos de tratar cada indivíduo como se tivesse uma doença física qualquer; e nunca usávamos a palavra "lunático" ou "louco". Um ponto importante era incumbir cada louco de vigiar todos os demais; depositar confiança na inteligência ou na discrição de um louco é conquistá-lo por inteiro. Isso nos trazia ainda a vantagem de dispensarmos uma categoria muito dispendiosa, que é a categoria dos guardas.

— E não havia nenhum tipo de punição?

— Não.

— E nunca confinavam nenhum paciente?

— Raramente. Quando a doença de alguém se transformava em crise, virando um acesso de fúria, nós o levávamos para um cela particular, já que a sua desordem mental poderia contaminar os demais doentes, e lá o mantínhamos até que pudesse voltar ao convívio coletivo. No caso dos maníacos raivosos, nada tínhamos a fazer. Geralmente ele era removido para os hospícios públicos.

— E agora o senhor reverteu toda esta situação — e acha que para melhor?

— Com certeza. Meu sistema tinha suas desvantagens, e mesmo seus perigos. Felizmente, agora ele foi extinto em todas as *Maisons de Santé* da França.

— Estou bastante surpreso — disse eu. — Pois eu tinha a impressão de que nenhum outro sistema de tratamento para loucura como este existia no resto do país.

— Você ainda é jovem, meu amigo — respondeu o diretor —, mas vai chegar o tempo em que poderá julgar por você mesmo o que acontece no mundo, sem confiar no disse-me-disse dos outros. Não acredite em nada do que você escutar e só na metade daquilo que você estiver vendo. Sobre nossa *Maison de Santé*, parece que algum mal-informado andou fazendo sua cabeça. Depois do jantar, depois de você se recuperar de sua fadiga da viagem, terei o maior prazer em mostrar-lhe a nossa casa e de introduzi-lo a um sistema que, na minha opinião, e na de todos aqueles que testemunharam sua operacionalidade, é efetivamente o melhor de todos.

— Seu também? — perguntei. — Um sistema inventado pelo senhor?

— Sou obrigado a reconhecer que sim, pelo menos em grande parte.

Foi assim que eu conversei com o Dr. Maillard por uma ou duas horas, enquanto ele me mostrava os jardins e a conservação do lugar.

— Não posso deixá-lo ver meus pacientes por enquanto — disse ele. — Para uma mente sensível sempre existe algum tipo de choque neste tipo de exibição; e não pretendo privá-lo de seu apetite. Gostaria que jantasse comigo. Posso oferecer-lhe uma vitelinha *à la Sainte-Menechould*, couve-flor *à la sauce velouté*, com um bom copo de *Clos de Vougeôt*. Que tal? Depois disso seus nervos estarão mais fortalecidos.

Às seis, o jantar foi anunciado; e Dr. Maillard me conduziu a uma vasta *salle à manger*, com uma enorme comitiva, cerca de umas trinta pessoas. Pareciam finos e bem educados, embora mostrassem certos requintes de vestuários, fausto e impróprio para a ocasião. Pelo menos dois terços dos convivas eram de senhoras, algumas vestidas de uma maneira muito diferente da que o parisiense está habituado a considerar de bom gosto. Muitas delas, que não tinham menos de setenta anos, estavam decotadas e de mangas curtas, com uma profusão extraordinária de jóias. Observei que muito poucas daquelas roupas eram bem feitas e que a maior parte delas não combinavam com as pessoas que as vestiam. Logo percebi o interesse da moça que o Sr. Maillard me apresentara na sala: e admirei-me de vê-la ataviada a um enorme vestido de anquinhas, uns sapatos de saltos altos e uma touca velha de rendas de Bruxelas, tão grande para ela que dava à sua fisionomia uma aparência ridícula de pequenez. O vestido de luto pesado, com o qual eu a vira antes, lhe caía incomparavelmente melhor. Havia, em suma, no toalete daquelas senhoras todas, um ar de esquisitice que me remeteu à minha idéia original do "sistema suave", a qual o Sr. Maillard tentava me fazer ver, pouco antes do jantar, que não era como eu pensava ser, e me vi jantando justamente com aqueles lunáticos todos; mas me lembrei que em Paris me informaram de que os sulistas da Provence eram particularmente excêntricos, com vastas noções antiquadas de tudo; e então, ao conversar com vários dos convivas, minhas apreensões foram-se desvanecendo por completo.

A própria sala de jantar, confortável e imensa, não tinha elegância alguma. O chão não tinha tapete (é verdade que, na França, muito se dispensam os tapetes). As janelas não tinham cortinas; as portas das janelas, quando fechadas, eram trancadas com barras de ferro, na diagonal, como se usa nas lojas. Observei que aquela dependência formava uma das alas do *château,* e assim as janelas ocupavam três dos lados do paralelogramo, situando-se a porta no quarto lado; não havia menos de dez janelas ao todo.

A mesa estava esplendidamente servida. Coberta de baixelas de prata e mais do que repleta de comidas. A profusão de manjares era bárbara. Nunca na minha vida contemplara eu um luxo tão suntuoso das boas coisas da vida. Havia no entanto muito pouco bom gosto nos arranjos; e meus olhos, acostumados a luzes mornas, sentiram-se agredidos pelo prodigioso esplendor de uma multidão de velas colocadas em candelabros de prata sobre a mesa e espalhados pela casa, por toda a parte. Um grupo de criados atentos servia o jantar. Numa mesa, aos fundos da sala, sete ou oito pessoas com violas, flautas, trombone e um tambor. Elas muito me incomodavam, durante o jantar, com uma infinita variedade de barulhos que se pretendia música e que parecia dar muita diversão a todos os presentes, exceto a mim, claro.

Em suma, tudo o que eu estava vendo era notoriamente bizarro; mas afinal o mundo é composto de todo tipo de pessoas, com maneiras e modos de pensar os mais diversos, e cujos costumes são perfeitamente convencionais. E eu, bem, havia viajado o bastante para ser um bom adepto do *nihil admirari.* Tranqüilamente tomei o meu lugar à direita do dono da casa e, com um bom apetite, honrei perfeitamente a ótima ceia.

As conversas eram animadas e sobre assuntos gerais. As senhoras, conforme o costume, falavam muito; percebi logo que a sociedade era composta de pessoas bem educadas. O Sr. Maillard era um manancial de anedotas engraçadas. Falava com toda a liberdade da sua posição de diretor de uma casa de alienados. E para minha surpresa, a loucura era o tema favorito de todos os convivas.

— Tivemos uma pessoa aqui — disse o gordinho à minha direita — que se imaginava um bule de chá; e por falar nisso, não é incrível que essa particular mania entre tantas vezes nos cérebros dos lunáticos? Dificilmente existe um hospício na França que não apresente um bule humano. O nosso era um bule de fabricação inglesa. Todos os dias, pela manhã, ele mesmo tinha o cuidado de se polir com uma camurça.

— Teve um outro — contou um cavalheiro alto, que se achava à minha frente — com a mania de ser um burro, o que, falando metaforicamente, não deixava de ser verdade. Era um paciente rebelde e que dava muito trabalho. Durante muito tempo não queria comer nada que não fosse capim; e ele foi curado porque não deixamos que ele comesse outra coisa. Ficava sempre batendo com os calcanhares no chão... assim, olhe... assim...

— Sr. Kock! — interrompeu uma velha senhora sentada ao lado do orador. — Faça o favor de ficar quieto! O Sr. acabou de estragar o meu rico vestido de brocado com seus pontapés. Nosso visitante entende muito bem o que o senhor está dizendo sem demonstrações físicas. E a sua imitação é perfeitamente natural! O senhor é quase tão burro quanto o pobre insensato que procura imitar...

— *Mille pardons*, minha senhora — respondeu o Sr. Kock —, mil perdões! A minha intenção não era de modo algum ofendê-la. Dê-me a honra de beber uma taça de vinho comigo.

O Sr. Kock então inclinou-se, beijou cerimoniosamente a sua própria mão e bebeu um copo de vinho com a senhorita Laplace, que assim se chamava a velha senhora.

— Permita-me sugerir-lhe, *mon ami* — disse o Sr. Maillard, dirigindo-se a mim. — Prove desta vitela *à la Sainte-Menechould* ...

Três criados fortes acabavam de colocar sobre a mesa, sem incidente, um enorme prato contendo algo que imaginei primeiro ser o *monstrum horrendum, informe ingend cui lumen ademptum*; mas que num exame mais atento me confirmou ser apenas uma vitela assada, inteira, apoiada sobre os joelhos e com uma maçã entre os dentes, segundo costuma-se servir a lebre na Inglaterra.

— Não, obrigado — disse eu. — Para falar a verdade, não tenho predileção pela vitela à la... como se chama? Peço-lhe a gentileza de provar antes um pouco de coelho.

— Pierre! — gritou o dono da casa. — Mude o talher deste senhor e sirva-lhe um bocado de *lapin au chat*.

— Coelho o quê? — exclamei eu.

— Coelho ao gato.

— Está bem, obrigado. Pensando melhor, não sinto mais vontade de comer coelho. Um pouco deste presunto me cairá bem.

Na verdade, pensava eu, esta gente da *Provence* é capaz de comer de tudo! Não quero provar o seu coelho "ao gato" pela mesma razão que não provaria o seu *chat au lapin*.

— Depois — disse um personagem de rosto cadavérico, ao fundo da mesa, reatando o fio da conversa —, entre outras esquisitices, de tempos em tempos tivemos aqui um paciente que se julgava queijo de Córdova, e que andava sempre de faca na mão convidando seus amigos a cortar-lhe um pedaço da coxa para provarem.

— Era um louco e tanto — interrompeu outro conviva —, mas não se pode comparar com aquele homem que dizia ser uma garrafa de champanhe e que começava seus discursos com pan... pan... e pschi..i...i — e o orador pôs o dedo polegar na boca e retirou-o bruscamente imitando o estouro de uma rolha; depois, com um destro movimento da língua sobre os dentes, imitou a fermentação da champanhe.

Maneira de explicar assaz grosseira, achei, e ela também não foi do agrado do Sr. Maillard; mas ele teve a delicadeza de nada dizer, e a conversa foi retomada por um homem muito pequeno e muito magro, com uma grande cabeleira:

— E houve um imbecil que se dizia uma rã, animal aliás com quem ele muito se parecia, para dizer a verdade. O senhor precisava ter visto a figura — e era a mim que ele se dirigia. — A naturalidade de sua imitação era extraordinária! Chegava a dar pena que aquele homem não fosse uma rã de verdade. Ele coaxava mais ou menos assim: o... o... gh... o... gh ...! Era a nota mais bela do mundo! E em si bemol! E quando ele colocava os cotovelos em cima da mesa, assim, depois de ter bebido um ou dois copos de vinho, e dilatava a boca assim ó, exatamente como estou fazendo agora, e piscando-os com grande rapidez, assim, olhe; pois bem, senhor, posso afirmar que teria caído em êxtase diante do talento daquele homem!

— Não duvido — respondi.

— Havia um outro — disse outro conviva — que por força queria ser uma pitada de tabaco; e vivia numa tristeza enorme por não poder segurar a si mesmo entre o índex e o polegar.

— E o Jules Deshoulières, que era um gênio bastante singular e que endoideceu com a mania de ser abóbora. Vivia perseguindo o cozinheiro para que o transformasse em purê, pedido ao qual o cozinheiro se recusava com indignação. Até acredito que uma torta à Deshoulières deveria ser um manjar dos mais delicados.

— É espantoso o que o senhor diz! — exclamei, lançando ao Sr. Maillard um olhar de interrogação.

— Há! Há! He! Hi! Hi! — redargüiu ele. — Ótimo, ótimo. Não se assuste, meu caro; o nosso amigo aqui é muito original, um grande comediante. Não se pode levar ao pé da letra tudo o que ele diz.

— Conhecemos também Buffon-Legrand — falou outro conviva —, um personagem extraordinário no gênero. Enlouqueceu por causa do amor. Ele imaginava ter duas cabeças. Uma, dizia ele, era a de Cícero; a outra era composta, sendo a de Demóstenes da testa até a boca, e a de Lorde Brougham, da boca até a ponta do queixo. Não era impossível que ele se enganasse, mas com certeza ele teria convencido a todos com suas palavras, porque era um homem de rara eloqüência. Sua paixão pela oratória chegava a tal ponto que não conseguia evitar de demonstrá-la. Por exemplo, ele tinha a mania de saltar para cima da mesa e depois...

Neste momento, alguém sentado ao seu lado segurou-lhe o ombro e disse-lhe algumas palavras ao ouvido; o outro parou repentinamente de falar, voltando a sentar.

— Depois — disse seu amigo, aquele que falava baixo — teve ainda Boulard, o pião. Sua mania singular, mas não destituída de toda da razão, era que o havia transformado em um pião. O senhor teria morrido de rir se o visse girando por horas e horas sobre um calcanhar só, deste modo, veja...

Então o amigo que o havia interrompido, pagou-o com a mesma moeda, dando-lhe algum tipo de conselho ao pé do ouvido.

— Mas então — gritou uma senhora velha, de voz irritante — esse Sr. Boulard era um louco, um louco bastante estúpido. Ora, me digam: quem já ouviu falar de um pião humano? Nada mais absurdo! Madame Joyeuse, todos nós sabemos, era uma pessoa mais sensata. É verdade que tinha também lá a sua mania: era uma mania inspirada pelo senso comum e que divertia quem tivesse a honra de conhecê-la. Pois aquela senhora descobrira, depois de amadurecidas reflexões, que havia sido por acidente transformada em galo; mas na qualidade de galo, ela se comportava normalmente. Batia as asas, assim, assim, com um grande esforço e seu canto era divino: Cocorocó... cocoricó... cocococóricó, có... có...

— Madame Joyeuse, peço-lhe que se acalme — interrompeu o dono da casa com certa rispidez. — Se não pode se portar decentemente como convém a uma senhora, saia da sala imediatamente. A escolha é sua!

A senhora (que eu fiquei espantado de ouvir chamar de Madame Joyeuse, depois da descrição que ela mesma fizera de Madame Joyeuse) corou até as orelhas, bastante humilhada com a repreensão. Abaixou a cabeça e não emitiu uma sílaba sequer.

Então outra senhora, a mesma moça bonita que conheci na sala, continuou a conversação:

— Ora, Madame Joyeuse era uma boba! Mas fazia muito sentido a opinião de Eugènie Salsafette. Era uma mulher moça e formosa, ar modesto e melancólico, que achava indecente o modo comum de se vestir e gostava sempre de se vestir saindo, e não entrando para dentro da roupa. É uma coisa fácil de se fazer, você precisa apenas de fazer isso, e depois isto e depois isto e depois isto...

— *Mon dieu!* Mademoiselle Salsafette! — exclamaram umas duas vozes ao mesmo tempo. — O que está fazendo? Pronto! Chega! Já vimos como se pode fazer isto! Chega! Chega! — E algumas pessoas se levantaram para evitar que Mademoiselle Salsafette se pusesse em traje da Vênus de Milo, o que finalmente conseguiram, auxiliadas por uma porção de gritos e urros vindos de alguma parte do prédio.

Meus nervos viram-se bastante afetados por gritos vindos lá de fora; mas os demais convivas sofreram ainda mais. Nunca vi um grupo razoável de pessoas tão apavorado assim na minha vida. Todos ficaram pálidos como cadáveres e, encolhidos nas suas cadeiras, temendo e titubeando de terror e aguardando a repetição dos gritos. Eles continuaram surgindo, mais altos e como que se aproximando; ouviram-se logo por uma terceira vez mais forte ainda; e enfim, numa quarta vez, com um vigor decrescente. Frente à calmaria aparente da tempestade, todos recuperaram-se de espírito e as anedotas recomeçaram com mais ênfase. Atrevi-me então a perguntar a causa de semelhante gritaria externa.

— Simples detalhe, *une bagatelle* — disse o Sr. Maillard — ao qual estamos tão acostumados que nem lhe damos grande importância. Os loucos, de vez em quando, começam a gritar em coro, excitando-se mutuamente, como acontece com freqüência com um grupo de cães durante a noite. Às vezes este concerto de urros é seguido de um esforço simultâneo de todos para fugir. Neste caso, é sempre preciso a nossa interferência.

— Quantas pessoas presas tem agora?

— Não mais de dez, no momento.

— Mulheres em geral?

— Não. São todos homens muito vigorosos.

— É mesmo? Pois eu sempre ouvi dizer que a maioria dos loucos pertencia ao belo sexo.

— É o que em geral acontece; mas não sempre. Há anos, tínhamos aqui uns vinte e sete loucos, dos quais uns dezoito eram mulheres; mas ultimamente as coisas mudaram, como vê.

— Sim... mudaram muito, como se vê — interrompeu o cavalheiro que havia ferido as tíbias de Mademoiselle Laplace.

— Sim... mudaram muito, como se vê — repetiram todos em coro.

— Segurem essas línguas! Ouviram bem?! — gritou meu anfitrião, num acesso de raiva.

Frente a estas palavras, toda a assembléia observou um silêncio de morte durante um minuto. Houve uma senhora que, seguindo a ordem do Sr. Maillard ao pé da letra, deixou a língua de fora, uma língua bem comprida, e agarrou-a com as duas mãos, conservando-a assim, com muita resignação, até o fim do jantar.

— Aquela senhora — disse eu ao Sr. Maillard, inclinando-me e murmurando-lhe ao ouvido —, aquela excelente senhora que falava ainda agora, com seus cocoricós, é inofensiva, não é, perfeitamente inofensiva? Quer dizer, ela só está ligeiramente atacada — disse eu, apontando para a testa — e não perigosamente afetada.

— *Mon dieu!* O que imagina o senhor? Esta senhora, minha velha e particular amiga, Madame Joyeuse, é tão normal quanto eu. Ela tem lá suas excentricidades, claro, como, você sabe, todas as mulheres de idade são mais ou menos excêntricas!

— Certamente... certamente. Mas as demais senhoras e cavalheiros...

— São todos meus amigos e meus guardiões — interrompeu o Sr. Maillard, perfilando-se com altivez —, meus ótimos amigos e assistentes.

— Como? Todos? — perguntei. — As mulheres e os demais?

— Certamente — disse ele. — Não poderíamos manter este lugar sem as mulheres; elas são as melhores enfermeiras lunáticas do mundo; elas têm lá a maneira delas, entende; seus olhos brilhantes têm um efeito maravilhoso, alguma coisa assim como a fascinação das serpentes, entende?

— Entendo, certamente. Elas se comportam de uma forma meio estranha, são meio esquisitas, não lhe parece?

— Estranhas! Esquisitas! Você acha isso seriamente? Falando a verdade, nós, gente aqui do Sul, não somos nada pretensiosos; fazemos sempre o que nos agrada; e todos estes hábitos que o senhor acha originais, entende... E depois esse vinho Vougeot é um pouco generoso, compreende, um pouco quente demais...

— Claro, claro — disse eu. — E depois o senhor já me disse que o sistema adotado em substituição ao "sistema suave" era de um severo rigor?

— Não, eu não disse isso. A reclusão é necessariamente rigorosa; mas o tratamento, o tratamento médico, quero dizer, é até agradável para os doentes.

— E é também inventado pelo senhor esse outro sistema?

— Não, em absoluto. Algumas partes do sistema devem ser atribuídas ao professor Tarr [Breu], sobre quem o senhor necessariamente já ouviu falar; e houve modificações no meu plano que fico feliz em atribuir ao célebre Fether [Pena], com quem, se não me engano, o senhor tem a honra de se relacionar intimamente.

— Sinto-me constrangido de confessar que eu nem sequer ouvi falar antes de nenhum desses cavalheiros.

— Meu Deus do céu! — exclamou o Sr. Maillard, empurrando sua cadeira para trás e levantando as mãos. — Será que eu ouvi direito? O senhor não pretendeu dizer, hei?, que *nunca* ouviu falar nem do renomado Doutor Tarr nem do célebre Professor Fether?

— Sou obrigado a confessar minha ignorância — respondi. — No entanto sou humilde por não conhecer a obra destes dois. Sem dúvida, homens extraordinários. Vou procurar seus escritos e estudá-los com redobrada atenção. Mas Sr. Maillard, o senhor realmente conseguiu, preciso confessá-lo, conseguiu *realmente* que eu sentisse vergonha de mim mesmo!

E era a pura verdade.

— Não falemos mais nisso, meu jovem — disse ele, gentilmente, pressionando minha mão. — Acompanhe-me num gole deste Sauterne.

Bebemos. E todos os convivas seguiram nosso exemplo. Eles falavam, riam gesticulavam, folgavam e cometiam mil absurdos. As rabecas rangiam, o tambor aumentava seus tantantãs, os trombones mugiam como touros de Phalares, toda aquela cena exasperava-se cada vez mais, à medida que o vinho imperava sobre todos, convertendo-se a cena numa espécie de pandemônio *in petto.* Enquanto isso, o Dr. Maillard e eu mesmo, com algumas garrafas de Sauterne e de Vougeôt em comum, prosseguimos nossa conversa alteando a voz. Uma palavra falada em tom normal teria a mesma chance de ser escutada que a voz de um peixe nas cataratas do Niágara.

— Mas, senhor — disse, quase gritando no seu ouvido —, o senhor mencionou antes do jantar a respeito do perigo que incorriam no velho "sistema suave". Como assim?

— Ocasionalmente — disse ele —, havia grande perigo, sim. É impossível prever todos os caprichos de um louco; e na minha opinião, assim como na do Dr. Tarr e do Prof. Fether, não é nem um pouco prudente deixá-los circular o tempo todo sem vigilância. Um lunático pode ser "suave", como foi chamado o método por uns tempos, mas, ao fim e ao cabo, acaba por provocar distúrbios. A sua capacidade de manha também é grande e proverbial. Quando tem um plano na cabeça, ele concebe seu desempenho com uma sabedoria formidável; e a destreza com que imitam a sanidade oferece, aos metafísicos, um dos problemas mais singulares para o estudo da mente. Quando um louco aparece *totalmente* saudável, é o momento de colocá-lo numa camisa-de-força.

— Mas qual o tal perigo de que falava? Já teve uma experiência pessoal deste tipo? Já teve uma razão objetiva para considerar a liberdade como perigosa no caso da loucura?

— Certamente que sim. Há pouco tempo, quando o sistema "suave" estava ainda em vigor e os lunáticos gozavam de total liberdade... Bem, o comportamento deles era excelente e daí uma pessoa experiente teria podido deduzir que aqueles malandrões andavam tramando algum plano demoníaco. Pois bem, numa bela manhã, os guardiões foram encontrados nas celas, de pés e mãos atados, vigiados pelos próprios loucos que haviam usurpado a função dos guardas.

— Não diga? Nunca ouvi nada de mais absurdo na vida!

— De fato. E tudo isso foi obra de um estúpido, um doido que tinha a mania de ter inventado o melhor sistema de governo que se podia imaginar (o governo dos doidos, bem entendido). E propondo-se a fazer a experiência de sua invenção, persuadiu os demais doentes a juntarem-se a ele numa conspiração a fim de derrubar o poder reinante.

— E conseguiu?

— Sem dúvida. Os guardiões e os guardados tiveram respectivamente de trocar de posição, com o detalhe importante de que os loucos foram liberados e os guardas imediatamente seqüestrados nas celas e tratados, é preciso que se reconheça, de maneira bastante cavalheiresca.

— Mas deduzo que uma contra-revolução logo se formou. Uma coisa destas não pode durar muito. Os camponeses da vizinhança, visitantes do hospício, teriam dado o alarme.

— É aí que o senhor se engana. O chefe da rebelião era esperto demais e não admitiu a presença de visitantes. Uma única exceção, num dia, foi a de um cavalheiro de aspecto muito estúpido a ponto deles não terem razão de temê-lo. Eles deixaram que ele visse as dependências para se divertir um pouco com ele. Mas depois de terem desfrutado da cara dele, deixaram que fosse embora.

— E quanto tempo durou o reinado dos loucos?

— Muito tempo, na verdade cerca de um mês. Enquanto isso, os loucos puseram de lado suas roupas surradas e avançaram à vontade no guarda-roupa da família; nem as jóias lhe escaparam; em seguida dirigiram-se para as adegas do *château* e não é que os diabos desses loucos são entendedores de vinho e sabem beber muito bem. Enfim, viveram à tripa forra, isso eu posso lhe garantir.

— E o tratamento? Qual o tipo de tratamento que o chefe mandava aplicar?

— Bem, quanto a isso, um louco não é necessariamente um bobo; e é a minha modesta opinião que o sistema de tratamento deles era bem melhor do que o nosso. Era um tratamento asseado, sem confusões, realmente delicioso; era...

Aqui as observações do dono da casa foram bruscamente cortadas por outra leva de gritos externos. Desta vez as vozes vinham de pessoas se aproximando.

— Pela bondade divina! — gritei. — Os loucos sem dúvida estão soltos!

— Era o que eu mais temia — disse o Sr. Maillard, subitamente pálido. Ele mal terminou a frase, antes de ouvirmos gritos, berros e insultos atrás das janelas; e em seguida, tornara-se evidente que algumas pessoas do lado de fora forçavam a entrada. A porta era agredida com o que parecia ser um martelo acionado com uma pródiga violência.

Seguiu-se uma cena de horrível confusão. O Sr. Maillard, para meu espanto, jogou-se para debaixo da mesa. Esperava mais poder de comando em suas mãos. Os membros da orquestra que, nos últimos quinze minutos pareciam bêbados demais para cumprir suas funções, escalaram a mesa próxima e agarraram-se a seus instrumentos, começando com um só acorde a tocar *Yankee Doodle*, executando a música se não com harmonia pelo menos com uma energia sobre-humana, durante o tempo todo em que a desordem reinou.

No entanto, o cavalheiro a quem tinham impedido de saltar para cima da mesa, saltou nela desta vez, no meio das garrafas e dos copos, e começou logo um discurso que pareceria de certo de ótima qualidade se alguém tivesse conseguido escutá-lo. Na mesma hora, o homem que nos mostrara sua predileção pelo pião, desatou a girar em roda da sala, de braços abertos, fazendo ângulo reto com o corpo e com tal energia que se teria dito um pião verdadeiro empurrando e deitando por terra tudo o que se encontrava na sua passagem. Ouvi então estalos incríveis e assobio de champanhes e não demorei a perceber que aquele barulho provinha do indivíduo que, durante o jantar, tão bem representara seu papel de garrafa. Ao mesmo tempo, o homem-rã coaxava com toda a força, como se a salvação de sua alma dependesse de cada nota que proferisse. Em meio a tudo aquilo, dominando todos os outros barulhos, reinava o zurrar contínuo de um burro. Quanto à minha conhecida amiga, Madame Joyeuse, em pé num canto da sala junto ao fogão, ela contentava-se em cantar o mais alto que podia o seu cocoricó!

E então chegou a hora do clímax — a catástrofe do drama. Como não havia resistência, além de urros e cocoricós, cerca de dez janelas foram arrebentadas quase que ao mesmo tempo. Jamais esquecerei minhas próprias sensações de espanto e horror ao ver saltar pela janela e jogar-se para o meio de nós outros, acionando os pés, as mãos e as garras, um verdadeiro exército de monstros uivantes, que à primeira vista me pareceram chimpanzés, orangotangos ou enormes mandris negros do Cabo da Boa Esperança.

Recebi uma terrível cacetada, rolei sobre um sofá e lá fiquei estirado. Depois de uns quinze minutos, porém, durante os quais eu escutei com todos os meus ouvidos o que estava acontecendo, cheguei enfim a uma explicação satisfatória para aquela tragédia. Monsieur Maillard, ao que parece, ao me revelar a história do lunático que levara seus colegas à rebelião, estava apenas relatando suas próprias proezas. Este cavalheiro, cerca de uns três anos atrás, havia sido, sim, o diretor do asilo; mas acabou ele próprio enlouquecendo e tornara-se paciente. Fato que não era do conhecimento do meu companheiro de viagem que nos apresentou. Os guardiões, cerca de dez, tendo sido vencidos, foram untados de breu (*tarr*) e bem cobertos de penas *(fether)* e depois trancafiados nas celas do porão. Ficaram prisioneiros por cerca de um mês, e durante este período Monsieur Maillard generosamente permitiu que dessem a eles não só breu e penas (o que constituía seu "sistema"), mas também pão e água. Água que era bombeada para eles diariamente. Por fim, um deles conseguiu escapar por um cano e restituiu a liberdade para os demais.

O "sistema suave", com importantes modificações, foi retomado no *château* ; no entanto preciso concordar com Monsieur Maillard de que seu próprio "tratamento" era o máximo. Como mui justamente ele observou, era "simples, limpo e delicioso: não dava trabalho".

Não tenho senão poucas palavras a acrescentar. Procurei em todas as bibliotecas da Europa as obras do doutor Breu e do professor Pena e, apesar de todos os meus esforços, não consegui, até o dia de hoje, obter um só exemplar.

# O CAPOTE

## NICOLAI GOGOL
### (1809-1852 | Rússia)

*"Todos nós saímos de O Capote", disse Dostoiévski. E de O Nariz, poderíamos acrescentar, pensando no humor fantástico e absurdo de Gogol ainda na primeira metade do século XIX. E de sua maestria como contista, numa época em que o conto, na acepção moderna, ainda nem se (a)firmara. Natural das estepes ucranianas, Gogol fez sua vida em Moscou, no começo sob a influência do Romantismo. Foi O Capote que o tornou famoso em toda a Rússia. Escreveu ainda os romances Almas Mortas e Taras Bulba. Terminou sua vida em Roma, atacado por fortes "crises nervosas" que o levaram ao misticismo delirante. (Chegou a viajar à Palestina e queimou a segunda parte de Almas Mortas, já pronta para ser impressa.) Um gênio da literatura universal.*

Na Secretaria de... Não, é melhor não dizer qual. Não existe maldade igual do que a existente nos diversos tipos de secretarias, regimentos, chancelarias; encurtando a história: em qualquer espécie de repartição. Hoje em dia, todo mundo acredita que o fato de se tocar na sua rotunda pessoa significa em uma ofensa a toda a sociedade. Não faz muito tempo, pelo que se conta, o capitão da polícia, não me lembro mais de que cidade, expôs sem maiores rodeios numa petição que as pessoas estão perdendo o respeito pelas leis e cada vez mais estão tomando seu santo nome em vão. Para apoiar seu argumento, juntava ao documento um alentado romance no qual, a cada dez páginas, aparecia um capitão da polícia em inegável estado de embriaguez. Desta forma, para evitar mal entendidos, iremos chamar a secretaria em questão simplesmente de... "uma certa secretaria".

De maneiras que havia "numa certa secretaria um funcionário". Esse funcionário não fugia muito ao padrão comum; era ruivo, pequeno, encarquilhado e, além do mais, míope, calvo na fronte, com rugas a marcar-lhe o rosto e com uma destas cores que se poderia chamar de hemorroidais. Mas o que se há de fazer? A culpa é do clima de São Petersburgo! Quanto à sua categoria funcional (entre nós, é preciso antes de mais nada anunciar essa qualidade), tratava-se do eterno conselheiro titular, personagem que tão bem se presta à chacota por parte de um bom número de escritores, dentre os que possuem o louvável costume de só se ocupar com pessoas incapazes de arreganhar os dentes. Chamava-se Bachmatchkin, nome proveniente como se pode deduzir de *bachmak* [sapato], embora ignora-se a origem da derivação. O pai, o avô, o cunhado e todos os parentes de Bachmatchkin sem exceção classificam-se na categoria dos que se contentam em mudar a sola das botas que calçam apenas umas duas ou três vezes por ano.

Seu primeiro nome era Akaki Akakiévich. Os meus leitores, é possível, poderão achar esse prenome esquisito e rebuscado. Posso assegurar-lhes que não é bem assim e certas circunstâncias não lhe permitiram o gozo de outro nome. Eis como as coisas se passaram: Akaki Akakiévich nasceu ao cair da noite, num 23 de março, se não me falha a memória. Sua falecida mãe, mulher de um funcionário e excelente criatura, achou-se logo no dever de mandá-lo batizar. Vamos encontrá-la ainda acamada, a cama em frente à porta, tendo o padrinho à direita, Ivan Ivanich Iérovich, um homem de bem, chefe de repartição do Senado, e a madrinha, Irena Semionovna Bielobrouchkov, esposa de um antigo oficial de polícia, senhor de raras virtudes. Três nomes de batismo foram apresentados à parturiente: Mokia, Sosia e também o do mártir Cosdazat. "Não!", pensou a falecida, "nenhum deles me agrada". Abriram para ela o almanaque em outra página e novamente três nomes se apresentaram: Trifili, Dula e Barachisi. "Nomes assim são um verdadeiro castigo do Bom Deus", resmungou a boa mulher. "Só me mostram nomes improváveis; nunca ouvi nada igual! Baradat ou Buruch ainda passam, mas Trifili e Barachisi!" Viraram-se mais uma página e caíram em Pausicaci e Bactici. "Mas já que é assim", disse ela, "o melhor é dar ao menino o nome do pai. O pai se chamava Akaki, pois que o filho se chame Akaki também." Razão por que o nosso herói tinha esse prenome de Akaki Akakiévich. O menino foi batizado, e pôs-se a chorar, fazendo caretas como se pressentisse o dia em que viria a ser conselheiro titular. Foi assim que as coisas se passaram. E só chegamos a todas essas minúcias para que o leitor se convença por si mesmo da fatalidade absoluta em que se processou a escolha desse nome e da impossibilidade de dar-lhe outro.

Ninguém consegue se lembrar direito em que época Akaki Akakiévich entrou para a repartição, nem por recomendação de quem. Os diretores, chefes de serviço e demais funcionários podiam mudar o quanto quisessem; lá estava ele sempre no mesmo posto, na mesma atitude, ocupado com o mesmo trabalho de copista-expedidor, e isso a tal ponto que se foi criando aos poucos a noção de que teria vindo ao mundo já homem feito, de uniforme e cabeça pelada. No seu trabalho não havia quem lhe testemunhasse a menor consideração, nem se levantavam quando ele passava, e os contínuos davam-lhe tanta atenção quanto a uma mosca no ar. Os superiores tratavamno com uma frieza de déspota. Qualquer subchefe novo colocava-lhe a papelada debaixo do nariz sem se dar sequer ao trabalho de dizer: "Podia, por obséquio, me copiar isso aqui", ou, "Eis aqui um bom processozinho", ou qualquer outra fórmula agradável, como é de costume entre burocratas bem educados. Sem olhar para a pessoa que lhe trazia a tarefa e sem a preocupação de verificar se a dita pessoa tinha ou não o direito de dá-la, ele pegava a papelada e punha-se a escrever. Os colegas mais jovens faziam a seu respeito tantas gozações quanto lhe permitia o clima administrativo. Mesmo na sua presença contava-se todo tipo de piadas sobre ele: que apanhava da proprietária do seu imóvel, e ainda lhe perguntavam quando é que ia se casar com ela. Constatemente era atingido por bolinhas de papel — "uma chuva de neve", como diziam. Akaki Akakiévich no entanto não respondia uma palavra a tudo isso, comportando-se como se não tivesse ninguém diante dele. Sem se deixar abstrair do trabalho, estas impertinências todas não faziam com que ele cometesse um erro sequer. Quando a brincadeira passava dos limites, se alguém lhe empurrava o cotovelo, querendo tirá-lo do sério, ele se contentava em dizer:

— Deixe-me em paz.. Não vê que está me incomodando?

Havia algo de estranho nessas palavras. Ele as emitia num tom patético que, certa vez, um jovem recentemente admitido na secretaria, e que tinha achado de bom alvitre imitar os colegas e gozar do coitado, parou no ato como que ferido no coração. Daí em diante o mundo assumiu a seus olhos um novo aspecto; uma força sobrenatural parecia desviá-lo dos colegas que, de início, tinha tomado por pessoas de fino trato. E por muito tempo, por muito tempo a partir desse dia, mesmo no correr das minutas mais divertidas, ele pensou no pequeno funcionário de fronte calva, ouvindo suas penetrantes palavras:

— Deixe-me em paz! Não vê que está me incomodando?

E nessas penetrantes palavras ressoava o eco de outras palavras: "Eu sou teu igual!" O infortunado jovem cobria então o rosto e, mais de uma vez durante sua existência, haveria de estremecer ao ver como o homem carece de humanidade ao constatar quão grosseira é a maldade que se esconde mesmo sob as maneiras mais polidas — Ó meu Deus! — naqueles considerados por todos como pessoas honestas e pessoas de bem...

Dificilmente se encontraria alguém tão profundamente apegado a seu emprego como Akaki Akakiévich. Ele esmerava-se no trabalho; não, seria dizer pouco: ele trabalhava era com amor. Aquele eterno transcrever documentos parecia-lhe um mundo só dele, sempre agradável e novo. O prazer que sentia refletia-se nas suas feições e, quando chegava então à caligrafia de suas letras favoritas, ele se transformava, sorrindo, piscando os olhos, remexendo a boca como se isso o ajudasse na tarefa, de tal modo que se podia ler no seu rosto cada letra que a pena lhe traçava. Fosse o seu zelo recompensado devidamente e ele teria sem dúvidas chegado, não sem surpresa de sua parte, ao título de conselheiro de Estado; mas outra coisa não obtivera, para usar a expressão de seus colegas gozadores, senão uma medalha de latão na lapela e hemorróidas nos fundos das calças. Mas seria exagero pretender também que não lhe tivessem jamais demonstrado a menor atenção. Querendo recompensar seu tempo de serviço, um bravo diretor confiou-lhe um dia uma missão mais importante do que os seus trabalhos corriqueiros de copiar. Tratava-se de extrair de um memorial já concluído um relatório destinado a uma outra administração, constituindo todo o trabalho na mudança do título e na transposição de alguns verbos da primeira para a terceira pessoa. O serviço lhe pareceu tão árido que o infeliz, banhado em suor, coçou a testa e acabou por dizer:

— Decididamente, não; é melhor que o senhor me dê qualquer coisa para copiar.

Desde então deixaram-no entregue às suas cópias, fora das quais nada parecia existir para ele. Não se preocupava com o modo de se vestir: a blusa do seu uniforme passara já do verde a um ruço desbotado. Usava a gola tão baixa e estreita que o pescoço curto saía de dentro dele dando a impressão de ser comprido como o destes gatinhos de gesso de cabeça móvel que se balançam às dúzias sobre as cabeças de pretensos "estrangeiros", russos de nascimento.

Não havia momento em que não tivesse, grudado à roupa, algum fiapo de linha ou pedacinho de palha; e mais: possuía a arte de se encontrar sob uma janela no momento preciso em que alguém, por ela, despejava toda a espécie de detritos; resultado: cascas de melão, restos de melancia e outras porcarias do gênero ornavam-lhe sempre o chapéu. Nem uma vez na vida deu ele atenção ao espetáculo cotidiano da rua, ao qual seus jovens colegas dispensavam olhares tão atentos que não lhes custava distinguir na calçada em frente o súbito desabotoar de uma presilha, coisa que invariavelmente lhes trazia aos lábios um sorriso velhaco. Supondo-se que Akaki Akakiévich chegasse a pousar os olhos sobre qualquer objeto, o lógico é que devesse ver às linhas escritas de sua bela caligrafia limpa e fluente. Era preciso que um cavalo, por exemplo, chegasse inesperadamente e lhe encostasse o focinho no ombro, soprando-lhe um verdadeiro furacão no pescoço, para ele constatar que estava em plena via pública e não no meio de uma linha de caligrafia. Ao entrar em casa, punha-se à mesa para tomar uma sopa de repolho acompanhada de um bife acebolado. Engolia a mistura sem sentir gosto, com as moscas e os demais suplementos que o Bom Deus se lhe dignasse acrescentar em cada ocasião. Quando sentia o estômago cheio, levantava-se, tirava um vidro de tinta de uma gaveta e punha-se a copiar documentos trazidos da repartição. E se lhe faltava trabalho... bem, ele copiava para seu bel-prazer, preferindo às peças interessantes pela beleza do estilo, aquelas dirigidas a personagens recém-nomeados ou altamente colocados na administração.

Na hora em que o céu cinzento de Petersburgo escurece totalmente; em que o mundo da burocracia, depois de um jantar que varia segundo os salários e o desejo de cada um, começa a se sentir repousado da agitação da repartição, do ranger de penas que escrevem, das idas e vindas, dos trabalhos de urgência, de todas as tarefas que um trabalhador infatigável se impõe, por vezes sem necessidade; enfim, uma hora em que todo esse mundo de gente se prepara para dedicar o final do dia ao prazer. Os mais atirados vão ao teatro; aquele outro ganha a rua a fim de contemplar os novos e belos chapeuzinhos da moda; este aqui se apronta todo para saudar uma garota alegre qualquer, estrela de algum palco de funcionários; outros, mais numerosos, vão pura e simplesmente visitar um colega, inquilino, num segundo ou terceiro andar de um apartamento de dois quartos, ante-sala e cozinha e, com pretensões de elegância, uma lâmpada, um bibelô qualquer fruto de numerosos sacrifícios, como privações de jantar, de passeios etc... Nessa hora em que todos os funcionários de dispersam nos minúsculos aposentos de seus amigos para jogar um *whist* emocionante, enquanto degustam taças de chá acompanhadas de biscoitos de vintém, fumando em longos cachimbos e contando, na agitação do carteado, uma dessas fofocas da sociedade aos quais o homem russo não consegue fugir; ou repisando a eterna anedota do comandante a quem teriam contado que o rabo do cavalo do monumento de Falconet fora cortado; nessa hora, enfim, em que cada um procura se divertir, só Akaki Akakiévich não se permitia a menor diversão. Ninguém poderia se lembrar de havê-lo visto jamais num sarau de qualquer tipo. Depois de escrever até não poder mais, deitava-se sorrindo, pensando no dia seguinte: "Que documentos iria a graça de Deus lhe dar para transcrever?" E assim corria na santa paz a vida de um homem que, ganhando quatrocentos rublos por ano, se mostrava satisfeito com a sorte; e sem dúvida haveria de atingir a extrema velhice se, neste mundo triste, todo o tipo de calamidades não espreitasse os conselheiros titulares, até mesmo os conselheiros secretos virtuais da Corte etc..., enfim, os conselheiros de todos os calibres, inclusive aqueles que não dão nem pedem conselhos a ninguém.

Em Petersburgo, um poderoso inimigo vive escondido de tocaia nas pessoas que gozam de salários de aproximadamente quatrocentos rublos por ano. Esse inimigo é nosso frio setentrional, sobre o qual no entanto costuma-se dizer ser muito saudável. Pela manhã, entre oito e nove horas, no momento em que as ruas se enchem de gente que parte para o trabalho, o frio é justamente tão penetrante e ataca com tal violência todos os narizes, sem distinção, que até seus infelizes proprietários não sabem onde se abrigar. E quando o frio chega a dar essas alfinetadas nos narizes dos altos funcionários, a ponto de lhes arrancar lágrimas dos olhos, é que os pobres conselheiros titulares se encontram realmente sem defesa. Só lhes resta uma única chance de salvação: envolverem-se em seus ralos capotes e chegar correndo, através de cinco ou seis ruas, ao vestíbulo dos seus apartamentos e lá ficar batendo os pés no chão até se degelarem as faculdades necessárias aos cumprimentos de seus deveres profissionais. Havia já algum tempo que Akaki Akakiévich percorria voando a fatal distância; assim mesmo se sentia tremendo principalmente nos ombros e nas costas. Chegou a se perguntar se não seria por acaso culpa do seu capote. Examinou-o em casa com minúcia e descobriu que em dois ou três lugares, precisamente nas costas e nos ombros, o tecido adquirira a transparência de uma gaze e que o forro havia a bem dizer desaparecido. É preciso que se saiba que o capote de Akaki Akakiévich servia também de alimento às gozações da repartição. Destituíram-lhe do nobre nome de capote para tratá-lo de "capota". De fato, a peça apresentava um aspecto bizarro: de ano a ano a gola diminuía e isso porque servia para remendar outras partes da veste. O remendo tão pouco fazia que se notasse os talentos do alfaiate; o conjunto tinha uma frouxidão de saco e era bem feio. Akaki Akakiévich compreendeu a necessidade de levar seu capote ao alfaiate Petrovich, no terceiro pavimento de uma escada de serviço e que, apesar de zarolho, consertava com certa habilidade calças e fraques de funcionários e civis, sob a condição bem entendida de que estivesse o alfaiate em abstenção de álcool e sem nenhuma outra fantasia na cabeça. Seria mais conveniente não nos estendermos muito sobre esse alfaiate; mas como se convencionou nesta narrativa deixar o caráter de cada personagem perfeitamente definido, vamos a ele.

No princípio ele se chamava simplesmente Gregório e era servo de um senhor qualquer. Só depois de sua alforria passou a se chamar Petrovich, quando adquiriu também o hábito de se embebedar pra valer, de início nas grandes festas populares e em seguida em todas aquelas marcadas com uma cruz nos calendários, indiferente quais fossem. Sob esse aspecto, obedecia fielmente o costume dos ancestrais e nas disputas com sua nobre esposa chamava-a de mundana ou de alemã. E já que fizemos alusão a essa pessoa, será preciso também consagrar-lhe duas palavras. Infelizmente pouco se sabia a seu respeito, a não ser que era a mulher de Petrovich e usava touca em vez de xale; não tinha, ao que parece, nenhuma razão para se gabar de ser bonita: pelo menos ninguém, a não ser os soldados da guarda, se dava ao trabalho de espiar seu rosto sob a touca; no entanto, quando isso acontecia, torciam o bigode e deixavam escapar uns grunhidos que não queriam dizer pouca coisa.

Ao subir a escada de Petrovich, escada que, justiça lhe seja feita, vivia imunda de água engordurada, e bem penetrada também deste cheiro de álcool que chega a incomodar os olhos e se encontra, como ninguém desconhece, em todas as escadas de serviço de Petersburgo; ao subir pois essa escada, Akaki Akakiévich sentia-se já inquieto com o preço que o alfaiate lhe cobraria, firmemente resolvido a não lhe dar mais de dois rublos. Encontrou a porta aberta e isso porque sua honrada esposa, no ato de fritar sabe-se lá que espécie de peixe, tinha deixado escapar uma fumaça tão espessa que se tornara impossível distinguir mesmo as baratas do aposento. Sem que a dona da casa percebesse a sua presença, Akaki Akakiévich atravessou a cozinha e entrou no quarto onde deu com Petrovich sentado sob as pernas, à maneira de um paxá turco, em cima de uma mesa de madeira ao natural. Tinha os pés descalços como de hábito entre os alfaiates no trabalho, e o que imediatamente ressaltava aos olhos era o seu dedão do pé, o qual Akaki Akakiévich conhecia bem e que se enfeitava de uma unha disforme, rija e grossa qual carapaça de tartaruga. Petrovich trazia penduradas no pescoço uma meada de seda e várias de linha e sobre os joelhos uma roupa velha. Havia já três minutos que ele se esforçava em vão para passar um fio pelo buraco de uma agulha, furioso com a falta de claridade e com o próprio fio contra o qual praguejava à meia voz: "Você há de acabar entrando, seu miserável! Está querendo me enlouquecer, seu canalha!"

Akaki Akakiévich ficou muito aflito ao encontrar Petrovich furioso; gostava de fazer suas encomendas ao alfaiate quando estava ligeiramente embriagado ou, como dizia sua mulher, quando "esse diabo zarolho estava com a lamparina cheia". De fato, sempre que se encontrava nesse estado, Petrovich era dócil, fazia abatimentos, confundido-se mesmo ao agradecer. É verdade que a mulher vinha choramingar em seguida com os fregueses, garantido a eles que o bêbedo do seu marido havia feito um preço baixo demais; e então podiam os fregueses se dar por felizes se só deixassem uma moeda de dez copeques a mais. Agora, ao contrário, Petrovich parecia estar a seco e por conseguinte rude, intratável, inclinado a exigir só diabo sabe que preço. Akaki Akakiévich logo compreendeu a situação e tentou fugir, mas os dados já estavam lançados: Petrovich fixara nele o único olho que lhe restava.

— Bom dia, Petrovich! — disse, sem pensar, Akaki Akakiévich.

— Eu também lhe desejo um bom dia – respondeu Petrovich, olhando para as mãos do visitante para ver o que ele trazia.

— Olhe, Petrovich, eu vim aqui...

É preciso explicar que Akaki Akakiévich se exprimia em geral por meio de advérbios e preposições ou partículas absolutamente desprovidas de sentido. Nas situações embaraçosas, não terminava nunca as frases, e muitas vezes, após começar um discurso do gênero "justamente... pois não é...", calava-se de repente, alheio, achando que já tinha dito tudo.

— Qual o problema? — perguntou Petrovich, inspecionando com seu único olho toda a indumentária de Akaki Akakiévich, da gola às mangas, sem omitir as costas, abas, botoeiras, coisas essas que por sinal conhecia muito bem, pois eram obras de suas próprias mãos. Mas como se sabe, esse é o hábito dos alfaiates quando encontram alguém.

— Então, Petrovich... meu capote... o tecido... em todos os outros lugares ainda resiste... A poeira lhe dá um aspecto de velho, mas está novo... É só nesse lugar aqui, não acha... Olhe, aqui nas costas... E também esse ombro está um pouco gasto... Este também, só um pouquinho, está vendo?... Pois é só isso. Não é muito trabalho.

Petrovich pegou a "capota", estendeu-a primeiro sobre a mesa e examinou-a longamente; em seguida abanou a cabeça e foi apanhar sobre o parapeito da janela uma tabaqueira redonda, ornada com o retrato de um general qualquer cujo nome desconheço, pois um retângulo de papel recobria o rosto que uma dedada havia furado. Depois de tomar uma pitada de rapé, Petrovich espiou o capote perto da luz, estendendo-o sobre os braços abertos, abanou novamente a cabeça e o revirou para espiar o forro. Abanou então a cabeça pela terceira vez, tornou a abrir a tabaqueira coberta com o general de cara de papel, entupindo o nariz de rapé, fechou-a, colocou-a num canto e finalmente concluiu:

— Não, é impossível consertar esse negócio, está gasto demais!

Akaki Akakiévich sentiu um aperto no coração.

— Mas por que, Petrovich? — pronunciou com uma voz de súplica quase infantil. — Só está um pouquinho gasto nos ombros; é impossível que não tenhas por aí um retalho ou dois que...

— Retalhos, é possível que haja — replicou Petrovich. — Mas acho impossível é coser um remendo nisso aí; já está no fio, veja só! É só eu lhe encostar a agulha e ele vira tiras.

— O que é que tem? Coloque um remendinho assim mesmo, depois a gente vê...

— E em cima de que o senhor quer que eu cosa o seu remendo? Olhe, esse pano, de pano, só tem o nome. Está de um jeito que o primeiro pé-de-vento leva ele embora.

— Mas não, não... É só por um reforço, sabe como é....

— Não — cortou Petrovich —, impossível! Se eu fosse o senhor, quando o frio chegasse, faria dele agasalho para os pés, porque, veja só, esta história de meias é coisa que não esquenta ninguém, invenção dos alemães para encher os bolsos. (Petrovich gostava de implicar com os alemães.) O que o senhor devia fazer era encomendar um capote novo.

A palavra "novo" só faltou fazer Akaki Akakiévich desmaiar; todos os objetos de repente se misturaram diante de seus olhos numa espécie de bruma através da qual nada chegava a distinguir além do general da cara de papel que ornava a tabaqueira do alfaiate.

— Um capote novo! — pronunciou ele, enfim, como se sonhando... — E de onde vou tirar o dinheiro?

— Sim, um novo... — repetia o monstro do Petrovich.

— E se, por acaso, eu mandasse fazer um novo capote, o que é que... vamos ver...

— Quanto é que vai custar, o senhor quer dizer?

— Isso.

— Três notas de cinqüenta rublos, no mínimo — e o alfaiate contraiu a boca, significativamente.

É que ele gostava de grandes efeitos, sentia prazer em embaraçar as pessoas para sentir prazer com a cara que faziam.

— Cento e cinqüenta rublos, mas que capote é esse? — foi a exclamação que teve, provavelmente pela primeira vez na vida, o infeliz Akaki Akakiévich, que em geral falava sempre em voz bem baixa.

— Mas é claro — disse o alfaiate. — E tem uma coisa: depende do capote. Se o senhor quiser um com gola de marta e um capuz forrado de cetim, é preciso contar com uns duzentos rublos.

— Pelo amor de Deus — implorou Akaki Akakiévich, sem mais querer ouvir a conversa do alfaiate, nem se deixar levar por seus efeitos retóricos —, pelo amor de Deus, me conserta esse aqui de qualquer maneira para que ainda possa me prestar um bom servicinho!

— Mas é o que eu estou lhe dizendo: eu iria perder o meu tempo e o senhor o seu dinheiro.

A esse palavras, Akaki Akakiévich caiu no mais completo desamparo e por muito tempo ainda depois de sua partida, Petrovich continuou parado, a boca crispada, muito satisfeito de ter salvaguardado a sua dignidade e a do seu ofício.

Já na rua, Akaki Akakiévich pensou ter sonhado. "Mas que coisa", murmurava ele. "Jamais poderia pensar... não é mesmo?..." E depois de um longo silêncio: "Eu jamais teria pensado que..." Um longo silêncio se seguiu; finalmente acrescentou: "Não, é mesmo  inacreditável..." E em vez de tomar a direção de casa, pôs-se impensadamente a caminhar em direção contrária. No caminho um limpa-chaminés esbarrou nele, sujando-o todo no ombro; do alto de uma casa em construção, uma avalanche de cal despencou sobre sua cabeça. Mas ele nada percebeu, só voltando um pouco a si mesmo quando um guarda gritou para ele, no momento em que ele esbarrou naquela autoridade.

— Não vê por onde anda? Para que são feitas as calçadas?

Essa repreensão obrigou-o a abrir os olhos e voltar para casa. Em casa, pôde finalmente coordenar as idéias e examinar friamente a situação, falando consigo mesmo não mais com frases entrecortadas, mas nesse tom de franqueza judiciosa de que nos servimos para discutir com um amigo um assunto que nos toca de perto o coração. "Não", disse com seus botões, "hoje não há meio de fazer um acerto com Petrovich. Ele está num estado por assim dizer... Deve ter apanhado da mulher. Voltarei  no domingo de manhã; depois da bebedeira da véspera, irei encontrá-lo de olho virado e bastante sonolento; vai precisar de um trago para se recompor, e como a mulher não lhe dará um vintém, aí eu lhe sacudirei na frente do nariz uma nota de dez copeques; na mesma hora há de se mostrar mais maleável e então, pois não é... o capote..."

Esse raciocínio lhe trouxe a confiança de volta. No domingo seguinte, pôs-se a espreitar a mulher de Petrovich e, quando viu que ela saía, foi direto ao homem. Encontrou-o, como havia pensando, sonolento e com o olhar turvo e a cabeça pendente; mas assim que o outro soube da razão da volta do seu freguês, Petrovich parecia tomado pelo demônio:

— Não, não, é impossível. Só encomendando um novo.

Akaki Akakiévich colocou uma nota de dez copeques na sua mão.

— Muito obrigado, senhor, vou tomar um gole à sua saúde. Quanto ao capote, acredite em mim, nem pense mais nisso, o coitado está por um fio. Pode confiar em mim.

Akaki Akakiévich tentou voltar à carga; mas sem ouvi-lo Petrovich continuou:

— Pois é isso, pode contar comigo, farei um belo trabalho. E até mesmo, se o senhor fizer questão de ficar bem na moda, posso pôr na gola uns adereços prateados.

Foi então que, convencido da absoluta necessidade de um capote novo, Akaki Akakiévich sentiu a coragem abandoná-lo. Mas de onde tirar o dinheiro? É verdade que esperava uma gratificação para as festas, mas o dinheiro já estava todo destinado para outros gastos. Precisava comprar uma calça, pagar o sapateiro que lhe pusera um salto novo num sapato velho, encomendar à costureira três camisas e dois pares da peça íntima que não convém imprimir o nome; enfim, Akaki Akakiévich havia destinado todo esse dinheiro, e mesmo que o diretor se designasse a mandar lhe pagar quarenta e cinco ou no máximo cinqüenta rublos, quase nada lhe sobraria, uma ninharia que, em relação ao capital exigido pelo capote, representava uma gota d'água no oceano. De fato Petrovich às vezes via luas ao meio-dia, com seus preços exorbitantes; nessas horas, sua própria mulher não se continha e gritava: "Ah! Mais essa agora!

Está louco? Tá com o demônio no corpo? Há dias que esse imbecil trabalha de graça e agora quer cobrar mais caro do que vale!" Akaki Akakiévich pensava seriamente que Petrovich haveria de se contentar com oitenta rublos, mas a questão era onde arranjar o dinheiro. Estritamente falando, sabia como conseguir a metade, talvez um pouco mais; quanto ao resto... — mas indiquemos inicialmente ao leitor a proveniência desta primeira metade. Sobre cada rublo que gastava, Akaki Akakiévich tinha o hábito de economizar um vintém, depositando-o num pequeno cofre fechado a chave. A cada seis meses contava as moedas de cobre e as trocava por moedas de prata. Ao cabo de vários anos, já conseguira juntar quarenta rublos de economias. Assim sendo, tinha a metade da quantia à sua disposição; ficava faltando a outra metade. E agora, onde arranjar os quarenta rublos que faltavam? Depois de muito pensar, Akaki Akakiévich resolveu reduzir suas despesas, ao menos por um ano. Desde então não tomou mais chá à noite e não mais acendeu a vela. Na rua, pôs-se a andar bem depressa e na ponta dos pés a fim de poupar as solas; só raramente recorria aos serviços da lavadeira, para não gastar roupa branca que, chegando em casa, trocava por um velho roupão de algodãozinho que não fora poupado pelo passar do tempo. Para dizer a verdade, essas privações lhe foram um tanto penosas, mas aos poucos foi se acostumando e um belo dia acabou por se privar completamente da ceia. Como sonhasse o tempo todo com o seu futuro capote, servia-lhe esse sonho de alimento suficiente, embora imaterial. Melhor ainda: sua própria existência encheu-se de alguma coisa a mais, como se tivesse casado; como se o acompanhasse a presença de uma outra sombra; como se uma gentil companheira tivesse consentido percorrer a seu lado os caminhos da vida. E essa companheira outra não era senão a bela peliça nova, com um sólido e macio forro. Mais vivo e mais firme de caráter tornou-se ainda, como convém àqueles que se fixam num objetivo. A dúvida, a indecisão, todos os traços hesitantes e imprecisos desapareceram de sua fisionomia e dos seus atos. Por vezes uma chama subia-lhe nos olhos e então os pensamentos mais ousados passavam pelo seu cérebro: afinal de contas, por que razão não haveria ele de encomendar uma gola de marta?! Tudo isso acabou deixando-o distraído. Um dia, quase cometeu um erro ao copiar um documento, mas ao percebê-lo deixou escapar um "ufa!" de alívio. Pelo menos uma vez por mês procurava Petrovich para falar sobre o capote; onde seria melhor comprar o tecido? Qual a cor mais conveniente? Que preço deveria pagar? Depois de discutir essas graves questões, voltava para casa um tanto preocupado, mas pensando alegremente que um belo dia o capote iria se transformar numa realidade. A coisa chegou a tomar um rumo mais ágil do que o previsto. Contra todas as expectativas o diretor concedeu-lhe naquele ano sessenta rublos de gratificação em lugar dos quarenta habituais. Teria o chefe adivinhado que Akaki Akakiévich precisava encomendar um capote? Ou devemos ver nisso uma simples obra do acaso? Nada sei; o certo é que Akaki Akakiévich pôde dispor de um saldo inesperado de vinte rublos. Circunstâncias que melhoraram muito as coisas. Mais uns dois ou três meses de privações e uma bela manhã o nosso herói se vê na posse dos ansiados oitenta rublos. Seu coração, em geral tão calmo, pôs-se a bater aceleradamente. Nesse mesmo dia, acompanhado de Petrovich, foi fazer as compras. O tecido escolhido, como se pode calcular, era de primeira qualidade; decorrera já um semestre desde que pensava no assunto e houvera tempo de sobra para eles se informarem dos preços. Petrovich declarou que não se poderia encontrar melhor tecido do que aquele. Para o forro, contentaram-se com cetineta, mas uma cetineta de tão boa e sólida qualidade que, segundo Petrovich, em nada ficava devendo para a seda e parecia até mais lustrosa do que ela. E como a marta custasse realmente muito caro, tiveram que se satisfazer com gato, mas escolheram o mais lindo da loja; aliás, a certa distância podia muito bem passar por marta. A confecção do capote não levou senão duas curtas semanas e isso porque era acolchoado e pespontado; não fosse assim, teria terminado antes. Pelo feitio Petrovich cobrou doze rublos; decentemente era impossível pedir menos; todas as costuras foram feitas com ponto-atrás e de seda, e em cada uma delas Petrovich tinha marcado com os dentes os mais variados festões.

Foi num... Para ser franco eu não saberia o dia em que Petrovich finalmente entregou o capote. Sem dúvida, Akaki Akakiévich não conheceu dia mais solene em todo o curso de sua existência. Era de manhã, pouco antes de ir para o ministério, e o capote não poderia ter chegado mais a propósito, enquanto o frio ameaçava tornar-se rigoroso. Petrovich levou ele mesmo o capote, como deve fazer um bom alfaiate. Jamais Akaki Akakiévich vira uma expressão tão imponente em alguém. O alfaiate parecia plenamente convencido de que havia executado a grande obra de sua vida e entrevisto ali o abismo que separa o alfaiate de um mero remendão. Tirou o capote de dentro de um grande pano que o embrulhava (e como o dito pano tivesse vindo direto da lavadeira, teve o cuidado de dobrá-lo e enfiá-lo no bolso para voltar a usá-lo em outra oportunidade). Com um olhar de orgulho examinou um instante a sua obra-prima e depois, estendendo-a nos braços, jogou-a habilmente nas costas de Akaki Akakiévich; em seguida, depois de esticar o tecido na parte de trás, envolveu, à maneira dos cavaleiros, o funcionário. Levando a sua idade em consideração, o próprio quis vestir as mangas. Petrovich ajudou-o na operação e essa prova final resultou excelente. Resumindo, o capote estava perfeito e não necessitava de nenhum retoque. O alfaiate aproveitou isto para declarar que, se pedira um preço tão baixo, era não só porque conhecia Akaki Akakiévich há muito tempo, como também porque trabalhava sem placa na porta, numa pequena rua longe da cidade. Um alfaiate da Perspective Nevski teria com certeza exigido 75 rublos só pelo feitio. Akaki Akakiévich nem pensou em discutir essa questão, tanto se assustava das quantias fabulosas com que Petrovich gostava de ofuscar seus clientes. Pagou o alfaiate, agradeceu-lhe e partiu na mesma hora para a secretaria, enfiado no seu novo capote. Petrovich desceu a escada atrás dele e, já na rua, parou para contemplar de longe a sua maravilhosa obra; depois, disparado numa corrida, foi aparecer a alguns passos na frente de Akaki Akakiévich para admirar ainda uma vez mais, agora de frente, o famoso capote. Enquanto isso, Akaki Akakiévich caminhava tomado de pura euforia. A sensação do capote novo sobre os ombros arrancava-lhe sorrisos de enternecido encantamento. E como não exultar se o capote oferecia-lhe a dupla vantagem de ser bom e quente! Chegou à secretaria antes de sequer perceber o trajeto percorrido. Tirou o capote no vestiário, examinou-lhe todas as costuras e o confiou aos cuidados especiais do porteiro. Não posso dizer bem de que maneira logo se espalhou pelos escritórios a disse-me-disse de que Akaki Akakiévich tinha um capote novo e que a "capota" havia sido aposentada. Logo todos acorreram ao vestiário para se convencerem com seus próprios olhos. Choveram congratulações sobre Akaki Akakiévich que a princípio as recebeu com sorrisos e logo com uma certa confusão. Quando os colegas insistiriam para que ele comemorasse a estréia com uma rodada de bebidas ou com um sarau, Akaki Akakiévich não sabia mais em que santo se agarrar. Depois de procurar em vão uma desculpa plausível, tentou ingenuamente convencê-los de que o capote não era novo; vermelho de vergonha, insistiu que se tratava da mesma e velha "capota". Finalmente um dos funcionários, talvez para mostrar que não tinha problema em se relacionar com os seus inferiores, tirou-lhe do embaraço, declarando:

— Pois bem, em vez de Akaki Akakiévich, eu é que vou dar o sarau. Convido todos a irem à minha casa para tomar chá. Já que hoje é também meu aniversário.

Desnecessário dizer que os funcionários agradeceram ao subchefe e aceitaram imediatamente o convite. A princípio, Akaki Akakiévich pensou em recusá-lo, mas como todos lhe censurassem a polidez teve de concordar com as circunstâncias. Depois, refletindo sobre o assunto, reconheceu com certa satisfação que era uma boa oportunidade de exibir mais uma vez seu capote novo. Na verdade, esse dia foi para ele a maior das festas.

Chegou em casa muito bem disposto, pendurou cuidadosamente o capote na parede e admirou-lhe mais um vez o tecido e o forro; depois tirou do armário sua velha "capota" esfiapada a fim de compará-la com a outra e, ao examiná-las, não conteve o riso: que contraste! E mesmo depois da refeição, seus lábios ainda se franziam toda vez que pensava no estado da sua velha "capota". Depois de se alimentar, pela primeira vez ele nada escreveu em nenhum papel, e foi para o leito se esticar e relaxar até o cair da noite. Daí então, sem se demorar muito, vestiu-se, jogou o casaco sobre os ombros e saiu. Lamentamos não poder dizer onde morava o colega que o convidara: a memória nos começa a falhar; as ruas e edifícios de Petersburgo se confundem tanto na nossa cabeça que não mais conseguimos orientar-nos em tal vasto labirinto. De qualquer maneira, o fato é que o dito funcionário habitava em um dos melhores bairros da cidade, quer dizer, muito longe de Akaki Akakiévich. Ele teve de atravessar primeiro algumas ruas desertas e parcamente iluminadas; mas à medida em que se aproximava do seu destino, o trânsito ia se tornando mais intenso e as luzes mais brilhantes. Entre os transeuntes, cujo número aumentava aos poucos, iam surgindo damas elegantemente vestidas e cavalheiros com golas de castor. Os frágeis trenós de madeira trançada, com enfeites de pregos dourados, iam cedendo lugar a soberbas carruagens, altos trenós envernizados e cobertos por pele de urso, com cocheiros de boné de veludo; landôs de assentos ornamentais que faziam a neve ranger sob suas rodas. Akaki

Akakiévich olhava todas essas coisas como se as tivesse vendo pela primeira vez, pois há muitos anos que não saía à noite. Um quadro exposto numa vitrine iluminada reteve-lhe a atenção por um bom tempo: uma linda mulher descansava o sapato, deixando a descoberto a perna bem torneada, enquanto que atrás dela, através de uma porta entreaberta, se via a cabeça de um cavalheiro de suíças e com uma barbicha à espanhola. Akaki Akakiévich abanou a cabeça, sorriu e seguiu caminho. Que significava aquele sorriso? Teria ele tido a revelação de alguma coisa que ignorava, mas cujo vago instinto jazia adormecido em cada um de nós? Teria ele dito a si mesmo, como tantos de seus colegas: "Ah! Esses franceses, não se pode negar que... e então... não é mesmo?... pois é isso!" Pode ser também que ele não tenha pensado em nada disso: não é possível perscrutar a alma humana em todos os seus recantos e adivinhar tudo o que lhe vai no íntimo. Finalmente chegou à residência do subchefe da repartição, o qual, sem dúvida, vivia muitíssimo bem pois seus aposentos tomavam todo um segundo andar e possuía uma lanterna até para iluminar a escada.

Ao pôr os pés na ante-sala, Akaki Akakiévich viu sobre o piso fileiras de galochas próximas de um samovar com água fervendo. Em todas as paredes havia peliças e capotes dependurados, alguns com gola de castor e outros com lapelas de veludo. Um rumor surdo e confuso vinha do aposento vizinho e se ampliou ao abrir de uma porta por onde passou um criado com uma bandeja carregada de copos vazios e com uma vasilha de creme e uma cesta de biscoitos, sinal que os senhores funcionários se entretinham já há algum tempo e já haviam absorvido o primeiro copo de chá.

Akaki Akakiévich pendurou seu capote ao lado dos outros e entrou na sala. De repente, os convivas, as velas, os cachimbos, as mesas de jogo, borboletearam diante dos seus olhos deslumbrados, enquanto o barulho de cadeiras arrastadas e o rumor de conversas entrecruzadas lhe feriam bruscamente os ouvidos. Sem saber que atitude tomar, empertigou-se desajeitadamente. Mas logo que perceberam sua presença, todos o aclamaram e se precipitaram na ante-sala para mais uma vez admirar o famoso capote. Na sua candura ingênua, Akaki Akakiévich, apesar de bastante confuso, sentia-se lisonjeado com aquele concerto de louvores. Depois, claro, logo o abandonaram, ele e o capote, trocando-o pelos encantos do uísque. O barulho, as conversas, a multidão de convivas, todas essas coisas pareciam estranhas a Akaki Akakiévich; não sabia o que fazer das mãos, dos pés, de toda a sua pessoa. Acabou se sentando ao lado dos jogadores, esforçando-se por lhes seguir o jogo; examinou um por um, mas logo se aborreceu e começou a bocejar que sua hora de dormir já soara há muito tempo. Quis então se despedir do dono da casa, no que foi impedido; todos queriam retê-lo, cada um insistindo para que tomasse ao menos uma taça de champanhe em honra da estréia do capote.

Depois de uma hora, serviu-se a ceia, que consistia numa salada, vitela fria e aqueles pastéis e doces que acompanham a champanhe. Akaki Akakiévich viu-se forçado a esvaziar duas taças sentindo depois que toda a sala ganhara muito em animação, sem que isso lhe permitisse esquecer que já era meia-noite e estava bem na hora de voltar para casa. Receando que o dono da casa voltasse a impedir que se despedisse, foi saindo à inglesa, procurou o capote que, para seu grande desagrado, encontrou caído no chão. Depois de sacudi-lo e escová-lo cuidadosamente, meteu-se nele e desceu as escadas.

Ainda estava claro nas ruas. As lojas menores, associações de porteiros e gente do mesmo teor, ainda permaneciam abertas; outras, apesar de fechadas, deixavam passar pelas frestas raios de luz, indício certo de que não se achavam desprovidas de clientes; e provavelmente os caixeiros ali permaneciam com seus intermináveis falatórios, enquanto os patrões deviam perguntar perplexos por onde diabo andavam seus empregados. Akaki Akakiévich caminhava animado, alegre, chegando mesmo a seguir, sabe-se lá por que, uma dama que passara como um relâmpago a seu lado e que tremia o copo todo de uma forma inusitada. Mas ele depressa se refreou, voltando ao passo manso e primitivo, e perguntando-se a si mesmo o que teria feito ela passar assim a trote. Logo apareceram diante dele as vielas solitárias, tão tristonhas à luz do dia e que a noite torna ainda mais lúgubres e desoladas. As lâmpadas foram-se espaçando cada vez mais e começavam a piscar — por economia de óleo, é claro. Surgiram as primeiras casas de madeira. Ninguém à vista. Só a neve cintilava nas desertas calçadas, ao longo dos quais os casebres adormecidos, de janelas fechadas, pareciam sinistras manchas negras. Abriu-se por fim um grande espaço vazio, menos parecido com uma praça do que com um terrível deserto. Muito longe, sabe Deus onde, perdida nessa imensidão, brilhava a luzinha de uma guarita que dava a impressão de arder nos limites do mundo. Ao chegar a esse ponto, a alegria de Akaki Akakiévich começou a diminuir sensivelmente. Adiantou-se pela praça, mas com um medo involuntário como se pressentisse uma desgraça. Olhou para trás, para à direita, para à esquerda, e se sentiu perdido num mar de trevas. "Não, é melhor não olhar", disse a si mesmo. Avançou pois de olhos fechados e, quando os reabriu para verificar se a perigosa travessia chegava ao fim, quase esbarrou de cara com dois ou três indivíduos bigodudos. Que espécie de gente seria aquela? Mas não conseguiu verificar isso, sentindo a vista se lhe turvar e o coração a galopar.

— Espera aí! Esse capote é meu! — exclamou a voz trovejante de um dos indivíduos, que agarrou pela gola o pobre Akaki Akakiévich, já de boca aberta por socorro. Rápido, o outro plantou-lhe junto à boca um punho grande, como um crânio de um funcionário público, enquanto berrava:

— Fecha esta goela se não quiser levar a pior!

Mais morto do que vivo, Akaki Akakiévich pôde ainda perceber que os dois o despojavam de seu capote. Uma joelhada no estômago fez com que rolasse na neve e ele acabou por perder os sentidos. Quando voltou a si, ergueu-se e viu que não havia mais ninguém por perto. Uma sensação de intenso frio refrescou-lhe a memória quanto ao desaparecimento do capote: pôs-se a gritar, mas sua voz se recusava a atingir os confins da extensão à sua volta. Atordoado, correu direto para a primeira guarita que encontrou, onde um guarda apoiado na alabarda arregalava os olhos, a se julgar bem, de curiosidade: que diabo queria aquele sujeito correndo na sua direção como um alucinado? Ofegante, Akaki Akakiévich acusou-o de dormir em serviço e não ver o que se passava em torno dele enquanto um homem era assaltado. O guarda reagiu, que nada tinha visto a não ser dois homens que o cumprimentaram no meio da praça e que achou serem conhecidos seus. Que, no lugar de reclamar, seria melhor que fosse no dia seguinte procurar o senhor comissário; ele encontraria o ladrão do capote num abrir e fechar de olhos.

Akaki Akakiévich correu direto para casa, onde chegou na mais completa desordem: cabelos desgrenhados — refiro-me aos poucos tufos que ainda lhe guarneciam a fronte e a nuca —, o peito, as coxas, as pernas, tudo maculado de neve. As pancadas violentas com que agrediu a porta acordaram a velha e sobressaltada proprietária, que pulou da cama e deixou-o entrar; e se na pressa ela só conseguiu calçar uma chinela, em compensação puxava com a mão pudica a camisola sobre o seio. A visível perturbação do seu locatário chegou a assustá-la; mas quando se inteirou da horrível aventura que o surpreendera, ergueu os braços para o céu e encheu Akaki Akakiévich de bons conselhos: sobretudo que não fosse se queixar ao comissário do bairro que isso só lhe traria aborrecimentos. Para aquele meganha, prometer e cumprir eram coisas bem diferentes. Fosse direto ao comissário do distrito. A Ana Finlandesa, sua antiga cozinheira, trabalhava agora como ama na casa dele. Aliás, conhecia-o de vista: passava com freqüência pela sua janela e não perdia uma missa domingueira. E quando rezava ao bom Deus, olhava tão cordialmente para as pessoas que devia ser, na certa, o melhor dos homens.

Tão bem aconselhado, Akaki Akakiévich arrastou-se triste para o quarto. Como teria ele passado o resto da noite? Deixemos que o digam as pessoas que mais ou menos sabem se colocar na pele dos outros.

Bem cedinho, no dia seguinte, Akaki Akakiévich dirigiu-se ao comissariado; o comissário ainda dormia. Voltou às dez horas; o comissário continuava dormindo. Voltou às onze; o comissário tinha saído. Voltou na hora do almoço: os escrivães queriam porque queriam saber a que vinha ele, o que desejava, o que havia acontecido. Perdendo a paciência, Akaki Akakiévich pela primeira vez na vida mostrou certa firmeza de caráter: declarou-lhes peremptoriamente que só falaria com o comissário em pessoa, que vinha da secretaria em missão urgente; que, se o impedissem de entrar, iria se queixar deles aos superiores e eles veriam o que lhes poderia acontecer... Os escrivães resolveram não arriscar e um deles partiu para preparar o Sr. comissário.

O Sr. Comissário achou a descrição do roubo muito estranha; em lugar de prestar atenção na história, pôs-se a interrogar Akaki Akakiévich: por que voltava tão tarde para casa? De onde vinha? De algum lugar suspeito, por acaso? E tantas e tais perguntas fez que Akaki Akakiévich acabou se retirando confuso, sem saber se o assunto do capote seria levado na devida consideração.

Naquele dia (pela primeira vez em toda a sua vida), Akaki Akakiévich não foi trabalhar. Apareceu no dia seguinte, pálido e vestindo a velha "capota" mais miserável do que nunca. A história do roubo comoveu quase todos os colegas, se bem que alguns ainda encontrassem no incidente motivos para novas gozações. Organizaram imediatamente uma "vaquinha" que não rendeu lá grandes coisas: os funcionários haviam se arruinado recentemente, obrigados a subscrever ao retrato do diretor, assim como se sabe a livro proposto pelo chefe da divisão, que acontecia de ser amigo do autor. Assim, a soma coletada só podia ser miserável.

No entanto, um deles, movido por um sentimento de compaixão, quis pelo menos dar um bom conselho a Akaki Akakiévich. Convenceu-o a não recorrer ao comissário do bairro: mesmo admitindo, o que era bem possível, que para se fazer notar por seus chefes o digno homem encontrasse de alguma maneira o capote... nem por isso Akaki Akakiévich entraria na posse da sua propriedade, pois como iria ele fornecer a prova de que o capote realmente lhe pertencia? Seria preferível procurar um certo "personagem importante", o qual, após se ter posto em contato por via escrita ou oral com "a autoridade competente", daria um jeito no problema. Em desespero de causa, Akaki Akakiévich resolveu procurar esse "personagem importante", cujas funções, falando francamente, ninguém sabia quais fossem. É necessário dizer que o dito "personagem importante" só há pouco tempo se fizera importante; aliás, em relação a outros mais consideráveis, o lugar que ocupava não era considerado de grande relevância. Mas há gente sempre disposta a dar importância a coisas que não têm nenhuma. Ele mesmo tinha muito cuidado em frisar a sua, pelos meios mais diversos: ao chegar ao escritório, o pessoal miúdo era obrigado a perfilar-se; só se chegava a ele pelas vias da hierarquia: o escrevente remetia um relatório ao secretário provincial, o secretário provincial ao conselheiro titular ou a qualquer outro funcionário de direito e assim o pedido acabava por chegar-lhe às mãos.

O espírito de imitação tem infectado enormemente a nossa santa Rússia, cada qual querendo ser chefe e imitar alguém com cargo mais alto do que o dele. Um certo conselheiro titular chamado a dirigir uma pequena repartição apressou-se, dizem, em arranjar, com a ajuda de uma divisória, uma espécie de sala denominada pomposamente de "gabinete do diretor"; contínuos de gola vermelha e engalanados em todas as costuras abriam a porta desse cubículo, onde mal cabia uma escrivaninha, a torto e a direito. Quanto ao nosso personagem importante, era ele afetado por um ar de muita nobreza e maneiras algo afetadas. Seu sistema, dos mais simples, baseava-se exclusivamente na severidade. "Severidade, mais severidade, sempre severidade!" E ao repetir a palavra pela última vez, fulminava seu interlocutor com um olhar significativo, uma vez que os dez ou doze funcionários sob suas ordens já estavam saturados de respeito e de salutar temor. Assim que o viam chegar, abandonavam o que estavam fazendo e esperavam em posição de sentido que ele se dignasse a atravessar o escritório. Se dirigia a palavra a algum inferior, era sempre em tom áspero, que se compunha quase que exclusivamente das três seguintes frases: "Onde adquiriu ele essa arrogância?" "Sabe com quem está falando?" e "Compreende na presença de quem você está?"

Independente disso, era um homem bom, bastante prestativo e, em outros tempos, de trato até agradável com os amigos; mas o título de "excelência" lhe havia transtornado completamente a cabeça. No momento em que obteve esse título, seu espírito se desgarrou e ele perdeu todo o domínio de si mesmo. Com seus iguais ainda se portava como homem bem educado, mas tolo sob muitos aspectos; mas se, por acaso, se misturasse no grupo uma única pessoa de categoria inferior, não estivesse ele senão um posto abaixo da posição ocupada por ele na hierarquia, ficava logo insuportável, esquecia da polidez e fechava-se em copas. Isso não o impedia de constatar que poderia passar o tempo de maneira muito mais agradável. Dava pena vê-lo quando estava assim. Percebia-se nele o medo de comprometer sua dignidade, ferir seu prestígio. E de tanto se fechar num silêncio ruidoso, cortado apenas por vagos monossílabos, acabou por se fazer passar por um dos mais perfeitos chatos deste mundo.

Akaki Akakiévich foi ao encontro desse personagem importante num momento bastante inoportuno — pelo menos para ele, pois o dito personagem importante não poderia sonhar um momento mais propício à exibição da sua própria importância. Fechado no seu gabinete de diretor, conversava amavelmente com um amigo de infância que desde muitos anos perdera de vista. Avisado de que um certo Bachmatchkin desejava vê-lo, perguntou num tom seco:

— Quem é?

— Um funcionário.

— Ah, pois que espere! Estou ocupado.

Precisamos notar que se tratava de uma mentira impudente: o nosso personagem importante não estava em absoluto ocupado. A conversa se arrastava já havia tempo; cortavam-na longos intervalos durante os quais os dois amigos se batiam mutuamente nos joelhos, repetindo: "Pois é isso, Ivan Abramovitch!", "É mesmo, Stepan Varlamovitch." Ao dar ordem para que Bachmatchkin entrasse, o nosso homem importante pretendia simplesmente mostrar a seu amigo, que era aposentado e vivia no campo, o poder que tinha sobre os funcionários, obrigados a esperar na ante-sala o quanto ele quisesse. Mais tarde, enquanto conversavam e calavam-se esses cavalheiros, conforme lhes dava na veneta, o cigarro nos lábios e recostados em confortáveis poltronas de balanço, o poderoso personagem pareceu lembrar-se de repente de alguma coisa, e disse a seu secretário que surgia na porta, abraçado a um monte de pastas:

— A propósito, parece que há aí um funcionário à minha espera. Pode dizer que entre.

O aspectos do lastimável Akaki Akakiévich e de sua não menos lastimável indumentária fez com que o nosso personagem importante se virasse bruscamente para ele:

— O que o senhor deseja? — perguntou-lhe, a voz áspera, como praticara diante do espelho uma boa semana antes da promoção que o transformara em uma Excelência.

Desde o primeiro momento Akaki Akakiévich, imbuído de um salutar temor, e da melhor maneira que lhe permitia a sua hesitante língua, emendou um discurso eivado de "pois não... não é bem assim...", mais freqüentes ainda do que de costume. Possuía um capote novinho em folha; tinham-no roubado sem choro nem vela; suplicava a Sua Excelência que fizesse alguma coisa como melhor lhe parecesse, escrevendo à autoridade competente, ao chefe de polícia ou a qualquer outra pessoa a fim de ativar as investigações.

O personagem importante achou, sabe lá Deus por que, sua solicitação direta demais, de uma excessiva familiaridade.

— Ah, mais essa agora! — exclamou no seu tom mais cortante. — Onde pensa que o senhor está? Ignora o comportamento de praxe a esse ponto? Devia primeiro ter apresentado sua petição ao encarregado de serviço; ele a teria devidamente encaminhado ao chefe da repartição, o chefe da repartição ao chefe da divisão, o chefe da divisão ao meu secretário e só então esse último viria então submetê-la à minha pessoa!

Akaki Akakiévich sentiu-se alagado de suor. Mesmo assim juntou o pouco de coragem que lhe restava e balbuciou:

— Que Vossa Excelência me perdoe... se ousei perturbá-lo... é que os secretários, pois não é?... não se pode confiar muito neles...

— Mas como! Mas como! — exclamou o personagem importante. — O que o senhor ousa insinuar com isso? De onde lhe vieram essas idéias subversivas! Mas onde será que a mocidade de hoje em dia adquiriu esse espírito de insubordinação, essa falta de respeito para com seus superiores e para com as autoridades competentes?!

Sem dúvida, o personagem importante não percebera que Akaki Akakiévich, já tendo ultrapassado a faixa dos cinqüenta, não podia ser classificado como "mocidade", a não ser de uma maneira muito relativa, isto é, em comparação aos velhos de setenta ou mais anos.

— Sabe lá com quem está falando dessa maneira? Compreende na presença de quem o senhor se encontra? Compreende? Vamos, responda!

A última frase ele a emitiu batendo com o pé e a voz num tal diapasão que gente mais segura do que Akaki Akakiévich teria perdido o prumo. Ele sentiu-se prestes a desfalecer: tremia-lhe o corpo todo, as pernas vacilaram e, se os contínuos atraídos pelo barulho não o houvessem acolhido nos braços, ele ter-se-ia inevitavelmente estendido como um fio no assoalho. Foi carregado quase que sem sentidos. O personagem importante, encantado de haver o efeito de sua fala ultrapassado todas as suas previsões, e exultante com a idéia de que sua voz podia até mesmo privar um homem de suas faculdades, lançou um olhar de soslaio ao amigo para constatar a impressão que a cena lhe causara, e ficou satisfeito ao constatar que o outro parecia vagamente constrangido.

Akaki Akakiévich nem soube como desceu as escadas e viu-se em plena rua. Não sentia mais nem os braços nem as pernas. Nunca antes havia sido assim tão cruelmente repreendido por uma Excelência e, o que era pior, por uma Excelência à qual nem sequer era subordinado. Foi caminhando, titubeando, expulso a cada momento da calçada pela neve empurrada pelo vento para todos os lados, como é regra em Petersburgo. Na mesma hora apanhou ele uma boa angina e quando enfim chegou em casa teve de se deitar sem que sua garganta inflamada pudesse emitir qualquer som que fosse. Tais são às vezes as conseqüências de uma reprimenda bem passada! Graças à generosa assistência de clima de São Petersburgo, a doença evoluiu com mais rapidez do que seria presumível. Assim, quando o médico chegou e tomou o pulso de Akaki Akakiévich só pôde receitá-lo um cataplasma e mesmo assim unicamente para não privar o doente dos recursos eficazes da medicina. Mas francamente declarou que o dito não poderia durar mais de uns dois anos e, depois disso, criando-se para a proprietária, acrescentou:

— Vamos lá, minha boa senhora, não perca seu tempo; vá encomendar um caixão de pinho; os de cedro são caros demais para ele.

Teria Akaki Akakiévich ouvido essas fatais palavras? E se as ouviu, teriam elas lhe causado algum sofrimento? Teria ele lastimado a sua mísera existência? Jamais o saberemos, pois passou ele a delirar incessantemente até o último suspiro. Viu-se perseguido antes pelas mais estranhas visões. Ora era Petrovich, a quem encomendava um capote munido de armadilha contra os ladrões que agora lhe cercavam o leito e que por isso mesmo não parava de chamar a proprietária para que lhe tirasse um deles de sob as cobertas; ora punha-se a indagar por que a sua velha "capota" continuava pendurada na parede, quando ele possuía um belo capote novinho em folha. Às vezes achava que estava ouvindo a repreensão do personagem importante e a ele respondia humildemente: "Queira desculpar, Excelência!" Depois blasfemava de um modo tão furioso que a proprietária chegava a ficar em pé, impedida de qualquer movimento: como era que aquele homem, que jamais levantava a voz, podia proferir tão terríveis pragas e, o que era mais grave, em relação ao nobre nome de Excelência? Perto do fim, Akaki Akakiévich pôs-se a balbuciar palavras incoerentes, mas que nem por isso deixavam de testemunhar a persistência de seus pensamentos, que continuavam confusos a girar em torno do capote.

Quando o pobre Akaki Akakiévich exalou o último suspiro, nenhum selo judicial foi colocado em seu quarto ou em seus pertences: ele não tinha herdeiro algum e resumia-se todos os seus bens em um pacote de penas de ganso, meia resma de papel timbrado, três pares de meia, dois ou três botões e a famosa "capota". Quem ficou com tudo isso? Devo confessar que o autor desta narrativa nem chegou a se preocupar em sabê-lo.

Levaram-no morto, puseram-no sob a terra e Petersburgo ficou sem Akaki Akakiévich. Para sempre desapareceu esse ser indefeso, a quem jamais testemunhara afeição ou interesse, é isso mesmo, ninguém, nem mesmo um desses naturalistas sempre prontos a alfinetar o mais banal dos insetos para examiná-lo no microscópio. E se a esse pobre coitado, resignado a agüentar gracinhas dos seus colegas, incapaz de executar a menor ação digna de reparo, houvera subitamente de iluminar-se a mísera existência — por um curtíssimo instante e justo fim — com a radiosa visão de um capote novo, seria para que a desgraça se abatesse sobre ele com a mesma intensidade com que se abate sobre os poderosos deste mundo!...

Poucos dias depois do seu desaparecimento, um oficial da secretaria veio lhe entregar uma intimação para reassumir suas funções. O oficial evidentemente não conseguiu cumprir sua missão e voltou para a repartição para informar que ninguém mais veria Akaki Akakiévich.

— E por quê? — alguém perguntou.

— Porque morreu. Há quatro dias que está enterrado.

Foi assim que os colegas de secretaria souberam do falecimento de Akaki Akakiévich. No dia seguinte, ele foi substituído. O novo expedidor era de estatura bem mais elevada e tinha a letra bem mais deitada do que a dele.

No entanto, Akaki Akakiévich não dissera ainda a sua última palavra.

Quem o imaginaria destinado a levar uma existência movimentada além-túmulo, conhecendo emocionantes aventuras para compensar o pouco brilho de sua existência! Pois foi o que aconteceu, e a nossa modesta narrativa vai ter de se encerrar com um tom fantástico e inesperado.

Espalhou-se de uma hora para a outra em Petersburgo o rumor de que o espectro de um funcionário aparecia durante a noite nos arredores da ponte Kalinkine. Sob o pretexto de reaver um capote roubado, o expectro arrancava dos transeuntes de todos os tipos seus próprios capotes, fossem eles acolchoados ou forrados, tivessem gola de gato ou de castor, peliças de astracã, de urso ou de raposa; resumindo: todas as peles de que se utilizam os homens para recobrir suas próprias peles. Um dos antigos colegas do falecido Bachmatchkin chegou a ver o fantasma com seus próprios olhos e reconheceu nele imediatamente a presença de Akaki Akakiévich; porém não teve tempo de examiná-lo de perto pois o pavor fez com que fugisse em disparada, tão logo avistou o que de longe o ameaçava.

As queixas chegavam de todos os lados. Podiam ainda não serem levadas em consideração pelos conselheiros titulares; mas o caso é que os roubos arriscavam também a resfriar até mesmo os conselheiros da corte. A polícia recebeu ordens para agarrar o fantasma vivo ou morto e aplicar-lhe uma severa correção para que servisse de exemplo, e quase o conseguiu. Realmente, na rua Kiriouchkine, um policial chegou a encostar a mão na gola do defunto no momento em que ele arrancava o capote de um músico aposentado que em sua época desfrutara de uma bela reputação como flautista. O policial na hora chamou em seu auxílio dois colegas, que segurassem solidamente o fantasma enquanto ele próprio procurava sua tabaqueira perdida no cano da bota para reavivar de rapé o nariz, que já se lhe gelara seis vezes no curso de sua vida. Mas aparentemente o rapé era tão forte que o próprio fantasma não pôde resistir. Mal o guardião da ordem tapou com o dedo a narina direita a fim de com o esquerdo aspirar uma pitada, o morto soltou um prodigioso espirro cujos salpicos cegaram os três guardas. Enquanto eles esfregavam os olhos com os punhos, o fantasma escapuliu numa carreira tão vertiginosa que eles chegaram a duvidar que realmente eles o tivessem tido entre as mãos. Desde esse momento os policiais adquiriram um tal medo em relação aos mortos que receavam prender os vivos; se contentavam em gritar para os suspeitos: "Eh, vai se mandando, ouviu?" Quanto ao funcionário fantasma, ele chegou mesmo a ousar se mostrar para lá da ponte Kalinkine, sempre semeando o terror entre os espíritos fracos.

Mas até aqui abandonamos por completo o nosso "personagem importante", graças ao qual, afinal das contas, essa história verídica pode tomar um rumo fantástico. A imparcialidade nos obriga a reconhecer que, pouco depois da partida de Akaki Akakiévich, o personagem importante sentiu um certo remorso por tê-lo tratado tão rudemente. A compaixão não lhe era estranha e certos bons sentimentos, que a sua dignidade não raro impedia de transparecer, encontravam refúgio no seu coração. Assim que seu amigo se despediu, ele ficou pensando no pálido funcionário que os raios de sua raiva de diretor haviam fulminado. A partir daí essa imagem passou a persegui-lo a tal ponto que, no final de oito dias, não agüentando mais, mandou um empregado saber a respeito da sua vítima: como estava, em que podia lhe ser útil?

Quando soube que Akaki Akakiévich sucumbira a um brusco acesso de febre, essa notícia acachapante lhe despertou remorsos e o deixou de mau humor durante um dia inteiro. Com necessidade de se distrair, de sacudir a sensação penosa, resolveu ir à casa de um dos seus amigos que dava uma festa. Lá encontrou uma companhia agradável, de gente de posição igual à sua. Nada havia para o constranger e essa circunstância teve uma ação muito boa sobre seu estado de espírito: foi expansivo, revelou-se brilhante, enfim, passou uma excelente noite. Durante a ceia, sorveu umas duas taças de champanhe, bebida propícia a dissipar os humores taciturnos. O champanhe inspirou-lhe a vontade de algum tipo de suplemento: em vez de voltar para casa, resolveu visitar antes uma certa Carolina Ivanovna, senhora de origem alemã, creio eu, pela qual portava sentimentos bastante amistosos. É preciso deixar claro que esse personagem importante, bom marido e não menos bom pai de família, já estava numa idade respeitável. Dois filhos, um dos quais já servira no exército, e uma encantadora filha de dezesseis anos, o nariz levemente arrebitado, mas mesmo assim encantadora, vinham todas as manhãs beijar-lhe a mão e dizer: "Bom dia, meu pai!" Sua esposa, ainda viçosa e nada mal de aparência, beijava-lhe igualmente a mão, depois porém dele já ter beijado a dela. E embora esses pequenos prazeres domésticos lhe dessem plena satisfação, o personagem importante julgava manter, num outro bairro da cidade, relações bastante cordiais com uma amável amiga, a qual não era nem mais jovem nem mais bonita que sua esposa. Trata-se de um dos mais freqüentes enigmas deste mundo e que não cabe a nós esclarecê-lo. Assim é que o personagem importante desceu as escadas, sentou-se no trenó e disse ao cocheiro:

— Para a casa de Carolina Ivanovna!

Bem agasalhado com seu confortável capote de pelica, ele abandonou-se a esse delicioso estado d'alma, o mais desejado dos russos, no qual pensamentos infinitamente agradáveis vêm por eles mesmos visitar-nos, sem que haja necessidade de ir a sua procura. Relembrava todos os episódios da festa, todas as brincadeiras que tanto alegraram o pequeno círculo de amigos; chegou mesmo a repetir a meia voz certos gracejos, achando-lhes o mesmo sal e constatando que tivera toda a razão em se divertir. No entanto, de vez em quando, rajadas de vento como açoites interrompiam essa doce quietude. Vindas sabe-se lá Deus de onde, lançavam-lhe ao rosto montes de neve, estufando-lhe a pelerine, como se se tratasse de uma vela, ou fustigando-lhe a cara, o que o obrigava a constantes esforços para se desvencilhar dela. De repente, o personagem importante sentiu que uma vigorosa mão o agarrava pela gola. Virou a cabeça e viu um homem de baixa estatura, vestindo um velho uniforme desbotado, no qual reconheceu com grande terror Akaki Akakiévich; o rosto alvo como neve tinha uma expressão cadavérica. O terror do personagem importante ultrapassou todos os limites quando o morto entreabriu a boca num rito e, soprando-lhe no rosto um bafo sepulcral, pronunciou as seguintes palavras:

— Ah! Ah! Finalmente consigo te agarrar pela gola! É o teu capote que serve para mim. Não te dignaste, não é mesmo, mandar procurar o meu capote e até me passaste uma reprimenda! Pois bem, agora me dá o teu!

O infortunado "personagem importante" quase morreu de medo. Era sempre muito enérgico... para com seus subordinados e inferiores em geral; seu porte marcial parecia dizer a todo mundo: "Oh! Oh! Que personalidade!" Mas nessa noite — e nisso era igual a muita gente de aspecto hercúleo — cedeu a um pavor furioso que, não sem razão, viu nele o prelúdio de uma doença grave. Atirou ele mesmo o capote para longe e gritou ao cocheiro, desatinado:

— Para casa!... A galope!

Reagindo a essas palavras, pronunciadas num tom que só se emprega em momentos de decisão e que com freqüência acompanham gestos mais decisivos ainda, o cocheiro achou conveniente enterrar a cabeça nos ombros, para maior garantia; depois, com grandes chicotadas, lançou o cavalo num galope desenfreado.

Uns seis minutos depois o personagem importante estava em casa, e não na casa de Carolina Ivanovna. Sem capote, branco, arrastou-se até o quarto, onde passou uma noite muito agitada, tanto foi que no café da manhã do outro dia, sua filha lhe disse com sua voz ingênua: "Como você está pálido, papai!" Mas papai nada lhe respondeu. Tomou o cuidado de não contar a ninguém onde tinha ido nem onde tivera a tentação de ir, e muito menos o que lhe acontecera no caminho. Esse incidente causou-lhe impressão tão forte que desde então renunciou às famosas expressões: "Onde adquiriu essa arrogância? Sabe com quem está falando? Compreende na presença de quem você se acha?" Ou pelo menos não as proferia antes de saber com quem estava falando.

Coisa ainda mais notável: a partir dessa noite as aparições do funcionário-fantasma cessaram completamente — sem dúvida, a peliça da Sua Excelência lhe fora mais do que satisfatória. Não se ouvia mais falar de capotes roubados. Mas os espíritos desconfiados não se tranqüilizaram assim tão facilmente; pretenderam mesmo que o fantasma aparecia também em outros bairros isolados. Realmente, no bairro de Kolomna, um guarda chegou a vê-lo com seus próprios olhos, quando dobrava uma esquina. Infelizmente esse homem era de débil constituição; certa vez, até um leitãozinho fugido de um quintal o havia derrubado, para risada geral dos cocheiros dos coches, cuja insolência o guarda castigou cobrando um centavo de cada um para comprar seu tabaco. Mas, como dizíamos, o guarda, devido à sua constituição débil, não teve coragem de prender o fantasma; contentou-se em segui-lo na escuridão. Logo o espectro parou, virando-se bruscamente:

— O que você quer? — perguntou, erguendo um punho que dificilmente se encontraria outro igual, mesmo entre os vivos.

— Nada, não... — balbuciou o guarda, que em seguida tratou de se afastar.

O fantasma então tinha uma altura bem mais elevada e andava com uns bigodes enormes. Parecia ir na direção da ponte Oboukhov, e logo desapareceu por completo nas trevas da noite.

# O NARIZ

## NICOLAI GOGOL

Em Petersburgo, no dia 25 de março, aconteceu um caso espantoso e estranho. O barbeiro Ivan Iacovlievitch, morador da rua Voskressienskaia (seu sobrenome, por isso mesmo, se perdera na tabuleta, em que se via um homem de rosto ensaboado, com o letreiro "Também fazemos sangria" — e mais nada), acordou bem cedo e sentiu cheiro de pão quentinho. Ao levantar-se da cama, viu a mulher, senhora mui respeitá-vel e grande apreciadora de café, tirando naquele momento o pão do forno.

— Prascóvia Ossipovna, hoje não quero tomar café — afirmou Ivan Iacovlievitch. — Em vez disso, sinto vontade de comer pão quente com cebola.

(Se bem que Ivan Iacovlievitch apreciasse saborear ambos, sabia muito bem que não poderia exigir tudo ao mesmo tempo, pois Prascóvia Ossipovna não gostava des-sas manias.) "Que o idiota coma pão! Melhor assim!", pensou ela. "Sobrará mais café para mim." E jogou um pão em cima da mesa.

Para se dar mais respeito, Ivan Iacovlievitch vestiu o fraque por cima da camiso-la, sentou-se à mesa, apanhou sal, duas cabeças de cebola, e, ao apanhar a faca com pose de grave imponência, pôs-se a cortar o pão. Depois de dividi-lo em dois, olhou dentro dos pedaços e, para sua enorme surpresa, avistou alguma coisa esbranquiçada. Cuidadosamente, sondou a parte com a faca, depois apalpou-a: "Sólido!", disse para si mesmo. "Que será?"

Meteu o dedo no miolo, puxou: era um nariz!... Ivan Iacovlievitch deixou os braços caírem; esfregou os olhos e depois apalpou a coisa: um nariz, um nariz de verdade, nariz mesmo! E, para grande pavor seu, tudo indicava pertencer a alguém conhecido. O pânico estampou-se em seu rosto. Pânico, no entanto, que não era nada diante da ira que tomou conta de sua esposa.

— Onde foi que você cortou fora este nariz, animal! — esbravejou a mulher, indignada. — Velhaco! Bêbado! Vou contar tudo para a polícia, seu bandido! Três pes-soas bem que já me haviam avisado que quando você faz a barba de alguém chega a puxar tanto o nariz que por pouco não o arranca...

Ivan Iacovlievitch, por outro lado, estava mais morto do que vivo. Logo percebera que aquele nariz pertencia, nada mais, nada menos, que ao inspetor-geral Kovaliov, cuja barba costumava fazer todas as quartas e domingos.

— Espere um pouco, Prascóvia Ossipovna! Embrulho o nariz num pano e o coloco ali no canto; deixe que ele fique lá um pouquinho, depois o levarei para a rua.

— Nem me fale numa coisa dessas! Eu, permitir que esse nariz cortado fique dentro da minha casa?... Velho imprestável! Você só sabe afiar a navalha na correia, mas é incapaz de cumprir com o seu dever, malandro, vagabundo! Quer que eu vá depor a seu favor na polícia?... Nojento, toupeira! Já para fora com isso, saia daqui. Leva essa coisa para onde bem entender! Mas não quero ver nem a sombra desse nariz dentro de casa!

Ivan Iacovlievitch ficou paralisado; parecia morto. Pensava, pensava — e não havia jeito de resolver o problema.

— Só o diabo sabe como tudo aconteceu — disse ele, por fim, coçando o lado de trás da orelha. — Não me lembro de ter voltado bêbado ontem para casa. Tudo indica que o caso deve ser mesmo fora do comum: ora, o pão é cozido, enquanto um nariz é alguma coisa de muito diferente. Não consigo entender bulhufas!

Ivan Iacovlievitch parou de falar. A mera lembrança de que os guardas poderiam encontrar o nariz em sua casa e viessem a incriminá-lo deixara-o transtornado. Avistou diante dos olhos da fantasia uma gola vermelha bordada artisticamente com fios de prata, uma espada... seu corpo todo começou a tremer. Finalmente pegou a roupa miserável e as botas, vestiu os farrapos e, acompanhado dos pesados xingamentos de Prascóvia Ossipovna, enrolou o nariz num pano velho e foi para a rua.

Sua intenção era a de enfiar o nariz em qualquer lugar; ou abandoná-lo, escondido, atrás de um portão qualquer; ou então, como quem não quer nada, deixá-lo cair no chão, desaparecendo ele em seguida por um beco. Mas tanto era o seu azar que sempre dava de cara com pessoas conhecidas, que logo vinham perguntando: "Aonde é que você vai?", ou: "Onde você vai fazer a barba, assim tão cedo?" — por isso Ivan Iacovlievitch não encontrou nenhuma oportunidade que fosse propícia para se livrar do tal nariz. Teve uma hora em que chegou até a deixar cair o embrulho, mas no mesmo instante o guarda, apontando de longe com o chicote, falou: "Apanhe aquilo lá! Parece que você perdeu alguma coisa." Ivan Iacovlievitch foi obrigado a erguer o nariz e colocá-lo no bolso. E, à medida que as lojas se abriam e as pessoas afluíam às ruas, mais ele se desesperava.

Decidiu continuar até a ponte de Isaías; quem sabe se, de lá, não conseguiria dar um jeito de atirar o nariz no rio Nieva?... Ocorre, no entanto, que me sinto em falta com os leitores, posto que nada lhes disse até o momento a respeito do barbeiro Ivan Iacovlievitch, homem respeitável, sob todos os pontos de vista.

Como todo trabalhador russo que se preze, Ivan Iacovlievitch era um beberrão de marca maior. Embora barbeasse tantas faces alheias, a sua, por outro lado, mostrava-se sempre por fazer. Seu fraque (nunca usava sobrecasaca) era cheio de pintas, isto é, preto mas enfeitado de manchas acinzentadas e de um marrom amarelecido; o colarinho puído, e no lugar de três botões pendiam apenas uns fios de linha. Por ser muito cínico, o inspetor-geral costumava lhe dizer na hora de se barbear:

"Tuas mãos, Ivan Iacovlievitch, sempre cheiram mal." Ele então respondia perguntando: "Por que motivo minhas mãos cheiram mal?" "Não sei o motivo, meu filho, mas que cheiram mal, lá isso cheiram", retrucava o inspetor, ao mesmo tempo em que Ivan Iacovlievitch, depois de uma pitada de tabaco, ensaboava-lhe por vingança bochechas, nariz, atrás da orelha, embaixo do queixo — tudo enfim a que tinha direito.

Nosso respeitável cidadão já se encontrava na ponte de Isaías. Antes de mais nada, cuidou de inspecionar o local; em seguida, debruçou-se no parapeito, fingindo observar a ponte e ver se havia muitos peixes saltando no rio — e disfarçadamente jogou o pequeno embrulho dentro d'água. Aliviado, como se tirasse das costas um peso de dez toneladas, conseguiu até sorrir. Em vez de ir fazer a barba de alguns funcionários, seguiu na direção de uma taverna que anunciava na tabuleta "Refeições e Chá", com a intenção de beber um copo de ponche. E eis que, de repente, vislumbrou no lado de lá da ponte o guarda do quarteirão, imponente figura, largas suíças, chapéu de três bicos e uma espada. Ficou apavorado; ao mesmo tempo, fazendo-lhe um sinal com o dedo, o policial lhe dizia:

— Pode se aproximar, distintíssimo!

Tão logo reconheceu o uniforme, Ivan Iacovlievitch, ainda afastado, foi tirando o boné e, mais próximo, disse, afobado:

— Saúdo-o, Excelência!

— Não, não, meu filho, nada de excelência; me diga antes de mais nada o que o senhor estava fazendo parado lá na ponte?

— Meu Deus, Excelência, eu estava a caminho para fazer a barba de um freguês e, ali passando, senti vontade de olhar a correnteza.

— Mentira, mentira! Com essa conversa o senhor não se verá livre de mim. Faça-me o favor de responder à minha pergunta!

— Disponho-me a lhe fazer a barba duas ou três vezes por semana, com o máximo prazer — respondeu Ivan Iacovlievitch.

— Não, meu amigo, não diga bobagem! Para isso tenho três barbeiros que consideram muita honra ter tal oportunidade. Mas você me fará o favor de contar direitinho o que fazia naquela ponte?

Ivan Iacovlievitch ficou pálido... E naquele momento, o que quer que estivesse acontecendo foi inteiramente encoberto pela neblina, e o que ocorreu depois ninguém jamais ficou sabendo.

II

O inspetor-geral Kovaliov acordou relativamente cedo, murmurando "brr...", hábito seu ao despertar cuja razão nem ele mesmo saberia. Espreguiçou-se e mandou que lhe trouxessem um pequeno espelho que estava na mesa. Sua intenção era a de examinar uma espinhazinha que na noite anterior lhe surgira no nariz; no entanto, para grande surpresa sua, notou que onde deveria estar o nariz nada havia. Bastante assustado, mandou que lhe trouxessem água e depois esfregou os olhos na toalha: e, era mesmo, o nariz havia desaparecido! Pôs-se a apalpar-se todo para ter certeza de que não continuava dormindo: seria um sonho? Parece que não. Pulou da cama e balançou o corpo todo: o nariz desaparecera de verdade!... Ligeiro, mandou buscar a roupa, vestiu-se e saiu voando, diretamente à cata do delegado de Polícia.

É indispensável, no entanto, que se diga alguma coisa a respeito de Kovaliov, para que o leitor possa compreender que tipo de homem era esse inspetor-geral. Tais funcionários receberam seus títulos graças a atestados de conclusão de um curso. De nenhuma maneira podemos compará-los aos que surgiram no Cáucaso. Trata-se de categorias de funcionários completamente diferentes. Os inspetores-gerais são homens instruídos... No entanto, a Rússia é uma terra tão fantástica que, se uma pessoa se refere a um inspetor-geral, todos os demais, de Riga ao Kamtchatka, irão imaginar se enquadrarem também eles nessa categoria. É o que dá a gente querer se meter a entender de títulos e cargos. Assim mesmo, Kovaliov era inspetor caucasiano. Fora promovido ao cargo há apenas dois anos, razão pela qual lhe era impossível esquecer disso um minuto que fosse; daí, a fim de se impor e se dar maior respeito, sempre se referia a si próprio como major, e não inspetor. "Escuta, minha querida", dizia sempre ao se encontrar na rua com a mulher que vendia coletes, "vá à minha casa; moro na rua Sadovaia; basta perguntar: é aqui que mora o major Kovaliov?, qualquer pessoa lhe dirá." E, se cruzava com uma outra belezoca na rua, ao lhe cochichar algum segredo, concluía: "Meu bem, pergunta onde mora o major Kovaliov." Por essas razões todas, daqui para a frente, passaremos também a tratá-lo de major.

O nosso major Kovaliov se habituara a passear todos os dias pela avenida Niévski. Sempre com o colarinho limpo e engomado. Usava suíças tal como, ainda hoje, os governadores e agrimensores provincianos, os arquitetos e os médicos militares, todos os funcionários da polícia e, em geral, todos os demais bons cidadãos de rosadas bochechas que sabem jogar cartas (*boston*) — tipo de suíça que vinha da metade do rosto até o nariz. O major Kovaliov carregava uma infinidade de medalhas com estampas ou não, com diversos emblemas, assim como outras em que se viam gravados simplesmente os dias da semana: terça, quarta, quinta, segunda-feira. Mudara-se para Petersburgo por necessidade, exatamente à procura de um cargo mais condizente com seu distintíssimo título: com sorte, o posto seria de vice-governador, caso contrário, aceitaria o de chefe de uma repartição importante qualquer. O major Kovaliov tampouco tinha alguma coisa contra o casamento, mas só se a noiva possuísse um dote de, pelo menos, 200 mil rublos. Por aí pode imaginar o leitor qual não fora o desespero do major ao descobrir, no lugar do nariz bem regular, um espaço liso, plano, inútil.

E como desgraça pouca é bobagem, não aparecia na rua nenhum cocheiro, daí ter ele de seguir a pé, protegendo-se com a capa e tapando o rosto com o lenço, fingindo que lhe escorria sangue do nariz. "Vai ver tudo isso não passa de ilusão: não é possível alguém perder o nariz assim tão bestamente", pensava, ao entrar numa confeitaria com o único objetivo de olhar-se no espelho. Felizmente a confeitaria estava vazia; rapazes varriam os salões e arrumavam as cadeiras; alguns, ainda bocejando, carregavam bandejas com pastéis quentinhos; jornais da véspera espalhavam-se pelas mesas, com manchas de café. "Graças a Deus, nenhum freguês", murmurou. "Posso me olhar no espelho." Com passos tímidos, aproximou-se de um e se olhou.

— Diabo que te carregue! Que tragédia! — exclamou, cuspindo ao mesmo tempo. — Se pelo menos tivesse ficado alguma coisa no lugar do nariz, mas não, não há absolutamente nada!...

Chateadíssimo e mordendo os lábios, saiu da confeitaria decidido, contrariando seus princípios, a não olhar nem sorrir para ninguém. De repente viu-se como que pregado diante da porta de uma casa; frente a seus olhos aconteceu um fato comum: uma carruagem parou no portão de entrada; a portinhola abriu-se e dela saltou, abaixando-se de leve, um cavalheiro uniformizado que subiu as escadas correndo. Qual não foi o susto e espanto de Kovaliov ao reconhecer no cavalheiro seu próprio nariz! Ao assistir a tão inédito espetáculo, o mundo começou a girar ante seus olhos; percebeu que ia cair; mesmo assim, no entanto, e tremendo da cabeça aos pés, decidiu aguardar, custasse o que custasse, que o cavalheiro saísse de volta. Dois minutos depois, de fato o nariz reapareceu. Trajava um uniforme bordado com fios de ouro, com um colarinho alto e enorme; usava culote de camurça; uma espada pendia da cintura. Pelo chapéu de plumas, podia-se deduzir que ele se enquadrava na categoria dos conselheiros de Estado. Tudo indicava que iria visitar alguém. Olhou para os lados e gritou para o cocheiro: "Vamos embora!", sentou-se e desapareceu.

O pobre Kovaliov sentiu-se a ponto de enlouquecer. Não conseguia explicar tão fantástico acontecimento. Realmente, como seria possível a um nariz, que ainda ontem estava no seu rosto, que não sabia nem andar, nem viajar, aparecer de repente metido num uniforme! Kovaliov saiu em disparada atrás da carruagem, que, felizmente, parou em frente à Catedral de Kazan.

Apressado, abriu caminho por entre as fileiras das velhas mendigas de rostos amarrados e que davam lugar apenas a dois buracos para os olhos, fato de que se ria tanto antigamente — e por fim entrou na igreja. Pouca gente rezando; quase todos junto à porta de entrada. Kovaliov encontrava-se em tal estado de confusão que nem se sentiu com ânimo para orações e por isso tratou de procurar o tal cavalheiro por todos os cantos. Finalmente reconheceu-o, de longe. O nariz escondia o rosto na parte interna da grande gola do dólmã, e ele rezava com uma expressão muito devota!

"Como conseguirei me aproximar dele?", calculava Kovaliov. "Devido ao uniforme e ao chapéu, percebe-se logo que se trata de um conselheiro de Estado. Que se dane tudo, não sei que jeito posso dar!..."

Chegou-se mais um pouco e começou a tossir; no entanto, o nariz não abdicava da atitude de devoção e prosseguia rezando.

— Excelência... — balbuciou Kovaliov, fazendo força, por dentro, para se mostrar mais desembaraçado. — Excelência...

— O que é que o senhor deseja? — perguntou-lhe o nariz, voltando-se.

— Sinto que é estranho, Excelência... parece-me... que o senhor deveria saber o seu lugar. Mas eis que, subitamente, encontro-o, sim, mas onde? Na igreja. Haverá de concordar...

— Queira me perdoar, mas não consigo compreender do que o senhor está falando... Faça-me o favor de se explicar.

"Mas vou me explicar como?", pensava Kovaliov; readquiriu coragem, porém, e continuou:

— Naturalmente eu... Todavia sou o major. O senhor haverá de concordar que não cai bem andar por aí sem o meu nariz. Se se tratasse de um vendedor de laranjas descascadas da ponte Voskressienski, vá lá que ficasse sem seu nariz; mas tratando-se de um sujeito como eu... que possui um vasto círculo de relacionamentos, como as senhoras Tchiechtariova, conselheira de Estado, e tantas outras... chegue o senhor à sua própria conclusão... não sei, não, Excelência... (o major Kovaliov ergue os ombros ao dizer isso)... Peço-lhe desculpas... todavia, pensando bem, de acordo com todos os princípios do dever e da honra... o senhor mesmo deve compreender...

— Não compreendo nada em absoluto — reagiu o nariz. — Poderia se explicar com mais clareza?

— Excelência — murmurou Kovaliov, ar de grande importância —, não vejo como aceitar suas palavras... Tudo parece muito evidente... Ou o senhor quer... Mas o senhor é o meu próprio nariz!

O nariz contemplava o major, e suas sobrancelhas franziram-se ligeiramente.

— Vossa Excelência comete um equívoco. Eu sou eu mesmo. E, além do mais, não pode haver entre nós qualquer tipo de relação íntima. Deduzindo pelos botões de seu uniforme, o senhor deve servir em outro Departamento.

Concluídas suas palavras, o nariz virou-lhe as costas e voltou a rezar.

Kovaliov, totalmente bestificado, não sabia o que fazer nem o que pensar. Enquanto isso, ouviu-se um agradável frufru de saias: aproximava-se uma senhora de idade, toda coberta de rendas. Uma jovem a acompanhava, de vestidinho branco mui graciosamente colado ao corpo, chapeuzinho cor de palha, leve como um bombom. Mais atrás, parando para abrir a cigarreira, vinha um lacaio alto, de suíças grandes e com uma dúzia de colarinhos.

Kovaliov deu alguns passos, aproximou-se mais um pouco, exibindo o colarinho de cambraia sobre o colete; ajeitou as medalhas penduradas na corrente de ouro, sorriu para todos os lados e fixou-se na moça elegante que, como pequena flor da primavera, levemente curva, encostara na testa a alva mãozinha de dedos quase transparentes. O sorriso de Kovaliov cresceu ao ver, sob o chapeuzinho, aquele queixinho redondinho e de resplandecente alvura — e parte do rosto sombreado pelo colorido da primeira flor da primavera. De repente, porém, deu um pulo para trás, como se tivesse se queimado. Havia se lembrado num estalo que, onde deveria estar o nariz, nada existia, e as lágrimas rolaram-lhe dos olhos. Sem preâmbulos e de uma forma direta, voltou-se com a intenção de dizer ao cavalheiro de uniforme que aquela farda de conselheiro de Estado era pura farsa, que o cavalheiro era um patife e um mentiroso, pois não era, nem mais nem menos, apenas o seu, dele próprio, nariz... Mas ele já havia desaparecido: com certeza iria fazer outra visita.

Isso foi o suficiente para levar Kovaliov ao desespero. Deu meia-volta e, parando um pouco ao lado de uma coluna, olhou com atenção para todos os lados, na esperança de descobrir o nariz escondido em algum lugar. Lembrava-se bem de que o chapéu era de plumas, o uniforme bordado com fios de ouro; no entanto, não prestara atenção no capote nem na cor da carruagem ou dos cavalos. Não tinha a mínima idéia se havia um lacaio na parte de trás da carruagem, nem qual seria seu tipo de libré. Para maior desespero, carruagens passavam rapidíssimas, tantas e em todas as direções, o que lhe dificultava até mesmo identificá-las; mesmo assim, se o fizesse, não conseguiria deter nenhuma delas.

Era um dia lindo e cheio de sol. A avenida Niévski cheia de gente, e as senhoras espalhavam-se pelas calçadas, da Delegacia até Anitchkov, como cascatas de flores. E eis que se lhe aparece um conhecido, um conselheiro da corte a quem, especialmente na presença de estranhos, costumava chamar tenente-coronel. E também Iaríguin, chefe da secretaria de Estado do Senado, grande amigo seu, de quem sempre perdia no jogo de cartas. E ainda outro, um major, que conseguira o título de inspetor no Cáucaso, e que agora lhe fazia sinal para que se aproximasse...

— Que vá tudo para o inferno! — exclamou Kovaliov. — Ei, cocheiro, vamos diretamente ao delegado de polícia!

Kovaliov sentou-se no coche e gritou:

— Depressa, siga por todo o Ivanovski!

...............................................................................................................

— O senhor delegado está? — foi perguntando ao entrar.

— Não, senhor — respondeu o empregado. — Acabou de sair.

— Puxa, que azar!

— Sim, senhor — repetiu o empregado. — Não faz muito, acabou de sair. Se o senhor tivesse chegado um minuto antes talvez o encontrasse.

Kovaliov, sem tirar o lenço do rosto, voltou ao carro e berrou desesperado:

— Vamos depressa!

— Sim, mas para onde? — perguntou o cocheiro.

— Em frente!

— Em frente como? Existe uma curva logo ali: para a direita ou para a esquerda?

A pergunta confundiu Kovaliov, que se viu obrigado a pensar. Naquela situação, seria mais prudente ir logo para a Delegacia de Costumes, não porque tivesse relações próximas com a polícia, mas apenas porque as ordens dali emanadas seriam realizadas com maior rapidez; por outro lado, parecia insensatez procurar explicações numa delegacia da qual o nariz deu a entender ser funcionário, pois, devido às próprias palavras dele, percebia-se logo tratar-se de um homem não-confiável, e tudo talvez não passasse de uma farsa como aquela que pretendia convencer Kovaliov de que o nariz jamais havia pertencido a ele, Kovaliov. Por isso mesmo, Kovaliov decidira seguir direto para a Delegacia de Costumes quando, de repente, lembrou que o farsante miserável, que se comportara como um inconsciente naquele primeiro encontro, ganhando tempo, poderia até fugir da cidade, caso em que todas as providências tornar-se-iam inúteis ou, o que é pior, prolongar-se-iam por um mês, escondido sabe Deus onde. Mas parece que finalmente o próprio céu trouxe-o de volta à razão, melhor compreendendo as coisas. Resolveu procurar a redação de um jornal a fim de providenciar um apelo ou anúncio, com todos os pormenores e sinais do nariz para que aqueles que o encontrassem pudessem detê-lo ou, pelo menos, informar-lhe onde residia. Ao chegar a tal resolução, e durante todo o trajeto, cutucava o cocheiro e gritava: "Mais depressa, miserável! Rápido, anda, farsante!"

— Oh, patrão! — exclamou o cocheiro sacudindo a cabeça e fustigando o cavalo com as rédeas, cavalo com pêlo que mais parecia de carneiro.

Finalmente o coche parou e Kovaliov, afobado, quase sem fôlego, entrou correndo numa saleta onde, sentado à mesa, de roupa ensebada e óculos, um empregado grisalho mordia a caneta e contava moedas de cobre.

— Quem é a pessoa encarregada dos anúncios? — gritou Kovaliov. — Bem... boa tarde!

— Meus respeitos — respondeu o empregado, erguendo rápido o olhar e baixando-se em seguida para as moedas em pilhas.

— Gostaria de publicar...

— Tenha a bondade de aguardar um instante — interrompeu o empregado, com a mão direita sobre o papel das contas; com a esquerda, segurava uma lente e movia duas peças de um ábaco.

Um lacaio cheio de galões, parecendo estar a serviço de uma casa aristocrática, em pé junto à mesa e segurando um papel, dizia para o empregado:

— Acredite, Excelência, o cachorrinho não vale nem oito tostões, isto é, eu não daria por ele nem oito copeques, mas a condessa adora o animalzinho, juro como adora ele, e, devido a isso, oferece cem rublos a quem o encontrar. Para ser sincero, como nós nesse momento, a gente percebe que nem todos têm o mesmo gosto, se quer mesmo criar um cachorrinho que seja um cão de caça ou um pequinês; pague quinhentos ou mil rublos por ele, que seja, mas terá um bom animal.

O respeitável empregado escutava essa história toda enquanto calculava de quantas letras se compunha o tal anúncio. Afastados, algumas velhas, vendedores ambulantes e outros serviçais segurando seus anúncios: num, um pacato cocheiro de bom comportamento oferecia seus préstimos; noutro, vendia-se uma charrete em bom estado de conservação, embora se lhe faltasse uma roda; outro, uma carruagem que havia estado na Exposição de Paris de 1814; uma jovenzinha de 19 anos que perdera o emprego como lavadeira oferecia seus serviços; cavalo novo e veloz, com manchas cinzentas, de 17 anos; sementes de nabos e rabanetes recém-chegadas de Londres;

casa de campo com o máximo conforto e mais duas cavalariças e muito terreno baldio onde se poderia plantar um magnífico jardim de bétulas e pinheiros; outro anúncio pretendia-se à compra de solas de sapatos velhos, podendo os interessados apresentarem-se das oito da manhã às três da tarde. Por ser pequena a sala com toda essa gente, o ar era sufocante; mas o inspetor-geral Kovaliov não podia sentir nenhum cheiro, posto que tinha um lenço no rosto, já que seu nariz estava sabe Deus onde.

— Respeitável senhor, permita-me que lhe pergunte... Tenho muitíssima urgência — exclamou, impaciente.

— Já atendo o senhor! Dois rublos e quarenta e três copeques! Um momentinho! Um rublo e sessenta e quatro copeques! — dizia o empregado grisalho, atirando os anúncios na cara do lacaio e de uma velha. — E o senhor, o que deseja? — afinal perguntou ele a Kovaliov.

— Desejo muito... Estou sendo vítima de uma farsa, uma canalhice, e até agora não consegui atinar qual a razão disso tudo. Quero que o senhor me publique um anúncio dizendo que a pessoa que encontrar esse maroto será bem recompensada!

— Faça o obséquio de me dar o seu nome.

— Nome? Mas para que nomes? O nome não faz falta, de maneira alguma. Sou muito bem-relacionado: Tchechtariova, conselheira de Estado, Pelaguéia Grigorievna Podtochina, esposa do capitão de Estado-Maior. Vão acabar sabendo desta história, não, Deus me livre. Basta que o senhor escreva simplesmente: inspetor-geral, ou, melhor ainda, pode começar com o título de major.

— E o fugitivo era um de seus criados?

— Como, criado, ele? Meu criado? Ora, isso não seria nenhuma desgraça. O que fugiu foi o... nariz...

— Hum, que nome mais esquisito! Será que esse tal senhor Nóssov[1] lhe roubou muito dinheiro?

— Nariz, quer dizer... não se trata do que o senhor está pensando. Não vai acreditar: o nariz, meu próprio nariz é que desapareceu não se sabe para onde. O diabo em pessoa está querendo me pregar uma peça!

— Desapareceu... mas como? Não estou entendendo muito bem, é melhor o senhor explicar direitinho.

— Nem eu mesmo sou capaz de lhe explicar como aconteceu; o fato é que ele anda agora pela cidade e se diz conselheiro de Estado. É por isso que lhe peço encarecidamente: publique o anúncio dizendo da necessidade de prendê-lo imediatamente, compreende o senhor? Como é que eu vou ficar sem essa parte tão fundamental do meu corpo? O senhor entende, com certeza, a minha situação... Se fosse o dedo mindinho do pé, que a gente enfia na bota e pronto, ninguém fica sabendo porque não

---

[1] De *nós*, nariz

se pode vê-lo. Costumo visitar às quintas-feiras a conselheira de Estado Tchechtariova; Podtochina, Pelaguéia Grigorievna, esposa do capitão do Estado-Maior, que tem uma filha muito graciosinha, são todos muito amigos meus, avalie o senhor agora a minha situação... Não poderei mais visitá-los.

Notava-se pela cara do empregado, lábios estendidos, que ele refletia seriamente sobre o caso.

— Não, senhor, não poderei publicar um anúncio desses no jornal — exclamou depois de longo silêncio.

— Mas como não? Por que razão?

— Porque não é possível. Pela simples razão de que poderá prejudicar o jornal. Se todos vierem até aqui anunciando que perderam seus narizes, ah, sei lá... Em todo caso, dizem por aí que se publica muita mentira, muito absurdo.

— Mas por que o senhor acha que esse caso é absurdo? Não me parece nem um pouco.

— É o que o senhor diz, entendendo que não há nada de irreal nisso. Aqui mesmo, na semana passada, aconteceu uma coisa parecida. Chegou um funcionário, mais ou menos como o senhor hoje, trazendo um anúncio que, pelos meus cálculos, deveria custar-lhe uns dois rublos e setenta e três copeques, e onde se lia sobre a fuga de um cachorro de pêlo preto. Assim, à primeira vista, parece que não haverá nada demais, não é mesmo? Pois bem, saiu o anúncio e o cachorro era, na verdade, o tesoureiro de uma instituição cujo nome não me lembro agora.

— Mas eu quero anunciar a respeito do meu próprio nariz e não a respeito de nenhum cachorro, quero dizer, é um caso em que o interessado sou eu mesmo.

— Não, senhor! Anúncio assim não posso publicar.

— Mas se de mim fugiu meu próprio nariz!

— Nesse caso, o problema deve ser resolvido por um médico. Dizem que existem médicos que são capazes de recolocar um nariz muito bem. Aliás, pelo que eu estou vendo, o senhor parece ser um homem alegre e que gosta de se divertir em sociedade.

— Juro perante Deus que estou falando a verdade. Mas, se essa é a sua opinião, vou lhe mostrar o que aconteceu...

— Não se incomode — prosseguiu o empregado, enquanto tomava uma pitada de rapé. — Mas, se não for do seu desagrado — acrescentou, com curiosidade —, gostaria até de dar uma olhada.

O inspetor-geral retirou o lenço do nariz.

— Realmente é bastante extraordinário! — exclamou o empregado. — O lugar está completamente liso, como se tivesse sido pressionado. Sim, senhor, uma inacreditável planície!

— E agora, o senhor vai continuar argumentando? Acabou de ver por que sou obrigado a publicar esse anúncio. Muito lhe agradeceria, e além disso me sinto reconfortado, pois, graças a esse acontecimento, tive o prazer de conhecê-lo.

Como se pode ver, o major, desta vez, resolvera ser mais condescendente.

— Naturalmente, publicar o anúncio não apresenta nenhuma dificuldade — falou o empregado —, mas não vejo nisso qualquer tipo de vantagem para o senhor. Se necessita mesmo de tal publicação, procure então alguém que seja dotado de intelecto, um artista da pena, que poderá descrever isso tudo como um raro fenômeno da natureza e publicá-lo no jornal *Abelha Siberiana* — e tomou uma pitada de rapé —, para a curiosidade de todos.

Kovaliov sentiu-se totalmente desorientado. Fixou os olhos no jornal, na parte dos anúncios de espetáculos, logo quase sorrindo ao perceber o nome de uma bela atriz, e chegou a meter a mão no bolso: certificava-se de haver trazido dinheiro suficiente, pois, na sua opinião, os oficiais do Estado-Maior deviam ocupar as poltronas — mas eis que a lembrança da ausência do nariz terminou com a sua alegria.

Parecia que o próprio empregado do jornal sentia-se penalizado com a situação de Kovaliov. Para amenizá-la, passou a expressar-se com palavras mais amáveis:

— Lamento muito o que lhe aconteceu, parece até piada. O senhor aceitaria uma pitada de rapé? Alivia dores de cabeça e melhora o estado de espírito; até mesmo para as hemorróidas ele é ótimo.

E, ao falar, o funcionário estendeu a bolsinha de rapé a Kovaliov, colocando com rapidez a tampa com o retrato de uma senhora de chapéu para baixo.

Gesto fora de propósito, que muito chateou Kovaliov.

— Não consigo compreender como o senhor queira me gozar, ainda por cima — exclamou, cheio de raiva. — Por acaso não percebe o senhor que não tenho os meios necessários para cheirar o seu rapé? Vão para o inferno, o senhor e o seu rapé! Não consigo nem olhar para isso, não apenas o seu ordinário tabaco nem mesmo meu próprio rapé.

E, assim falando, profundamente irritado, retirou-se do jornal e saiu às pressas para a casa do delegado do distrito (grande amante de açúcar, em cuja residência o vestíbulo, servindo também de sala de jantar, ficava entulhado de pacotes de açúcar que lhe ofereciam os comerciantes abastados). Talvez a hora fosse inoportuna: a cozinheira ajudava o delegado a tirar o uniforme, a espada e demais apetrechos. O filho de três anos já brincava com o temido chapéu de três pontas, e o próprio delegado preparava-se para os prazeres da vida, depois de um dia de lutas e chateações. Sim, Kovaliov chegou precisamente na hora em que o delegado se espreguiçava, rosnando: "Ah! que coisa boa dormir umas duas horas no maior sossego!" Por isso seria de se supor que Kovaliov chegara num momento inapropriado; e eu não saberia dizer-lhes se ao menos, mesmo que houvesse trazido alguns gramas de chá ou cortes da melhor fazenda, teria ele acolhida mais cordial. Em parte, era um homem que amava todas as artes e manufaturas em geral; mas preferia, acima de tudo, as apólices do Estado. "Quando têm valor", dizia quase sempre, "são superiores a qualquer coisa: nada pedem de comer, não ocupam muito espaço, sempre cabem no bolso e, quando caem, não correm o risco de se quebrar."

O delegado recebeu e escutou Kovaliov secamente; disse-lhe depois que, após o almoço, não era hora para investigações, que a própria natureza exige repouso para a digestão (de tais palavras deduziu Kovaliov que o delegado estava familiarizado com as prescrições dos antigos sábios). Além disso, não parecia possível ao delegado, que não se tirava fora assim o nariz de um homem respeitável (já que existem muitos majores neste mundo que, não tendo nem roupa íntima decente, acabam se imiscuindo por lugares inconvenientes e inapropriados).

Palavras estas que acertaram na mosca. É preciso explicar, aliás, que Kovaliov era homem muito desconfiado. Perdoaria tudo que se dissesse sobre ele, mas não admitia de forma alguma que lhe ofendessem o título e a hierarquia. Acreditava mesmo que deveriam ser cortadas das peças de teatro todas as críticas a oficiais superiores, especialmente aos do Estado-Maior, os quais nem de leve poderiam ser afetados. Ressentira-se tanto da recepção que o delegado lhe proporcionara que, balançando a cabeça com um grave ar de dignidade e gesticulando muito, esbravejou: "Depois dessas observações injuriosas de sua parte, nada mais tenho a acrescentar..." — e saiu.

Quase sem sentir seus próprios passos, retornou a sua casa. Anoitecia. Sua morada pareceu-lhe tristonha e desagradável, depois de todas aquelas inúteis investigações. Já na ante-sala, viu no sujo divã de couro seu lacaio Ivan, que, de costas, cuspia no teto, acertando com muita pontaria a mira escolhida. Aquela displicência irritou-o demais; bateu com o chapéu na testa do rapaz e gritou:

— Seu porco, sempre se distraindo com brincadeiras estúpidas!

O criado deu um pulo do divã e correu para tirar o capote do patrão.

Exausto e acabrunhado, já no quarto, Kovaliov jogou-se na poltrona; suspirando, balbuciou:

— Meu Deus! Meu Deus! Por que tanta desgraça? Se me faltasse um braço ou uma perna, qualquer coisa seria melhor, se não tivesse orelhas... seria horrível, mas ainda assim tolerável; mas um homem sem nariz é qualquer coisa de insuportável; pássaro não é, muito menos cidadão, não passo de uma coisa inútil que se pode jogar fora pela janela! Se ao menos ele tivesse sido cortado numa guerra, ou num duelo, ou se eu mesmo fosse o culpado; mas não, à toa, sem mais nem menos, sem nenhuma causa, desaparecera-lhe o nariz!... Não, não podia ser, balbuciava e pensava. É inacreditável que justamente seu nariz pudesse ter desaparecido assim; de forma nenhuma, não é verdade. Com toda a certeza eu estou sonhando, ou um pesadelo ou uma bebedeira; quem sabe se por engano, em vez de água eu bebi o álcool de passar no rosto depois de me barbear. O imbecil do Ivan não guardou o álcool direito e eu acabei bebendo-o.

Para se convencer de que não estava bêbado, deu um beliscão em si mesmo, com tamanha força que acabou berrando. A dor convenceu-o de que não se tratava de um sonho, que estava vivendo aquilo tudo de verdade. Lentamente aproximou-se do espelho e apertou bem os olhos, na esperança de que o nariz estivesse em seu devido lugar, na mesma hora, porém, recuou, exclamando:

— Mas que coisa mais insuportável!

De fato, era inacreditável. Se tivesse perdido um botão, uma colher de prata, um relógio ou outra coisa qualquer... mas logo o nariz, justamente algo de tão precioso; como? E, o cúmulo, na sua própria casa!... O major Kovaliov esforçou-se ao máximo para chegar à verdade e acabou concluindo que a culpada, no fim das contas, não seria ninguém mais do que ela própria, Podtochina, que alimentava planos de casá-lo com a filha. Não que fosse desinteressante fazer-lhe a corte, mas daí ao matrimônio... No entanto, quando a esposa do capitão do Estado-Maior disse abertamente que o aceitaria como marido da filha, como quem não quer nada ele tratou de desconversar, ao mesmo tempo em que elogiava a garota, e que ainda se sentia muito jovem, precisava trabalhar mais uns cinco aninhos, quando completasse quarenta e dois... Com certeza, devido a isso, a esposa do capitão do Estado-Maior havia se vingado, proporcionando-lhe aquele terrível defeito, com a ajuda de feiticeiras. Por outro lado, não conseguia admitir que lhe tivessem cortado o nariz; ninguém entrara em seu quarto; na quarta-feira o barbeiro Ivan Iacovlievitch lhe fizera a barba, durante o dia todo da quinta-feira o nariz permanecera são e salvo no seu apropriado lugar — tinha certeza absoluta. Além do mais, teria sentido dor e, fora de qualquer dúvida, a ferida não iria cicatrizar com tanta rapidez e ficar assim tão polida e lisa de uma hora para a outra. Dava tratos à bola; fazia planos de processar a esposa do capitão do Estado-Maior, ou seria melhor ele mesmo procurá-la para esclarecer tudo. Suas elucubrações foram interrompidas por fiapos de luz que passavam pelas frestas, sinal de que Ivan acendera uma vela no corredor. Em seguida apareceu o lacaio em pessoa carregando a luz, que iluminou o quarto todo. O primeiro impulso de Kovaliov foi apanhar um lenço e esconder o espaço até ontem ocupado pelo nariz, para que o imbecil do lacaio não ficasse apavorado ao ver o patrão em tão estranho estado.

Mal desaparecera de volta o criado, ouviu-se na ante-sala uma voz desconhecida perguntando:

— É aqui que mora o inspetor-geral Kovaliov?

— Entre. O major Kovaliov está em casa — respondeu o próprio inspetor, que, de um pulo, abriu a porta.

Entrou um policial de aparência até simpática, com umas suíças nem muito claras nem muito escuras, bochechas gordas: enfim aquele mesmo policial que, no início desta história, estava parado na ponte de Isaías.

— Por acaso foi o senhor que perdeu o nariz?

— Sim senhor, eu mesmo.

— Ele já foi encontrado.

— Não me diga, verdade mesmo? — exclamou o major. Tanta felicidade provocou-lhe a perda da voz. Olhava ansiosamente para o guarda de quarteirão, cujos lábios e bochechas tremeluziam à luz da vela.

— Mas como foi que o encontraram?

— De um modo bem estranho: foi achado em plena rua. Já estava sentado na diligência para ir até Riga. Tinha até passaporte, com o nome de um funcionário qualquer. E o mais curioso foi que eu mesmo quase que o ia tomando por um cidadão. Felizmente trazia meus óculos, e na mesma hora pude verificar que se tratava de fato de um nariz. Acontece que eu sou míope, se o senhor se colocar à minha frente conseguirei apenas vislumbrar seu vulto, o restante, os detalhes, nariz, queixo, não consigo distinguir. Minha sogra, quer dizer, a mãe da minha mulher, também não enxerga coisa nenhuma.

Kovaliov não conseguia se controlar.

— Mas me diga lá, onde está o nariz? Vamos já já buscá-lo!

— Calma, não precisa ficar nervoso. Como sabia que o senhor tinha necessidade dele, eu o trouxe comigo. Pois fique sabendo, o mais estranho em tudo isso é que o principal responsável por esta história, o barbeiro espertinho da rua Voskressienskaia, encontra-se neste momento detido na delegacia. Vinha suspeitando dele há muito tempo, um bêbado e ladrão que roubou uma dúzia de botões de uma loja, há três dias. Seu nariz está como sempre foi, não sofreu nenhuma escoriação.

O guarda então meteu a mão no bolso e de lá tirou o nariz embrulhado num papel.

— Mas é ele, é ele mesmo! — exclamou Kovaliov. — É realmente o meu nariz! Hoje o senhor está convidado a tomar uma chávena de chá em minha companhia.

— Teria muito prazer, mas de forma alguma posso aceitar: daqui sigo para o hospício... Está tudo pela hora da morte. Tenho lá em casa a sogra, quer dizer, a mãe da minha mulher, e os filhos; o mais velho promete, um garotinho muito inteligente, só não tenho condições de proporcionar a ele uma educação...

(Kovaliov, percebendo aonde o subalterno queria chegar, apanhou na mesa uma nota de dinheiro e colocou-a em sua mão; ele despediu-se com bons modos, desaparecendo; pouco depois ouviu-se-lhe a voz a berrar para um camponês ignorante que, descuidado, entrara com a carroça calçada acima.)

Saído o guarda, Kovaliov permaneceu alguns minutos em perplexidade, e só tempos depois readquiriu controle sobre suas reações; sentiu-se então tomado de uma felicidade inesperada. Com extremo cuidado, segurou por entre as mãos bem fechadas o tão procurado nariz e uma vez mais contemplou-o com a maior atenção.

— Veja só! Ele mesmo, o meu nariz! — exclamava Kovaliov. — Olha, até aquela espinha que me apareceu ontem do lado esquerdo.

Tal a sua alegria que quase deu uma boa gargalhada.

Mas nada é eterno neste mundo de Deus, razão pela qual, passado o primeiro momento, sua felicidade já não era tão esfuziante assim; no terceiro, enfraqueceu-se mais ainda, e por fim confundiu-se ela com outros estados de espírito, como os círculos que se criam na água quando se joga uma pedra. Pensando de novo, Kovaliov se deu conta de que o caso ainda não chegara ao fim: era verdade, o nariz fora encontrado, fazia-se no entanto necessário recolocá-lo em seu respectivo lugar.

— E se o danado não se adaptar e não ficar bem grudado?

Empalideceu diante da pergunta feita a si mesmo.

Cheio desse inexplicável sentimento de horror, sentou-se à mesa e aproximou-se do espelho; não queria, por mero descuido, colocar o nariz numa posição torta. Suas mãos tremiam. Com o máximo de atenção e cuidado, repôs o nariz em seu respectivo lugar. Que horror! O nariz não grudava!... Enfiou-o na boca para aquecê-lo um pouco com o hálito. Recolocou-o no espaço liso que via no rosto; mas tudo inútil, de maneira nenhuma o nariz ficava preso.

— Vamos! Sobe, idiota! — gritava para o nariz. Mas ele, parecendo de madeira, caía na mesa, provocando um som esquisito como o de uma rolha. O rosto de Kovaliov se contorcia em caretas. — Será que não cola mesmo? — falou sozinho, assustado. Todos os seus esforços se revelaram inúteis: tantas vezes repunha-o no respectivo lugar, tantas caía o nariz.

Chamou Ivan e mandou que saísse à procura de um médico que, naquele mesmo prédio, ocupava o melhor apartamento do andar térreo. Era pessoa de respeito, com suíças escuras, tinha uma jovem esposa cheia de saúde e que comia logo cedo maçãs frescas e mantinha a boca numa excepcional higiene, gargarejando todos os dias por três quartos de hora, e lavando os dentes com cinco escovas diferentes. O médico chegou logo. Perguntou ao inspetor-geral como lhe acontecera aquela desgraça; levantou o queixo do major Kovaliov e deu um piparote para valer no espaço antes ocupado pelo nariz, com tanta força que Kovaliov bateu com a cabeça na parede. O médico disse que aquilo não era nada de importante, e pediu-lhe que se afastasse um pouco da parede; mandou que virasse a cabeça primeiro para o lado direito, apalpou o espaço ocupado antes pelo nariz e observou: "Hum!"; finalmente deu mais um piparote, com tal cuidado que o major Kovaliov ergueu a cabeça de sopetão, como se fosse um cavalo a que se examinasse os dentes. Depois de tantos exames, o doutor sacudiu a cabeça e falou:

— Não, não pode ser. É melhor que o senhor continue assim para não piorar ainda mais a sua situação. Claro que o nariz poderia ser recolocado, eu mesmo o faria imediatamente; asseguro-lhe porém que seria pior para o senhor.

— Ótimo, e como é que vou ficar sem o nariz? — perguntou Kovaliov. — Pior do que está, impossível. Francamente, isso é obra do diabo. Como vou me apresentar na sociedade com este rosto deformado? Sou homem muito bem-relacionado. Hoje mesmo deveria comparecer a duas recepções à noite. Meu círculo de amizades é grande: a conselheira de Estado Tchechtariova, Podtochina, esposa do capitão do Estado-Maior, se bem que, depois do que ela me fez, só poderia me relacionar com ela através da polícia. Faça-me o favor — e a voz de Kovaliov era suplicante —, será que não haveria mesmo um jeito... de grudar este nariz?... Mesmo que ele apenas fique no seu lugar e eu precise levantá-lo levemente com a mão? Além do mais, não costumo dançar, quer dizer, não vou prejudicá-lo com um movimento inesperado. Quanto a seus honorários, pode ficar tranqüilo que aquilo que estiver ao meu alcance...

— Pode acreditar — disse o médico a meia voz, embora suficientemente empostada e segura — eu não atendo paciente por interesse. É contra os meus princípios e a minha profissão. Claro, cobro minhas visitas, mas somente para não ofender os clientes me recusando a tal. É bem verdade que colocaria seu nariz no lugar, mas asseguro-lhe pela minha honra, já que não parece acreditar no que digo, seria muito pior para o senhor. Deixe como está que a própria natureza se encarregará do resto. Pode lavá-lo com água fria quantas vezes quiser; posso garantir que mesmo sem nariz haverá o senhor de sentir-se tão bem, gozando de tanta saúde, como se ele não lhe fizesse falta. O nariz, deve o senhor colocá-lo num vidro com álcool, ou melhor, acrescentando a ele duas colheres de sopa de vodca forte misturada a vinagre quente, e assim poderá até lucrar alguns trocados com ele. Eu mesmo poderia comprá-lo, se o senhor não exagerar no preço.

— Não, não, não o venderia por preço nenhum neste mundo! — bradou Kovaliov, desesperado. — Prefiro mesmo que ele apodreça na minha frente!

— Desculpe — exclamou o médico, despedindo-se. — Quis apenas ser de alguma utilidade ao senhor... Nada a fazer! Tenho certeza de que o senhor haverá de reconhecer meus esforços para ajudá-lo.

Dizendo isso saiu o médico, com seu porte nobre e garboso. Kovaliov nem sequer reparou na sua fisionomia, e com profunda apatia só conseguiu ver-lhe os punhos da camisa de cambraia branca como neve, a se fazerem notar sob as mangas do fraque escuro.

Antes de levar a questão à polícia, no dia seguinte resolveu escrever à esposa do capitão do Estado-Maior, para ver se ela se dispunha a restabelecer a situação anterior, sem relutância. Eis a carta:

"Excelentíssima Senhora
Alexandra Grigorievna

Não consigo compreender essa estranhíssima iniciativa de sua parte. Fique certa de que nada lucrará com isso, e nem poderá de nenhuma forma me obrigar a casar com sua filha. A história do meu nariz já está perfeitamente esclarecida, e sei que a senhora e mais ninguém é a principal autora desta farsa. O desaparecimento instantâneo do meu nariz, a fuga e o disfarce na figura de um funcionário não significam outra coisa que o resultado de bruxaria produzida pela senhora ou por aquelas que, sob sua instigação, cometem tais atos. Da minha parte, sinto-me na obrigação de preveni-la: se meu nariz, do qual tratei nas linhas acima, não estiver hoje mesmo localizado no lugar que lhe é devido, ver-me-ei obrigado a apelar para a defesa e proteção das leis.

Sem mais, tenho a honra de subscrever-me
seu humilde servo

Platon Kovaliov."

"Excelentíssimo Senhor
Platon Kovaliov

Estou deveras espantada com sua carta. Francamente, confesso-lhe que jamais poderia esperar de sua parte tão injustas advertências. Necessito esclarecer-lhe que jamais recebi em minha casa o empregado[2] a que se refere, nem disfarçado nem ao natural. É verdade que Felipe Ivanovitch Potachikov costuma freqüentar minha casa. E, embora aspirasse o senhor à mão de minha filha, tendo primorosa educação e vasta cultura para tanto, jamais alimentei esperanças nesse sentido. Fala o senhor também a respeito do nariz. Se o senhor entende que pretendo deixá-lo sem nariz, isto é, dar-lhe uma resposta formalmente negativa, estará então bastante enganado, pois o senhor mesmo deve saber que sou de opinião contrária, e se nesta hora mesmo resolver pedir-me minha filha em casamento de um modo honrado e leal, estarei pronta a satisfazê-lo incontinenti, posto que esta sempre foi a minha maior aspiração, na esperança da qual, sempre às suas ordens, reitero-me sua
Servidora atenta

Alexandra Podtochina."

..............................................................................................................................

— Não! — disse Kovaliov, terminada a leitura. — Ela não é a culpada. Impossível! Uma carta tão ingênua jamais poderia ter sido escrita por alguém culpado de um crime. (O inspetor era experiente em relação a casos desse tipo, pois, ainda na região do Cáucaso, fora obrigado várias vezes a fazer investigações semelhantes.) Como então acontecera tudo aquilo com ele? — Nem o diabo em pessoa conseguiria decifrar a charada! — murmurou afinal, deixando cair os braços.

Enquanto isso, um zunzum a respeito do estranhíssimo acontecimento espalhava-se pela cidade, e, como sói acontecer, com dados adicionais. Na época, o espírito das pessoas estava preparado para todo tipo de exagero: havia pouco o povo se intrigara com experiências de magnetismo. Na memória coletiva pairava ainda a história das cadeiras dançantes da rua Koniuchniai, razão por que ninguém se perturbou quando surgiu o boato de que o nariz do inspetor-geral Kovaliov passeava todos os dias por volta das três horas pela avenida Niévski. Os curiosos afluíam em massa. Alguém afirmava que o nariz havia entrado na loja do Iunker; uma multidão aglomerou-se diante da loja — foi preciso chamar a polícia. Um camelô de aparência respeitável, de suíças, e vendendo pastéis duros na porta dos teatros, construiu es-

---

[2] Confusão com *Nóssov*, nariz, e nome próprio.

pecialmente para a ocasião sólidos banquinhos, e os alugava por oitenta copeques. Um coronel aposentado saiu de casa mais cedo e, com muita dificuldade, conseguiu um lugar no meio da multidão, embora tenha ficado furioso ao ver na vitrine da loja, não o nariz, mas uma simples camiseta de lã e uma litografia representando uma jovem cerzindo meias, vendo-se por trás de uma árvore um almofadinha de barba e colete com lapelas viradas a fitá-la — quadro pendurado naquele mesmo lugar há mais de dez anos. Indignado, retirou-se, murmurando: "Como é que pode ficar enganando o povo com estas conversas absurdas e bobas?"

Correu em seguida o boato de que o nariz do inspetor Kovaliov passeara pelos jardins de Tavrich e não mais pela avenida Niévski, e isso há muito tempo; que o próprio Kozrev Mirzat[3] se assustara com aquela estranha brincadeira da natureza. Alguns estudantes de medicina correram para lá. Uma aristocrata, muito conhecida e distinta, pediu, através de carta ao vigia do jardim, que mostrasse aquele raro fenômeno a seus filhos, se possível acompanhado de explicações educativas e edificantes, como apropriado aos jovens.

Os mundanos de sempre ficaram muito satisfeitos com tais ocorrências — os infalíveis freqüentadores da aristocracia, que se ocupavam em distrair as senhoras, mas cujas reservas de assunto há muito haviam se esgotado. Um grupo pequeno de notáveis e respeitáveis se aborrecia com a história toda. Zangado, dizia um senhor que não conseguia compreender como era possível, num século civilizado, propagarem-se invencionices tão absurdas, razão pela qual, na sua opinião, deveria o governo tomar sérias providências a esse respeito. Era o tipo de cavalheiro, com certeza, que até nas brigas com a esposa pretendia envolver o governo. Em seguida... mas uma espessa neblina encobria tudo o mais, e por isso o que aconteceu depois jaz na mais completa obscuridade.

## III

Despropósitos acontecem neste mundo. Às vezes sem mesmo qualquer tipo de verossimilhança: pois não é que de repente o famoso nariz que passeara disfarçado de conselheiro de Estado e que causara tanto transtorno na cidade reapareceu sem mais nem menos no seu verdadeiro lugar, ou seja, exatamente entre as duas bochechas do major Kovaliov?! Foi no dia 7 de abril. Ao acordar, Kovaliov mirou-se distraidamente no espelho e o que viu ele? O nariz! Apalpou-o — era o nariz mesmo! "Ué!", exclamou Kovaliov, que, de tão alegre, começou a pular descalço no meio do quarto; mas justamente nesse momento, Ivan, ao entrar no aposento, conseguiu perturbar seu justificado contentamento. Na mesma hora Kovaliov mandou que buscasse água e,

---

[3] Príncipe persa de um conto então famoso de Griboiedov.

lavando-se, olhou-se mais uma vez no espelho: o nariz! Enxugou-se, contemplou-se novamente: o nariz!

— Veja só, Ivan, parece que durante a noite nasceu uma espinha no meu nariz — disse, ao mesmo tempo em que pensava: "Que horror, meu Deus, se Ivan me responder: Não, senhor, não estou vendo nem espinha nem o próprio nariz!"

Ivan, no entanto, observou:

— Não, senhor, não há nenhuma espinha: seu nariz está totalmente limpo.

— Ótimo, que vá tudo para o diabo que o carregue! — murmurou para si mesmo, e estalou os dedos.

Naquele momento, apareceu porta adentro o barbeiro Ivan Iacovlievitch, assustado como um gato surpreendido ao roubar presunto.

— Pode me responder antes de mais nada: tuas mãos estão limpas? — gritou Kovaliov de longe.

— Limpas, sim, senhor.

— Está mentindo!

— Juro por Deus que estão limpas, Excelência.

— Está bem, mas veja lá, hein!

Kovaliov sentou-se. Ivan Iacovlievitch colocou a toalha em volta do queixo do major e, com o auxílio de um pincel de barba, num instante transformou-lhe o queixo e parte da bochecha naquele tipo de creme que só se serve em aniversário de ricos comerciantes.

— Quem diria! — falou sozinho Ivan Iacovlievitch ao contemplar o nariz de Kovaliov. Logo virou-lhe a cabeça e olhou as laterais do nariz. "Puxa, está aí mesmo! Só de me lembrar...", prosseguiu em seu diálogo interior, fixando demoradamente aquele nariz. Até que, bem de leve, com extrema cautela, levantou dois dedos para segurar a pontinha do nariz. Sempre fora esse o seu método de trabalho.

— Epa, cuidado! — gritou Kovaliov.

Ivan Iacovlievitch deixou cair as mãos, intimidado e confuso como nunca. Depois, cuidadosamente, começou a acariciar o queixo com a navalha; e, mesmo tendo dificuldade em barbeá-lo sem segurar a pontinha do nariz, pelo menos de leve, a parte olfativa do corpo, apoiando seu dedo grosso e áspero na face e lábios do major, conseguiu por fim ultrapassar todos os obstáculos e deu a barba por feita.

Trabalho concluído, Kovaliov apressou-se a se vestir, chamou uma carruagem e partiu para a confeitaria. Mal entrou, disse em voz alta: — Ó garçom, me traga uma xícara de chocolate! — e disparou para o espelho: o nariz continuava firme no lugar certo. Voltou-se repleto de alegria e com ar brincalhão, piscando um olho, encarou dois oficiais, tendo um deles um nariz do tamanho de um botão de colete. Partiu em seguida para a repartição, onde estava cavando sua promoção a vice-governador. Ao atravessar a ante-sala, contemplou-se mais uma vez no espelho: lá continuava o nariz no lugar! Em frente, visitou um colega, inspetor ou major, que sempre fora muito gozador e a quem Kovaliov dizia sempre: "Pois sim, já te conheço muito bem: és um boa-vida."

Antes, pensara: "Se o próprio major não morrer de rir, significa que eu posso ficar tranqüilo, quer dizer que tudo está em seus respectivos lugares." Mas o inspetor não deu a menor bola para o caso. "Está muito bem, o diabo que te carregue!", pensou Kovaliov. Pelo caminho, cruzou com Podtochina, a esposa do oficial do Estado-Maior, que vinha em companhia da filha. Saudou-as, e ambas responderam com exclamações de alegria: portanto, não havia qualquer defeito físico nele. Conversou com elas por um bom tempo, tirando propositadamente a caixinha de rapé e enchendo ambas as narinas, e pensou, como sempre: "Como as mulheres são tolas! De qualquer modo, não me casarei com a filha. Assim, apenas *par amour* — ora!" E a partir daquele dia Kovaliov passou a flanar com tranqüilidade pela avenida Niévski, a freqüentar teatros e a aparecer em tudo que era lugar. O nariz também o acompanhava, bem-acomodado no respectivo lugar, nem de longe demonstrando que dali se afastara por alguns dias. E, seguindo-se a tantas coisas esquisitas, o major Kovaliov mostrava-se sempre de bom humor, a sorrir e paquerando as moças bonitas. Uma vez chegou até a parar em frente a uma loja da Praça Gostinal para comprar uma fita comemorativa, sabe-se lá de quê, pois jamais fora condecorado por qualquer merecimento.

\* \* \*

Eis uma história que aconteceu em uma capital do norte do nosso vasto império! Só agora, depois de muito refletir, percebemos que há nela muita inverossimilhança. Sem mencionar a estranha e impressionante fuga do nariz, que aparecia em diversos lugares disfarçado de conselheiro de Estado, não se compreende como possível o fato de Kovaliov não ter percebido a extrema improbabilidade de se publicar um anúncio a respeito da fuga do seu próprio nariz. Não falo da questão do ponto de vista monetário: seria absurdo, pois não pertenço a esse tipo de gente atrasada. Mas seria indigno, desagradável e mesmo inapropriado. Mais ainda: como conseguiu o nariz surgir assim dentro do pão quentinho e como o próprio Ivan Iacovlievitch... Não, não, não entendo, não consigo compreender em absoluto um caso deste tipo! E o que é ainda mais estranho e incompreensível — como é possível que os autores possam escolher semelhantes assuntos? Confesso que isso me parece um enigma, quer dizer... não, não, me recuso a compreender. Em primeiro lugar, não se trata do bem da pátria; em segundo... mas em segundo, tampouco dele a gente tira qualquer proveito. Com toda a simplicidade, afirmo não saber a que atribuir isso...

No entanto, pensando bem, ainda que admitamos a primeira, a segunda e a terceira hipótese, nem por isso poderemos... mas onde não acontecem coisas absurdas? Em todo caso, refletindo melhor, haveremos de concordar que alguma coisa existe nisso tudo. Pensem lá o que lhes parecer conveniente, mas saibam todos que tais fatos acontecem neste mundo — sim, é verdade que raramente, mas acontece cada coisa...

# UMA DAS DE PEDRO MALAS-ARTES

## ANÔNIMO
### (Séc. XIX | Brasil)

*A riqueza das tradições populares brasileiras, ao longo dos séculos, não deveria interessar apenas aos antropológos e etnógrafos, mas também à literatura e aos leitores comuns. Este é o grande mérito de pesquisadores como Sílvio Romero, que, ainda no começo do século XX, recolheu parte deste tesouro em* Contos Populares do Brasil. *O que segue é um das muitas histórias do mais conhecido personagem da nossa literatura popular, o Pedro Malas-Artes, ou Malasartes, espécie de primo-irmão de Macunaíma (de origem indígena, e que Mário de Andrade retomaria no seu famoso romance homônimo). Não são eles dois bons flagrantes da alma do "brasileiro"?*

Um dia, Pedro Malas-Artes foi ter com o rei e lhe pediu três botijas de azeite, prometendo-lhe levar em troca três mulatas moças e bonitas. O rei aceitou o negócio. Pedro saiu e foi ter à casa de uma velha, ali pela noitinha; pediu-lhe um rancho, e que lhe botasse as botijas no poleiro das galinhas. A velha concordou com tudo. Alta noite, Pedro Malas-Artes levantou-se, foi de pontinha de pé ao poleiro, quebrou as botijas, derramou o azeite, lambuzando as galinhas. De manhã muito cedo Malas-Artes acordou a velha, e pediu-lhe as botijas de azeite. A velha foi buscá-las, e, achando-as quebradas, disse: "Pedro, as galinhas quebraram as botijas e derramaram o azeite." "Não quero saber disso", disse Pedro, "quero aqui meu azeite, senão quero três galinhas." A velha ficou com medo, deu-lhe as três galinhas. Malas-Artes partiu e foi à noite à casa de outra velha; pediu rancho e que agasalhasse aquelas três galinhas entre os perus. A velha, como tola, consentiu. Alta noite, Pedro se levantou, foi ao quintal e matou as três galinhas, besuntando de sangue os perus. No dia seguinte, bem cedo, acordou a velha, pedindo as suas galinhas, porque queria seguir viagem. A velha foi buscá-las e encontrou o destroço: voltou aflita, contando a Malas-Artes. Ele fez um grande barulho até levar seis perus em troca das galinhas. Na noite seguinte, foi ter à casa de um homem que tinha um chiqueiro de ovelhas, e pediu-lhe para passar a noite em sua casa e que lhe agasalhasse aqueles perus lá no chiqueiro das ovelhas, porque bicho com bicho se acomodavam bem. O homem assim fez. Tarde da noite, Pedro foi ao lugar onde estavam os perus e matou-os a todos, labreando de sangue as ovelhas. Pela manhã levantou-se bem cedo e pediu ao dono da casa seus perus. O homem, indo-os buscar, achou-os mortos, e voltou muito aflito, dizendo: "Pedro, não sabe? As ovelhas mataram os seus perus." Ouvindo isto, Mala-Artes fez um grande espalhafato, gritando que o homem tinha mortos os perus do rei e recebeu seis ovelhas pelos perus. Largou-se, indo dormir na casa de um homem que tinha um curral de bois. Aí ele fez as mesmas artimanhas, até pegar seis bois pelas ovelhas. Mais adiante ele encontrou uns vendilhões de ouro e trocou os bois por ouro. Mais adiante, encontrou uns homens que iam carregando uma rede com um defunto. Pedro perguntou quem era, disseram-lhe que era uma moça. Ele pediu para ir enterrá-la e eles deram. Logo que os homens se ausentaram ele tirou a moça da rede, encheu-a de bastante ouro e enfeite, e foi ter com ela nas costas à casa de um homem rico que havia ali perto. Pediu rancho, disse às filhas do tal homem que aquela era a filha do rei que estava doente, e ele andava passeando com ela, e pediu que a fossem deitar. Foram levar a moça para uma camarinha, indo Malas-Artes com ela, dizendo que só com ele, ela se acomodava. Deitou a moça defunta na cama e retirou-se, dizendo às donas da casa: "Ela custa muito a dormir, ainda chora como se fosse uma criança; quando chorar, metam-lhe a correia." Alta noite, Pedro foi e se escondeu debaixo da cama onde estava a morta e pôs-se a chorar como menino. As moças da casa, supondo ser a filha do rei, deram-lhe muito até ela se calar, que foi quando Pedro se calou. Depois ele escapuliu e foi para seu quarto. De manhã ele pediu a filha do rei, e nada de a poderem acordar. Afinal conheceram que estava morta, e vieram dar parte a Malas-Artes. Ele pôs as mãos na cabeça, dizendo: "Estou perdido; vou para a forca; me mataram a filha do rei!..." Os donos da casa ficaram muito aflitos e começaram a oferecer coisas pela moça, e Pedro sem querer aceitar nada, até que ele mesmo exigiu três mulatas das mais moças e bonitas. O homem rico as deu, e Pedro disse que dava uma desculpa ao rei sobre a morte de sua filha, e lhe dava de presente as três mulatas, para o rei não se agastar muito. Malas-Artes largou-se e foi logo para o palácio, onde entregou ao rei as três mulatas com este dito: "Eu não disse a vossa majestade que lhe dava três mulatas pelas três botijas de azeite? Aí estão elas." O rei ficou muito admirado.

> Entrou por uma porta,
> Saiu por outra;
> Manda o rei, meu senhor,
> Que me conte outra.

# O CATAVENTO INFELIZ

## MÖR JOKAI
### (1825-1904 | Hungria)

*Presença constante em antologias do conto universal, o húngaro Mör Jokai nos legou esta impagável sátira da instabilidade política em que vivia sua terra, entre o império austro-húngaro e as tentativas de independência (e posteriormente dependência ao mundo comunista). Não é só no Brasil que a política é um bom pretexto para o riso.*

Parece que a fortuna se diverte estendendo a mão favoravelmente a alguns indivíduos, enquanto que a outros só os engana e tortura a vida toda. Os seus caprichos nos fornecem saliente exemplo dos dois modos de proceder. Relatamos os fatos como os ouvimos, sem acrescentar uma palavra.

No final do ano de 1840, a guerra era o único assunto em voga. Especialmente em Peste, a palavra "paz" estava fora de moda. Os hotéis viviam plenos de hóspedes, que se encontravam em especial para discutirem o assunto predileto. Ouviam-se músicas marciais de manhã à noite; preparava-se a guerra européia.

Estavam sentadas diante de uma pequena mesa do Hotel Nagy Pipa duas personagens a quem se poderia aplicar o ditado alemão: *Der ein schwerigt; der andere hort zu* (um cala e o outro o escuta), porque uma dessas personagens parecia meditar atentamente a causa provável ou possível do silêncio do seu companheiro, deitando-lhe de vez em quando um olhar curioso como se quisesse sondar algum projeto secreto que ele tivesse forjado.

Este sujeito observador era, nem mais nem menos, do que o compassivo Mestre Janos, cabo da polícia e vice-carcereiro da pobre cidade de Peste; e quando informamos aos nossos leitores de que ele ocupava este posto no tempo de Metternich, e que, apesar da queda deste ministro, ainda conservava o seu lugar, o que não costuma ser a sorte de um ministério caído, com certeza haverão de admitir que o favorecido pela fortuna era este Mestre Janos em pessoa.

Da mesma maneira não se pode negar que o indivíduo à sua frente fosse perseguido pela deusa volúvel como era favorecido Mestre Janos, não só porque era alvo dos olhares desconfiados do honrado Mestre Janos, mas muito especialmente porque um aprendiz de serralheiro de Viena não podia fazer pior coisa do que vir a Hungria, um país onde este ofício é exercido a cada canto das vilas pelos ciganos *wallachios*.

Mestre Janos não havia estudado Lavater, mas uma longa experiência levara-o a julgar, depois de um minucioso exame no rosto do homem, que estava ele ruminando algum plano contra-revolucionário. Como conseqüência disto, aproximou-se mais da cadeira, resolvido a quebrar aquele silêncio.

— De onde vem o senhor, se me dá licença de perguntar? — indagou ele ao companheiro de mesa, com um olhar astuto.

— Ah! de Viena — suspirou o outro, olhando o seu copo vazio.

— E que notícias nos traz da cidade?

— Hm... nada boas!

— Nesse caso, quais as más notícias?

— Receia-se muito que haja uma guerra.

— Receia-se? Mas que audácia! Como se arriscam a temê-la?

— Ah, meu senhor, eu também não a temo, desde que esteja a uma distância de trinta léguas; escutei numa adega, uma vez, bombardearem as ruas, e não achei isso nada agradável.

Mestre Janos ficou mais desconfiado ainda. Resolveu fazê-lo com que bebesse um pouco mais. Seria provável que, assim, acabasse descobrindo algum tipo de conspiração perigosa.

Quantos copos um serralheiro demandaria? À segunda caneca, a cabeça descaiulhe, e a língua movia-se com dificuldade.

"Agora é a hora certa", pensou Mestre Janos, enchendo o copo de novo. — Viva a liberdade! — exclamou, esperando que o serralheiro lhe tocasse no copo, para completar a saudação.

O austríaco não levou muito tempo para atender o convite, e repetiu o "Viva!", tanto quanto sua língua embriagada o permitiu.

— Agora é a sua vez de levantar um brinde — disse o vice-carcereiro, olhando sua vítima com o canto do olho.

— Bem, eu não estou acostumado a brindar, senhor: só a acompanhar o brinde dos outros...

— Vamos lá, não seja egoísta e beba a saúde de quem considera o homem mais notável do mundo, ande.

— Do mundo inteiro? — perguntou o serralheiro, pensando que o mundo era imenso e ele pouco conhecia dele.

— Sim, do mundo inteiro, de todo o globo terrestre — continuou Mestre Janos, em tom de confidência.

O serralheiro hesitou, esfregou o nariz e finalmente gritou:

— Viva  o Mestre Slimak!

Com esta demonstração, o vice-carcereiro estremeceu.

Com certeza este Mestre Slimak era algum chefe eleito, não havia dúvida! E sem mais aquela, agarrou o serralheiro pela gola do casaco e, *brevi manu,* conduziu-o até a casa da câmara, onde o arrastou para uma sala estreita e lúgubre, à presença de um sujeito gordo e de rosto rosado.

— Este homem é um suspeito — exclamou ele. — Em primeiro lugar, teve o atrevimento de temer a guerra; em segundo, esteve sentado das sete às nove e meia, duas horas inteiras sem abrir a boca! E finalmente teve a petulância de brindar publicamente um tal Mestre Slimak, que muito provavelmente é um indivíduo tão suspeito como ele próprio.

— Quem é Mestre Slimak? — perguntou, com ar severo, o homem gordo e corado.

— Ninguém, senhor — respondeu o vienense, tremendo —, a não ser o meu primeiro patrão, um honrado serralheiro como eu a quem servi durante quatro anos e ainda estaria servindo se a mulher dele não tivesse me espancado.

— Impossível! — replicou o sujeito gordo e corado. — Ninguém faz um brinde em público a um personagem como este!

— Mas eu não conheço os costumes cá desta terra.

— Se queria fazer um brinde, porque não brindou à liberdade constitucional, aos exércitos do Danúbio ou à liberdade de imprensa, ou algum brinde semelhante?

— Mas, meu senhor. Em um mês aqui eu não poderia ter aprendido isso tudo.

— Mas em três meses espero que possa aprendê-lo muito bem. Mestre Janos, prenda esse homem!

O compassivo Mestre Janos agarrou o delinqüente pela gola, *ut supra,* e levou-o para o lugar reservado aos malfeitores dessa espécie, onde teria tempo para meditar sobre as razões que o tinham ali colocado.

Os três meses passaram-se com muito vagar para o serralheiro. Eram meados de março. Mestre Janos colocou seu prisioneiro em liberdade. O honrado homem, para provar que tinha modificado seus sentimentos e assim enaltecer-se aos olhos de Mestre Janos, saudou-o com as seguintes palavras:

— Viva a Liberdade e viva o Exército húngaro!

Mestre Janos tremeu nas bases, encostou-se à parede, mudo e horrorizado e, ao retomar o equilíbrio, agarrou o serralheiro atônito que, quando deu por si, achava-se mais uma vez na sala estreita e lúgubre. Desta vez, porém, em lugar do homem gordo e corado, encontrava-se diante de um outro, escuro e magro, o qual, ao compreender a acusação contra o prisioneiro, sem permitir explicações, condenou-o a três meses de reclusão, informando-se que dali em diante, se não pretendesse pior sorte, deveria de gritar:

— Viva o Exército Imperial, viva a grande Constituição e a única e poderosa Áustria!

E o serralheiro, tendo apenas dado três passos para fora de sua cela, voltou à prisão, refletindo sobre sua pouca sorte.

\* \* \*

Passaram-se mais três meses. Era junho. O compassivo Mestre Janos não deixou de libertar seu prisioneiro. O pobre homem começou logo, ainda na porta da cela, a pronunciar as palavras redentoras:

— Viva o Príncipe Winischgrätz! Viva a gloriosa Áustria!

Mestre Janos levou a mão à espada, como se quisesse defender-se daquele homem incorrigível.

— Como é? Pois não lhe bastaram duas prisões? Ainda não aprendeu o que deve dizer? Tenha a bondade de vir até aqui.

E pela terceira vez entrava na pequena sala. Em lugar do sujeito escuro e magro, estava o outro, gordo e corado, em cuja presença a nossa vítima foi instado a responder pelo seu delito.

— Traidor teimoso! — exclamou o homem. — Não compreende a gravidade de sua ofensa e que, sob a minha responsabilidade, em vez de tê-lo condenado a três meses de encarceramento eu o tivesse entregue a Justiça, você estaria a esta hora cortado em quatro pedaços, como bem o merecia?

O pobre serralheiro teve de se consolar, em meio a seu terror, com a suavidade do seu castigo.

— Mas o que é que eu deveria ter dito? — perguntou ao seu indulgente juiz, em tom de desespero.

— Como? O que deveria ter dito? Viva a República! Viva a Democracia! Viva a Revolução!

O pobre homem repetiu as três saudações e, prometendo fielmente atendê-los, resignou-se pacientemente a mais uma pequena jornada em sua escura toca.

* * *

Durante os três seguintes meses, tudo mudara, menos a boa sorte do Mestre Janos. Nem o tempo nem o acaso tinham conseguido despojá-lo do seu lugar, como acontecera a tantos outros. Ele era ainda vice-carcereiro da nobre cidade de Peste, como sempre o fora.

Era o mês de setembro. A pena do serralheiro terminara; Mestre Janos chamou por ele. O rosto do prisioneiro traduziu que havia alguma coisa de importante; e logo que o dito carcereiro se aproximou dele, segurando-lhe a mão, exclamou entre soluços:

— Ó Mestre Janos, diga àquela pessoa que lhe beijo humildemente a mão e que desejo do mais fundo da minha alma as prosperidades da República.

Como o lobo faminto cai sobre o cordeiro, Mestre Janos mais uma vez agarrou o serralheiro pela sua mal cuidada gola.

De fato, o digno carcereiro estava tão ofendido que, tendo conduzido o prisioneiro à sala estreita, levou algum tempo até voltar a si, o suficiente para explicar os acontecimentos ao sujeito negro e magro que mais uma vez ocupava o lugar do outro, gordo e corado; e grande foi seu desgosto quando aquele cavalheiro, em vez de condenar o delinqüente a ser esmagado na roda, apenas lhe deu mais três meses de detenção.

* * *

No dia três de novembro todas as pessoas detidas por pequenos delitos políticos foram postas em liberdade; o serralheiro, entre elas.

Quando Mestre Janos abriu a porta, o infeliz serralheiro tapou a boca com o lenço, dando a entender ao carcereiro que dali em diante guardaria suas íntimas saudações apenas para si mesmo.

Poderia ter-lhe servido de consolo o fato de se saber que não fora ele o único a gritar "Viva!" na hora errada.

## DE COMO UM MUJIQUE
## ALIMENTOU DOIS BUROCRATAS

### MICHAEL SALTYKOV
### (1826-1889 | Rússia)

*Sua estréia em 1848, com o romance satírico* Contradição, *lhe custou um exílio de oito anos. Qualificado por um crítico de Moscou como "o mais autêntico de todos os russos", publicou vários livros, sempre com uma ironia acre em relação aos poderosos, como neste conto sempre antologizado, no qual, ao mesmo tempo em que escreve uma narrativa de puro humor, mostra-se implacável com a burocracia de seu país.*

Era uma vez — isso já faz muito tempo — dois funcionários públicos. Ambos tinham a cabeça oca, assim se descobriram eles um dia, sem mais nem menos, transportados como que por um tapete mágico para uma ilha deserta.

A vida toda eles passaram numa repartição pública, onde eram guardados os relatórios do governo; nela nasceram, viveram e envelheceram, e conseqüentemente não tinham o mínimo conhecimento de nada que não fosse relativo ao departamento; e as únicas palavras que eles conheciam eram: "Com protestos da mais alta estima e consideração, subscrevo-me, vosso humilde servidor..."

Mas a repartição foi abolida e, como já não precisavam mais dos serviços dos dois burocratas, deram-lhes a chamada liberdade. Assim os dois funcionários aposentados emigraram para casa, à rua Podyacheskaya, em São Petersburgo. Cada qual obtivera casa própria, alimentação e pensão.

Acordando subitamente numa ilha desabitada, perceberam-se acordando sob as mesmas cobertas. A princípio, naturalmente, não conseguiram compreender o que, afinal, lhes tinha acontecido, e falaram entre si como se nada de extraordinário lhes houvesse ocorrido.

— Que sonho estranho tive esta noite, Vossa Excelência — disse um funcionário. — Parecia que estávamos numa ilha deserta.

Foi só pronunciar essas palavras e ficou em pé num pulo. O outro funcionário também saiu da cama num salto.

— Meu Deus do céu, o que está acontecendo!? Onde estamos? — gritaram ambos, espantadíssimos.

Apalparam-se para se convencer que não estavam mais sonhando e, a duras penas, convenceram-se da triste realidade.

Diante deles, o oceano estendia-se e, por trás, jazia um bom bocado de terra, e além dela, via-se novamente o oceano. Caíram no choro — pela primeira vez, desde que a repartição fora fechada.

Olharam-se mutuamente e perceberam que não vestiam nada além do que uma camisola e uma comenda pendurada no pescoço.

— Deveríamos agora tomar nosso desjejum — observou um dos burocratas. Voltou então a pensar na situação-limite em que se encontravam e rompeu em prantos pela segunda vez.

— E agora, o que vamos fazer? — soluçava. — Mesmo que pudéssemos escrever um relatório, de que isso adiantaria?

— Sabeis de uma coisa, Vossa Excelência — respondeu o outro burocrata —, vós ides para Leste e eu para Oeste. Ao entardecer estaremos de volta para onde nos encontramos, e assim talvez tenhamos encontrado algo para comer.

Começaram a conjeturar onde era o Leste e onde era o Oeste. Lembram-se o que o chefe do departamento uma vez lhes dissera: "Se quiserdes saber onde fica o Leste, voltai-vos de frente para o Norte e tereis o Leste à direita". Mas ao procurar o Norte, eles voltaram-se para a direita, depois para a esquerda e acabaram dando voltas para todos os lados. Tendo passado a vida toda no arquivo do governo, todos seus esforços foram em vão.

— Sabe o que é que eu acho, Excelência? Acho que o melhor a fazer será vós seguirdes pela direita e eu pela esquerda — disse o funcionário que havia trabalhado não apenas no arquivo do governo, como também fora professor de caligrafia na Escola de Reservas e por isso era um pouco mais inteligente do que o outro.

Dito e feito. Um funcionário foi pela direita. Acabou encontrando árvores com todos os tipos de frutas. De muito bom grado teria apanhado uma boa maçã, mas elas pendiam de tão alto que ele teria de trepar na árvore. Tentou subir, mas em vão. Tudo o que conseguiu foi rasgar sua camisola de dormir. Em seguida topou com um rio. Que estava coalhado de peixes.

— Não seria maravilhoso se tivéssemos esta peixalhada toda lá na rua Podyacheskaya? — pensou, com água na boca. Depois entrou num bosque e avistou perdizes, galinholas e lebres.

— Deus meu, que abundância de comida! — gritou ele. E a fome só aumentava.

Mas ele acabou voltando para o lugar de antes de mãos vazias. Encontrou com o outro funcionário já à sua espera.

— Então, Excelência, como foi? Encontrou alguma coisa?

— Nada, a não ser um jornal velho, uma *Gazeta de Moscou* antiga, apenas isso.

Os burocratas deitaram novamente para dormir, mas seus estômagos vazios não lhes deram descanso. Parte do sono foi tomado pela idéia fixa de quem estaria naquele momento gozando das suas pensões e pelo pensamento das frutas, peixes, perdizes, galinholas e lebres que tinham visto durante o dia.

— O alimento humano, na sua forma original, voa, nada e cresce em árvores. Quem teria imaginado isso, heim, Excelência? — perguntou um deles.

— É verdade — admitiu o outro. — Eu também devo confessar que imaginava que as bolachas que comemos pela manhã vêm ao mundo tal e qual aparecem nas nossas mesas.

— Daí podemos deduzir que, se queremos comer um faisão, é preciso primeiro apanhá-lo, depois matá-lo, depená-lo e assá-lo. Mas como é que se faz isso tudo?

— Isso mesmo, como é que se faz...? — repetiu o outro.

Caíram em silêncio e mais uma vez tentaram adormecer — mas a fome afugentava o sono. Diante dos seus olhos desfilavam bandos de faisões, patos, leitões e todos tão tenros, tão suculentos e tão deliciosamente guarnecidos de azeitonas, rodelas de limão e picles!

— Acho que era capaz de devorar minhas botas agora — disse um deles.

— As luvas também não seriam nada mal, especialmente se forem macias — disse o outro funcionário.

Os dois se entreolharam fixamente. Em seus olhares chamejava um fogo devorador, dentes batendo como castanholas e um ronco surdo lhes saía do peito. Lentamente avançavam um em direção ao outro e de repente romperam num puro frenesi. Houve gritos e gemidos, farrapos voaram e o funcionário que fora professor de caligrafia arrancou um bocado de fita da medalha do outro e engoliu-a. Só pararam quando viram sangue.

— Ai, que Deus nos ajude! — gritaram ao mesmo tempo. — Com certeza não vamos nos entredevorar. Como podemos chegar a esse ponto? Que gênio do mal estará se divertindo a nossa custa?

— Precisamos, custe o que custar, nos entretermos para passar o tempo; do contrário haverá aqui um assassinato — disse um deles.

— Começai vós, Excelência — falou o outro.

— Vossa Excelência saberia explicar por que o sol primeiro se levanta e depois desce? Por que não seria o contrário?

— Não é que Vossa Excelência é engraçado? Vós vos levantai cedo, depois seguis até o vosso trabalho e à noite vós vos deitai para dormir.

— Mas por que não se pode conceber o contrário, quer dizer, que uma pessoa vai para a cama, vê toda a sorte de figuras nos sonhos, e só então se levanta?

— Bem, sim, com certeza. Mas quando eu ainda era um funcionário, sempre pensava da seguinte forma: "Agora é madrugada, logo será dia, depois comerei e finalmente chegará a hora de ir para a cama."

A palavra "comer" lembrou-lhes o que acontecera durante aquele dia e ambos ficaram melancólicos, a ponto da conversação chegar a um impasse.

— Um médico um dia me disse que os seres humanos podem se sustentar muito tempo com os sucos do próprio organismo — um deles retomou a conversa.

— O que é que isso significa?

— É muito simples. Vede Vossa Excelência, os sucos do próprio organismo originam outros sucos e assim por diante, até que todos os sucos se consomem.

— E daí, o que acontece?

— Aí então o organismo precisa ingerir alimento.

— Que diabos!

Não importava qual fosse o tópico que eles escolhessem, a conversa invariavelmente caía no assunto de comida; o que só aumentava mais e mais o apetite dos dois. Por isso decidiram deixar de falar e, lembrando-se da *Gazeta de Moscou* que um deles havia encontrado, pegaram o velho jornal e começaram a lê-lo ansiosamente:

O BANQUETE OFERECIDO PELO PREFEITO

"A mesa exata posta para cem pessoas. Sua magnificência excedeu todas as expectativas. As mais remotas províncias fizeram-se representar na festa dos deuses pelos presentes mais caros. O esturjão dourado de Sheksna e o faisão prateado dos bosques caucásicos encontraram-se com morangos tão raros num inverno, como agora, está avançado..."

— Que diabo! Pelo amor de Deus, pára de ler, Excelência! Não será possível encontrar qualquer outra notícia? — gritou o outro burocrata, desesperado. E arrancou o jornal das mãos do colega e pôs-se a ler noutra coluna:

"Nosso correspondente em Tula comunica que ontem foi encontrado no Upa um esturjão (evento que nem os mais antigos residentes do lugar recordam ter acontecido e tanto mais notável pelo fato de terem reconhecido o antigo capitão de polícia nesse esturjão). Aproveitando a ocasião, o clube local deu um grande banquete. Serviu-se o prato principal numa grande travessa de madeira, com guarnições de picles avinagrados. Na boca, tinha um molho de salsa. O doutor P..., que fez as saudações, providenciou para que todos provassem um pedaço do esturjão. Os molhos que o acompanharam eram extraordinariamente variados e delicados..."

— Permiti-me, Excelência, mas me parece que não escolhestes bem a matéria — interrompeu o primeiro burocrata, que tornou a agarrar a gazeta e principiou a ler:

"Um dos mais velhos habitantes de Viatka descobriu uma nova e original receita para sopa de peixe. Pegue-se um bacalhau vivo (*Iota Vulgaris*) e bate-se nele com uma vara, até que o fígado fique bem inchado de raiva..."

As cabeças dos burocratas penderam de puro desconsolo. Em qualquer lugar que seus olhos pousassem havia sempre alguma coisa relacionada com comida. Até mesmo seus próprios pensamentos tornaram-se fatais. Por mais que tentassem afastar da cabeça suculentos filés e derivados era inútil. A fantasia voltava invariavelmente, com irresistível força, ao que eles, com tanta pena, queriam evitar.

De repente, uma inspiração acometeu o funcionário que já havia sido professor de caligrafia:

— Já sei! — gritou, eufórico.— Que me dizeis, Excelência, que me dizeis de procurarmos um mujique?

— Um mujique, Excelência? Que espécie de mujique?

— Ora, um mujique qualquer. Um mujique como todos os outros. Ele haverá de nos arranjar bolinhos de carne e também haverá de pegar as perdizes e os peixes para nós.

— Hum... um mujique. Mas onde é que vamos desenterrar um mujique, se não há mujiques por estas bandas?

— Por que não haveria de haver um mujique nesta ilha? Há mujiques por todo lado. O que é preciso é procurar. Com toda a certeza haverá algum mujique escondido por aqui, fugindo do trabalho.

A idéia alegrou tanto os burocratas que eles se levantaram na mesma hora e saíram em busca de um mujique.

Durante muito tempo caminharam a esmo pela ilha sem nenhum resultado, até que finalmente um cheiro concentrado de pão preto e pele velha de carneiro chegou-lhes às narinas e guiou-os na direção certa. Debaixo de uma árvore encontraram um mujique colossal deitado em sono profundo com as mãos servindo de travesseiro. Era claro que para fugir da sua obrigação de trabalhar ele havia fugido para a ilha. A indignação dos dois burocratas não tinha limites.

— O quê! Dormindo aqui, seu preguiçoso de marca maior! — ralharam com ele. — Está pouco ligando se aqui tem dois funcionários quase morrendo de fome. Vamos, levanta-te vagabundo, vai trabalhar!

O mujique se levantou e olhou aqueles dois severos cavalheiros diante dele. Seu primeiro impulso foi o de fugir, mas os funcionários rapidamente o seguraram.

O mujique precisou se submeter ao seu destino. E seu destino era trabalhar.

Primeiro ele trepou nas árvores e colheu várias dúzias de ótimas maçãs para os funcionários. Guardou uma maçã machucada para si. Depois ele cavou a terra e encontrou batatas. A seguir, ele começou uma fogueira friccionando dois pedaços de madeira. Com seus próprios cabelos, ele inventou uma armadilha e capturou perdizes. Na pequena fogueira, a esta altura bem acesa, ele cozinhou tanto tipo variado de comida que levantaram uma dúvida na cabeça dos burocratas, se deveriam dar o que sobrava dela ao mujique.

Graças ao esforço do servo, eles se rejubilaram cordialmente. Já tinham esquecido como, no dia anterior, por pouco não haviam morrido de fome, e tudo o que pensavam agora era: "Como é bom ser um burocrata. A um burocrata do Governo nunca acontecerá nada de mal."

— Satisfeitos, Excelências? — perguntou o preguiçoso mujique.

— Sim, estamos contentes com sua habilidade — respondeu um dos funcionários.

— Então tenho vossa permissão para descansar um pouco?

— Podes repousar, mas antes faze uma corda bem forte.

O mujique reuniu talos de cânhamo, jogou-os n'água, bateu-os contra o chão e quebrou-os; ao cair da tarde uma boa e sólida corda estava pronta. Os funcionários pegaram a corda e amarraram o mujique a uma árvore, para que ele não tentasse fugir. Depois, deitaram-se para dormir.

Assim se passaram dia após dia e o mujique se tornara tão habilidoso que era capaz de fazer sopa para os funcionários só com as mãos soltas. Os dois ficaram gordos, bem alimentados e felizes. Contentes sobretudo pelo fato de não gastarem dinheiro algum, enquanto suas pensões iam se acumulando em São Peterburgo.

— Qual é a vossa opinião, Excelência? — disse um deles ao outro, depois do desjejum de uma certa manhã. — A História da Torre de Babel é verdadeira? Ou julgais tratar-se apenas de uma alegoria?

— Em absoluto, Excelência. Acho que de fato aconteceu. Que outra explicação poderia haver para a existência de tantas línguas sobre a Terra?

— Então o Dilúvio também aconteceu?

— Com certeza: caso contrário, como poderia explicar a existência dos animais antediluvianos? Depois, a *Gazeta de Moscou* diz...

Procuraram o velho exemplar do jornal, sentaram-se à sombra e leram a folha toda, do começo ao fim. Leram a respeito das festividades de Moscou, Tula, Penza e Rizan e, estranhamente, não se sentiram incomodados com a descrição de iguarias servidas. Não se sabe quanto tempo poderia ter durado aquela vida. Mas um dia os funcionários começaram a se aborrecer de tudo. Com freqüência pensavam em seus cozinheiros de São Petersburgo e, em silêncio, derramavam algumas lágrimas.

— Estou pensando em como estará agora a nossa Podyacheskaya, Excelência — falou um deles.

— Não me façais lembrar disso, Excelência. Morro de saudades...

— Aqui está muito bom. Nada a reclamar deste lugar, mas os cordeirinhos não podem se separar da ovelha. E é a falta que faz também os belos uniformes dos nossos empregados...

— Sim, de fato um uniforme de quarta classe não é brincadeira. Bastam os bordados de ouro para deixar uma pessoa tonta.

Começaram então a importunar o mujique para que ele encontrasse alguma maneira de voltarem para a rua Podyacheskaya, e por estranho que pareça o mujique sabia onde ficava a rua Podyacheskaya. Uma vez ele bebera cerveja e hidromel naquela rua e, como diz o ditado, tudo lhe escorrera pela barba sem que nada lhe ficasse na boca. Os funcionários se alegraram e disseram:

— Somos funcionários da rua Podyacheskaya!

— E eu sou um daqueles homens que se sentam num andaime pendurado por corda dos telhados e pintam as paredes do lado de fora. Sou dos que engatinham pelos telhados, como moscas. É isso que eu sou — replicou o mujique.

O mujique discursava agora, larga e profundamente, como dar prazer aos funcionários, os preguiçosos, que tão bom tinham sido com ele e não tinham zombado do seu trabalho. E acabou por conseguir construir um navio. Não era um navio de verdade, mas uma embarcação que podia levá-los através do oceano até a rua Podyacheskaya.

— Olha aí, cuidado, agora, não venha nos afogar, seu cachorro — disseram os funcionários, quando viram a jangada subindo e descendo por sobre as vagas.

— Não tenhais medo. Nós, mujiques, estamos acostumados com o mar — replicou ele, fazendo todos os preparativos para a viagem. Reuniu penas de cisne e fez um colchão para os dois funcionários, depois se persignou e remou, afastando-se da praia.

Como sentiram medo os dois na travessia, quanto enjôo durante as tempestades e como destrataram o pobre mujique por sua preguiça, tudo isso é coisa que não se pode dizer nem descrever. O mujique, no entanto, continuava sempre remando e alimentava os funcionários com arenque. Finalmente, chegaram à vista da querida e velha mãe...o rio Neva. Logo entraram na grande rua Podyacheskaya. Quando os cozinheiros viram seus patrões bem alimentados, tão gordos e contentes, fizeram uma festa. Os burocratas comeram biscoitos e tomaram café, depois vestiram os uniformes e rumaram para o departamento de pensões. Quanto dinheiro receberam ali é outra coisa que não se pode dizer ou descrever. Nem o mujique foi esquecido. Os funcionários mandaram-lhe cinco tostões e uma garrafa de vodka.

Agora, divirta-se, mujique!

# O ROUBO DO ELEFANTE BRANCO

**MARK TWAIN**
**(1835-1910 | Estados Unidos)**

*O jovem Samuel Langhorne Clemens, assinando como Mark Twain, ficou famoso da noite para o dia, quando seu conto* A Famosa Rã Saltadora do Condado de Calaveras *saiu publicado na imprensa. Era o começo de uma longa, produtiva e hoje clássica carreira literária, que incluiu alguns dos romances mais conhecidos da literatura norte-americana, como* As Aventuras de Tom Sawer, Huckleberry Finn *e centenas de artigos, crônicas e contos. Alguns de seus contos fizeram história, como* O Roubo do Elefante Branco, *no qual ele satiriza o então nascente "quinto poder" da imprensa. O conto ficou tão famoso que legou ao mundo a expressão "elefante branco", significando algo enorme, inexistente ou pelo menos sem serventia — como algumas obras públicas.*

Esta curiosa história me foi contada por uma dessas pessoas que a gente acaba conhecendo por acaso nas viagens de trem. Era um cavalheiro de uns setenta anos, rosto bondoso e gentil, embora meio sisudo, e que inspirava grande confiança, pois cada palavra que saía dos seus lábios vinha com a marca da verdade. O que ele me contou foi o seguinte:

O senhor com certeza ouviu falar na adoração que o real elefante branco do Sião suscita no povo daquele país. Ele é sagrado para os reis e só os reis podem possuí-lo, tanto assim é que ele recebe, mais do que os monarcas, além da reverência, um verdadeiro culto religioso. Muito bem; há cinco anos, quando da questão de demarcação de fronteiras entre a Grã-Bretanha e o Sião, ficou mais do que claro que o Sião estava errado. Rapidamente a Inglaterra recebeu indenização e os representantes ingleses declararam-se satisfeitos e gostariam que todos esquecessem o incidente. Com isso, o Rei do Sião sentiu-se bastante aliviado, e, em parte como prova de gratidão, mas em parte também, talvez, para encerrar qualquer possibilidade de retaliação da parte da Inglaterra em relação a ele, o Rei houve por bem mandar um presente para a Rainha Vitória — a única e segura maneira de acalmar um inimigo, segundo as idéias do Oriente. Presente que não poderia ser apenas um presente real, e sim transcendentalmente real. Portanto, o que seria mais adequado do que um elefante branco? Meu cargo nos serviços burocráticos das Índias era tal que me senti particularmente tocado pela honra de ser o responsável por levar o presente a Sua Majestade. Colocaram um navio à minha disposição e de meus servidores, oficiais e os assistentes do próprio elefante — e no devido tempo cheguei eu ao porto de Nova York e depositei minha real carga num surpreendente depósito em Jersey City. Antes de seguir viagem, era preciso um tempo para o animal recuperar o fôlego.

Tudo correu bem no princípio, mas logo o meu martírio começou. Roubaram o elefante branco! Fui chamado durante a noite e me informaram da tragédia. Entrei em pânico, fiquei pasmo; me senti totalmente perdido. Aos poucos fui me recuperando e logo percebi qual a saída, pois na verdade só havia uma saída para um homem inteligente. Tarde como era, corri para Nova York e consegui que um guarda me conduzisse à delegacia. Por sorte cheguei a tempo, embora o chefe da polícia, o famosíssimo inspetor Blunt, se preparasse para ir para casa. Era um homem de estatura média e corpo compacto, e quando pensava tinha um jeito de franzir as sobrancelhas e de tocar a testa com os dedos que impressionava qualquer um, e nos dava a certeza de estarmos diante de uma personalidade fora do comum. Apenas o seu olhar me transmitira confiança e me dera esperanças. Contei a ele o problema. Não se perturbou nem um pouco; não mostrou nenhuma reação visível na fisionomia de aço; era como se eu lhe dissesse que haviam roubado meu cachorro. Fez sinal para que eu me sentasse e, calmamente, falou:

"Permita-me, por favor, que eu pense um minuto."

E assim dizendo, sentou-se à escrivaninha e inclinou a cabeça até a mão em concha. Vários funcionários trabalhavam no outro lado da sala; o único som que eu ouvi durante os próximos seis ou sete minutos foi o de caneta arranhando papel. Enquanto isso, lá continuava o inspetor, sentado e imerso nos seus pensamentos. Finalmente levantou a cabeça, e eis que as firmes linhas do seu rosto me revelaram que seu cérebro havia trabalhado e que seu plano estava concluído. Disse ele — e sua voz era baixa e expressiva:

"Não se trata de um caso banal. Cada passo deve ser dado no momento certo para se ter a certeza de que o próximo será bem-sucedido. É preciso segredo, guardar segredo absoluto. Não fale com ninguém sobre isso, nem mesmo com os jornalistas. Eu me encarrego *deles*; farei com que saibam apenas o que for útil para meus objetivos." Ele tocou uma campainha; apareceu um jovem. "Alaric, diga aos repórteres para continuarem esperando." O rapaz se retirou. "Vamos agora ao caso, e de uma maneira sistemática. Nada se pode conseguir neste meu ofício sem um método estrito e minucioso." Pegou caneta e papel. "Vejamos, nome do elefante?"

"Hassan Ben Ali Ben Selim Abdallah Mohammed Moisé Alhammal Jamsetejeebhoy Dhuleep Sultan Ebu Bhudpoor."

"Muito bem. Apelido?"

"Jambo."

"Muito bem. Local de nascimento?"

"Capital do Sião."

"Pais vivos?"

"Não, faleceram."

"Tiveram outros filhos além desse?"

"Não, era filho único."

"Muito bem. Estes dados já bastam. Agora, por favor, me descreva o elefante sem deixar de fora nenhuma particularidade por mais insignificante que seja, quer dizer, insignificante do seu ponto de vista. Para minha profissão simplesmente não existem particularidades insignificantes."

Descrevi-o — ele anotava. Quando terminei, ele falou:

"Escute-me agora. Se cometi algum erro, me corrija."

E leu:

"Altura, 19 pés; altura do alto da cabeça ao final da cauda, 26 pés; comprimento da tromba, 16 pés; comprimento da cauda, 6 pés; comprimento total, compreendendo a tromba e a cauda, 48 pés; comprimento das presas, 9,30 pés; orelhas proporcionais a estas dimensões; pegadas se assemelham às marcas de um barril virado na neve; cor do elefante: branco acachapado; com dois orifícios do tamanho de um prato em cada orelha para a inserção de jóias, e tem o hábito, com uma notável destreza, de jogar água em quem estiver por perto e atacar com as presas tanto os conhecidos quanto os estranhos; capengueia um pouco do pé direito e traz uma pequena cicatriz sob a axila esquerda, resultante de um antigo furúnculo; sustentava, por ocasião do roubo, uma cesta com lugar para quinze pessoas, e uma cobertura de pano bordado a ouro do tamanho de um tapete comum."

Não havia erros. O inspetor tocou a campainha, entregou a descrição a Alaric e disse:

"Mande imprimir cinqüenta mil cópias, imediatamente, e envie para cada delegacia e loja de penhores do país." Alaric se retirou. "Até aqui, tudo bem. A seguir, vou precisar de uma fotografia da propriedade."

Dei-lhe uma. Examinou-a criticamente, e disse:

"Pode ser que sirva, na falta de outra; mas ele tem a tromba curvada, e enfiada na boca. Infelizmente, pois pode nos levar ao erro pois com certeza ele não deve ter, na maioria do tempo, a tromba nesta posição." Tocou a campainha.

"Alaric, peça cinqüenta mil cópias desta foto para amanhã de manhã, e envie-as com as circulares da descrição."

Alaric retirou-se para cumprir as ordens. Disse o inspetor:

"Será necessário oferecer uma recompensa, claro. Qual seria a quantia?"

"Quanto o senhor sugeriria?"

"Para começar, eu diria — bem, vinte e cinco mil dólares. É um caso complexo e difícil; existem centenas de rotas de fuga e mil facilidades para se ocultar o roubo. Estes ladrões têm amigos e comparsas em qualquer buraco..."

"Deus me perdoe, mas o senhor sabe quem eles são?"

O rosto prudente, habituado a controlar os pensamentos e as emoções internas, não me forneceu nenhum indício, nem as palavras da resposta, tão tranqüilamente murmuradas:

"Não se preocupe com isso. Pode ser que sim, pode ser que não. Em geral temos uma idéia bastante clara a respeito do autor do crime através da maneira como o delito foi cometido e pelo volume do possível lucro. Não estamos lidando com um simples batedor de carteiras ou com um gatuno qualquer, pode ter certeza. A propriedade em questão não foi 'afanada' por um novato. Mas como estava dizendo, considerando o número de viagens que precisaremos fazer, e a diligência com a qual os ladrões irão embaralhar as pistas à medida que se locomoverem, vinte e cinco mil pode ser pouco, mas podemos começar com esta quantia."

Combinamos então que isto seria apenas o começo. Então o homem que nada deixava escapar que pudesse servir como qualquer possibilidade que fosse de servir como pista disse:

"Os anais da polícia registram casos que mostram que criminosos foram detectados através das peculiaridades com que eles se alimentavam. Vejamos, o que é que este elefante come e em que quantidade?"

"Bem, em relação ao que ele come — ele come qualquer coisa. Pode comer um ser humano, pode comer a Bíblia, pode comer qualquer coisa entre o ser humano e a Bíblia."

"Ótimo, muito bom, mas generalizado demais. Os detalhes são necessários, detalhes são as únicas coisas valiosas no nosso ramo. Muito bem — quanto ao ser humano. Numa refeição — ou, se o senhor preferir, durante um dia — quantos homens ele come, se de carne fresca?"

"Ele não se importa se se trata de carne fresca ou não; numa única refeição ele pode comer cinco homens normais."

"Muito bem; cinco homens; vamos registrar. Que nacionalidades ele prefere?"

"Ele não liga para nacionalidades. Prefere conhecidos, mas não tem preconceitos em relação a estranhos."

"Muito bem. Mas em relação às Bíblias. Quantas Bíblias ele come por refeição?"

"Come uma edição inteira."

"O senhor foi suficientemente sucinto. Quer dizer uma edição popular *in octavo* ou uma edição familiar ilustrada?"

"Acredito que ele não ligue para ilustrações; isto é, acho que não valorizaria as ilustrações em comparação à simples impressão de letras."

"Não, o senhor não percebeu o que eu tenho em mente. Refiro-me ao volume. A Bíblia comum *in octavo* pesa cerca de duas libras e meia, enquanto que a grande edição *in quarto* com as ilustrações pesa de dez a doze. Quantas Bíblias de Doré comeria ele numa refeição?"

"Se o senhor conhecesse esse elefante, não faria essa pergunta. Ele comeria o que tivesse pela frente."

"Muito bem, vamos transformar isso em dólares e centavos. De alguma maneira chegaremos aos dados. A edição Doré custa cem dólares o exemplar, encadernado em couro russo."

"Gastar-se-iam cerca de cinqüenta mil dólares, digamos uma edição de quinhentas cópias."

"Agora temos um dado mais exato. Vou anotar. Muito bem; ele gosta de homens e de Bíblias; até aqui, tudo bem. O que mais ele come? Quero detalhes."

"Ele largaria a Bíblia para comer tijolos, largaria os tijolos para comer garrafas, largaria as garrafas para comer roupas, largaria as roupas para comer gatos, largaria os gatos para comer ostras, largaria as ostras para comer presunto, deixaria o presunto de lado para comer açúcar, largaria o açúcar para comer torta, largaria a torta para comer batatas, largaria as batatas para comer trigo, largaria o trigo para comer arroz, pois ele praticamente foi criado entre arrozais. Praticamente não existe nada que ele não comesse, a não ser manteiga européia, e mesmo isso ele comeria se pudesse prová-la."

"Muito bom. Quantidade em média por refeição, digamos..."

"Bem, alguma coisa entre um quarto de tonel e meio tonel."

"E ele bebe..."

"Tudo o que é líquido. Leite, água, uísque, melado, óleo de rícino, terebintina, ácido fênico — é desnecessário especificá-los; qualquer fluido que o senhor imaginar, pode anotar. Ele bebe qualquer coisa fluídica, menos o café europeu."

"Muito bem. E a quantidade?"

"Anote aí: de cinco a quinze barris — sua sede varia; ao contrário do apetite."

"Tudo muito atípico. O senhor precisa fornecer boas pistas para a investigação."

Tocou a campainha.

"Alaric, mande entrar o capitão Burns."

Burns apareceu. O inspetor Blunt explicou-lhe o caso todo, detalhe por detalhe. Depois falou no tom decisivo e claro de um homem que tem clareza dos seus planos, bem definidos na cabeça, e acostumado a comandar:

"Capitão Burns, instrua o detetive Jones, Davis, Halsey, Bates e Hackett para seguirem secretamente o elefante."

"Sim, senhor. "

"Instrua os detetives Moses, Dakin, Murphy, Rogers, Tupper, Higgins e Bartholomew para seguirem os ladrões."

"Sim, senhor."

"Coloque uma patrulha forte — uma patrulha de trinta homens escolhidos, com um reforço de mais trinta — no local onde ele foi roubado, para uma estrita vigilância noite e dia, e que não se permita que ninguém se aproxime, com exceção dos jornalistas, sem uma autorização escrita e assinada por mim."

"Sim, senhor."

"Coloque policiais à paisana na estação de trem, nos portos de barcos a vapor e de barcos a vela, e em todas as rodovias que partem de Jersey City, com ordens para revistar todos os suspeitos."

"Sim, senhor."

"Forneça a todos esses homens uma fotografia e uma descrição do elefante, e instrua a eles todos para fazer uma varredura nos trens e nos *ferryboats* e outras embarcações que estejam partindo."

"Sim, senhor."

"Caso o elefante seja encontrado, tirem suas medidas e remetam-nas para mim por telégrafo."

"Sim, senhor."

"E me informem imediatamente caso alguma pista seja descoberta — pegadas do animal, qualquer coisa do gênero."

"Sim, senhor."

"Providencie uma ordem por escrito para a polícia portuária patrulhar a região."

"Sim, senhor."

"Despache policiais com roupas civis por todas as estradas de ferro, ao norte até o Canadá, e ao sul tão longe quanto Washington."

"Sim, senhor."

"Coloque especialistas em todos os postos de telégrafo para escutarem todas as transmissões; e que a eles seja permitido que todas as mensagens sejam decifradas para serem interpretadas por eles."

"Sim, senhor."

"Que tudo isso seja feito dentro do mais rigoroso sigilo, num sigilo impenetrável."

"Sim, senhor."

"Reporte-se a mim sem falta, na hora de sempre."

"Sim, senhor."

"Pode ir."

"Sim, senhor."

Foi-se ele.

O inspetor Blunt ficou em silêncio e pensativo por um instante, enquanto o fogo dos seus olhos esfriava até se apagar. Então voltou-se para mim e disse numa voz plácida:

"Não sou dado a me vangloriar, não é do meu feitio; mas vamos encontrar esse elefante."

Apertei ardorosamente sua mão e agradeci-lhe; e *senti* eu mesmo o agradecimento. Quanto mais eu via o homem, mais eu o admirava e me encantava com os extraordinários mistérios da sua profissão. Partimos então na noite, e eu fui para casa com o coração bem mais alegre de que quando eu o carregara comigo até o seu gabinete.

## 2

Na manhã seguinte estava tudo nos jornais, nos mínimos detalhes. Havia até mesmo acréscimos — do detetive Fulano, do detetive Sicrano e do detetive da Teoria

Alternativa em relação a como o roubo se dera, quem eram os ladrões e para onde eles se mandaram com o furto. Havia onze destas teorias, e elas cobriam todas as possibilidades; simples detalhe mostrava o quão independente enquanto pensadores eram os detetives. Nem mesmo duas teorias se assemelhavam, ou sequer se pareciam umas com as outras, salvo numa particularidade sobre a qual as outras onze teorias concordavam completamente. Essa particularidade era que, embora tivessem destruído os fundos da casa onde eu estava, só restando a única porta fechada, o elefante não fora removido pelo buraco na parede, mas por alguma outra (desconhecida) saída. Todos concordavam que os ladrões haviam feito aquele buraco apenas para confundir a polícia. Isto jamais teria me ocorrido ou ocorrido a outro leigo que nem eu, provavelmente, mas não perturbara os detetives nem um pouco. O detalhe, que eu suponho ser a única coisa sem nenhum mistério em relação ao caso, era na verdade o que mais me surpreendera. Todas as onze teorias davam nomes aos supostos ladrões, mas nem duas delas davam os nomes dos mesmos ladrões; o número total de pessoas suspeitas chegava a trinta e sete. O relato dos vários jornais concluíam com a opinião mais importante de todas — a do inspetor-chefe Blunt. Parte de suas declarações lia-se da seguinte maneira:

*O chefe sabe quem são os dois principais ladrões, "Brick" ("Tijolo") Duffy e "Red" ("Vermelho") McFadden. Dez dias antes do roubo ele já estava informado de que o crime seria perpetrado, e silenciosamente providenciara que estes dois vilões fossem seguidos; mas infelizmente, na noite em questão, a polícia perdeu as pegadas dos dois, e até serem encontradas de novo, o pássaro levantou vôo — quer dizer, o elefante.*

*Duffy e McFadden são os patifes mais ousados da profissão; o chefe tem razões para acreditar que são eles os homens que roubaram o aquecedor da delegacia central numa amarga noite do inverno passado — em conseqüência do que o chefe e todos os detetives presentes caíram nas mãos dos médicos antes da manhã chegar, alguns com pés gelados, outros com dedos congelados, orelhas e outras partes do corpo humano.*

Quando eu li a primeira metade disto aí, fiquei mais espantado do que nunca com a maravilhosa sagacidade daquele estranho homem. Ele não apenas havia visto tudo no presente. com um olhar claro, como nem mesmo o futuro lhe podia ser escondido. Logo estava eu no seu gabinete, dizendo que não conseguia me segurar até ver aqueles dois homens presos, poupando assim mais problemas e gastos; mas sua resposta foi simples e irrespondível:

"Não é a nossa função prevenir o crime, e sim puni-lo. E só podemos puni-lo depois que ele é cometido."

Observei-lhe então que o sigilo que ele tanto recomendara fora violado pelos jornais; não apenas todos os nossos dados quanto a nossos planos e intenções foram revelados; mesmo todas as pessoas suspeitas tiveram seus nomes publicados; sem dúvida, isso colocaria os criminosos de sobreaviso ou faria com que eles se escondessem.

"Deixe-os. Nem por isso minha mão deixará de cair sobre eles, nos seus esconderijos, tão implacável quanto a mão do destino. Quanto aos jornais, nós *precisamos* estar de bem com eles. Fama, reputação, ser constantemente mencionado publicamente — isso não passa do feijão-com-arroz do detetive. Ele precisa que se divulguem suas informações, caso contrário vão achar que ele não tem informação alguma; precisa que sua teoria seja publicada, pois nada é tão estranho e curioso quanto uma teoria policial, nada que lhe traga tanta respeitabilidade; nós precisamos ter nossos planos publicados, pois os jornais insistem quanto a isso e não podemos negá-lo sem ofendê-los. Precisamos constantemente mostrar ao público o que estamos fazendo, caso contrário o público vai pensar que não estamos fazendo nada. É muito mais gratificante quando o jornal diz: 'a engenhosa e extraordinária teoria do inspetor Blunt', do que dizerem coisas desagradáveis, ou, pior ainda, sarcásticas a nosso respeito."

"Reconheço o peso dos seus argumentos. Mas notei que em uma parte das suas observações nos jornais da manhã de hoje o senhor se recusa a revelar sua opinião a respeito de um ponto de menor importância."

"Sim, sempre fazemos isso; tem um bom efeito. Além disso, não tenho ainda opinião formada sobre o ponto em questão."

Entreguei uma considerável soma de dinheiro ao inspetor, para despesas correntes, e me sentei à espera das novidades. Esperávamos os telegramas que começavam a chegar a qualquer momento. Enquanto isso, reli os jornais e nossa circular descritiva, e observei que nossos vinte e cinco mil dólares de recompensa pareciam valer apenas para os detetives. Disse-lhe que eu achava que o dinheiro deveria ser oferecido a qualquer um que descobrisse o elefante. Disse o inspetor:

"São os detetives que irão encontrar o elefante, portanto a recompensa irá para as mãos certas. Se outras pessoas acharem o animal, isso só acontecerá se elas observarem os detetives e tirarem vantagens de pistas e indicações roubadas deles, e é isso o que legitimaria a recompensa dos detetives, afinal de contas. A própria essência da recompensa é a de estimular os homens que ocupam seu tempo e sua sagacidade bem treinada para este tipo de trabalho, e não para conferir benefícios a qualquer cidadão que por mero acaso encontre um objeto roubado."

Pareceu-me bastante razoável. A máquina do telégrafo no canto da sala começou então a dar sinal, e o resultado foi o seguinte despacho:

FLOWER STATION, NY, 7,30 h.
TENHO UMA PISTA. ENCONTREI UMA SUCESSÃO DE PROFUNDOS SULCOS NUMA FAZENDA DAQUI. SEGUI-A POR DUAS MILHAS DIREÇÃO LESTE SEM RESULTADO; ACHO QUE O ELEFANTE FOI PARA O OESTE. VOU SEGUI-LO NESTA DIREÇÃO.
DARLEY, DETETIVE

"Darley é um dos nossos melhores homens", disse o inspetor. "Logo, logo, teremos notícias dele."

BARKER'S, NJ, 7,40 h.
RECÉM-CHEGUEI. VIDROS DA FÁBRICA QUEBRADOS ABERTOS DURANTE A NOITE E OITOCENTAS GARRAFAS LEVADAS. ÁGUA EM GRANDE QUANTIDADE AQUI PERTO SOMENTE A CINCO MILHAS DE DISTÂNCIA. ELE DEVE RONDAR O LOCAL. O ELEFANTE TERÁ SEDE. AS GARRAFAS ESTAVAM VAZIAS.
BAKER, DETETIVE

"Este também promete", disse o inspetor. "Eu lhe disse que os apetites da criatura não seriam más pistas."
Telegrama n° 3:

TAYLORVILLE, LI, 8,15 h.
UMA CARRADA DE FENO DESAPARECEU AQUI PERTO DURANTE A NOITE. PROVAVELMENTE COMIDA. ENCONTREI UMA PISTA E ESTOU EM CAMPO.
HUBBARD, DETETIVE

"Como ele se movimenta!", disse o inspetor. "Eu sabia que tínhamos em mãos um caso difícil, mas ainda vamos pegá-lo."

FLOWER STATION, NY, 9 h.
A TRÊS MILHAS OESTE ACABEI DE ENCONTRAR UM FAZENDEIRO.
SEGUI A PISTA POR TRÊS MILHAS OESTE PEGADAS GRANDES, FUNDAS E COM RELEVOS. ACABEI DE ENCONTRAR UM HOMEM DO CAMPO QUE ME DISSE QUE ELAS NÃO SÃO DE ELEFANTE, DISSE QUE SÃO BURACOS CAVADOS POR ELE PARA COLOCAR ESTACAS PARA RENOVAR AS ÁRVORES ARRANCADAS PELO ÚLTIMO INVERNO GELADO. MANDE-ME ORDENS DE COMO PROCEDER.
DARLEY, DETETIVE

"Ora, ora, uma confederação de ladrões; isso é que é. A coisa está ficando quente", disse o inspetor.
E ditou o seguinte telegrama a Darley:

PRENDA O HOMEM E FORCE-O A ENTREGAR SEUS COMPARSAS. CONTINUE A SEGUIR SUAS PISTAS — ATÉ O OCEANO PACÍFICO SE FOR NECESSÁRIO.
CHEFE BLUNT

Próximo telegrama:

CONEY POINT, PA, 8,45 h.
POSTO DE GASÔMETRO ARROMBADO AQUI À NOITE E NOTAS DE GÁS DE TRÊS MESES NÃO PAGAS. ENCONTREI PISTA E PASSO A SEGUI-LA.
MURPHY, DETETIVE

"Deus do céu!", disse o inspetor; "comeria ele notas de gás?"

"Por ignorância, sim; mas recibos não são suficientes para suprir uma alimentação. Pelo menos sem outra substância."

Apareceu então este emocionante telegrama:

IRONVILLE, NY, 9,30 h.

ACABO DE CHEGAR. ESTA CIDADEZINHA ESTÁ CONSTERNADA. ELEFANTE PASSOU POR AQUI ÀS CINCO DA MANHÃ. ALGUNS DIZEM QUE ELE SEGUIU DIREÇÃO LESTE, OUTROS OESTE, OUTROS NORTE, OUTROS SUL — MAS TODOS DIZEM QUE NÃO PRESTARAM ATENÇÃO. ELE MATOU UM CAVALO; GUARDEI UM PEDAÇO DELE COMO PISTA. MATOU-O COM SUAS PRESAS; PELO ESTILO DO GOLPE, ACHO QUE SUA TROMBA É CANHOTA. DA POSIÇÃO EM QUE JAZ O CAVALO, CREIO QUE O ELEFANTE VIAJOU NA DIREÇÃO NORTE AO LONGO DA LINHA DA FERROVIA BERKLEY. DEVE LEVAR QUATRO HORAS E MEIA DE VIAGEM. MAS JÁ ESTOU ME MEXENDO EM DIREÇÃO A ELE.

HAWES, DETETIVE

Não consegui segurar uma exclamação de alegria. O inspetor continuava contido como uma imagem esculpida. Calmamente tocou sua campainha.

"Alaric, chame o capitão Burns."

Burns apareceu no gabinete.

"Quantos homens estão preparados para cumprir ordens repentinas?"

"Noventa e seis, senhor."

"Mande-os imediatamente para o norte. Que se concentrem ao longo da via férrea de Berkley, ao norte de Ironville."

"Sim, senhor."

"Que procedam com máximo sigilo. À medida que outros fiquem sem função, que se juntem a eles."

"Sim, senhor."

"Pode ir!"

"Sim, senhor."

E então um outro telegrama chegou:

SAGE CORNERS, NY. 10,30 h.

RECÉM-CHEGUEI. O ELEFANTE PASSOU POR AQUI ÀS 8,15. TODOS ABANDONARAM A CIDADEZINHA MENOS O GUARDA. APARENTEMENTE O ELEFANTE NÃO ATACOU O GUARDA MAS SIM UM POSTE DE ILUMINAÇÃO E PEGOU OS DOIS. GUARDEI UM PEDAÇO DO GUARDA COMO PISTA.

STUMM, DETETIVE

"Bem, agora sabemos que o elefante foi na direção oeste", disse o inspetor. "Mas ele não vai conseguir escapar, pois meus homens estão espalhados por toda a região."

O próximo telegrama dizia:

GLOVER'S, 11,15.
RECÉM-CHEGUEI. ALDEIA ABANDONADA. SÓ DOENTES E VELHOS. O ELEFANTE PASSOU POR AQUI HÁ TRÊS QUARTOS DE HORA. OS FORNECEDORES DE ÁGUA ESTAVAM EM REUNIÃO; ELE ENFIOU SUA TROMBA PELA JANELA E ESVAZIOU A CISTERNA E DEU UM BANHO GERAL. ALGUNS ENGOLIRAM ÁGUA E MORRERAM; MUITOS SE AFOGARAM. OS DETETIVES CROSS E O'SHAUGHNESSY PASSAVAM PELA CIDADE MAS INDO PARA O SUL — PORTANTO SE DESENCONTRARAM DO ELEFANTE. TODA A REGIÃO POR MUITAS MILHAS ATERRORIZADA — PESSOAS VOANDO DE SUAS CASAS. PARA QUALQUER LADO QUE SE VIRAM, DÃO DE ENCONTRO COM O ELEFANTE E MUITOS SÃO MORTOS.
BRANT, DETETIVE

Quase cheguei às lágrimas, tão devastadoras estas notícias eram para mim. Mas o inspetor apenas disse:
"Veja o senhor — estamos fechando o círculo. Ele percebeu a nossa presença; desviou-se para leste novamente."
Mas novas e terríveis notícias nos aguardavam. O próximo telegrama nos trouxe esta:

HOGANSPORT, 12,19.
RECÉM-CHEGUEI. ELEFANTE PASSOU AQUI HÁ MEIA HORA, CRIANDO PAVOR E AGITAÇÃO. ELEFANTE CORREU FURIOSO PELAS RUAS: DIREÇÃO OPOSTA VINHAM DOIS BOMBEIROS, UM MORREU, O OUTRO ESCAPOU. PESAR GENERALIZADO.
O'FLAHERTY, DETETIVE

"Agora ele caiu bem no meio dos meus homens", disse o inspetor. "Nada poderá salvá-lo."
Uma fileira de telegramas dos detetives chegou, expedidos das estações espalhadas por New Jersey e Pensilvânia, contando quem estava seguindo pistas que consistiam de celeiros devastados, fábricas e bibliotecas das escolas dominicais, com grandes esperanças — esperanças alçadas a verdades, de fato. Disse o inspetor:
"Gostaria muito de poder me comunicar com eles e ordená-los a seguir na direção norte, mas não é possível. O detetive apenas aparece no posto telegráfico para enviar seu relatório; logo em seguida ele sai novamente em campo e a gente fica sem saber como contatá-lo."
Chegou então o seguinte telegrama:

BRIDGEPORT, CT, 12,15.

BARNUM OFERECE QUATRO MIL DÓLARES ANUAIS PELO PRIVILÉGIO EXCLUSI-
VO DE USAR O ELEFANTE COMO MEIO DE PUBLICIDADE EXCLUSIVA A PARTIR DE
HOJE ATÉ A POLÍCIA ENCONTRAR O ANIMAL. QUER COBRI-LO DE CARTAZES DE UM
CIRCO. EXIGE RESPOSTA IMEDIATA.

BOGGS, DETETIVE

"Que coisa mais absurda!", exclamei.

"Claro que é", disse o inspetor. "Evidentemente esse senhor Barnum, que se
julga tão esperto, não me conhece, mas eu o conheço."

E ele ditou a seguinte resposta:

"PROPOSTA DO SR. BARNUM RECUSADA. QUE CHEGUE A US$ 7 MIL OU NADA
FEITO.

CHEFE BLUNT

"Pronto. Não vamos esperar muito tempo pela resposta. O Sr. Barnum não está
em casa; está lá no posto telegráfico — é o estilo dele quando tem algum negócio para
fazer. Dentro dos três..."

TOPO. — ASSINADO: BARNUM

Foi assim que o clique-clique do telégrafo interrompeu-o. Antes que eu pudesse
fazer um comentário sobre este episódio extraordinário, o seguinte despacho levou
meus pensamentos para outra região bem mais angustiante:

BOLÍVIA, NY, 12,50.

O ELEFANTE CHEGOU AQUI VINDO DO SUL E PASSOU PELA ALDEIA EM DIREÇÃO
À FLORESTA ÀS 11,50, DISPERSANDO UM ENTERRO NO CAMINHO E DIMINUINDO O
CORTEJO EM DOIS CIDADÃOS, MORTOS. OUTROS ATIRARAM NO ELEFANTE E DEPOIS
FUGIRAM. DETETIVE BURKE E EU CHEGAMOS DEZ MINUTOS DEPOIS, VINDOS DO
NORTE, MAS CONFUNDIMOS UNS BURACOS COM PEGADAS, O QUE NOS FEZ PERDER
TEMPO; MAS PELO MENOS DESCOBRIMOS A PISTA CERTA E A SEGUIMOS ATÉ O MATO.
COMEÇAMOS ENTÃO A ANDAR DE GATINHAS SEM PERDER DE VISTA AS PEGADAS,
VIGIANDO ASSIM SEUS PASSOS PELA FLORESTA. BURKE IA NA FRENTE. INFELIZMENTE
O ANIMAL HAVIA PARADO PARA DESCANSAR; CONSEQÜENTEMENTE TENDO BURKE A
CABEÇA BAIXA ACABOU BATENDO COM ELA NAS PERNAS TRASEIRAS DO ELEFANTE
ANTES DE SE APERCEBER DA PRESENÇA DELE. DE UM PULO FICOU EM PÉ, SEGUROU
A CAUDA DO BICHO E GRITOU SATISFEITÍSSIMO POSSO RECLAMAR A RECOMPENSA.
MAS NÃO FOI MUITO LONGE, POIS UM SIMPLES MOVIMENTO DA ENORME TROMBA
PÔS POR TERRA OS FRAGMENTOS DO NOSSO BRAVO COLEGA, MATANDO-O. DEI

MEIA-VOLTA E FUGI COMO UM LOUCO E O ELEFANTE ME PERSEGUIU ATÉ OS LIMITES DA FLORESTA, NUMA VELOCIDADE TREMENDA. E INEVITAVELMENTE EU ESTARIA MORTO MAS ENTÃO O QUE RESTAVA DO CORTEJO FÚNEBRE PROVIDENCIALMENTE INTERVEIO E DISPERSOU SUA ATENÇÃO. ACABEI DE PERCEBER QUE, EM SEGUIDA, NADA DAQUELE ENTERRO HAVIA SOBRADO; MAS ISSO NÃO CHEGA A SER UMA PERDA, POIS HAVIA AGORA UMA ABUNDÂNCIA DE MATERIAL PARA OUTRO ENTERRO. ENQUANTO ISSO O ELEFANTE DESAPARECEU DE NOVO.

    MULROONEY, DETETIVE

Não recebemos mais notícias, a não ser dos diligentes e competentes detetives que se espalhavam por New Jersey, Pensilvânia, Delaware e Virgínia — todos eles seguindo pistas frescas e encorajadoras —, até logo após as 14 horas, quando chegou este telegrama:

BAXTER CENTER, 2,15.

    O ELEFANTE FOI VISTO AQUI COMPLETAMENTE COBERTO DE CARTAZES DO CIRCO BILLS, INTERROMPENDO UMA REUNIÃO EVANGÉLICA A TROMBADAS E CORRENDO E ATINGINDO MUITA GENTE QUE ESTAVA A PONTO DE INGRESSAR NUMA VIDA MELHOR. PESSOAS SE ORGANIZARAM EM PATRULHA VIGILANTE. QUANDO O DETETIVE BROWN E EU CHEGAMOS, POUCO DEPOIS, ENTRAMOS INCÓGNITOS NO PÁTIO PARA IDENTIFICAR O ELEFANTE PELA FOTOGRAFIA E PELA DESCRIÇÃO. TODAS AS MARCAS BATIAM MENOS UMA, QUE NÃO CONSEGUÍAMOS VER — A CICATRIZ FEITA A FOGO SOB A AXILA. PARA TER CERTEZA, BROWN PÔS-SE DEBAIXO DO ELEFANTE E IMEDIATAMENTE VIROU PICADINHO — QUER DIZER, TEVE A CABEÇA ESMAGADA E DESTRUÍDA EMBORA NADA SE VISSE DOS DESTROÇOS. A DEBANDADA FOI GERAL, INCLUINDO O ELEFANTE QUE DAVA EFICIENTES TROMBADAS A TORTO E A DIREITO. ESCAPOU, MAS DEIXOU UM ESCARRADO VESTÍGIO DE SANGUE DEVIDO AOS FERIMENTOS DE BALAS DE CANHÃO ATIRADAS CONTRA ELE. SERÁ REENCONTRADO COM CERTEZA. DOBROU PARA SUDOESTE, ATRAVÉS DE UMA DENSA FLORESTA.

    BRENTZ, DETETIVE

Foi o último telegrama. A noite caía e com ela um nevoeiro tão denso que os objetos a um metro de distância não eram visíveis. Durou a noite toda. Os *ferryboats* e mesmo os ônibus foram obrigados a parar.

## 3

Na manhã seguinte, os jornais estavam tão recheados de teorias dos detetives quanto no dia anterior; traziam todos nossas informações detalhadas e muitas delas acrescidas com o que receberam de seus correspondentes especiais. Coluna atrás de coluna ocupavam-se, um terço delas de cima para baixo, de títulos charmosos que me deixaram ansioso para lê-las. O tom geral era o seguinte:

O ELEFANTE BRANCO ESTÁ À SOLTA! ELE PROSSEGUE EM SUA MARCHA FATAL! ALDEIAS INTEIRAS ABANDONADAS POR SEUS HABITANTES APAVORADOS! UM RASTRO DE TERROR ATRÁS DELE. MORTE E DEVASTAÇÃO PELA FRENTE! DEPOIS DISSO, OS POLICIAIS! CELEIROS DESTRUÍDOS, FÁBRICAS QUEBRADAS, COLHEITAS DEVORADAS, REUNIÕES DE PESSOAS DISPERSADAS. ACOMPANHADAS DE CENAS DE CARNIFICINA IMPOSSÍVEIS DE SE DESCREVER! TEORIAS DE 34 DOS MAIS DISTINGUIDOS DETETIVES SOBRE A OPERAÇÃO! O QUE DIZ O INSPETOR BLUNT!

"É isso!", disse o inspetor Blunt, quase traído pela sua euforia. "É ótimo! É a maior consagração que uma organização policial jamais teve! Nossa fama vai correr mundo e haverá de durar até o fim dos tempos, e meu nome com ela."

Mas para mim não havia alegria alguma. Me senti como se eu tivesse cometido todos aqueles crimes sangrentos e que o elefante não passava de um irresponsável representante meu. E como aumentava a lista de desastres! Numa localidade ele "havia interferido numa eleição e matado cinco eleitores". Depois disso, destruiu duas pobres criaturas, com os nomes de O'Donahue e McFlannigan, que tinham "encontrado refúgio no lar dos oprimidos de todas as terras apenas um dia antes, e exerciam pela primeira vez o nobre direito dos cidadãos norte-americanos de comparecer às urnas, quando foram achatados pela incansável garra da Besta do Sião". Noutro local, ele "encontrou um orador louco e sensacionalista preparando seus próximos ataques contra a dança, o teatro e outras coisas que não são reversíveis, e simplesmente pisou no sujeito". Noutra aldeia, ele "matara um agente de pára-raios". E assim ia a lista, cada vez mais vermelha, e mais e mais preocupante. Sessenta pessoas foram mortas, e duzentas e quarenta ficaram feridas. Todos os relatos traziam elogios à atividade e à devoção dos policiais, e todos concluíam com a observação de que "trezentos mil cidadãos e quatro detetives viram a horrível criatura, e dois deles por ela foram destruídos".

Eu tremia só de pensar que poderia ouvir o clique-clique do aparelho telegráfico. Pouco a pouco a mensagem começou a aparecer, mas infelizmente ela me desapontou. Aparentemente todo e qualquer traço do elefante se perdera. O nevoeiro permitira que o animal encontrasse guarida num bom e inacessível esconderijo. Telegramas das localidades mais absurdamente distantes contavam que uma enorme mancha escura e móvel fora vista através do nevoeiro a tal e tal hora, e que "era indubitavelmente o elefante". Esta mancha escura e móvel foi captada em New Haven, em New Jersey, na Pensilvânia, no interior de Nova York, no Brooklin, e mesmo na própria cidade de Nova York! Mas em todos os casos a mancha escura e móvel evaporara-se rapidamente sem deixar vestígios. Os policiais todos da força principal espalhados por aquelas regiões imensas do país mandavam um relatório de hora em hora e em cada um desses relatórios havia uma pista, seguia-se alguma coisa e estavam eles *quentes* na busca.

E o dia se passou sem nada de concreto.

O dia seguinte, a mesma coisa.

O seguinte, igualzinho.

A cobertura da imprensa tornara-se monótona, com informações que levavam a coisa nenhuma; pistas que levavam a nada e opiniões ou teorias que praticamente haviam exaurido aqueles elementos que trazem surpresa, fascínio e satisfação.

Aconselhado pelo inspetor, eu dobrei a recompensa.

Seguiram-se mais quatro dias monótonos. Daí deu-se um duro golpe nos pobres e batalhadores policiais — os jornalistas negavam-se a publicar suas opiniões, dizendo friamente: "Dá um tempo, cara."

Duas semanas depois do desaparecimento do elefante, aumentei a recompensa para setenta e cinco mil dólares, seguindo conselho do inspetor. Era muito dinheiro, mas achei que devia preferir sacrificar minha própria fortuna do que perder minha reputação junto ao meu governo. Agora que os policiais estavam em maus lençóis, os jornalistas usavam todo o seu sarcasmo para se referir a eles. Isto deu uma idéia aos mambembeiros, que passaram a se vestir de policial a caçar um elefante no palco, da maneira mais extravagante possível. Os caricaturistas desenhavam detetives percorrendo o país com lupas, enquanto que o elefante, às costas deles, roubava maçãs dos seus bolsos. E fizeram toda a sorte de desenhos ridículos do emblema da polícia — o senhor não viu aquele emblema com letras douradas na contracapa dos romances de detetives, com certeza? — virou um olho bem aberto com a legenda: "NÓS NUNCA DORMIMOS". Quando um detetive pedia um drinque, o possivelmente malicioso balconista do bar ressuscitava uma expressão obsoleta e dizia: "Será que o senhor tem um abridor-de-olhos?" O sarcasmo estava em qualquer atmosfera.

Mas havia um homem que agia com calma, intocável, inatingível, entre todos os outros. Era o coração-de-madeira do inspetor. Seus olhos bravios nunca caíam, sua serena confiança nunca se desfazia. Sempre dizia:

"Deixa eles pra lá; ri melhor quem ri por último."

Minha admiração por aquele homem crescia para uma espécie de adoração. Estava sempre ao seu lado. Seu gabinete tornara-se um lugar desagradável para mim, e agora cada vez mais, dia a dia. No entanto, se ele podia agüentar tudo aquilo, eu também precisava agüentar — pelo menos até onde conseguisse. Portanto, regularmente eu vinha ao seu gabinete e lá permanecia, o único estranho que era capaz disso. Todo mundo se admirava como eu conseguia, mas em geral sentia que eu deveria largar o caso de mão, embora, assim que olhava aquele rosto tranqüilo e aparentemente inconsciente, me segurasse logo.

Cerca de três semanas depois do elefante desaparecer, eu estava a ponto de dizer, certa manhã, que eu *tinha* de tirar meu time de campo, quando o grande detetive captou meu pensamento ao me propor um lance mais soberbo ainda e de mestre.

Tratava-se de entrar em acordo com os ladrões. A fertilidade inventiva daquele homem ia além de qualquer coisa que eu jamais vira, e olhe que eu havia me relacionado com as maiores inteligências do mundo. Ele disse que conseguiria um acordo por cem mil dólares e teríamos o elefante de volta. Respondi que poderia reunir esta quantia, mas o que aconteceria com os pobres policiais que tão arduamente trabalharam no caso? Ele disse:

"Nos casos de acordo, eles sempre ficam com a metade."

A resposta removeu minha única objeção. O inspetor então escreveu duas notas, nestes termos:

CARA SENHORA — SEU MARIDO PODE GANHAR UMA BOA SOMA EM DINHEIRO (E SER TOTALMENTE PROTEGIDO PELA LEI) SE MARCAR IMEDIATAMENTE UM ENCONTRO COMIGO.
CHEFE BLUNT

Mandou; via mensageiro confidencial, entregar uma das cartas à "digníssima senhora" de Brick Duffy, e a outra à bem reputada esposa de Red McFadden.

Dentro de uma hora chegaram estas agressivas respostas:

SEU VELHO BOBÃO: BRICK DUFFY ESTÁ MORTO HÁ DOIS ANOS.
BRIDGET MAHONEY

VELHO MORCEGO — RED MCFADDEN FOI ENFORCADO HÁ DEZOITO MESES. QUALQUER BESTA QUE NÃO SEJA POLÍCIA SABE DISSO.
MARY O'HOOLIGAN

"Disso eu já suspeitava há muito tempo", disse o inspetor. "As respostas só comprovam a acuidade do meu instinto."

Na hora que uma iniciativa sua falhava, ele estava pronto para outra. Logo em seguida ele redigiu um anúncio para os jornais matutinos, e guardou uma cópia dele:

A. -xxw xwblv. 242 N. Tjnd — fz328wmlg.
Ozpo, -; 2mm ogw. Mum.

Ele disse que se o ladrão estivesse vivo esta mensagem iria trazê-lo para o encontro habitual. Explicou depois que o encontro habitual era em um local onde todos os negócios entre detetives e criminosos se davam. Este encontro aconteceria à meia-noite do dia seguinte.

Até lá ele nada podia fazer, e não perdi mais tempo e saí do gabinete dele, e realmente agradecido pelo privilégio.

Às onze horas da noite seguinte eu trouxe cem mil dólares em moeda corrente e coloquei-os nas mãos do chefe, e pouco depois ele saía com sua brava e firme autoconfiança estampada nos olhos. Uma hora quase intolerável demorou, mas chegou ao seu fim; e aí ouvi sua saudação de chegada e me levantei e fui correndo ao seu encontro. Como faiscavam seus olhos de triunfo! Disse:

"Palavra cumprida! Amanhã nossos gozadores vão ver quem ri melhor! Siga-me!"

Ele acendeu uma vela e foi descendo uma escada em direção ao enorme porão onde sessenta policiais dormiam enquanto que outros jogavam cartas. Segui-o bem junto dele. Ele descia com rapidez. Caminhou rapidamente para o sombrio e distante canto do porão, e quando eu me sentia sufocado pela falta de ar e estava a ponto de desmaiar, ele tropeçou e estatelou-se nos membros de um objeto enorme, e ouvi-o exclamar à medida que continuava caindo:

"Nossa nobre profissão está vingada! Eis o seu elefante!"

Fui carregado de volta para o gabinete e recuperei os sentidos com ácido carbólico. Toda a força policial invadiu a sala e mais uma cena de comemoração teve lugar como nunca eu vira antes. Os jornalistas foram convocados, caixas de champanhe e bebidas foram abertas, os apertos de mãos e as congratulações eram contínuos e entusiastas. Naturalmente o chefe era o herói do dia, e sua felicidade parecia tão completa e fora tão pacientemente e bravamente obtida que fiquei feliz em poder testemunhá-la, embora lá estivesse eu como um miserável mendigo, com minha preciosa carga morta e sem minha posição nos serviços públicos do meu país, perdido, ao que tudo levava a crer, assim como perdidas estavam as minhas economias. Muitos olhos de admiração voltavam-se para o chefe e uma voz de um policial murmurou: "Olhem pra ele, simplesmente o rei da profissão; dêem-lhe apenas uma pista, é tudo o que ele necessita, e não haverá nada que se esconda que ele não possa encontrar." A partilha dos cinqüenta mil dólares foi motivo de muita alegria; quando terminou, o chefe fez um curto discurso enquanto colocava a parte que lhe cabia no bolso, e no qual ele dizia: "Divirtam-se, garotos, pois vocês merecem; e mais do que isso, vocês conquistaram uma fama imortal para a profissão policial."

Chegou um telegrama, no qual se lia:

MONROE, MICH., 22 h.
PRIMEIRA VEZ EM TRÊS SEMANAS QUE CONSIGO ACHAR POSTO TELEGRÁFICO. SEGUI PEGADAS, A CAVALO, ATRAVÉS DA FLORESTA, MIL MILHAS ATÉ AQUI, E ELAS VÃO SE TORNANDO MAIORES E MAIS NÍTIDAS E MAIS FRESCAS A CADA DIA. NÃO SE PREOCUPE — DENTRO DE MAIS UMA SEMANA TEREI O ELEFANTE NA MINHA MÃO. MAIS DO QUE CERTO.
DARLEY, DETETIVE

O chefe mandou que se dessem três "Vivas!" a Darley, "uma das melhores cabeças do departamento", e depois mandou que lhe fosse enviado um telegrama para que voltasse e recebesse sua parte da recompensa.

Assim terminava o maravilhoso episódio do elefante roubado. Os jornais ficaram satisfeitos, mais uma vez cheios de elogios, com uma irônica exceção. O jornal em questão dizia "Grande é o detetive! Ele pode ser um pouco lento para encontrar uma coisa pequena como um elefante perdido — ele pode caçá-lo o dia todo e dormir com a carcaça podre do animal todas as noites por três semanas, mas finalmente irá encontrá-lo — se conseguir colocar a mão em quem conseguiu despistá-lo a achar o esconderijo."

Pobre Hassan, nunca mais eu o veria. Os tiros de canhão feriram-no fatalmente, durante o nevoeiro acabou se refugiando naquele inóspito lugar, e lá, cercado de inimigos e em constante perigo de ser capturado, ele se arrastou para fora com fome e dor até que a morte lhe desse paz.

O acordo me custou cem mil dólares; minhas despesas com os policiais foram de quarenta e dois mil dólares a mais; nunca mais pleiteei um cargo no meu governo; sou um homem arruinado e um andarilho pelo mundo — mas minha admiração por aquele homem, que acredito ser o maior detetive que o mundo jamais teve, continua intocável até hoje e assim continuará até o fim.

## A FAMOSA RÃ SALTADORA
## DO CONDADO DE CALAVERAS

**MARK TWAIN**

Atendendo ao apelo de um amigo meu, que me havia escrito do Leste, fui procurar o velho, afável e tagarela Simon Wheeler, para me informar sobre um tal Leonidas W. Smiley, um amigo deste meu amigo, conforme ele me pedira. Aqui vai o resultado. Tenho a leve desconfiança de que Leonidas W. Smiley não existe; que meu amigo jamais conheceu tal pessoa; que ele apenas imaginou que, se eu perguntasse ao velho Wheeler por alguém com este nome, ele se lembraria de um famigerado Jim Smiley, e então se daria ao enorme trabalho de me chatear mortalmente com uma de suas exasperantes reminiscências, tão longa e entediante quanto absolutamente inútil para mim. Se esta era sua intenção, funcionou.

Fui encontrar Simon Wheeler cochilando confortavelmente junto ao aquecedor do bar da velha taverna caindo em pedaços, no decadente acampamento de mineiros de Angel; notei que ele era gordo e careca, com uma expressão simpática de gentileza e simplicidade estampada no semblante tranqüilo. Ele acordou e me deu bom dia. Eu disse a ele que um amigo meu me pedira que indagasse a respeito de um querido companheiro seu de infância chamado Leonidas W. Smiley — Reverendo Leonidas W. Smiley, um jovem ministro do Evangelho, que, segundo ele ouvira falar, teria tempos atrás residido no acampamento mineiro de Angel. Complementei dizendo que, se ele, Wheeler, pudesse me fornecer alguma informação a respeito do tal Reverendo Leonidas W. Smiley, eu lhe ficaria muito grato.

Simon Wheeler me empurrou para um canto e ali me bloqueou com sua cadeira, e então sentou-se e desenrolou a monótona narrativa que segue este parágrafo. Nem por uma vez sorriu ou franziu o cenho; nem uma só vez mudou o tom de voz e, com a fluência gentil com a qual afinou sua primeira frase, prosseguiu até o final; nunca deixou vazar nenhuma suspeita de entusiasmo; mas, através de toda a interminável narrativa, passou um fio de impressionante franqueza e sinceridade, que demonstrava claramente que longe de imaginar a possibilidade de haver qualquer coisa de cômico ou ridículo em sua história, ele a via e encarava como um assunto realmente importante, e admirava seus dois heróis como homens cuja "finesse" transcendia o gênio. Deixei que ele discorresse a seu modo sem interromper em momento algum.

"Reverendo Leonidas W. h'mm, Reverend Le... — bem, tinha um sujeito por aqui que atendia pelo nome de Jim Smiley, foi  no inverno de 49, ou seria a primavera de 50, não me recordo direito, se bem que o que me faz pensar que era um ou outro é o fato de eu lembrar que aquele grande canal ainda não havia sido terminado quando ele veio, pela primeira vez, para o acampamento; mas de qualquer forma era um homem dos mais curiosos que se possa encontrar, sempre pronto a apostar em qualquer coisa que aparecesse; se conseguisse qualquer um para apostar contra; e se não conseguisse, bem, então ele mudava de lado. Qualquer coisa que estivesse bem para o outro estava bem para ele e, desde que conseguisse uma aposta, ficava satisfeito. Ainda assim ele tinha sorte, muita sorte; quase sempre ganhava. E estava sempre pronto e à espreita da oportunidade; não havia coisa nenhuma que para ele não fosse um bom motivo para uma aposta, e de qualquer lado que você quisesse; como eu ia lhe contando. Se houvesse uma corrida de cavalos, no final, você encontrava ele cheio da notas ou você encontrava ele limpo; se houvesse uma briga de cachorros, ele apostava; uma briga de gatos, ele apostava; uma briga de galinhas, ele apostava; cara, se houvesse dois passarinhos pousados numa cerca, ele apostava com você qual dos dois ia voar primeiro; se havia uma reunião evangélica no acampamento, lá ia ele, regularmente, para apostar no Pastor Walker, que conceituava como o melhor pregador da área, o que ele era de fato, além de ser um santo homem. Se visse uma mandorová indo para algum lugar ele apostaria com você quanto tempo ela levaria para chegar lá — onde quer que isto fosse—, e, se você aceitasse a aposta, ele era capaz de seguir a mandorová até o México, ou aonde fosse, só desistindo depois de descobrir onde o bichinho estava indo e quanto tempo levava na viagem. Muitos rapazes aqui conheceram o tal Smiley e podem lhe falar sobre ele. Cara, não fazia diferença para ele — apostava em qualquer coisa, o filho da mãe. Uma vez, a mulher do Pastor Walker ficou bastante doente, por muito tempo, e parecia que não ia se salvar; uma manhã, encontrando o pastor, Smiley perguntou como ela ia indo, e o Pastor respondeu que ela estava bem melhor — graças ao Senhor, em sua infinita misericórdia — e melhorando tanto que, com a benção da divina providência, ela ainda ia ficar boa; e Smiley, sem pensar disse: 'Bem, eu arrisco dois dólares e cinqüenta como ela não fica.'

"Este tal Smiley tinha uma égua — que os rapazes apelidaram de '15 minutos cravados', mas era só uma brincadeira, você sabe, porque é claro que ela era mais rápida do que isso — e ele costumava ganhar dinheiro com aquela égua; de toda forma ela era bem lenta e sempre tinha asma, ou diarréia, ou tuberculose, ou alguma coisa do gênero. As pessoas costumavam dar 200 ou 300 metros de vantagem, e passar por ela no caminho; mas sempre no final da corrida a égua ficava toda excitada e, como que desesperada, lá vinha ela aos saltos e aos coices, às vezes no ar, às vezes encostando na cerca e levantando mais poeira ainda e fazendo um enorme barulho com sua tosse e seus espirros para chegar sempre na linha com exatamente um nariz de vantagem, o mínimo necessário para ganhar.

"Ele tinha um pequeno buldogue, que olhando assim você achava que não valia um centavo; parecia um cachorrinho ordinário, bom só para roubar comida quando alguém lhe desse uma chance. Mas era só o dinheiro aparecer; e aí, de repente, ele mordia o outro cachorro na perna traseira e se agarrava ali — não mastigava, se você me entende, só mordia e ficava agarrado ali até o outro jogar a toalha, mesmo que demorasse um ano. Smiley sempre ganhou com aquele cachorrinho, até que encontraram um cachorro que não tinha as patas traseiras porque tinham sido amputadas por uma serra circular, e quando a coisa já estava adiantada e o dinheiro casado, foi aí que viu onde é que estava metido, e o outro cachorro tinha a ele na casa do sem jeito, modo de dizer, e então ele pareceu surpreso, e olhou como que desencorajado e nem tentou mais ganhar a luta, e daí ele apanhou muito. Ele olhou para o Smiley, como que dizendo que tinha o coração partido e era culpa de Smiley por ter colocado o animal para brigar com um cachorro que não tinha as patas traseiras, aliás bem onde ele estava acostumado a morder, o que era sua principal arma e da qual ele dependia, então ele perdeu o pé, deitou e morreu. Era um bom cachorro, Andrew Jackson era seu nome, e teria ficado famoso se tivesse vivido mais, pois tinha o principal, ele tinha gênio — eu sei, embora o cão não tivesse como falar disto, que o cachorro não teria, nas circunstâncias, como lutar as lutas que lutou se não tivesse talento. Sempre me deixa triste quando eu penso na sua última luta e em como ela terminou.

"Bem, o tal Smiley tinha uns cãezinhos terriê para caçar ratos, e galos de briga, e gatos selvagens, e todo tipo de coisas até a exaustão, e você não podia inventar coisa nenhuma que ele não tivesse outra igual para competir numa aposta. Ele arranjou uma rã um dia, e a levou para casa, e disse que ele iria treiná-la; e então não fez outra coisa, por três meses, a não ser sentar no seu quintal e ensinar aquela rã a saltar. E você pode apostar que ele ensinou. Ele só dava um pequeno toque no traseiro dela, e imediatamente você via aquela rã rodando no ar como uma panqueca — você a via dando um salto mortal ou dois, dependendo do impulso, e cair no chão em cima das quatro patas, como um gato. Ele a treinou também para pegar moscas, e ele fez com que ela praticasse com tanta constância, que ela pegava moscas, sem falhar uma, a qualquer distância que seus olhos alcançassem. Smiley dizia que tudo que uma rã necessitava era uma educação, e ela seria capaz de qualquer coisa — e eu acredito que ele tinha razão. Cara, eu vi ele colocar Daniel Webster aqui no chão — Daniel Webster era o nome da rã — e mostrar, 'Moscas, Daniel, moscas!', e antes que você pudesse piscar a rã tinha pego uma mosca lá no alto do balcão e voltado para o chão no mesmo lugar onde estava antes como uma pedra, e ficava ali coçando o lado da cabeça com a pata traseira com uma indiferença de quem não tem idéia de ter feito mais do que qualquer outra rã faria no seu lugar. Você não encontraria uma rã mais modesta e despretensiosa do que aquela, apesar de todo seu talento. E no que se refere a simplesmente saltar num terreno plano, ela podia saltar mais longe, num único pulo, que qualquer animal da sua espécie que você já tenha visto. Saltar em distância era seu grande trunfo, você entende, e neste caso, Smiley era capaz de apostar todo dinheiro que tivesse, até seu último dólar. Smiley tinha um enorme orgulho de sua rã, e tinha razão para isto, porque pessoas que viajaram e estiveram em toda parte, todas concordavam, a rã podia vencer qualquer outra que eles tivessem visto.

"Bem, Smiley guardava o animal numa pequena gaiola, que às vezes levava com ele para a cidade para apostar. Um dia, um tipo — um estranho no acampamento — cruzou com ele, levando sua gaiolinha, e perguntou:

'O que será que você leva aí nesta gaiola?'

"E Smiley respondeu, com aparente indiferença, 'Poderia ser um periquito ou quem sabe um canário, mas não é — é apenas uma rã.'

"O estranho pegou a gaiola, olhou com atenção, virou-a de um lado e de outro, e disse: 'É, parece que é. Para que é que ela serve?'

"'Bem', Smiley disse, devagar e descuidadamente, 'ela é muito boa para uma coisa — ela salta mais alto e mais longe que qualquer rã no condado de Calaveras.'

"O estranho pegou a gaiola de novo, examinou a rã com cuidado mais uma vez, e devolveu a gaiola para Smiley, dizendo de uma forma deliberadamente incrédula, 'Bem', ele disse, 'eu não vejo nada nessa rã que a faça melhor que qualquer outra rã.'

"'Talvez você não veja', diz Smiley. 'Talvez você entenda de rãs e talvez você não entenda; talvez você seja um especialista, e talvez você seja só um amador. De qualquer forma, eu tenho minha opinião, e estou disposto a arriscar 40 dólares que ela é capaz de saltar mais alto e mais longe que qualquer outra rã no condado de Calaveras.'

"O estranho pensou um pouco e então disse de uma forma quase triste, 'Bem, eu sou só um estranho aqui, e eu não tenho uma rã; se eu tivesse uma eu apostava com você.'

"Aí, Smiley disse, 'Tudo bem — tudo bem —, você segura aqui minha gaiola um minuto e eu vou arranjar uma rã para você.' Então o estranho pegou a gaiola, casou seus 40 dólares contra os 40 de Smiley e se sentou para esperar.

"Então ele se sentou ali um bom tempo pensando e pensando com ele mesmo, e então tirou a rã da gaiola e apertou ela com a boca aberta, e com uma colher de chá começou a encher a rã com chumbinhos de caça — ele a encheu até quase a garganta — e colocou a rã no chão. Smiley foi até o brejo e procurou na lama um bom tempo até que finalmente ele conseguiu uma rã, e a levou e deu para o estranho, dizendo:

"'Agora, se você está pronto, coloque-a junto do Daniel, com as patas na mesma linha das patas do Daniel, e eu dou o sinal.' E então ele disse, 'Um, dois, três, e vai!' E ele e o outro tocaram as rãs por trás, e a rã nova saltou com vontade, mas Daniel apenas levantou os ombros — assim — como um francês, e não teve jeito — ele não conseguia se mover; estava plantado como uma igreja, mais impossibilitado de movimento do que se estivesse ancorado. Smiley ficou bastante surpreso, e aborrecido também, mas ele não tinha idéia do que estava acontecendo, é claro.

"O estranho pegou o dinheiro e começou a ir embora; mas quando ele estava na porta sacudiu o polegar por cima do ombro, apontando para Daniel, e disse outra vez da mesma forma deliberada, 'Bem', ele disse, 'eu não vejo nada nessa rã que a faça melhor que qualquer outra rã.'

"Smiley ficou coçando a cabeça e olhando para Daniel no chão por muito tempo, e finalmente disse, 'Eu me pergunto o que em nome da pátria fez essa rã desistir — o que será que deu nela —; de alguma forma, ele tem um aspecto bastante estranho, como um saco de batatas.' E ele levantou Daniel pela pele do pescoço, balançou e disse, 'Cara, ela deve estar pesando mais de 5 libras!' e virou a rã de cabeça para baixo e então a rã arrotou dois punhados de chumbo de caça. E aí ele entendeu o que havia acontecido com ela e ficou uma fera — largou a rã e partiu atrás do estranho, mas não conseguiu mais pegar ele. E — .

[Aqui Simon Wheeler ouviu alguém chamar seu nome lá fora, e se levantou para ver do que se tratava] E, virando-se para mim, disse: "Fique onde está e relaxe, amigo — eu volto num segundo."

Mas vocês me perdoem, eu não achei que a continuação da história do empreendedor vagabundo Jim Smiley seria capaz de me trazer muitas informações a respeito do Reverendo Leonidas W. Smiley, e então eu fui saindo.

Na porta  me encontrei com o sociável Wheeler que voltava; ele me segurou pela lapela e recomeçou:

"Bem, esse tal Smiley tinha uma vaca caolha e sem rabo, só um coto, como uma banana, e — .

De qualquer forma, na falta de tempo e vontade, não esperei para ouvir a respeito da pobre vaca, e fui-me embora.

*Tradução de Octávio Marcondes*

## TEORIA DO MEDALHÃO
### Diálogo

### MACHADO DE ASSIS
#### (1839-1908 | Brasil)

*Não foi preciso pensar duas vezes para incluir Machado de Assis nesta antologia. Mas foi preciso pensar muitas vezes para escolher este ou aquele texto, entre dezenas (sem exagero) que poderiam representar muito bem o autor de D. Casmurro. Optamos, então, por Teoria do Medalhão, sátira ainda bastante atual sobre os "valores" das nossas elites, e por O Empréstimo. (O Alienista, praticamente uma unanimidade nacional, só ficou de fora por ser uma novela, i. e., por sua extensão.)*

— Estás com sono?

— Não, senhor.

— Nem eu; conversemos um pouco. Abre a janela. Que horas são?

— Onze.

— Saiu o último conviva do nosso modesto jantar. Com quê, meu peralta, chegaste aos teus vinte e um anos. Há vinte e um anos, no dia 5 de agosto de 1854, vinhas tu à luz, um pirralho de nada, e estás homem, longos bigodes, alguns namoros...

— Papai...

— Não te ponhas com denguices, e falemos como dois amigos sérios. Fecha aquela porta; vou dizer-te cousas importantes. Senta-te e conversemos. Vinte e um anos, algumas apólices, um diploma, podes entrar no parlamento, na magistratura, na imprensa, na lavoura, na indústria, no comércio, nas letras ou nas artes. Há infinitas carreiras diante de ti. Vinte e um anos, meu rapaz, formam apenas a primeira sílaba do nosso destino. Os mesmos Pitt e Napoleão, apesar de precoces, não foram tudo aos vinte e um anos. Mas, qualquer que seja a profissão da tua escolha, o meu desejo é que te faças grande e ilustre, ou pelo menos notável, que te levantes acima da obscuridade comum. A vida, Janjão, é uma enorme loteria; os prêmios são poucos, os malogrados inúmeros, e com os suspiros de uma geração é que se amassam as esperanças de outra. Isto é a vida; não há planger, nem imprecar, mas aceitar as cousas integralmente, com seus ônus e percalços, glórias e desdouros, e ir por diante.

— Sim, senhor.

— Entretanto, assim como é de boa economia guardar um pão para a velhice, assim também é de boa prática social acautelar um ofício para a hipótese de que os outros falhem, ou não indenizem suficientemente o esforço da nossa ambição. É isto que te aconselho hoje, dia da tua maioridade.

— Creia que lhe agradeço; mas que ofício, não me dirá?

— Nenhum me parece mais útil e cabido que o de medalhão. Ser medalhão foi o sonho da minha mocidade; faltaram-me, porém, as instruções de um pai, e acabo como vês, sem outra consolação e relevo moral, além das esperanças que deposito em ti. Ouve-me bem, meu querido filho, ouve-me e entende. És moço, tens naturalmente o ardor, a exuberância, os imprevistos da idade; não os rejeites, mas modera-os de modo que aos quarenta e cinco anos possam entrar francamente no regímen do aprumo e do compasso. O sábio que disse: "a gravidade é um mistério do corpo" definiu a compostura do medalhão. Não confundas essa gravidade com aquela outra que, embora resida no aspecto, é um puro reflexo ou emanação do espírito; essa é do corpo, tão-somente do corpo, um sinal da natureza ou um jeito da vida. Quanto à idade de quarenta e cinco anos...

— É verdade, por que quarenta e cinco anos?

— Não é, como podes supor, um limite arbitrário, filho do puro capricho; é a data normal do fenômeno. Geralmente, o verdadeiro medalhão começa a manifestar-se entre os quarenta e cinco e cinqüenta anos, conquanto alguns exemplos se dêem entre os cinqüenta e cinco e os sessenta; mas estes são raros. Há-os também de quarenta anos, e outros mais precoces, de trinta e cinco e de trinta; não são, todavia, vulgares. Não falo dos de vinte e cinco anos: esse madrugar é privilégio dos gênios.

— Entendo.

— Venhamos ao principal. Uma vez entrado na carreira, deves pôr todo o cuidado nas idéias que houveres de nutrir para uso alheio e próprio. O melhor será não as ter absolutamente; coisa que entenderás bem, imaginando, por exemplo, um ator defraudado do uso de um braço. Ele pode, por um milagre de artifício, dissimular o defeito aos olhos da platéia; mas era muito melhor dispor dos dois. O mesmo se dá com as idéias; pode-se, com violência, abafá-las, escondê-las até à morte; mas nem essa habilidade é comum, nem tão constante esforço conviria aos exercícios da vida.

— Mas quem lhe diz que eu...

— Tu, meu filho, se me não engano, pareces dotado da perfeita inópia mental, conveniente ao uso deste nobre ofício. Não me refiro tanto à fidelidade com que repetes numa sala as opiniões ouvidas numa esquina, e vice-versa, porque esse fato, posto indique certa carência de idéias, ainda assim pode não passar de uma traição da memória. Não: refiro-me ao gesto correto e perfilado com que usas expender francamente as tuas simpatias ou antipatias acerca do corte de um colete, das dimensões de um chapéu, do ranger ou calar das botas novas. Eis aí um sintoma eloqüente, eis aí uma esperança. No entanto, podendo acontecer que, com a idade, venhas a ser afligido de algumas idéias próprias, urge aparelhar fortemente o espírito. As idéias são de sua natureza espontâneas e súbitas; por mais que as sofremos, elas irrompem e precipitam-se. Daí a certeza com que o vulgo, cujo faro é extremamente delicado, distingue o medalhão completo do medalhão incompleto.

— Creio que assim seja; mas um tal obstáculo é invencível.

— Não é; há um meio; é lançar mão de um regime debilitante, ler compêndios de retórica, ouvir certos discursos etc. O voltarete, o dominó e o *whist* são remédios aprovados. O *whist* tem até a rara vantagem de acostumar ao silêncio, que é a forma mais acentuada de circunspecção. Não digo o mesmo da natação, da equitação e da ginástica, embora elas façam repousar o cérebro; mas por isso mesmo que o fazem repousar, restituir-lhe as forças e a atividade perdidas. O bilhar é excelente.

— Como assim, se também é um exercício corporal?

— Não digo que não, mas há cousas em que a observação desmente a teoria. Se te aconselho excepcionalmente o bilhar é porque as estatísticas mais escrupulosas mostram que três quartas partes dos habituados do taco partilham das opiniões do mesmo taco. O passeio nas ruas, mormente nas de recreio e parada, é utilíssimo, com a condição de não andares desacompanhado, porque a solidão é oficina de idéias, e o espírito deixado a si mesmo, embora no meio da multidão, pode adquirir uma tal ou qual atividade.

— Mas se eu não tiver à mão um amigo apto e disposto a ir comigo?

— Não faz mal; tens o valente recurso de mesclar-te aos pasmatórios, ou por causa da atmosfera do lugar, ou por qualquer outra razão que me escapa, não são propícias ao nosso fim; e, não obstante, há grande conveniência em entrar por elas, de quando em quando, não digo às ocultas, mas às escâncaras. Podes resolver a dificuldade de um modo simples: vai ali falar do boato do dia, da anedota da semana, de um contrabando, de uma calúnia, de um cometa, de qualquer coisa, quando não prefiras interrogar diretamente os leitores habituais das belas crônicas de Mazade; setenta e cinco por cento desses estimáveis cavalheiros repetir-te-ão as mesmas opiniões, e uma tal monotonia é grandemente saudável. Com este regime durante oito, dez, dezoito meses — suponhamos dois anos —, reduzes o intelecto, por mais pródigo que seja, à sobriedade, à disciplina, ao equilíbrio comum. Não trato de vocabulário, porque ele está subentendido no uso das idéias; há de ser naturalmente simples, tíbio, apoucado, sem notas vermelhas, sem cores de clarim...

— Isto é o diabo! Não poder adornar o estilo, de quando em quando...

— Podes; podes empregar umas quantas figuras expressivas, a hidra de Lerna, por exemplo, a cabeça de Medusa, o tonel de Danaides, as asas de Ícaro, e outras, que românticos, clássicos e realistas empregam sem desar, quando precisam delas. Sentenças latinas, ditos históricos, versos célebres, brocardos jurídicos, máximas, é de bom aviso trazê-las contigo para os discursos de sobremesa, de felicitação, ou de agradecimento. *Caveant, consules* é um excelente fecho de artigo político; o mesmo direi de *Si vis pacem para bellum.* Alguns costumam renovar o sabor de uma citação intercalando-a numa frase nova, original e bela, mas não te aconselho esse artifício; seria desnaturar-lhe as graças vetustas. Melhor do que tudo isso, porém, que afinal não passa de mero adorno, são as frases feitas, as locuções convencionais, as fórmulas consagradas pelos anos, incrustadas na memória individual e pública. Essas fórmulas têm a vantagem de não obrigar os outros a um esforço inútil. Não as relaciono agora, mas fá-lo-ei por escrito. De resto, o mesmo ofício te irá ensinando os elementos dessa arte difícil de pensar o pensado. Quanto à utilidade de um tal sistema, basta figurar uma hipótese. Faz-se uma lei, executa-se, não produz efeito, subsiste o mal. Eis aí uma questão que pode aguçar as curiosidades vadias, dar ensejo a um inquérito pedantesco, a uma coleta fastidiosa de documentos e observações, análise das causas prováveis, causas certas, causas possíveis, um estudo infinito das aptidões do sujeito reformado, da natureza do mal, da manipulação do remédio, das circunstâncias da aplicação; matéria, enfim, para todo um andaime de palavras, conceitos e desvarios. Tu poupas aos teus semelhantes todo esse imenso aranzel, tu dizes simplesmente: Antes das leis, reformemos os costumes! — E esta frase sintética, transparente, límpida, tirada ao pecúlio comum, resolve mais depressa o problema, entra pelos espíritos como um jorro súbito de sol.

— Vejo por aí que vosmecê condena toda e qualquer aplicação de processos modernos.

— Entendamo-nos. Condeno a aplicação, louvo a denominação. O mesmo direi de toda a recente terminologia científica; deves decorá-la. Conquanto o rasgo peculiar do medalhão seja uma certa atitude de deus Término, e as ciências sejam obra do movimento humano, como tens de ser medalhão mais tarde, convém tomar as armas do teu tempo. E de duas uma: — ou elas estarão usadas e divulgadas daqui a trinta anos, ou conservar-se-ão novas: no primeiro caso, pertencem-te de foro próprio; no segundo, podes ter a coquetice de as trazer, para mostrar que também és pintor. De oitiva, com o tempo, irás sabendo a que leis, casos e fenômenos responde toda essa terminologia; porque o método de interrogar os próprios mestres e oficiais da ciência, nos seus livros, estudos e memórias, além de tedioso e cansativo, traz o perigo de inocular idéias novas, e é radicalmente falso. Acontece que no dia em que viesses a assenhorear-se do espírito daquelas leis e fórmulas, serias provavelmente levado a empregá-las com um tal ou qual comedimento, como a costureira—esperta e afreguesada—que, segundo um poeta clássico,

*Quanto mais pano tem, mais roupa o corte,*
*Menos monte alardeia de retalhos;*

e este fenômeno, tratando-se de um medalhão, é que não seria científico.

— Upa! que a profissão é difícil.

— E ainda não chegamos ao cabo.

— Vamos a ele.

— Não te falei ainda dos benefícios da publicidade. A publicidade é uma dona loureira e senhoril, que tu deves requestar à força de pequenos mimos, confeitos, almofadinhas, cousas miúdas, que antes exprimem a constância do afeto do que o atrevimento e a ambição. Que D. Quixote solicite os favores dela mediante ações heróicas ou custosas é um sestro próprio desse ilustre lunático. O verdadeiro medalhão tem outra política. Longe de inventar um *Tratado Científico da Criação dos Carneiros*, compra um carneiro e dá-o aos amigos sob a forma de um jantar, cuja notícia não pode ser indiferente aos seus concidadãos. Uma notícia traz a outra; cinco, dez, vinte vezes põe o teu nome ante os olhos do mundo. Comissões ou deputações para felicitar um agraciado, um benemérito, um forasteiro, têm singulares merecimentos, e assim as irmandades e associações diversas, sejam mitológicas, cinegéticas ou coreográficas. Os sucessos de certa ordem, embora de pouca monta, podem ser trazidos a lume, contanto que ponham em relevo a tua pessoa. Explico-me. Se caíres de um carro, sem outro dano além do susto, é útil mandá-lo dizer aos quatro ventos, não pelo fato em si, que é insignificante, mas pelo efeito de recordar um nome caro às afeições gerais. Percebeste?

— Percebi.

— Essa é a publicidade constante, barata, fácil de todos os dias; mas há outra. Qualquer que seja a teoria das artes, é fora de dúvida que o sentimento da família, a amizade pessoal e a estima pública instigam à reprodução das feições de um homem amado ou benemérito. Nada obsta a que sejas objeto de uma tal distinção, principalmente se a sagacidade dos amigos não achar em ti repugnância. Em semelhante caso, não só as regras de mais vulgar polidez mandam aceitar o retrato ou o busto, como seria desazado impedir que os amigos o expusessem em qualquer casa pública. Dessa maneira o nome fica ligado à pessoa; os que houverem lido o teu recente discurso (suponhamos) na sessão inaugural da União dos Cabeleireiros reconhecerão na compostura das feições o autor dessa obra grave, em que a "alavanca do progresso" e "o suor do trabalho" vencem as "fauces hiantes" da miséria. No caso de que uma comissão te leve à casa o retrato, deves agradecer-lhe o obséquio com um discurso cheio de gratidão e um copo d'água: é uso antigo, razoável e honesto. Convidarás então os melhores amigos, os parentes, e, se for possível, uma ou duas pessoas de representação. Mais. Se esse dia é um dia de glória ou regozijo, não vejo que possas, decentemente, recusar um lugar à mesa aos repórteres dos jornais. Em todo o caso, se as obrigações desses cidadãos os retiverem noutra parte, podes ajudá-los de certa maneira, redigindo tu mesmo a notícia da festa; e, dado que por um tal, ou qual escrúpulo, aliás desculpável, não queiras com a própria mão anexar ao teu nome os qualificativos dignos dele, incumbe a notícia a algum amigo ou parente.

— Digo-lhe que o que vosmecê me ensina não é nada fácil.

— Mas eu te digo outra cousa. É difícil, come tempo, muito tempo, leva anos, paciência, trabalho, e felizes os que chegam a entrar na terra prometida! Os que lá não penetram, engole-os a obscuridade. Mas os que triunfam! E tu triunfarás, crê-me. Verás cair as muralhas de Jericó ao som das trompas sagradas. Só então poderás dizer que estás fixado. Começa nesse dia a tua fase de ornamento indispensável, de figura obrigada, de rótulo. Acabou-se a necessidade de farejar ocasiões, comissões, irmanda-des; elas virão ter contigo, com o seu ar pesadão e cru de substantivos desajetivados, e tu serás o adjetivo dessas orações opacas, o *odorífero* das flores, o *anilado* dos céus, o *prestimoso* dos cidadãos, o *noticioso* e *suculento* dos relatórios. E ser isso é o princi-pal, porque o adjetivo é a alma do idioma, a sua porção idealista e metafísica. O subs-tantivo é a realidade nua e crua, é o naturalismo do vocabulário.

— E parece-lhe que todo esse ofício é apenas um sobressalente para os déficits da vida?

— Decerto; não fica excluída nenhuma outra atividade.

— Nem política?

— Nem política. Toda a questão é não infringir as regras e obrigações capitais. Podes pertencer a qualquer partido, liberal ou conservador, republicano ou ultramontano, com a cláusula única de não ligar nenhuma idéia especial a esses vocábulos, e reconhecer-lhe somente a utilidade do *scibboleth* bíblico.

— Se for ao parlamento, posso ocupar a tribuna?

— Podes e deves; é um modo de convocar a atenção pública. Quanto à matéria dos discursos, tens à escolha: — ou os negócios miúdos, ou a metafísica política, mas prefere a metafísica. Os negócios miúdos, força é confessá-lo, não desdizem daquela chateza de bom-tom, própria de um medalhão acabado; mas, se puderes, adota a metafísica; — é mais fácil e mais atraente. Supõe que desejas saber por que motivo a 7ª companhia de infantaria foi transferida de Uruguaiana para Canguçu; serás ouvido tão-somente pelo ministro da Guerra, que te explicará em dez minutos as razões desse ato. Não assim a metafísica. Um discurso de metafísica política apaixona naturalmen-te os partidos e o público, chama os apartes e as respostas. E depois não obriga a pensar e descobrir. Nesse ramo dos conhecimentos humanos tudo está achado, for-mulado, rotulado, encaixotado; é só prover os alforjes da memória. Em todo o caso, não transcendas nunca os limites de uma invejável vulgaridade.

— Farei o que puder. Nenhuma imaginação?

— Nenhuma; antes faze correr o boato de que um tal dom é ínfimo.

— Nenhuma filosofia?

— Entendamo-nos: no papel e na língua alguma, na realidade nada. "Filosofia da história", por exemplo, é uma locução que deves empregar com freqüência, mas proíbo-te que chegues a outras conclusões que não sejam as já achadas por outros. Foge a tudo que possa cheirar a reflexão, originalidade etc. etc.

— Também ao riso?

— Como ao riso?

— Ficar sério, muito sério...

— Conforme. Tens um gênio folgazão, prazenteiro, não hás de sofreá-lo nem eliminá-lo; podes brincar e rir alguma vez. Medalhão não quer dizer melancólico. Um grave pode ter seus momentos de expansão alegre. Somente — e este ponto é medindroso...

— Diga.

— Somente não deves empregar a ironia, esse movimento ao canto da boca, cheio de mistérios, inventado por algum grego da decadência, contraído por Luciano, transmitido a Swift e Voltaire, feição própria dos céticos e desabusados. Não. Usa antes a chalaça, a nossa boa chalaça amiga, gorducha, redonda, franca, sem biocos, nem véus, que se mete pela cara dos outros, estala como uma palmada, faz pular o sangue nas veias, e arrebentar de riso os suspensórios. Usa a chalaça. Que é isso?

— Meia-noite.

— Meia-noite? Entras nos teus vinte e dois anos, meu peralta; estás definitivamente maior. Vamos dormir, que é tarde. Rumina bem o que te disse, meu filho. Guardadas as proporções, a conversa desta noite vale o *Príncipe* de Machiavelli. Vamos dormir.

# O EMPRÉSTIMO

## MACHADO DE ASSIS

Vou divulgar uma anedota, mas uma anedota no genuíno sentido do vocábulo, que o vulgo ampliou às historietas de pura invenção. Esta é verdadeira; podia citar algumas pessoas que a sabem tão bem como eu. Nem ela andou recôndita, senão por falta de um espírito repousado, que lhe achasse a filosofia. Como deveis saber, há em todas as coisas um sentido filosófico. Carlyle descobriu o dos coletes, ou, mais propriamente, o do vestuário; e ninguém ignora que os números, muito antes da loteria do Ipiranga, formavam o sistema de Pitágoras. Pela minha parte creio ter decifrado este caso de empréstimo; ides ver se me engano.

E, para começar, emendemos Sêneca. Cada dia, ao parecer daquele moralista, é, em si mesmo, uma vida singular; por outros termos, uma vida dentro da vida. Não digo que não; mas por que não acrescentou ele, que muitas vezes uma só hora é a representação de uma vida inteira? Vede este rapaz: entra no mundo com uma grande ambição, uma pasta de ministro, um banco, uma coroa de visconde, um báculo pastoral. Aos cinqüenta anos, vamos achá-lo simples apontador de alfândega, ou sacristão da roça. Tudo isso que se passou em trinta anos, pode algum Balzac metê-lo em trezentas páginas; por que não há de a vida, que foi a mestra de Balzac, apertá-lo em trinta ou sessenta minutos?

Tinham batido quatro horas no cartório do tabelião Vaz Nunes, à rua do Rosário. Os escreventes deram ainda as últimas penadas: depois limparam as penas de ganso na ponta de seda preta que pendia da gaveta ao lado; fecharam as gavetas, concertaram os papéis, arruinaram os autos e os livros, lavaram as mãos; alguns que mudavam de paletó à entrada, despiram o do trabalho e enfiaram o da rua; todos saíram. Vaz Nunes ficou só.

Este honesto tabelião era um dos homens mais perspicazes do século. Está morto: podemos elogiá-lo à vontade. Tinha um olhar de lanceta, cortante e agudo. Ele adivinhava o caráter das pessoas que o buscavam para escriturar os seus acordos e resoluções; conhecia a alma de um testador muito antes de acabar o testamento; farejava as manhas secretas e os pensamentos reservados. Usava óculos, como todos os tabeliães de teatro; mas, não sendo míope, olhava por cima deles, quando queria ver, e através deles, se pretendia não ser visto. Finório como ele só, diziam os escreventes. Em todo o caso, circunspecto. Tinha cinqüenta anos, era viúvo, sem filhos, e, para falar como alguns outros serventuários, roía muito caladinho os seus duzentos contos de réis.

— Quem é? perguntou ele de repente, olhando para a porta da rua.

Estava à porta, parado na soleira, um homem que ele não conheceu logo, e mal pôde reconhecer daí a pouco. Vaz Nunes pediu-lhe o favor de entrar; ele obedeceu, cumprimentou-o, estendeu-lhe a mão, e sentou-se na cadeira ao pé da mesa. Não trazia o acanho natural a um pedinte; ao contrário, parecia que não vinha ali senão para dar ao tabelião alguma coisa preciosíssima e rara. E, não obstante, Vaz Nunes estremeceu e esperou.

— Não se lembra de mim?

— Não me lembro...

— Estivemos juntos uma noite, há alguns meses, na Tijuca... Não se lembra? Em casa do Teodorico, aquela grande ceia de Natal; por sinal que lhe fiz uma saúde... Veja se se lembra do Custódio.

— Ah!

Custódio endireitou o busto, que até então inclinara um pouco. Era um homem de quarenta anos. Vestia pobremente, mas escovado, apertado, correto. Usava unhas longas, curadas com esmero, e tinha as mãos muito bem talhadas, macias, ao contrário da pele do rosto, que era agreste. Notícias mínimas, e aliás necessárias ao complemento de um certo ar duplo que distinguia este homem, um ar de pedinte e general: Na rua, andando, sem almoço e sem vintém, parecia levar após si um exército. A causa não era outra mais do que o contraste entre a natureza e a situação, entre a alma e a vida. Esse Custódio nascera com a vocação da riqueza, sem a vocação do trabalho. Tinha o instinto das elegâncias, o amor do supérfluo, da boa chira, das belas damas, dos tapetes finos, dos móveis raros, um voluptuoso, e, até certo ponto, um artista, capaz de reger a vila Torloni ou a galeria Hamilton. Mas não tinha dinheiro; nem dinheiro, nem aptidão ou pachorra de o ganhar; por outro lado, precisava viver. *Il faut bien que je vive*, dizia um pretendente ao ministro Talleyrand. *Je n'en vois pas la nécessité*, redargüiu friamente o ministro. Ninguém dava essa resposta ao Custódio; davam-lhe dinheiro, um dez, outro cinco, outro vinte mil-réis, e de tais espórtulas é que ele principalmente tirava o albergue e a comida.

Digo que principalmente vivia delas, porque o Custódio não recusava meter-se em alguns negócios, com a condição de os escolher, e escolhia sempre os que não prestavam para nada. Tinha o faro das catástrofes. Entre vinte empresas, adivinhava logo a insensata, e metia ombros a ela, com resolução. O caiporismo, que o perseguia, fazia com que as dezenove prosperassem, e a vigésima lhe estourasse nas mãos. Não importa; aparelhava-se para outra.

Agora, por exemplo, leu um anúncio de alguém que pedia um sócio, com cinco contos de réis, para entrar em certo negócio, que prometia dar, nos primeiros seis meses, oitenta a cem contos de lucro. Custódio foi ter com o anunciante. Era uma grande idéia, uma fábrica de agulhas, indústria nova, de imenso futuro. E os planos, os desenhos da fábrica, os relatórios de Birmingham, os mapas de importação, as respostas dos alfaiates, dos donos de armarinho, etc., todos os documentos de um longo inquérito passavam diante dos olhos de Custódio, estrelados de algarismos, que ele não entendia, e que por isso mesmo lhe pareciam dogmáticos. Vinte e quatro horas; não pedia mais de vinte e quatro horas para trazer os cinco contos. E saiu dali, cortejado, amimado pelo anunciante, que, ainda à porta, o afogou numa torrente de saldos. Mas os cinco contos, menos dóceis ou menos vagabundos que os cinco mil-réis, sacudiam incredulamente a cabeça, e deixavam-se estar nas arcas, tolhidos de medo e de sono. Nada. Oito ou dez amigos, a quem falou, disseram-lhe que nem dispunham agora da soma pedida, nem acreditavam na fábrica. Tinha perdido as esperanças, quando aconteceu subir a rua do Rosário e ler no portal de um cartório o nome de Vaz Nunes. Estremeceu de alegria; recordou a Tijuca, as maneiras do tabelião, as frases com que ele lhe respondeu ao brinde, e disse consigo, que este era o salvador da situação.

— Venho pedir-lhe uma escritura...

Vaz Nunes, armado para outro começo, não respondeu; espiou por cima dos óculos e esperou.

— Uma escritura de gratidão, explicou o Custódio; venho pedir-lhe um grande favor, um favor indispensável, e conto que o meu amigo...

— Se estiver nas minhas mãos...

— O negócio é excelente, note-se bem; um negócio magnífico. Nem eu me metia a incomodar os outros sem certeza do resultado. A coisa está pronta; foram já encomendas para a Inglaterra; e é provável que dentro de dois meses esteja tudo montado, é uma indústria nova. Somos três sócios; a minha parte são cinco contos. Venho pedir-lhe esta quantia, a seis meses, — ou a três, com juro módico...

— Cinco contos?

— Sim, senhor.

— Mas, Sr. Custódio, não posso, não disponho de tão grande quantia. Os negócios andam mal; e ainda que andassem muito bem, não poderia dispor de tanto. Quem é que pode esperar cinco contos de um modesto tabelião de notas?

— Ora, se o senhor quisesse...

— Quero, decerto; digo-lhe que se se tratasse de uma quantia pequena, acomodada aos meus recursos, não teria dúvida em adiantá-la. Mas cinco contos! Creia que é impossível.

A alma do Custódio caiu de bruços. Subira pela escada de Jacó até o céu; mas em vez de descer como os anjos no sonho bíblico, rolou abaixo e caiu de bruços. Era a última esperança; e justamente por ter sido inesperada, é que ele supôs que fosse certa, pois, como todos os corações que se entregam ao regime do eventual, o do Custódio era supersticioso. O pobre-diabo sentiu enterrarem-se-lhe no corpo os milhões de agulhas que a fábrica teria de produzir no primeiro semestre. Calado, com os olhos no chão, esperou que o tabelião continuasse, que se compadecesse, que lhe desse alguma aberta; mas o tabelião, que lia isso mesmo na alma do Custódio, estava também calado, girando entre os dedos a boceta de rapé, respirando grosso, com um certo chiado nasal e implicante. Custódio ensaiou todas as atitudes; ora pedinte, ora general. O tabelião não se mexia. Custódio ergueu-se.

— Bem, disse ele, com uma pontazinha de despeito, há de perdoar o incômodo...

— Não há que perdoar; eu é que lhe peço desculpa de não poder servi-lo, como desejava. Repito: se fosse alguma quantia menos avultada, muito menos, não teria dúvida; mas...

Estendeu a mão ao Custódio, que com a esquerda pegara maquinalmente no chapéu. O olhar empanado do Custódio exprimia a absorção da alma dele, apenas convalescida da queda, que lhe tirara as últimas energias. Nenhuma escada misteriosa, nenhum céu; tudo voara a um piparote do tabelião. Adeus, agulhas! A realidade veio tomá-lo outra vez com as suas unhas de bronze. Tinha de voltar ao precário, ao adventício, às velhas contas, com os grandes zeros arregalados e os cifrões retorcidos à laia de orelhas, que continuariam a fitá-lo e a ouvi-lo, a ouvi-lo e a fitá-lo, alongando para ele os algarismos implacáveis de fome. Que queda! e que abismo! Desenganado, olhou para o tabelião com um gesto de despedida; mas, uma idéia súbita clareou-lhe a noite do cérebro. Se a quantia fosse menor, Vaz Nunes poderia servi-lo, e com prazer; por que não seria uma quantia menor? Já agora abria mão da empresa; mas não podia fazer o mesmo a uns aluguéis atrasados, a dois ou três credores, etc., e uma soma razoável, quinhentos mil-réis, por exemplo, uma vez que o tabelião tinha a boa vontade de emprestar-lhos, vinham a ponto. A alma do Custódio empertigou-se; vivia do presente, nada queria saber do passado, nem saudades, nem temores, nem remorsos. O presente era tudo. O presente eram os quinhentos mil-réis, que ele ia ver surdir da algibeira do tabelião, como um alvará de liberdade.

— Pois bem, disse ele, veja o que me pode dar, e eu irei ter com outros amigos... Quanto?

— Não posso dizer nada a este respeito, porque realmente só uma coisa muito modesta.

— Quinhentos mil-réis?

— Não; não posso.

— Nem quinhentos mil-réis?

— Nem isso, replicou firme o tabelião. De que se admira? Não lhe nego que tenho algumas propriedades; mas, meu amigo, não ando com elas no bolso; e tenho certas obrigações particulares... Diga-me, não está empregado?

— Não, senhor.

— Olhe; dou-lhe coisa melhor do que quinhentos mil-réis; falarei ao ministro da justiça, tenho relações com ele, e...

Custódio interrompeu-o, batendo uma palmada no joelho. Se foi um movimento natural, ou uma diversão astuciosa para não conversar do emprego, é o que totalmente ignoro; nem parece que seja essencial ao caso. O essencial é que ele teimou na súplica. Não podia dar quinhentos mil-réis? Aceitava duzentos; bastavam-lhe duzentos, não para a empresa, pois adotava o conselho dos amigos: ia recusá-la. Os duzentos mil-réis, visto que o tabelião estava disposto a ajudá-lo, eram para uma necessidade urgente, — "tapar um buraco". E então relatou tudo, respondeu à franqueza com franqueza: era a regra da sua vida. Confessou que, ao tratar da grande empresa, tivera em mente acudir também a um credor pertinaz, um diabo, um judeu, que rigorosamente ainda lhe devia, mas tivera a aleivosia de trocar de posição. Eram duzentos e poucos mil-réis; e dez, parece, mas aceitava duzentos...

— Realmente, custa-me repetir-lhe o que disse; mas, enfim, nem os duzentos mil-réis posso dar. Cem mesmo, se o senhor os pedisse, estão acima das minhas forças nesta ocasião. Noutra pode ser, e não tenho dúvida, mas agora...

— Não imagina os apuros em que estou!

— Nem cem, repito. Tenho tido muitas dificuldades nestes últimos tempos. Sociedades, subscrições, maçonaria... Custa-lhe crer, não é? Naturalmente: um proprietário. Mas, meu amigo, é muito bom ter casas: o senhor é que não conta os estragos, os consertos, as penas-d'água, as décimas, o seguro, os calotes, etc. São os buracos do pote, por onde vai a maior parte da água...

— Tivesse eu um pote! suspirou Custódio.

— Não digo que não. O que digo é que não basta ter casas para não ter cuidados, despesas, e até credores... Creia o senhor que também eu tenho credores.

— Nem cem mil-réis!

— Nem cem mil-réis, pesa-me dizê-lo, mas é a verdade. Nem cem mil-réis. Que horas são?

Levantou-se, e veio ao meio da sala. Custódio veio também, arrastado, desesperado. Não podia acabar de crer que o tabelião não tivesse ao menos cem mil-réis. Quem é que não tem cem mil-réis consigo? Cogitou uma cena patética, mas o cartório abria para a rua; seria ridículo. Olhou para fora. Na loja fronteira, um sujeito apreçava uma sobrecasaca, à porta, porque entardecia depressa, e o interior era escuro. O caixeiro segurava a obra no ar; o freguês examinava o pano com a vista e com os dedos, depois as costuras, o forro... Este incidente rasgou-lhe um horizonte novo, embora modesto; era tempo de aposentar o paletó que trazia. Mas nem cinqüenta mil-réis podia dar-lhe o tabelião. Custódio sorriu; — não de desdém, não de raiva, mas de amargura e dúvida; era impossível que ele não tivesse cinqüenta mil-réis. Vinte, ao menos? Nem vinte. Nem vinte! Não; falso tudo; tudo mentira.

Custódio tirou o lenço, alisou o chapéu devagarinho; depois guardou o lenço, concertou a gravata, com um ar misto de esperança e despeito. Viera cerceando as asas à ambição, pluma a pluma; restava ainda uma penugem curta e fina, que lhe metia umas veleidades de voar. Mas o outro, nada. Vaz Nunes cotejava o relógio da parede com o do bolso, chegava este ao ouvido, limpava o mostrador, calado, transpirando por todos os poros impaciência e fastio. Estavam a pingar as cinco; deram, enfim, e o tabelião, que as esperava, desengatilhou a despedida. Era tarde; morava longe. Dizendo isto, despiu o paletó de alpaca, e vestiu o de casimira, mudou de um para outro a boceta de rapé, o lenço, a carteira... Oh! a carteira! Custódio viu esse utensílio problemático, apalpou-o com os olhos, invejou a alpaca, invejou a casimira, quis ser algibeira, quis ser o couro, a matéria mesma do precioso receptáculo. Lá vai ela; mergulhou de todo no bolso do peito esquerdo; o tabelião abotoou-se. Nem vinte mil-réis! Era impossível que não levasse ali vinte mil-réis, pensava ele; não diria duzentos, mas vinte, dez que fossem...

— Pronto! disse-lhe Vaz Nunes, com o chapéu na cabeça.

Era o fatal instante. Nenhuma palavra do tabelião, um convite ao menos, para jantar; nada; findara tudo. Mas os momentos supremos pedem energias supremas. Custódio sentiu toda a força deste lugar-comum, e, súbito, como um tiro, perguntou ao tabelião se não lhe podia dar ao menos dez mil-réis.

— Quer ver?

— E o tabelião desabotoou o paletó, tirou a carteira, abriu-a, e mostrou-lhe duas notas de cinco mil-réis.

— Não tenho mais, disse ele; o que posso fazer é reparti-los com o senhor; dou-lhe uma de cinco, e fico com a outra; serve-lhe?

Custódio aceitou os cinco mil-réis, não triste, ou de má cara, mas risonho, palpitante, como se viesse de conquistar a Ásia Menor. Era o jantar certo. Estendeu a mão ao outro, agradeceu-lhe o obséquio, despediu-se até breve — um *até breve* cheio de afirmações implícitas. Depois saiu; o pedinte esvaiu-se à porta do cartório; o general é que foi por ali abaixo, pisando rijo, encarando fraternalmente os ingleses do comércio que subiam a rua para se transportarem aos arrabaldes. Nunca o céu lhe pareceu tão azul, nem a tarde tão límpida; todos os homens traziam na retina a alma da hospitalidade. Com a mão esquerda no bolso das calças, ele apertava amorosamente os cinco mil-réis, resíduo de uma grande ambição, que ainda há pouco saíra contra o sol, num ímpeto de águia, e ora batia modestamente as asas de frango rasteiro.

# A MULA DO PAPA

## ALPHONSE DAUDET
### (1840-1897 | França)

*Nascido em Nimes, de família abastada, estudante em Lyon, Alphonse Daudet partiu ainda jovem para conquistar a fama literária em Paris. Depois de um livro de poemas e algumas peças de teatro frustradas, conhece a consagração quase imediata com* Cartas do Meu Moinho, *de onde extraímos este* A Mula do Papa. *Seus livros posteriores, principalmente a trilogia de* Tartarin de Tarascon, *só aumentaram a sua fama, até a posteridade.*

De todas as belas sentenças, provérbios ou adágios que os nossos camponeses da Provence costumam introduzir nas conversas, não conheço nenhum mais pitoresco nem mais singular do que este. A quinze léguas ao redor do meu moinho, quando alguém se refere a um homem rancoroso, vingativo, costuma dizer: "Esse homem! Desconfia dele!... É como a mula do Papa, que guarda sete anos o seu coice."

Durante muito tempo procurei a origem desse provérbio. O que vinha a ser essa mula papal e esse coice guardado durante sete anos? Por aqui ninguém sabia me dizer, nem mesmo Francet Mamai, tocador de pífaro, conhecedor na ponta da língua de todas as lendas provençais. Francet julga, como eu, que nessa história há referências a alguma antiga crônica de Avignon; mas nunca soube dela a não ser pelo provérbio.

— O senhor só irá encontrar alguma coisa a esse respeito na Biblioteca das Cigarras — disse, rindo, o velho Mamai.

A idéia me pareceu ótima e, como a Biblioteca das Cigarras fica à minha porta, encerrei-me nela durante oito dias.

É uma biblioteca maravilhosa, admiravelmente instalada, aberta dia e noite aos poetas, servida por pequenos bibliotecários que ficam constantemente tocando címbalos. Lá passei eu uns dias deliciosos e, depois de uma semana de pesquisa — estendido, de barriga para cima —, acabei por descobrir o que queria, isto é, a história da mula e do seu famoso coice, guardado durante sete anos.

O conto é bonito, embora meio simples. Vou tentar transmiti-lo a vocês tal qual o li ontem num manuscrito do tempo que bem cheirava a alfazema e que tinham filamentos "fios de Virgem" por sinetes.

*

Quem não conheceu Avignon nos tempos dos Papas, não viu nada deste mundo. Jamais existiu cidade igual, em relação à alegria, vida, animação, festas. De manhã à noite, eram peregrinações e procissões. As ruas juncadas de flores, tapetadas de verduras. Cardeais chegavam pelo Ródano, bandeiras ao vento, galeras empertigadas. Os soldados do Papa cantavam em latim nas praças e os frades mendicantes batiam suas matracas. De alto a baixo, casas se comprimiam em volta do grande palácio papal como abelhas em volta do seu apiário. Havia ainda o ruído dos teares de renda, o vaivém das lançadeiras tecendo o ouro das casulas, os martelinhos dos cinzeladores de galhetas, as tábuas de harmonia que se aparelhavam em casa dos violeiros e os cânticos dos tecelões. No alto, o barulho dos sinos e o rufar de alguns tambores que se ouviam lá para baixo, para os lados da ponte. Quando o povo está alegre, ele dança, tem vontade de dançar. E como naquele tempo as ruas eram estreitas, estreitas demais para os bailados, pífaros e tambores ficavam lá pela ponte de Avignon, ao vento fresco do Ródano e, dia e noite, era dançar, dançar sempre... Ah! felizes tempos aqueles!... Feliz cidade aquela!... Alabardas que não cortavam, prisões que serviam para refrescar o vinho... Nada de pobreza, nada de guerras... E eis aí como os papas do condado sabiam governar o seu povo e porque o povo tem tanta saudades deles!...

*

Houve um Papa em especial, um bom velhinho que se chamava Bonifácio... Ah! Que mar de lágrimas se chorara em Avignon quando ele morreu! Era um príncipe tão amável, tão agradável! Sorria tanto quando em cima de sua mula! E quando alguém passava perto dele — fosse um pobre coletor de ervas ou um grande juiz da cidade — dava-lhe a bênção com a maior polidez! Um autêntico Papa de Yvetot, mas de um Yvetot da Provença, com algo de sutil no sorriso, um raminho de mangerona no barrete e sem ter jamais tido ama... A única ama que se conhecia, a esse bom padre, era a sua vinha — uma pequena vinha que ele mesmo plantara, a três léguas de Avignon, nas murtas de Château-Neuf.

Todos os domingos, saindo das vésperas, o digno homem ia fazer-lhe a sua corte, e quando estava lá em cima, sob o benéfico sol, com a mula a seu pé, e os cardeais estendidos em volta, junto às cepas, mandava então desarrolhar uma garrafa de vinho de sua lavra — esse belo vinho cor de rubi, que se chamou depois Château-Neuf-du-Pape — e saboreava-o aos golinhos, olhando para a vinha com ternura. Depois, garrafa esvaziada, ao cair de noite voltava alegremente à cidade, seguido de seu

**234**

cabido. E quando passava na ponte de Avignon, no meio dos tambores e das fanfarras, a sua mula, incitada pela música, entrava em galopes saltitantes, enquanto ele marcava o compasso da dança com o barrete, o que muito escandalizava os cardeais, mas provocava do povo todo estas exclamações: "Ah! Que bom príncipe! Ah! Que excelente Papa!"

*

Depois da sua vinha de Château-Neuf, o que o Papa mais gostava neste mundo era a sua mula. O bom homem tinha verdadeira paixão pelo animal. Todas as noites, antes de se deitar, ia ver se sua cavalariça estava bem fechada, se não faltava nada na manjedoura. Jamais se levantava da mesa sem mandar preparar, diante dele, uma grande tigela com sopas de vinho à francesa com muito açúcar e tempero. Ele próprio, apesar das observações dos cardeais, encarregava-se de levar a tigela à mula. É preciso acentuar que o animal valia bem a pena. Era uma bela mula negra, mosqueada de vermelho, firme quando em pé, luzidia, larga e cheia nas ancas. Levantava alternativamente sua pequena cabeça seca, toda enfeitada com topes de fita, laços, guizos de prata e borlas. Além disso, era meiga como um anjo, olhos cândidos e compridas orelhas, sempre abanando, orelhas que lhe davam um ar bonachão. Toda Avignon a respeitava e, quando andava pelas ruas, não havia cortesias que lhe não fizessem. Todos sabiam que esse era o melhor meio de ser bem visto na corte e que com seu ar inocente a mula do Papa já tinha levado a fortuna a mais de uma pessoa, e a prova era esse Tistet Védène e sua prodigiosa aventura.

Tistet Védène, a princípio, era um atrevido moço de recados que seu pai, Guy Védène, o escultor, fora obrigado a expulsar de casa por ele nada querer fazer além de desencaminhar ainda por cima os aprendizes. Durante seis meses viram-no coçar sua jaqueta por todos os cantos de Avignon, principalmente para os lados do palácio papal. O malandrim tinha lá suas idéias a respeito da mula do Papa, idéias aliás dignas de sua pessoa...

Um dia em que Sua Santidade passeava sozinho sob as muralhas, eis que o nosso Tistet aproxima-se dele e lhe diz, juntando as mãos, reverentíssimo:

— Ah! Meu Deus! Que excelente mula tendes vós, meu Santo Padre! Deixai-me olhá-la um pouco... Ah! meu Papa, que bela mula!... Nem o Imperador da Alemanha tem outra igual!

E acariciava-a, falando-lhe docemente, como a uma mulher.

— Vem cá, minha jóia, meu tesouro, minha pérola...

O bom Papa, todo comovido, pensava: "Que esplêndido rapaz! Como é gentil com a minha mula!"

E depois, no dia seguinte, sabeis vós o que aconteceu? Tistet Védène trocou sua bela jaqueta amarela por uma bela túnica de rendas, uma camisa de seda violeta, sapatos de fivela e entrou para o serviço do Papa, onde ninguém antes dele tinha sido recebido, com exceção dos filhos dos nobres e dos sobrinhos dos cardeais. Ora, isso é que é esperteza! Mas Tistet não parou por aí.

Uma vez servindo ao Papa, o malandrim continuou o jogo que tão bons resultados lhe dera. Insolente com todos, não tinha atenções nem gentilezas a não ser para com a mula, e ele era sempre visto pelos pátios do palácio com um punhado de aveia ou feixes de feno, sacudindo as espigas róseas, olhando para a varanda do santo Padre com ares de quem diz, "Hei!... para quem é isto?..." E tanto fez que afinal o bom Papa, sentindo-se envelhecer, deixara a seus cuidados a cavalariça e a entrega das sopas de vinho à francesa à mula. O que, aliás, não provocava risos nos cardeais...

*

... e também não fazia a própria mula rir...

Agora, na hora do vinho, via sempre chegar à cavalariça cinco ou seis meninos do coro que, depressa, se escondiam debaixo das palhas. Em seguida um cheiro morno de caramelo e outros aromáticos enchiam a cavalariça e Tistet Védène aparecia carregando com cuidado a sopa de vinho à francesa. Começava então o martírio do pobre animal.

Tinham aqueles garotos a crueldade de deixá-la sentir todo aquele aroma do vinho de que tanto gostava, que lhe esquentava o corpo e tornava-a leve; depois quando a mula já tinha as narinas impregnadas dele — provaste-o? Nem eu! — o belo licor róseo descia todo pelas gargantas dos moleques... E ainda que eles nada mais fizessem, do que roubar-lhe o vinho!... Mas depois de bebê-lo, transformavam-se em pequenos diabos. Uns puxavam-lhe as orelhas, outros o rabo. Quiquet subia-lhe nas costas, Bélunguet enfiava-lhe o seu barrete e nenhum daqueles moleques pensava que com um encontrão ou com um coice o formidável animal poderia mandá-los todos para a estrela polar ou para mais longe ainda... Mas, não! Por alguma razão um animal é mula do Papa, a mula das bênçãos e das indulgências... As crianças gostavam de brincar e ela não se zangava; era só o Tistet Védène que ela queria acertar... Quando, por exemplo, sentia-o atrás de si, vinham-lhe cócegas nos cascos e na verdade ela tinha razão para tanto. O malandrim do Tistet tratava-a tão mal!... Inventava lá suas crueldades depois de beber!...

Pois um belo dia não imaginou que ela subisse com ele até o campanário da matriz, lá em cima, em cima de tudo, na ponta do palácio!... E o que eu vos conto não é uma história, que duzentos mil provençais bem o viram. Imaginai o terror da desgraçada mula, depois de ter andado às voltas durante uma hora, às cegas, numa escada em caracol, e depois de ter trepado sei lá quantos degraus, se encontrando de repente sobre uma plataforma deslumbrante de luz, e avistando a mil pés lá embaixo toda uma Avignon fantástica, as barracas do mercado menores do que avelãs, os soldados do Papa diante do quartel como formigas vermelhas, e lá em baixo, sobre um fio de prata, uma ponte microscópica onde se dançava, dançava... Ah! Pobre animal! Que susto! Com o grito que ela deu, todos os vidros do palácio estremeceram.

— O que está acontecendo? O que é que lhe fizeram? — gritou o Papa, precipitando-se para a varanda.

Tistet já se encontrava no pátio, fingindo chorar e arrancar os cabelos.

— Ah! Santo Padre, o que houve? Houve que vossa mula... Meu Deus! Que vai ser de nós? Houve que vossa mula subiu ao campanário...

— Sozinha??

— Sim, Santo Padre, sozinha... Esperai! Vede-a lá em cima... Vedes as pontas das orelhas que passam de um lado para o outro?... Parecem duas andorinhas...

— Misericórdia! — disse o pobre do Papa, levantando os olhos. — Mas quer dizer que ela enlouqueceu! Ela vai-se matar! Desce, desgraçada!...

Coitadinha! Outra coisa não queria ela senão descer... Mas por onde? Escada, nem pensar. Pode-se subi-la, mas para descê-la quebraria as pernas... A pobre mula estava aparvalhada, andando em círculo na plataforma, com os olhos cheios de vertigens e pensava em Tistet: "Ah! Miserável, se eu escapar desta, que coices tu levarás amanhã..."

A idéia do coice no dia seguinte dava-lhe certo alento; sem isso não teria conseguido se sustentar lá em cima... Por fim, conseguiram tirá-la lá do alto; mas foi uma trabalheira. Foram necessários cordas, um macaco e uma padiola. E imaginem só que humilhação para uma mula de um Papa ver-se assim suspensa naquela altura, agitando as patas no vazio como um besouro na ponta de um fio. E Avignon em peso gozando o espetáculo!

Naquela noite, o desgraçado animal não pregou olho. Parecia-lhe todo o tempo que estava de volta àquela maldita plataforma, com toda a cidade rindo lá embaixo. Depois pensava no miserável do Tistet Védène e no belo coice que lhe reservara para a manhã do dia seguinte. Ah! Meus amigos, e que coice! Até lá em Pampérigouste se haveria de ver a poeira...

Ora, enquanto a mula preparava uma bela recepção a Tistet, sabeis vós o que andava ele a fazer? Descia o rio Ródano, cantando numa pequena galera papal. Ia para a corte de Nápoles com um grupo de moços fidalgos que a cidade enviava todos os anos para junto da Rainha Joana, a fim de se exercitarem na diplomacia e nas boas maneiras. Tistet não era nobre; mas o Papa precisava recompensá-lo dos cuidados que ele dispensara à sua mula, e principalmente da sua iniciativa no dia do salvamento.

No dia seguinte, a mula estava decepcionadíssima.

"Ah! O miserável! Suspeitou de alguma coisa e fugiu", pensava ela, sacudindo os guizos. "Mas não faz mal! Podes ir, miserável... Na volta encontrarás o teu coice... Eu espero...

E a verdade é que o esperou.

Depois da partida de Tistet, a mula do Papa retomou sua vida tranqüila. Nem o Quiquet, nem o Béluguet voltaram à cavalariça. Voltaram os belos dias das sopas de vinho à francesa, e com eles o bom humor, as longas sestas e o pequeno trote elegante quando atravessava a ponte de Avignon.

No entanto, depois da sua aventura, ela percebia uma certa frieza na cidade. Quando passava, sentia um certo cochicho. Os velhos balançavam a cabeça e as crianças riam-se, apontando para o campanário. O bom do Papa — até ele! — já não tinha tanta confiança assim na sua amiga e, quando se entregava um pouco aos cochilos ao voltar montado da sua vinha, pensava: "E se eu acordar de repente lá em cima, no campanário?" A mula percebia isso e sofria sem dizer nada; somente quando diante dele alguém pronunciava o nome Tistet, as suas compridas orelhas tremelicavam e enfiava no chão, com um leve sorriso, os ferros dos seus cascos.

E assim passaram-se sete anos, no fim dos quais Tistet Védène retornou da corte de Nápoles. Não concluíra seu período de estágio, mas soubera que morrera em Avignon o primeiro mostardeiro do Papa e, como lhe parecia uma boa colocação, viera às pressas a fim de ver se conseguia o posto.

Quando este intrigante do Védène chegou à sala do palácio, o Santo Padre custou a reconhecê-lo, tanto ele crescera e tomara corpo. Devemos também acrescentar que o bom Papa, por seu lado, muito envelhecera e já não via muito bem sem óculos.

Tistet não se intimidou.

— Como, Santo Padre! Vós não me reconheceis?... Sou eu, Tistet Védène...

— Ah! Sim... sim... Estou lembrando... Um bom rapaz, esse triste Tistet!... E então, o que desejas de nós?

— Ah! Pouca coisa, Santo Padre... Eu vinha pedir-vos... A propósito: tendes ainda a vossa mula? E ela vai bem? Ah, tanto melhor!... Eu... eu vinha pedir-vos o lugar do primeiro mostardeiro que acaba de falecer.

— O primeiro mostardeiro, tu!... Mas és novo demais para o cargo. Que idade tens?

— Vinte anos e dois meses, ilustre pontífice. Justamente cinco anos mais do que a vossa mula. Ah, meu Deus, que excelente animal! Se soubésseis o quanto eu gostava daquela mula... Que saudades tenho tido dela, lá na Itália! Haveis de me deixar que eu a veja, não é mesmo?

— Como não, meu rapaz? — disse o Papa, comovido. — E já que gostas tanto assim desse excelente animal, não quero que vivas longe dele. A partir de hoje, ligo-te a minha pessoa, na qualidade de primeiro mostardeiro... Os meus cardeais irão chiar, mas pior para eles. Já estou habituado a essas coisas. Procura-me amanhã, à sadia das vésperas; te daremos as insígnias do teu grau na presença do nosso cabido e depois... depois eu te levarei a ver a mula, e virás até a vinha conosco... Hé! Hé! Vamos! Vai-te embora.

Se Tistet Védène estava ou não contente ao abandonar a grande sala, e com que impaciência aguardou ele a cerimônia do dia seguinte, não é necessário dizer. No palácio no entanto havia alguém mais feliz ainda do que ele, e mais impaciente: era a mula. Desde o regresso de Védène até as vésperas do dia seguinte, o terrível animal não parou de se empanturrar de aveia e de treinar, jogando contra a parede seus cascos traseiros... Também ela se preparava para a cerimônia.

E então, no dia seguinte, ao findar das vésperas, Tistet Védène fazia sua entrada triunfal no pátio do palácio papal. Com a presença de todo o alto clero. Os cardeais, com suas vestes vermelhas, o advogado do diabo vestido de veludo preto, os abades do convento com suas pequenas mitras, os artesões de S. Agrico, as murças violetas da matriz e também o baixo clero, os soldados do Papa de uniformes de gala, as três confrarias de penitentes, os eremitas do Monte Ventoux, de ferozes semblantes, e o pequeno clero que segue atrás levando a campainha, os frades nus até a cintura e que se flagelam, os sacristãos floridos em trajes de juízes, todos, todos, até os fornecedores de água benta e o que acende as luzes e o que as apaga... Não havia um só que faltasse... Ah, era uma bela ordenação! Sinos, bombas, sol, música, e sempre estes endiabrados tambores que costumavam marcar a dança, lá embaixo, na ponte de Avignon.

Quando Védène apareceu no meio da assembléia, a sua bela figura e seu belo semblante provocaram um murmúrio de admiração. Era um esplêndido provençal, mas dos louros, com longos cabelos com pontas frisadas e uma pequena barba crespa que parecia feita de aparas do fino metal do buril do seu pai, o escultor. Corria o boato de que os dedos da Rainha Joana tinham brincado algumas vezes com essa barba, e o senhor de Védène possuía, com efeito, a aparência gloriosa e o olhar absorto dos homens que foram amados pelas rainhas...

Naquele dia, para honrar a sua terra, substituíra os trajes napolitanos por uma jaqueta bordada cor-de-rosa, à maneira provençal, e sobre seu capelo tremia uma pluma de íbis da Camargue.

Assim que entrou, o primeiro mostardeiro saudou galantemente para o alto estrado onde o Papa o aguardava a fim de lhe entregar as insígnias do seu grau: a colher de buxo amarelo e o hábito cor de açafrão. A mula estava no fundo da escada, toda ajaezada e prestes a partir para a vinha... Quando passou perto dela, Tistet Védène soltou um bom sorriso e deteve-se para lhe dar duas palmadinhas no lombo, olhando de soslaio para ver se o Papa o observava. A posição era boa... A mula aprumou-se:

— Espera aí! Toma, miserável! É isto que eu guardo para ti há sete anos!

E jogou-lhe um coice tão terrível, tão terrível, que até em Pampérigouste se viu a poeira levantada, um turbilhão de fumo loiro no qual dava voltas uma pluma de íbis e tudo o quanto restava do pobre Tistet Védène!...

Nem sempre os coices de mula têm tão terrível efeito, mas aquela, bem, aquela era uma mula papal. Além disso, lembrem-se vocês que o coice estava guardado há sete anos!... Não existe exemplo mais belo do rancor eclesiástico.

## O CAPITÃO DO *CAMELO*

**AMBROSE BIERCE**
(1842-1914 | Estados Unidos)

*Criativo e crítico, escritor e aventureiro (ele foi lutar na Revolução Mexicana e acabou desaparecendo; Carlos Fuentes transformou-o em personagem no seu romance* Nuestro Gringo), *Bierce deixou uma obra diversificada, como o livro de humor em forma de dicionário (*The Devil's Dictionary), *muito popular, além de fábulas modernas, contos e outros relatos. Aqui, escolhemos uma amostra de sua criatividade, um conto de puro* non-sense, *na melhor tradição anglo-saxã.*

O nome do navio era *Camelo*. Sob certos aspectos tratava-se de um barco extraordinário. "Media" 600 toneladas; mas depois de embarcar lastro suficiente para impedir que emborcasse como um pato morto, mais as provisões necessárias para uma viagem de três meses, era preciso ser muito meticuloso na escolha, tanto da carga, quanto dos passageiros. Uma vez, só para ilustrar, quando estava para zarpar veio um bote do porto com dois passageiros, um homem e sua mulher; eles haviam feito reservas no dia anterior, mas ficaram em terra para fazer mais uma refeição decente antes de se sujeitar ao "pé sujo de bordo", como o homem chamava a mesa do capitão. A mulher veio a bordo, e o homem se preparava para segui-la, quando o capitão, se inclinando na amurada, o viu.

— Bem — disse o capitão —, que é que o senhor pretende?

— Que é que eu pretendo? — disse o homem, se agarrando à escada. — Embarcar neste navio é o que eu vou fazer.

— Não, gordo deste jeito, o senhor não vai — gritou o capitão. — O senhor pesa no mínimo 120 quilos, e eu ainda não levantei a âncora. Ou vai querer que eu abandone minha âncora?

O homem disse que a âncora não era problema dele — que era como Deus o tinha feito (embora, pela sua aparência, desse a impressão que um cozinheiro tivesse dado uma mão ao Criador), e, por bem ou por mal, ele se propunha a embarcar no navio. Uma bela discussão se seguiu, mas finalmente um dos marinheiros jogou-lhe um colete salva-vidas, e o capitão, dizendo que assim ele ficaria mais leve, deixou-o embarcar.

Este era o Capitão Abersouth, anteriormente no comando do *Atoleiro*, o melhor marinheiro que alguém possa imaginar, sentado na murada da popa e lendo uma trilogia. Nada podia se igualar à paixão daquele lobo do mar pela literatura. Em cada viagem ele vinha com tantos pacotes de livros que não havia espaço para a carga. Eram romances no porão, romances no convés, romances no salão e ainda havia romances nos beliches dos passageiros.

O *Camelo* fora desenhado e construído por seu proprietário, um arquiteto do centro de Londres, e se parecia tanto com um navio quanto a Arca de Noé. Tinha sacadas e varanda; um beiral e portas na linha d'água. As portas tinham sinetas e campainhas. Em uma área tinha havido até uma tentativa fútil de se construir um navio. O salão dos passageiros era na ponte e coberto de telhas. A esta estrutura, com a aparência de uma corcova, o barco devia seu nome. Seu arquiteto havia construído várias igrejas (a de Santo Ignotus ainda é usada por uma cervejaria em Hotbath Meadows) e, possuído pela inspiração eclesiástica, dera ao navio um casco em forma de cruz, mas, descobrindo que as laterais atrapalhavam seu deslocamento na água, as removera, o que enfraquecera bastante a estrutura da quilha a meia nave. O mastro principal era como um pedestal e no topo havia um cata-vento em forma de galo, de sua gávea se descortinava uma das mais belas vistas da Inglaterra.

Era assim o *Camelo* quando me juntei à sua tripulação, em 1864, para uma viagem de descoberta ao Pólo Sul. Uma expedição sob os auspícios da Real Sociedade pela Promoção do "Fair Play". Numa reunião desta excelente associação, ficara decidido: 1- que o favoritismo da ciência pelo Pólo Norte era uma indevida diferenciação entre dois objetivos igualmente meritórios, pela qual a Natureza já havia mostrado sua desaprovação castigando Sir Jonh Franklin e tantos outros de seus imitadores (o que era bem feito para eles); 2- que esta empresa seria uma forma de protesto contra tal preconceito; e, finalmente; 3- que nenhuma despesa ou responsabilidade devia reverter para a dita sociedade como corporação, mas que se criaria um fundo para o qual qualquer membro de forma pessoal poderia contribuir, se alguém fosse suficientemente idiota para isto (o que, justiça seja feita, ninguém foi). Aconteceu apenas que o cabo de amarração do *Camelo* arrebentou, num dia em que eu estava nele. O barco deixou o porto vagando com a corrente rumo ao Sul, debaixo dos insultos e imprecações de quantos o conheciam e, como eu, já não podiam voltar. Em dois meses ele cruzou o Equador, e o calor se tornou insuportável.

De repente começou uma calmaria. Tivéramos uma brisa perfeita até as três da tarde, e o navio vinha fazendo quase dois nós por hora quando, sem um aviso, as velas se inflaram ao contrário, isto devido ao ímpeto com que vínhamos, e então, quando ele parou de todo, as velas caíram, mais lisas que saia de mulher magra.

O *Camelo* não só parou por completo como começou um lento movimento de ré, rumo à Inglaterra. O velho Ben, nosso mestre, disse que calmaria igual só tinha visto mesmo uma, e esta, ele explicou, foi quando Pregador Jack, o marinheiro regenerado, se excitou demais num sermão e gritou que Miguel, o Arcanjo, sacudiria o Dragão de dentro do barco e faria o maldito provar a ponta de uma corda!

Nós permanecemos nesta situação deplorável boa parte do ano, até que, com impaciência crescente, a tripulação me delegou poderes de representação para procurar o capitão e ver se alguma coisa podia ser feita. Eu o encontrei, sob a coberta, entre um convés e outro, num canto empoeirado e coberto de teias de aranha, com um livro nas mãos. De um lado ele tinha, recém desembrulhados, três pacotes de "Ouida"; do outro lado uma pilha de Miss M.E. Braddon que chegava à altura de sua cabeça. Havia terminado "Ouida" e começara a atacar Miss Braddon. Ele estava muito mudado.

— Capitão Abersouth — eu disse, na ponta dos pés para poder ver por cima dos picos montanhosos de Miss Braddon —, o senhor poderia, por gentileza, me dizer até quando isso vai durar?

— Não tenho certeza — me respondeu sem tirar os olhos do livro. — Provavelmente eles vão transar pela metade do livro. Enquanto isso o jovem Monshure de Boojower vai entrar na posse de uma fortuna milionária. Então, se a bela e orgulhosa Angélica não vier atrás dele, depois de abandonar o advogado naval, então, pelo amor de Deus, eu não entendo nada do profundo e misterioso coração humano.

Eu me sentia incapaz de relatar aos homens de bordo a forma esperançosa com que o capitão encarava nossa situação e subi para o convés bastante desanimado, mas foi só botar a cabeça para fora para notar que o navio movia-se com uma velocidade incrível.

Nós tínhamos a bordo um touro e um holandês. O touro estava preso ao mastro, pelo pescoço, com uma corrente, já o holandês tinha bastante liberdade e só era trancado à noite. Havia uma desavença entre eles — uma antipatia que tinha suas raízes no apetite do holandês por leite e no senso de dignidade pessoal do touro; seria penoso e cansativo relatar aqui o incidente específico que deu origem ao ódio. Aproveitando a *siesta*, que seu inimigo fazia depois do almoço, o holandês conseguira passar pelo mastro sem ser visto, e chegar até a proa, para pescar. Quando o animal, acordando, viu a outra criatura na sua frente pescando, deu uma folga na corrente, para pegar impulso, abaixou os chifres e atacou seu desafeto. O mastro era firme, a corrente era forte e com o touro rebocando o navio, como diria Byron: "caminhar sobre as águas foi coisa normal".

Depois disso nós deixamos o holandês exatamente onde estava, noite e dia. O velho *Camelo* andava como nem mesmo um furacão o faria andar. A bússola mostrando sempre o rumo Sul.

Nosso problema agora era outro. Há algum tempo não tínhamos comida suficiente, faltava carne em especial. Nós não podíamos sacrificar nem o touro nem o holandês; e o carpinteiro de bordo, tradicionalmente o primeiro recurso dos esfomeados no mar, era magro como um esqueleto. Os peixes nem mordiam nem se deixavam morder. Quase todos os cabos já haviam sido usados numa macarronada; tudo que era de couro, inclusive nossos sapatos, tinha acabado dentro de uma omelete; com trapos e betume fizéramos uma salada bastante razoável, e depois de uma breve carreira como dobrada à moda do Porto, nossas velas haviam dado adeus ao mundo para sempre. Só restavam duas alternativas, ou comíamos uns aos outros, como manda a etiqueta naval, ou lançávamos mão dos romances do capitão Abersouth. Terrível alternativa! — mas sempre uma escolha. E raramente, creio, marinheiros esfomeados têm o privilégio de encontrar à sua disposição um inteiro carregamento de nossos melhores autores contemporâneos já fritos pela crítica. Nós comemos toda aquela ficção. As obras que o capitão já terminara de ler duraram seis meses, a maioria eram *best-sellers* e bastante substanciais. Depois que elas acabaram (é claro que alguma coisa tinha de ser dada ao touro e ao holandês) nós apertamos o capitão, tomando os livros de suas mãos assim que ele os acabava de ler. Algumas vezes, quando parecia que nós estávamos nas últimas e já nada podia nos salvar, ele saltava uma página inteira de considerações éticas, ou aquelas partes chatas com descrições monótonas, que eram imediatamente devoradas; e sempre, assim que ele começava a prever o desenvolvimento da trama (o que em geral acontecia pela metade do segundo volume), ele nos entregava o final do livro sem uma reclamação.

Os efeitos desta dieta não só não eram desagradáveis, mas ao contrário bastante interessantes. Nos sustentava fisicamente, nos exaltava o intelecto e moralmente não nos tornava muito piores de que já éramos. Nós falávamos como nunca ninguém falou, antes de nós. Coisas de uma absoluta falta de sentido eram ditas com muito espírito. Como na coreografia óbvia de um duelo de palco, onde cada golpe tem seu previsível contragolpe, nas nossas conversas, cada observação era a deixa para a outra fala que, por sua vez, provocava o seu preciso retorno. Uma seqüência que, quando interrompida, fazia perceber o vazio de que era feita; como um colar que, rompido o fio, deixasse ver suas contas, uma a uma, brilhantes e ocas.

Nós fizemos amor, uns com os outros, e conspiramos sombrios pelos cantos mais escuros do porão. Cada grupo de conspiradores tinha seus espiões e traidores que às vezes brigavam entre si. Às vezes havia confusão entre eles, dois ou mais indivíduos disputando o direito de espionar a mesma conspiração. Lembro-me quando o cozinheiro, o carpinteiro, o segundo cirurgião assistente e um marinheiro brigaram com ferros na mão pela honra de trair minha confiança. Outra vez, eram três os assassinos mascarados do segundo turno de vigia, debruçando-se ao mesmo tempo sobre o vulto adormecido do grumete que mencionara na semana anterior possuir: — Ouro! Ouro! — acumulado durante oitenta anos (pois é, oitenta) de pirataria enquanto parlamentar pelo distrito de Zaccheus-cum-down e ia a missa todos os domingos. Vi o capitão no alto da ponte cercado de pretendentes à sua mão enquanto ele mesmo tentava adivinhar, sem desembrulhar, o conteúdo de um pacote de livros olhando pela fresta do papel e, ao mesmo tempo, fazia uma serenata para sua amada que se barbeava num espelho.

Nossas falas compunham-se de partes iguais, de alusões dos clássicos, citações diretamente das tabernas, amostras de fofoca copa-e-cozinha, do código de iniciados dos clubes esnobes e do jargão técnico da heráldica. Nós nos vangloriávamos muito de nossos ancestrais e admirávamos a brancura de nossas mãos, sempre que se pudesse ver alguma coisa através da camada de sujeira e graxa que as cobriam. Depois de amor, botânica, assassinato, incêndio, adultério e liturgia, o que mais ocupava nossa conversação eram as artes. A figura de proa do *Camelo*, representando um negro da Guiné sentindo um mau cheiro, e dois golfinhos corcundas pintados na popa assumiram uma nova importância. O holandês quebrara o nariz do negro com um pontapé e os restos da cozinha haviam praticamente coberto os golfinhos. Mas as duas obras eram objeto de peregrinações diárias de amantes das artes que a cada vez descobriam belezas ocultas, tanto na concepção quanto na excelente e sutil execução. Nós mudáramos muito; e se o suprimento de ficção contemporânea fosse igual à demanda, eu acho que o *Camelo* seria pequeno para conter as forças morais e estéticas despertadas pela maceração da imaginação dos autores no suco gástrico dos marinheiros.

Tendo conseguido transferir do seu cérebro para os nossos toda a literatura a bordo, o capitão apareceu na ponte de comando pela primeira vez desde que havíamos deixado o porto. Nós continuávamos no mesmo curso, e, fazendo sua primeira observação do sol com o sextante, o capitão constatou que estávamos a 83° de latitude Sul. O calor era insuportável; o ar como o bafo de uma fornalha dentro de uma fornalha. O mar fervia como um caldeirão e no seu vapor nossos corpos eram cozidos — nossa última ceia estava sendo preparada. Empenado pelo sol, o navio tinha popa e proa fora d'água; o convés da proa estava tão inclinado que o touro corria ladeira acima e o holandês se equilibrava precariamente no pico da proa em vertical. Havia um termômetro no mastro principal e nós nos reunimos em volta dele enquanto o capitão fazia a leitura.

— Oitenta graus centígrados! — ele murmurou com evidente assombro. —Impossível! — virando-se rapidamente, ele correu os olhos sobre nós, e perguntou em voz alta:

— Quem ficou no comando enquanto eu passava os olhos nos livros?

— Bem, capitão — eu respondi, o mais respeitosamente possível —, no quarto dia no mar eu me vi, infelizmente, envolvido numa disputa, no meio de um jogo de cartas, com o imediato e o segundo oficial. Na falta desses excelentes marinheiros, senhor, eu me senti na obrigação de assumir.

— Matou eles, heim?

— Eles se suicidaram, capitão, questionando a eficácia de quatro reis e um ás.

— Bem, seu trapalhão, como é que você justifica esta temperatura absurda?

— Não é minha culpa, capitão. Nós estamos no Sul, muito ao Sul mesmo, e sendo agora o meio de julho, a temperatura é desconfortável, eu admito, mas, considerando a latitude e a estação, não chega a ser absurda.

— Latitude e estação! — ele gritou, pálido de raiva. — Latitude e estação! Sua besta emplumada, quadrúpede, alimária, você não sabe nada? Ninguém nunca disse a você que as latitudes ao Sul são mais frias que ao Norte, ou que julho é o meio do inverno aqui? Considere-se confinado ao seu alojamento, saia da minha frente agora mesmo, seu filho de uma égua, ou eu arrebento você.

— Oh! Muito bem — respondi. — Eu não vou ficar aqui de qualquer forma, que não sou homem de aturar esse tipo de insultos, estou avisando. Faça como achar melhor.

Eu mal acabara de falar, quando um vento frio e cortante me fez olhar o termômetro. Segundo as novas noções de ciência geográfica o mercúrio vinha caindo rapidamente; no próximo segundo o instrumento estava completamente coberto por uma nevasca que impedia a visão. Enormes *icebergs* se levantavam do mar por todos os lados, erguendo-se monstruosamente dezenas de metros acima do mastro e nos cercando por completo. O navio se contorceu e tremeu, empurrado para cima; cada peça de madeira nele rangeu, e o barco fez um último balanço, como o coice de uma pistola. O *Camelo* congelou rápido. A parada brusca partiu a corrente atirando ao mar o touro e o holandês, que assim continuaram no gelo sua guerra pessoal.

Tentando descer para minha cabine, como me ordenara o capitão, ao passar pelos homens eu os vi caírem, à esquerda e à direita, como bonecos de boliche. A tripulação estava rigidamente congelada. Passando pelo capitão, eu perguntei com certa dose de ironia o que ele estava achando do tempo segundo o novo regime. Ele me respondeu com um olhar vago. O frio tinha chegado a seu cérebro e afetado suas faculdades. Ele disse:

— Nesse delicioso lugar, contentes e estimados por todos, cercados de tudo aquilo que torna a vida tranqüila, eles viveram felizes até o fim de seus dias. FIM.

Sua boca ficou aberta. O capitão do *Camelo* estava morto.

*Tradução de Octávio Marcondes*

# PEQUENO ACIDENTE DE PERCURSO

## GUY DE MAUPASSANT
### (1850-1893 | França)

*Quase um paradigma na evolução do conto, Maupassant ficou célebre aos 30 anos, quando publicou* Bola de Sebo, *unanimidade da crítica francesa da época. Durante dez anos, escreveu romances e cerca de 300 contos — morreu aos 43 anos, ensandecido, numa casa de saúde. Considerado mestre do Naturalismo, talvez seja o contista francês de maior influência em contistas do mundo todo. O humor presente nestes dois contos é um humor de costumes, de situação e de personagens.*

O sol desaparecia aos poucos por detrás da grande serra senhoreada pelo Puy-de-Dôme, e a sombra da serra se estendia pelo profundo vale de Royat.

Algumas pessoas passeavam no parque, ao redor do quiosque da música. Outras estavam sentadas, em grupos, apesar da friagem da tarde.

Conversava-se com animação num desses grupos, posto que um grave assunto preocupava as senhoras de Sarcagnes, de Vaulacelles e de Bridoie. As férias se aproximavam e tratava-se de mandar buscar seus filhos, internados nos colégios dos jesuítas e dos dominicanos.

Ora, essas damas não pensavam em fazer elas mesmas a viagem para trazer seus descendentes e não conheciam ninguém a quem pudessem encarregar de tão delicada missão. Era nos últimos de julho. Paris estava deserta. Elas procuravam em vão um nome que lhes oferecesse as requeridas garantias.

Maior eram suas preocupações devido a um escabroso caso de ultraje ao pudor público que ocorrera alguns dias antes num vagão de trem. E estas damas estavam persuadidas de que todas as rameiras da capital passavam a vida nos trens, entre Auvergne e a Gare de Lyon. Os tópicos de *Gil Blas,* aliás, no dizer de Mr. De Bridoie, assinalavam sua presença em Vichy, no Mont Doré e em Bouboule, de todas as horizontais conhecidas e desconhecidas. Para lá chegarem, deveriam elas viajar de trem e, sem dúvidas, de trem regressariam elas; deveriam mesmo voltar ininterruptamente para tornarem a vir todos os dias. Seria, portanto, um vaivém constante daquelas mulheres impuras todos os dias. As damas em questão se lamentavam de que os acessos às gares não fosse proibido às mulheres suspeitas.

Ora, Roger de Sarcagnes tinha quinze anos. Gontran de Vaulacelles, treze, e Roland de Bridoie, onze anos. O que fazer? Elas não podiam, no entanto, expor seus queridos filhos ao contato com semelhantes criaturas. O que não ouviriam eles, o que não aprenderiam, se passassem um dia inteiro, ou uma noite, num compartimento de trem que contivesse também uma ou duas daquelas desavergonhadas com seus respectivos companheiros.

A situação parecia sem saída, quando aconteceu de por ali passar Madame Martinsec. Ela parou para cumprimentar as amigas, que lhe contaram suas preocupações.

— Mas é muito simples — exclamou ela —, eu posso emprestar-lhes o padre. Posso muito bem dispensá-lo durante quarenta e oito horas. A educação de Rodolphe não irá se abalar por tão pouco. O padre irá buscar seus filhos.

Ficou então combinado assim, que o padre Lecuir, um jovem sacerdote muito instruído, preceptor de Rodolphe de Martinsec, iria a Paris na semana seguinte buscar os três garotos.

O padre partiu, pois, na sexta-feira; e encontrava-se na Gare de Lyon no domingo de manhã, para, com seus três garotos, embarcar no expresso das oito, o novo expresso em funcionamento há poucos dias apenas e que era, por sinal, uma aspiração de todos os banhistas de Auvergne.

Ele passeava pela gare seguido de seus meninos, e procurava um vagão com poucos passageiros, e passageiros de aspecto respeitável, pois ficara obcecado com todas as minuciosas recomendações que lhe fizeram as Sras. de Sarcagnes, de Vaulacelles e de Bridoie. Eis que ele avistou, em frente a um dos compartimentos, um velho senhor e uma velha dama de cabelos brancos que conversavam com uma outra dama instalada na cabine. O velho era oficial da Legião de Honra; e tinham ambos um aspecto perfeitamente distinto. "É a cabine que me serve", pensou o padre. Fez os três alunos subirem e foi atrás.

A velha dama dizia:

— Cuide-se bem, minha filha.

A jovem respondeu:

— Claro, mamãe, não tenha medo.

— Se sentir alguma coisa, não se esqueça de chamar o médico.

— Claro, mamãe.

— Vamos indo. Adeus, minha filha.

— Adeus, mamãe.

Abraçaram-se e se beijaram; depois o empregado da gare fechou a portinhola e o trem se pôs em marcha.

Estavam sós. O padre, encantado, congratulava-se com a sua habilidade, iniciou conversa com os garotos que lhe foram confiados. No dia de sua partida, combinara com a Sra. de Martinsec que iria a dar lições particulares aos três garotos durante as férias, e ele queria sondar um pouco a inteligência e a personalidade dos seus novos alunos.

Roger de Sarcagnes, o maior, era um desses meninos crescidos depressa demais, magros e pálidos, e cujas articulações não pareciam completamente formadas. Ele falava de forma lenta e era um tanto simplório.

Gontran de Vaulacelles, pelo contrário, permanecera pequeno, rechonchudo e era malicioso, dissimulado e gozador. Vivia sempre se divertindo à custa dos outros, tinha saídas de gente grande, respostas de duplo sentido, que inquietavam seus pais.

O mais jovem, Roland de Bridoie, não parecia revelar nenhuma aptidão para coisa alguma. Era um bom animalzinho que iria se parecer com seu pai.

O padre prevenira os meninos de que eles ficariam sob as suas ordens durante os dois meses de verão; e fez-lhes um sermão bastante sentido sobre os seus deveres para com ele, padre, sobre a maneira como pretendia governá-los e o método que seguiria.

Era um padre de alma reta e simples, um pouco posudo e cheio de regras.

Seu discurso foi interrompido por um profundo suspiro da sua vizinha. Voltou a cabeça para ela. A senhora conservava-se sentada no seu canto, com os olhos fixos, as faces algo pálidas. O padre voltou-se para seus discípulos.

O trem corria a toda velocidade, atravessava planícies, bosques, passava túneis e pontes, sacudia com sua forte trepidação o rosário de viajantes presos nos vagões.

Era a vez de Gontran de Vaulacelles interrogar o padre sobre Royat e os divertimentos da terra. Tinha rio? Podia-se pescar? Conseguiria ele um cavalo, como nas férias passadas? Etc.

De repente, a jovem soltou uma espécie de grito, um "ah!" de sofrimento, logo reprimido. Inquieto, o sacerdote lhe perguntou:

— A senhora está se sentindo bem, Madame?

Ela respondeu:

— Não, senhor padre, não é nada, apenas uma leve dor. Ultimamente tenho andado meio adoentada e o movimento do trem me cansa.

Na verdade, seu rosto se tornara lívido. Ele insistiu:

— Se eu puder fazer alguma coisa pela senhora...

— Não, em absoluto, senhor padre. Fico-lhe muito agradecida.

O padre continuou a conversar com os alunos, avaliando-os para seu ensino e orientação.

Passavam-se as horas. O trem parava de quando em quando, em seguida tornava a partir. A jovem senhora parecia dormir, não mais se movia, aconchegada no seu canto. Embora mais da metade do dia já se passara, ela ainda não comera coisa alguma. O padre pensava: "A pobre deve estar sofrendo."

Mais duas horas e estariam em Clermond-Ferrand. Foi então que a senhora viajante começou a gemer. Quase se deixara cair do banco e, firmando-se nas mãos, com os olhos esgazeados, feições crispadas, ela repetia: "Ai, meu Deus! Ai, meu Deus!"

O padre se precipitou:

— Madame... Madame... Madame, o que é que a senhora tem?

Ela balbuciou:

— Eu... eu... acho que... que... vou dar à luz.

E, em seguida, começou a gritar de um modo horrível, lançando um longo clamor desvairado que parecia rasgar-lhe a garganta na passagem, um clamor agudo, lancinante, cuja entonação sinistra traduzia a angústia de sua alma e a tortura do seu corpo.

Transtornado, o pobre do padre, de pé diante dela, não sabia o que fazer, o que dizer, que iniciativa tomar, e murmurava: "Meu Deus, se eu soubesse... Meus Deus, se eu soubesse!" Estava vermelho até o branco dos olhos; e seus três garotos olhavam apatetados a mulher estendida e a gritar.

De repente, ela se contorceu, levantando os braços acima da cabeça, e então estremeceu com uma convulsão que percorreu seu corpo todo. O padre pensou que ela ia morrer, morrer bem ali à sua frente, privada de socorros e de cuidados por culpa dele. Conseguiu dizer com uma voz resoluta:

— Vou ajudá-la, Madame. Eu não sei... Mas eu a ajudarei como puder. Devo dar minha assistência a toda criatura que sofre. — E voltou-se para os três garotos e gritou: — Vocês aí, vão colocando a cabeça na janela; e se algum de vocês se voltar para olhar, vai ter de copiar mil versos de Virgílio.

Ele próprio baixou o vidro da janela, acomodou ali as três cabeças, estendeu sobre os pescoços deles as cortinas azuis e repetiu:

— Se fizerem um só movimento, vão ficar de castigo, vão ficar privados dos passeios durante todas as férias. Não se esqueçam que eu não perdôo nunca.

E voltou para junto da jovem senhora, erguendo as mangas da batina.

........................................................................................................................

Ela continuava a gemer; às vezes, gritava. O padre, com o rosto vermelho, dava-lhe assistência, exortando-a e reconfortando-a; e repetidamente levantava os olhos para os três garotos que arriscavam olhares furtivos, logo desviados, para o misterioso trabalho a que se dedicava seu novo preceptor.

— Sr. de Vaulacelles, vai me copiar vinte vezes o verbo "desobedecer"! — gritava ele. — Sr. de Bridoie, você vai ficar sem sobremesa durante um mês.

Subitamente a senhora parou com sua queixa insistente e quase em seguida um grito estranho e frágil, que mais parecia um latido ou um miado, fez com que os três colegiais se voltassem para dentro ao mesmo tempo, convencidos de que acabavam de ouvir um cãozinho recém-nascido.

O padre segurava nas mãos uma criaturinha nua. Contemplava-a com um olhar desorientado; parecia feliz e desolado; a ponto de rir e a ponto de chorar; parecia que estava louco, tantas coisas exprimia a sua cara com ao rápido movimento dos olhos, dos lábios e das faces. E declarou, como se desse aos seus alunos uma grande notícia:

— É um menino. — E em seguida, ordenou: — Sr. De Sarcagnes, me passe a garrafa d'água que está ali no canto. Desarrolhe-a... Isso... muito bem... Põe um pouco na minha mão... ótimo, ótimo...

E aspergiu com aquela água a fronte nua do bebezinho, dizendo:

— Eu te batizo, em nome do Pai, do Filho e do Espírito Santo. Amém.

O trem entrava na gare de Clermont. O rosto da Sra. De Bridoie apareceu na janela. O padre então, perdendo a cabeça, apresentou-lhe o frágil ser humano que acabara de colher, murmurando: "Tivemos um pequeno acidente de percurso."

Seu aspecto era o de ter recém apanhado aquela criança num esgoto; e, com os cabelos molhados de suor, o colarinho fora de lugar, a batina maculada, ele repetia:
— As crianças não viram nada, eu garanto. Os três olhavam pela janela, eu garanto. Eles nada viram.

E desceu do trem com quatro meninos em vez dos três que fora buscar, enquanto as senhoras de Bridoie, de Vaulacelles e de Sarcagnes trocavam olhares desvairados, sem encontrar uma palavra sequer para dizer.

À noite, as três famílias jantaram juntas para festejar a chegada dos colegiais. Mas não falavam; os pais, as mães e os próprios meninos pareciam preocupados. De repente, o mais jovem, Roland de Bridoie, perguntou:

— Mamãe, onde foi que o padre achou aquela criancinha?

A mãe não poderia ter sido mais peremptória:

— Vamos, come e nos deixa em paz com as tuas perguntas.

O garoto calou-se por alguns minutos, logo em seguida:

— Não tinha ninguém. Só aquela senhora que estava com dor de barriga. É que o padre é um mágico, como o Houdini, que faz sair um armário cheio de peixes de baixo de um tapete?

— Cale essa boca. Foi Nosso Senhor quem mandou o bebê.

— Mas onde é que Nosso Senhor tinha posto o nenenzinho? Eu não vi nada. Será que ele entrou pela portinhola?

A Sra de Bridoie, impaciente, replicou:

— Cale a boca. Acabou-se. Ele apareceu num pé de couve, pronto, como todas as criancinhas. Você sabe disso.

— Mas não havia nenhuma couve naquele vagão.

Daí então Gontram de Vaulacelles, que escutava tudo com um ar maroto, sorriu e disse:

— Havia uma couve, sim. Mas só quem a viu foi o padre.

## SANTO ANTÔNIO

### GUY DE MAUPASSANT

Chamavam-no Santo Antônio, pois Antônio era seu nome e também, talvez, porque ele fosse um *bon vivant*, alegre, histriônico, excelente garfo, melhor beberrão ainda e vigoroso "abatedor" de criadas, embora já passasse dos sessenta anos.

Era um forte camponês da região de Caux, corado, peitarrudo, gordão, plantado sobre umas longas pernas que pareciam magras comparando com o volume do corpo.

Viúvo, vivia sozinho com a criada e dois empregados na fazendola que dirigia com a habilidade de velho sabido, cuidadoso de seus interesses, entendido de negócios e de criação de gado e na cultura de suas terras. Seus dois filhos e suas três filhas, muito bem casados, viviam nas imediações e vinham jantar com o pai uma vez por mês. Seu vigor era famoso em toda a região; dizia-se, como se fosse um provérbio: "É forte como Santo Antônio."

Quando ocorreu a invasão prussiana, Santo Antônio, na taverna da vila, prometia engolir um exército, pois era falador como um autêntico normando, algo covarde e fanfarrão. Batia com o punho na mesa de madeira, que saltava fazendo as taças e os cálices dançarem, e gritava, com o rosto vermelho e o olhar aceso, numa falsa raiva de bonachão: "Preciso comer e mastigar pelo menos um deles, pelo amor de Deus!" Ele na verdade supunha que os prussianos não iriam chegar até Tanneville, mas quando soube que já estavam em Rantôt, não saiu mais de casa, e espiava constantemente a entrada da granja pela janelinha da cozinha, esperando ver passar as baionetas a qualquer momento.

Certa manhã, enquanto tomava sopa com os empregados, a porta foi aberta e nela surgiu Chicot, o prefeito da comuna, seguido de um soldado de capacete negro com ponta de cobre. Santo Antônio levantou-se de um salto; e todo o seu pessoal olhava para ele, esperando vê-lo transformar o prussiano em picadinho; mas ele contentou-se em apertar a mão do prefeito, que lhe disse:

— Este é para você, Santo Antônio. Eles chegaram esta noite. Trata de não fazer nenhuma bobagem, pois eles estão falando em fuzilar e incendiar tudo, se acontecer a mínima coisa com eles. Fica prevenido. Dá-lhe de comer, ele parece um bom sujeito. Adeus, vou à casa dos outros. Existe prussiano para todos — e retirou-se.

"Tio" Antônio, pálido, olhou para seu prussiano. Era um rapagão de carne gorda e branca, de olhos azuis, loiro, barbudo até as maçãs do rosto, e que parecia idiota, tímido e crédulo. O esperto normando decifrou-o em seguida e, tranqüilizado, fez-lhe sinal para que se sentasse. Depois perguntou a ele: "Quer sopa?" O estrangeiro não entendeu. Antônio então teve um rasgo de coragem e, colocando-lhe um prato cheio de sopa sob o nariz do prussiano, disse: "Toma, engole isso, seu porco."

O soldado respondeu "Ia" e pôs-se a comer como um esfomeado enquanto o camponês sentiu-se triunfante, com sua reputação reconquistada, e piscou o olho para os criados, que faziam estranhas caretas, ao mesmo tempo cheios de medo e de vontade de rir.

Depois que o prussiano engoliu a sopa, Santo Antônio lhe serviu outro prato, que ele fez desaparecer da mesma maneira, mas recuou diante do terceiro que o normando queria fazê-lo tomar à força, repetindo: "Vamos encher essa pança! Depois não vai querer me dizer porque você não engordou, meu porco." E em seguida se contorceu todo, vermelho de quase arrebentar, sem conseguir dizer uma palavra. Ocorrera-lhe uma idéia que fazia ele quase se afogar de tanto rir: "É isso, é isso, Santo Antônio e o seu porco! Eis aqui o meu porco!" E os três empregados se rolaram de tanto rir.

O velho ficou tão contente que mandou baixar aguardente, da boa, e obsequiou a todos com a bebida. Beberam com o prussiano, que estalou a língua agradecendo, indicando que de fato era aguardente da boa. Enquanto isso, Santo Antônio gritava-lhe no nariz: "Hein? Essa é da boa, não é? Lá na tua terra você não sabe o que é beber dessa, não é, meu porco?"

*** ** ***

Desde então, o "tio" Antônio não saiu mais sem o seu prussiano. Resolvera o problema, era aquela a sua vingança, a sua vingança de esperto. E todo mundo, que morria de medo, ria até não agüentar mais pelas costas dos invasores, da farsa montada por Santo Antônio. Na verdade, nesse tipo de coisa não havia ninguém como ele. Não havia ninguém como ele para inventar histórias como aquela!

Todas as tardes ele visitava os vizinhos abraçado com o seu alemão, que ele apresentava com o ar alegre, batendo-lhe nas costas:

— Olhem o meu porco! Reparem só como o meu porco está engordando.

E os camponeses divertiam-se a mais não poder.

— Eu te vendo, Cesário, três costelas.

— Comprado, Antônio! Depois eu te convido para comer morcilha.

— E eu, o que eu quero são os pernis...

— Apalpa a barriga aqui, ó. É gordura pura.

E todos piscavam o olho sem rir muito alto, pois tinham medo de que o prussiano adivinhasse que estavam zombando dele. Só Antônio, cada vez mais ousado, lhe beliscava as coxas: "Toucinho puro!", e batia-lhe no traseiro, berrando: "Pelanca da melhor!", e erguia-o nos braços do velho colosso capaz de sustentar uma bigorna, declarando: "Ele pesa seiscentos, líquidos."

E inventara de dar de comer ao seu porco em qualquer lugar que com ele fosse. Era seu grande prazer, sua grande diversão de todos os dias: "Dêem a ele o que quiserem que ele devora tudo." E ofereciam ao prussiano pão com manteiga, batatas, frios, chouriço, este último com as seguintes palavras, "Olha! É do teu!"

O soldado, estúpido e dócil, comia por polidez, encantado com tantas atenções, e chegando a se sentir mal só para não recusá-las; e evidentemente ia engordando, seu uniforme já estava bem apertado, para delícia de Santo Antônio, que repetia, "Bem, meu porco, vai ser preciso mandar te fazer um outro chiqueiro."

Os dois se tornaram, aliás, os melhores amigos deste mundo; e quando o velho saía a negociar pelas imediações, o prussiano o acompanhava por vontade própria, pelo simples prazer de estar na sua companhia.

A temperatura estava rigorosa; geava forte; o terrível inverno de 1870 parecia lançar sobre a França todos os flagelos.

Santo Antônio, que preparava as coisas de longe e aproveitava as ocasiões, prevendo que faltaria adubo na primavera, comprou-o de um vizinho que estava em apuros; e ficou combinado que iria todas as tardes com a sua carroça buscar um carregamento de estrume.

Cada dia, pois, ao aproximar-se do anoitecer, ele punha-se a caminho da granja de Haules, distante meia légua, sempre acompanhado de seu porco. E cada dia era uma festa alimentar o animal. Toda a região ia até lá, como sói acontecer, para a missa de domingo.

No entanto, o soldado começava a desconfiar; e quando riam muito descaradamente, ele revirava uns olhos inquietos, onde se acendia às vezes uma chama de raiva. Ora, uma noite, depois de comer até se fartar, ele recusou-se a engolir um pedaço a mais; e tentou se levantar para ir embora. Mas Santo Antônio impediu-o a pulso e, pousando-lhe sobre os ombros as duas mãos possantes, abrigou-o com tal força a se sentar de volta, que a cadeira se partiu com o peso do prussiano.

Foi uma tempestuosa gargalhada generalizada; e Antônio, radiante, reerguendo o seu porco, fingiu-se de veterinário para curá-lo; depois disse, "Já que não queres comer, tu vais beber!" E foram buscar aguardente na venda.

O soldado lançava olhares esquisitos: mas bebeu; bebeu tanto quanto os outros quisessem; e Santo Antônio o acompanhava firme, para grande alegria dos assistentes. O normando, vermelho como um tomate, o olhar pegando fogo, enchia os copos, brindava e berrava "'a sua saúde!" E o prussiano, sem pronunciar uma palavra, bebia trago sobre trago. Era uma luta, uma batalha, uma revanche! Para ver, afinal, quem bebia mais! Quando a garrafa se esvaziou, nem um nem outro agüentava mais. Mas nenhum deles se dava por vencido. Ambos acabaram empatados, eis tudo. Seria preciso recomeçar no dia seguinte.

Eles saíram tropeçando e puseram-se a caminhar, ao lado da carroça de esterco, lentamente arrastada pelos dois cavalos. A neve começava a cair, e a noite sem lua tristemente se iluminava, com aquela brandura morta das planícies. O frio varou os dois homens, potencializando a embriaguez, e Santo Antônio, insatisfeito por não ter saído vencedor, divertia-se dando empurrões no "seu porco" para que caísse no fosso. O prussiano evitava os ataques ladeando o corpo; e a cada vez pronunciava palavras em alemão num tom irritado, que fazia o normando rir às gargalhadas. Até que o prussiano se incomodou pra valer; e bem no momento em que Antônio lhe dava mais um empurrão, ele respondeu com uma terrível bofetada que chegou a abalar Santo Antônio.

Aí então, impulsionada pela aguardente, o velho camponês agarrou o homem pela cintura, sacudiu-o por segundos como se tratasse de uma criança e arremessou-o para o outro lado da estrada. Depois, satisfeito com a façanha, cruzou os braços para rir de novo. Mas o soldado ergueu-se num ímpeto e, de cabeça descoberta, pois seu capacete voara para longe, desembainhou o sabre e se precipitou sobre Antônio. Quando viu aquilo, o velho camponês agarrou seu chicote pelo meio, seu grande chicote de azevinho, reto, forte e elástico como um nervo de boi. O prussiano chegou, de cabeça baixa, a arma pela frente, decidido a matar. Mas o velho, segurando a lâmina cuja ponta lhe ia atravessar o ventre, afastou-a e desfechou um golpe seco na testa do inimigo com o cabo do chicote — e o prussiano desandou a seus pés.

Horrorizado, estúpido de espanto, olhou o corpo no início sacudindo-se de espasmos, depois imóvel sobre o próprio ventre. Inclinou-se, virou-o, ficou a considerar toda a situação por algum tempo. O homem mantinha os olhos fechados; e um filete de sangue escorria de uma fenda ao lado da testa. Apesar do escuro noturno, Antônio bem distinguiu a mancha castanha do sangue sobre a neve.

Ali permanecia, sem saber o que fazer, enquanto sua carroça continuava rodando, no passo tranqüilo dos cavalos. Que deveria fazer? Seria fuzilado! Queimariam sua granja, devastariam a região toda! Fazer o quê? Como esconder o corpo, ocultar a morte, enganar os prussianos? Escutou vozes ao longe, no grande silêncio da neve. Ficou afobado e, agarrando o capacete, cobriu a sua vítima; depois, segurando-a pela altura dos rins, levantou-a, correu, alcançou a carroça e jogou o corpo sobre o esterco. Quando chegasse em casa pensaria no que fazer.

A carroça ia a passo lento, e Antônio, torturando seu cérebro, não chegava a nenhuma conclusão. Via-se perdido, sentia-se perdido. Entrou no pátio. Uma luz brilhava numa janelinha, sinal de que sua criada não estava dormindo; recuou então a carroça até a borda da fossa de adubo. Achava que, virando a carga, o corpo, que estava por cima, ficaria por baixo na fossa; e entornou todo o conteúdo da carroça.

Como previra, o homem ficou sepultado sob o esterco. Antônio aplainou o monte com o forcado, depois plantou-o na terra, ao lado. Chamou o criado, mandou levar os cavalos para a estrebaria, e dirigiu-se para seu quarto.

Deitou-se, sempre refletindo no que iria fazer, mas não se via iluminado por nenhuma idéia; e seu medo só fazia crescer na imobilidade do leito. Seria fuzilado! Suava de medo; seus dentes se entrebatiam; levantou-se, tiritando, sem conseguir mais ficar debaixo das cobertas.

Desceu até a cozinha, pegou a garrafa de aguardente, e subiu de novo. Bebeu dois copos grandes, lançando uma nova embriaguez por cima da antiga, sem acalmar a angústia de sua alma. Boa coisa fizera, imbecil!

Caminhava agora de um lado para o outro, à procura de alguma artimanha, explicações, alguma saída; e de tempos em tempos, escaldava a boca com uma dose de aguardente para enfiar coragem tripas a dentro.

E não encontrava nada, nada mesmo.

Por volta da meia-noite, seu cão de guarda, espécie de semilobo que ele chamava de Devorador, pôs-se a latir de uma maneira lancinante. Santo Antônio estremeceu até a medula, e cada vez que o animal recomeçava seu longo e lúgubre gemido, um frêmito de medo corria sobre a pele do velho.

Deixara-se cair numa cadeira, as pernas moles, estupidificado, sem poder mais se agüentar, aguardando ansioso que Devorador recomeçasse sua queixa, e sacudido por todos os sobressaltos com que o terror fazia vibrar nossos nervos.

O relógio lá embaixo bateu as cinco horas. O cão não se calava. O camponês pensou que fosse enlouquecer.

Levantou-se para ir desamarrar o animal, para não mais ouvi-lo. Desceu, abriu a porta, avançou noite adentro.

A neve continuava caindo. Tudo era branco. As construções da granja formavam grande manchas negras. O velho aproximou-se da casa do cachorro. O animal esticava a corrente. O velho soltou-o, Devorador então deu um pulo, depois estacou, com o pêlo eriçado, as pernas preparadas, as presas à mostra, o focinho voltado para o monturo.

Santo Antônio, tremendo da cabeça aos pés, conseguiu balbuciar: "Que tens, maldito animal!?" e avançou alguns passos, sondando com o olhar a sombra indecisa, a sombra embaciada do pátio.

Foi então que ele viu uma forma, uma forma de homem sentado no seu monturo de adubo!

Olhava, olhava, tolhido de horror, arquejando. Sentiu que ao seu lado havia o cabo do forcado plantado na terra; arrancou-o do solo; e num desses ímpetos de medo que tornam os mais covardes temerários, ele avançou para melhor ver.

Era ele, o seu prussiano que emergira todo lambuzado do seu berço de imundícies, reaquecido e reanimado. Sentara-se mecanicamente, e ali permanecia, sob a neve que o polvilhava, maculado de sujeira e de sangue, ainda estupidificado pela embriaguez, atordoado pelo golpe, exaurido pelo ferimento.

Ele conseguiu ver Antônio e, ainda muito embrutecido para que pudesse compreender alguma coisa, fez um movimento para se levantar. Mas o velho, assim que o reconheceu, espumou como um animal raivoso. Gaguejava: "Ah, seu porco! Porco! Não morreu, não é? Tu vai me denunciar, não vai? Ah, espera aí... Espera aí!"

E avançando para o alemão, arremessou o forcado como se fosse uma lança, com todo o vigor dos seus braços, enterrando suas quatro pontas de ferro no peito.

O soldado caiu de costas, soltando um longo suspiro de agonia, enquanto o velho camponês, retirando a arma das feridas, tornava e enfiá-la sucessivas vezes no ventre, no estômago, na garganta, golpeando como um possesso, dilacerando da cabeça aos pés o corpo palpitante, cujo sangue fugia em grandes borbotões.

Depois parou, resfolegando com a violência do seu gesto, e aspirou o ar com força, tranqüilizado, enfim, com a consumação do fato. Aí então, como os galos já cantavam nos galinheiros e o sol ameaçava aparecer, ele pôs mãos à obra para enterrar o prussiano.

Abriu um buraco no estrume, encontrou a terra, cavou mais fundo ainda, ordenadamente, num arrebatamento, com furiosos movimentos, de braços e do corpo todo. Quando a fossa ficou bastante profunda, empurrou o cadáver para dentro com o forcado, pôs terra por cima, bateu-a demoradamente com os pés, recolocou o estrume no lugar e sorriu ao ver a neve espessa completar seu trabalho, apagando todos os vestígios com a brancura do seu véu.

Depois fincou o forcado no monte de esterco e entrou em casa. A garrafa de aguardente, ainda pela metade, ficara sobre a mesa. Esvaziou-a de um gole, atirou-se na cama e adormeceu profundamente.

Despertou sem sombra de bebedeira, com o espírito calmo e disposto, capaz de refletir sobre o caso e prevenir-se de suas conseqüências.

Dali a uma hora, ele percorria a região, pedindo por toda a parte notícias do seu soldado. Foi ao encontro dos oficiais para saber, dizia ele, por que lhe haviam tirado seu homem.

Como todos conheciam a ligação dos dois, ninguém suspeitou de Santo Antônio; e ele próprio dirigiu as diligências, dizendo que todos as noites o prussiano costumava sair para farrear.

Um velho gendarme reformado, dono de uma pousada numa aldeia próxima, e que tinha uma linda filha, foi preso e fuzilado.

# OITO NOZES

## EMILIA PARDO BAZÁN
### (1851-1921 | Espanha)

*Ela escreveu todos os gêneros, num total de quase cinqüenta títulos, mas ficou conhecida como contista: durante anos, escrevia uma média de um conto por semana, textos que eram disputados por periódicos da Espanha e da América Hispânica. De origem aristocrata, chegou à catedrática de Literatura Comparada da Universidade de Madri, mas, por ser mulher, não conseguiu ingressar na Academia Espanhola. Junto com Sexta-feira Santa e Neto de Cid, este Oito Nozes é considerado um dos seus melhores contos, com situações cotidianas e personagens comuns de uma aldeia ao Norte da Espanha.*

Todas as noites depois do jantar o senhor das Baceleiras recebia em sua desconjuntada mesa da sala seus fiéis parceiros de jogo; o médico, Dr. Juan da Mata; o padre, Padre Serafim; e o mestre-escola, Sr. Dionísio. Chegavam os três ao mesmo tempo e saudavam-no com idênticas palavras, viravam o mesmo cálice de vinho que D. Ramón das Baceleiras lhes oferecia. E limpavam a boca com as costas da mão, à falta de guardanapos. Em seguida, Padre Serafim, que era serviçal e hábil, acendia as velas, não sem antes arrumar o pavio com a espevitadeira prateada, e até às dez e meia disputavam, eles quatro, o ganho de alguns centavos. A essa hora os jogadores apanhavam na sala de entrada os tamancos, se a noite era chuvosa ou havia lodo nos caminhos esburacados, e dirigia-se cada qual pacificamente para seu canto.

Duravam cinco anos estes encontros para o mais inofensivo dos passatempos, e já eram o único prazer do velho e bolorento senhor da aldeia, que passava a metade da vida pregado em sua poltrona pela gota e pelo reumatismo. Aquelas horinhas de jogo e de bate-papo davam algum interesse ao dia, que deslizava lento, interminável, prolongado pela solidão, pela quietude dominante e pelo tédio da velhice sem família, sem obrigações e sem ter o que fazer. Os três homens que vinham jogar com D. Ramón não eram nem sábios nem eloqüentes no dedo de prosa, e nem sequer estavam a par do que ia pelo mundo; mas mesmo assim traziam notícias, boatos, opiniões, brincadeiras, manias e humorismo deste ou daquele; o Dr. Juan da Mata, por sua profissão, recolhia aqui e ali a crônica do lugar, o mexerico das pessoas de roupa simples e das de jaquetas de riço — que o têm, e muito picante; o Padre Serafim se encarregava da política maior, porque lia o "Correio espanhol" e estava a par dos pensamentos do Czar da Rússia e do imperador da Áustria; e quanto ao Sr. Dionísio, ele discordava enfaticamente do divino e do humano, e pelas malditas eleições conhecia de cor e salteado a política local. O senhor das Baceleiras tomava parte na conversa, tão à vontade que seus pareceres eram ouvidos com respeito pelos três companheiros, habituados a nele ver o senhor — um ser superior, pois que nada fazia e vivia de rendas.

O senhor de Baceleiras era dono de muitas terras na aldeia e arredores. Se é verdade que se nasce proprietário, e que o instinto de conservação e defesa do já adquirido é tão forte quanto a morte, desde os primitivos alvores do mundo, este instinto em ninguém se revelou mais vigoroso, nem arraigou-se com mais profundas raízes do que em D. Ramón. Amava com exagero e defendia com raiva a sua propriedade, como se tivesse uma prole considerável a quem transmiti-la e não estivesse, pelo inexorável decreto dos anos, prestes a deixar tudo o que tinha para a alegria de uns sobrinhos que viviam em Mondoñedo e não tinham visto o tio nem uma só vez na vida. Apesar de que o momento em que se abandona a fazenda com a vida se aproximava, D. Ramón, sempre que a gota e a maldita perna permitiam, saía para examinar suas fazendas mais próximas, ver como o milho espigava, como a grama havia agradecido à rega, se os pinheiros medravam e se a nogueira estava mais carregada do que no ano anterior.

O dono tinha posto seus olhos e coração nesta nogueira. Árvore como aquela não se encontrava num raio de quilômetros. Crescia o formoso exemplar à beira do caminho, em frente à taipa da casa dos Baceleiros e nas imediações de uma quinta semeada de batatas pertencente ao Dr. Juan da Mata, o médico. Por que, sendo a quinta do médico, o limite e a árvore eram de D. Ramón? Que o verifique quem conseguir desenrolar o inextricável emaranhado da subdividida propriedade rural galega.

Ora, o caso foi que uma certa manhã, uma manhãzinha radiante de outubro em que tudo no campo era paz e sossego, o senhor das Baceleiras, arrastando a perna mas cheio de ânimo, parou diante da nogueira e deslumbrou-se ao vê-la tão carregada de frutos. Em certos galhos ao sol do meio-dia, viam-se mais nozes do que folhas, e sobre a erva que amaciava o limite de D. Ramón, algumas nozes já caídas, gordas e luzentes. Tentado esteve a apanhá-las, mas não o fez, por causa da perna. "Alberto me trará essas nozes mais tarde", pensou; e chegando em casa ordenou ao criado, satisfeito:

— Hoje no jantar, sobremesa de nozes frescas.

E como no jantar as nozes não apareceram, ele interpelou Alberto. Alberto respondeu que foi apanhar as nozes caídas, mas não encontrou nenhuma no chão.

— Mas como se eu mesmo vi as nozes, e elas eram pelo menos uma dúzia! — desabafou, desanimado, o senhor de Baceleiras.

— Pois então as crianças devem ter apanhado... — respondeu Alberto, com a satisfação velhaca dos camponeses quando acontecem coisas que contrariam seus amos.

À hora do voltarete, o primeiro a chegar foi D. Juan da Mata. Ao entrar tirou um embrulho do bolso de sua velha jaqueta.

— Nozes frescas — murmurou ele com um sorriso triunfal, oferecendo a dádiva ao senhor, que ficou gelado.

— Nozes frescas! — murmurou. — E colheu-as de qual nogueira?

— Da nossa — reagiu o médico com a maior fleuma, colocando-as num prato, pois elas já vinham limpas e descascadas.

— Da nossa? Nossa qual, pode me dizer?

— Essa é boa! O Sr. D. Ramón não a conhece! Da grande, aquela do caminho... Da que me faz sombra à plantação de batatas... e até que chega a prejudicá-las.

— Mas Dr. Juan, essa nogueira.... é tão sua quanto do Papa. Essa nogueira não é de outra pessoa que não esta aqui que está falando consigo.

Caiu das nuvens o Dr. Juan da Mata ao escutar aquelas frases e o tom em que elas eram ditas. Era um velhinho seco como bacalhau, ágil e conservado por milagre, a despeito dos seus muitos anos, grande andarilho, carinhoso e sensível, embora gasto e contido à sua maneira; e o tom inesperado de D. Ramón sugeriu-lhe esta resposta ferina:

— Quer dizer que eu roubei as nozes que nem eram minhas? Então não é meu o que cai na minha propriedade, em cima das minhas batatas? Quer dizer que eu sou um ladrão?

Existe um ditado árabe muito sábio, evangelho do laconismo, que reza assim: "Antes de falar, a língua dá quatro voltas na boca." D. Ramón, para azar seu, esqueceu-se do provérbio naquela hora, se é que o conhecia, coisa que não posso afirmar; e dando rédeas à impaciência e à irritação, respondeu com o ar mais agressivo do mundo:

— O senhor pode me dizer como se chama alguém que se apodera do alheio sem o consentimento do dono? As nozes não eram suas; portanto, tire sua própria conclusão.

Dr. Juan da Mata recalcitrou e, levantando-se num ímpeto e jogando as nozes, não na cara, mas na barriga e nas pernas de D. Ramón, gritou fora de si:

— Pois fique com essa porcaria das suas oito nozes... Que raios me partam se eu voltar alguma vez a por os pés onde me tratam de ladrão, seu... alma danada! Fique com Judas e que só venham aqui seus escravos, que eu sou uma pessoa tão decente quanto o senhor!

Ao sair como um foguete, o médico se encontrou na escada de pedra com o Sr. Dionísio, o mestre-escola, a quem contou o que acabara de acontecer, gaguejando de raiva.

O mestre-escola entrou no refeitório com cara muito comprida, guardando um silêncio diplomático, a princípio. Mas D. Ramón deu logo vazão ao seu mau humor, contando-lhe o caso, e qual não foi a sua surpresa ao constatar que o Sr. Dionísio, com argumentações pedantes e desatinadas, e com argúcias e circunlóquios, vinha a dar toda a razão ao médico.

— Em meu humilde e meio eclipsado ponto de vista, desde logo — dizia o Sr. Dionísio, apertando os lábios — tenho de me inclinar a reconhecer que, se a terra ou a propriedade onde as nozes foram apresadas ou colhidas pertenciam por justa causa ao Dr. Juan da Mata, pois ele era respectiva e colegamente dono dos frutos.

Ao notar D. Ramón que também o mestre-escola o contradizia, ficou ainda mais bravo e novas palavras imprudentes emitiu ele:

— Como? Então o Dr. Juan estava lá no seu direito? Pois vamos ver como sustenta ele este argumento perante os tribunais, caramba, vamos ver! Para mim, aqueles que defendem um ladrão de sua casta são.

Sr. Dionísio enrubesceu. Toda a dignidade profissional subiu-lhe com o sangue ao rosto e, com a língua emperrada de pura indignação, conseguiu balbuciar:

— Mais... devagar... mais... devagar... Modere-se, meu senhor... Eu me retiro desta casa!

O padre, que cruzava a porta quando o mestre-escola ia saindo, encontrou o fidalgo chispando e rugindo como cratera de vulcão em plena ebulição. Que logo no dia seguinte iria interpor uma acusação judicial, e o médico que se virasse, pois que iria dar com os costados na cadeia! Frente ao arrebatamento do fidalgo, o Padre Serafim, excelente homem, um santo varão em toda a extensão da palavra, mas desses que, como se diz, vivem no mundo da lua, caiu na tolice de pespegar ao furibundo D. Ramón uns textos ascéticos e morais que tinham tanto a ver com as nozes como com as estrelas no céu; e os nervos já esticados do senhor - que era do tipo colérico, defeito de quase todos que sofrem de gota por terem o sangue muito ácido — simplesmente não suportaram o sermão do pároco. Desatinado e cego, D. Ramón tomou de seu cajado semimuleta e levantou-o contra o pregador, que, espavorido, saiu escada abaixo como um foguete, oferecendo aquele transe a Deus em resgate de suas culpas...

E assim acabou e se dissolveu, como sal na água, a tradicional partida de voltarete de D. Ramón das Baceleiras. Mas não acaba aqui a história das oito nozes, que mais não eram as que, despojadas da casaca verde e partidas para maior facilidade de comê-las, em má hora presenteou o médico.

Irritado mais ainda pelo aborrecimento de ter passado a noite inteira sozinho, e desejoso de vingança, D. Ramón entrou no dia seguinte com a acusação judicial contra o Dr. Juan da Mata, por motivo de roubo dos frutos. O médico suportou com brio a iniciativa; advogados e procuradores foram consultados; não houve acordo no julgamento e a cúria de Brigâncio apoderou-se do assunto e fez o fidalgo gastar um despropósito de dinheiro durante os anos que durou a pendenga: milhares de pesetas suficientes para carregar de nozes um par de navios. E como o despeito e o pesar do fastio e da solidão produzissem em D. Ramón um ataque de gota mais forte dos que lhe eram comuns, e tivesse ele de chamar o Dr. Juan da Mata para lhe atender, este se negou, alegando que poderiam imputar-lhe a morte do seu adversário e inimigo. Com a falta do socorro oportuno, o fidalgo piorou e terminou entregando a alma muitíssimo a contragosto. O ano de sua morte foi de grande alegria para os meninos herdeiros da aldeia que comeram toda a colheita da venerável nogueira.

# BONTSHA, O SILENCIOSO

### ISAAC LEIB PERETZ
### (1852-1915 | Polônia)

*Judeu polonês que escrevia em iídish, Isaac Leib Peretz deixou uma enorme influência em inúmeros escritores judaicos contemporâneos, pelo mundo todo. Seus contos constam em várias antologias mundiais, principalmente publicadas nos Estados Unidos. Histórias como* As Três Prendas, Dois Moribundos *e este* Bontsha, o Silencioso, *retrato de um ser humano que nunca sentiu ódio e que nunca se queixa de Deus ou dos outros homens, são contos consagrados. De amor pela vida e de um humor (quase) pungente.*

Aqui, neste mundo, a morte de Bontsha, o Silencioso, não causou nenhuma impressão. Pergunte a qualquer um: quem foi Bontsha? Como viveu? Como morreu? Suas forças pouco a pouco o abandonaram, seu coração, com o tempo, desistiu de bater ou foram seus ossos que cederam debaixo do peso de seu fardo? Quem sabe? Talvez, por não comer, tenha morrido de fome.

Um cavalo, que caísse morto, puxando uma carroça pelas ruas, chamaria mais atenção. Curiosos viriam de longe para ver a carcaça. O local do acidente ficaria marcado. Os jornais noticiariam o fato. Mas se os cavalos fossem tão numerosos como os seres humanos não mereceriam tal honra. Afinal, quantos cavalos existem? Já os homens, são tantos — deve haver bilhões!

Bontsha era um ser humano. Viveu desconhecido, no silêncio, e no silêncio morreu, depois de passar pela vida como uma sombra. No dia em que Bontsha nasceu, ninguém ficou alegre, ninguém tomou um copo de vinho. Na sua confirmação, não houve discurso nem celebração. Viveu como o grão de areia na beira do grande oceano, entre milhões de outros, grãos como ele. E quando o vento, enfim, o levantou e levou com seu sopro para a outra margem, ninguém notou.

Durante sua vida, seus pés não deixaram marcas no pó da estrada; depois de sua morte, o vento derrubou a tabuleta que marcava sua sepultura, e quando a mulher do coveiro encontrou aquele pedaço de madeira, já longe do seu túmulo, usou-o para acender o fogo embaixo de uma panela de batatas. Três dias depois da morte de

Bontsha ninguém mais, nem mesmo o coveiro, se lembrava onde fora enterrado. Se houvesse uma lápide no túmulo, alguém poderia, mesmo muitos anos depois, ler seu nome na pedra e Bontsha, o Silencioso, não teria desaparecido da memória dos homens como uma sombra.

Solitário viveu e solitário morreu. Não fosse a pressa e o barulho infernal em que vivem os homens, talvez alguém notasse que Bontsha também era um ser humano, que seus ossos se quebravam sob o peso das tarefas diárias, que ele tinha dois olhos assustados, que era trêmula sua boca silenciosa, que mesmo quando não tinha um pesado fardo nas costas ele caminhava curvado, olhando para o chão, como se já estivesse procurando a sepultura.

Quando o levaram para o hospital, dez miseráveis disputaram seu canto estreito que logo encontrou um inquilino. Quando foi para o necrotério, havia vinte doentes que só esperavam que ele morresse e vagasse seu leito na enfermaria. Eram quarenta os mortos a serem sepultados, quando o levaram para o cemitério. Quem sabe quantos esperam para roubar dele até mesmo aquele pedacinho de chão?

Silencioso quando nasceu, silencioso na vida, silencioso quando morreu, mais silencioso ainda foi seu enterro. Mas no outro mundo foi diferente. Ali a morte de Bontsha foi uma sensação. O som da trombeta messiânica ecoou pelos sete céus, anunciando: Bontsha, o Silencioso, morreu! Os anjos mais importantes voaram, com suas asas imponentes, para contar uns aos outros: Sabe quem chegou? Bontsha! Bontsha, o Silencioso, morreu.

Os anjinhos, com suas asas de ouro e seus sapatinhos prateados, os olhos brilhando e rindo de felicidade e de alegria, correram, cantando, para receber Bontsha. O rumor que fizeram com suas asas, o bater de seus pequenos sapatos e seu riso cristalino correram por todo o Paraíso, de forma que até Deus soube que Bontsha, o Silencioso, havia chegado.

Nosso pai Abraão esperava por ele no portão, com braços estendidos para abençoar e acolher:

— A paz esteja contigo! — disse com o rosto, patriarcal e vincado, iluminado por um doce sorriso.

Mas o que está acontecendo no céu? Dois anjos trazem um trono dourado para que Bontsha se sente nele e sobre sua cabeça colocam uma coroa de pedras preciosas.

— Mas por que o trono e a coroa? Antes mesmo que ele seja julgado? — se perguntam os santos com uma pontinha de inveja.

Os anjos respondem que aquele é Bontsha e que seu julgamento será apenas uma formalidade. Quem poderia dizer alguma coisa contra ele? Imaginem, Bontsha, o Silencioso!

Quando se viu recebido por um coro de anjinhos e abraçado pelo patriarca Abraão como se fossem velhos amigos, quando viu preparado para si um trono e sua cabeça coberta por uma coroa, quando ouviu que em seu julgamento final nada seria dito contra ele, Bontsha, como fazia em vida, ficou em silêncio. Ficou em silêncio de medo. Com o coração apertado e o sangue correndo gelado; sabendo que tudo isto só podia ser um sonho ou um terrível engano.

Ele estava acostumado às duas coisas, sonhos e enganos. Quantas vezes não sonhara ser rico, com muito dinheiro! Apenas para acordar na mesma cama de sempre e um pouco mais miserável. Quantas vezes alguém lhe dissera uma palavra gentil com um sorriso! Apenas para afastar-se com nojo e irritação ao perceber o engano.

Não ousava levantar os olhos, fazer um movimento, como não ousara responder à saudação do patriarca (seus lábios não conseguiram formar a palavra "paz"). Tinha medo que um gesto seu fizesse o sonho se dissipar e que ele acordasse num ninho de cobras. Medo que uma palavra o denunciasse por quem não era, e descoberto o engano fosse expulso dali. Medo que o impedia de ouvir o coro angelical e de ver dançar em volta dele os querubins. Quando o conduziram, enfim, diante de Deus no Tribunal do Juízo, não foi, ao menos, capaz de dizer "bom dia". Estava paralisado de medo.

Olhando para o chão belíssimo, que só fazia aumentar seu terror quando via que eram seus pés que pisavam ali, tudo que conseguia pensar era: "Quem sabe com que ricaço importante ou sábio rabino me confundem? Ele aparecerá e será o meu fim!" E fechou os olhos para não ver.

Não conseguiu entender o que diziam quando chamaram seu próprio nome. Ouvia as vozes como quem houve um instrumento musical sem dar sentido às palavras. Uma voz de anjo dizia:

— Bontsha, o Silencioso, um nome que o cobre de glória como nem o mais rico e elegante dos mantos jamais cobriu um príncipe...

"O que será que estão dizendo? De quem estarão falando?", pensava Bontsha, a quem parecia ter ouvido seu nome, enquanto outra voz interrompia seu anjo defensor:

— Rico manto! Príncipe! Poupe-nos as metáforas e o tempo.

— Nunca reclamou — continuou a defesa — nem de Deus nem da vida; em seus olhos nunca se viu traço de mágoa ou despeito. Nunca um protesto aos céus.

Bontsha continuava sem entender do que falavam quando outra vez ouviu a voz do promotor:

— Deixemos, por favor, a retórica!

— Seus sofrimentos foram indescritíveis, temos aqui um homem que padeceu mais que Job!

"Quem?" — pensava Bontsha — "Quem será este homem?"

— Fatos! Fatos! Deixe de lado os floreios e atenha-se, por favor, aos fatos! — disse o juiz.

— No oitavo dia foi circuncidado...

— Tanta riqueza de detalhes é desnecessária.

— Fizeram um talho mal feito e nem ao menos lhe estancaram o sangue...

— Desnecessária e de mau gosto.

— Desde criança sempre silencioso. Não chorava sua dor, nem mesmo quando perdeu sua mãe e foi entregue à víbora, à bruxa, que era sua madrasta!

"Será que falam de mim?" — pensou Bontsha.

— Não é a madrasta quem está sendo julgada — advertiu o juiz.

— Eram contados os pequenos pedaços de pão bolorento e duro que lhe dava. Enquanto ela mesma tomava seu café com creme. A única coisa que Bontsha teve com abundância foram maus tratos. Equimoses e cicatrizes ficavam à vista de todos, através dos rasgos, nos trapos que lhe dava para vestir. No inverno fazia-o cortar lenha descalço no frio quintal coberto de neve. Suas mãozinhas eram fracas e se feriam nos troncos pesados demais para elas. Tantas vezes seus pés congelaram. Mas ele sempre em silêncio, sem nunca uma queixa, nem mesmo ao seu pai...

— Aquele bêbado? Imaginem queixar-se a ele! — a voz do promotor era cheia de escárnio enquanto o corpo de Bontsha tremia com a memória do medo antigo.

— Nunca reclamou e sempre tão só. Jamais teve um amigo, um companheiro. Jamais foi a uma escola. Nunca viu uma muda de roupa nova. Nunca soube o que era um momento de liberdade.

— Objeção! Objeção! — gritou irritado o promotor. — Ele está apenas apelando para o sentimentalismo da Corte, com esses vôos de retórica.

— Silencioso! Mesmo quando seu pai, completamente embriagado, atirou-o para fora de casa, na neve fria de uma noite de inverno, ele não disse nada. Levantou-se em silêncio e andou para onde o levaram seus passos.

— Vagou pelo mundo na miséria e em silêncio; mesmo passando fome, ele implorava apenas com o olhar. Finalmente, numa noite chuvosa de início de primavera, seus passos o levaram (como o vento transporta uma folha) para uma grande cidade. Lá entrou sem ser visto nem ser ouvido, mas, mesmo assim, o jogaram numa prisão. Sempre em silêncio não protestou nem perguntou: "Por quê?" "Que foi que eu fiz?" Quando as portas da prisão se abriram, ele saiu, como havia entrado, sem dizer uma palavra. Procurou um trabalho e deram-lhe o mais pesado e o que pagava menos. Ele aceitou em silêncio! Mais terrível que o trabalho era procurar por trabalho, suando frio, com o estômago torturado pela fome. Sempre em silêncio! Enlameado e sujo, era, com desprezo, expulso das calçadas e obrigado a andar pela rua, entre as bestas e os carros, com sua carga. Ele mesmo uma besta de carga, arriscando o pescoço a cada passo. Em silêncio.

— Nunca se preocupou em saber quantos quilos de carga devia carregar, nem quantas viagens devia fazer, tropeçando a cada passo para ganhar uma moeda. Nunca levantou a voz para reclamar sua paga. Como um mendicante, esperava que lhe dessem o que de direito era seu. Esperava na porta em silêncio; se lhe diziam: "Volte mais tarde", desaparecia como uma sombra, e mais tarde voltava como uma sombra para esperar. Nunca reclamou quando lhe pagavam menos ou davam-lhe, misturada às outras, uma moeda falsa. A tudo suportava em silêncio.

— Uma vez — continuou o anjo defensor — sua sorte pareceu mudar. Que milagre aconteceu? Quando cruzava a rua, Bontsha viu uma carruagem que vinha em disparada com os cavalos sem governo. Seu cocheiro estava caído lá atrás com a cabeça sangrando. Dentro dela um homem mais morto que vivo de pânico. Os cavalos assustados espumavam pela boca e em seus olhos selvagens brilhava uma luz que era como o fogo numa noite escura. Bontsha atirou-se às rédeas e conseguiu parar os cavalos. O homem a quem salvara era rico e generoso e não foi ingrato, pôs nas mãos dele o chicote do cocheiro morto e fez de Bontsha seu novo cocheiro. Um cocheiro! Não mais um carregador! Melhor ainda, seu benfeitor conseguiu-lhe uma esposa na qual, com grande generosidade, fez ele mesmo um filho para que Bontsha criasse. E Bontsha, em silêncio ainda desta vez, não reclamou.

"É de mim que falam" — pensou Bontsha — "é realmente de mim!" — Mas ainda assim não teve coragem para abrir os olhos e olhar seus juízes.

— Resignou-se em silêncio — prosseguiu o anjo — quando, falido, seu benfeitor deixou de pagar-lhe todos os salários atrasados. Aceitou sem uma queixa quando sua esposa o abandonou deixando-lhe seu filho, ainda pequeno, para que ele cuidasse. E permaneceu em silêncio, quando, quinze anos mais tarde, aquele mesmo menino que ele criara estava crescido e forte o bastante para botá-lo para fora de sua própria casa.

"É de mim que estão falando" — pensou Bontsha, ainda com medo — "é de mim mesmo!"

— Ficou em silêncio até mesmo quando — continuou o anjo que o defendia — o benfeitor, tendo resolvido seus problemas econômicos e novamente rico, pagou a todos seus credores e não se lembrou de pagar a ele. E, mais ainda, contratou um novo cocheiro para sua bela carruagem enquanto Bontsha trabalhava outra vez como carregador pelas ruas. E, quando foi atropelado, por esta mesma carruagem com seus belos cavalos, suas rodas de borracha e seu novo cocheiro, nem então, Bontsha, agonizando na rua, teve uma palavra amarga. Nem mesmo à polícia ele disse quem o havia atropelado e abandonado na rua. No hospital, onde todos têm o direito de gemer, Bontsha continuou em silêncio; quieto em seu leito, abandonado por médicos e enfermeiros, que não perdem tempo com quem não pode pagar. Sempre assim, sem um murmúrio! Quando a morte chegou, ele a esperava em silêncio. Nunca um protesto contra os homens, nunca um protesto contra Deus!

A defesa havia terminado e o pânico voltou a tomar conta de Bontsha; agora, ele sabia, viria a fala do promotor. Como o defensor, que o fizera lembrar de tantos detalhes de sua vida na Terra, seria agora a vez da acusação de tirar do passado seus pecados e faltas e trazê-los todos de volta à memória. Deus sabe o que ele iria lembrar!

— Senhores! — começou o anjo acusador, com uma voz seca e dura, mas logo fez uma pausa como se não soubesse como continuar. — Senhores! — começou outra vez e finalmente disse — Senhores, como Bontsha, que passou toda a vida em silêncio, eu também ficarei em silêncio.

Sobre o Tribunal caiu um grande silêncio que foi quebrado por fim por uma voz nova. Uma voz que vinha do mais alto trono. Uma voz terna e amorosa:

— Bontsha, meu filho! Bontsha — a voz era como música —, filho do meu coração!

Bontsha foi tocado, pela voz de Deus, no mais íntimo de seu ser. Sua alma começou a chorar. E era tão doce chorar. Nunca Bontsha pensara que chorar pudesse ser tão doce.

— Meu filho...

Nunca, desde que sua mãe morrera, ninguém o chamara assim. Com uma voz assim.

— Meu filho — ele continuou ouvindo —, você sofreu tanto e nunca se queixou. Não existe um lugar em seu coração que não tenha sido ferido. Não existe lugar no seu corpo que não tenha sangrado. Nenhum lugar em sua alma que não fosse ofendido. Sem um protesto, sempre em silêncio.

— Em vida ninguém o compreendeu. Você mesmo não se compreendeu. Que não era necessário suportar tanto. Que tinha o direito de se lamentar. Que seu lamento chegaria ao céu. Que um gemido seu poderia chamar um exército de anjos vingadores e o próprio fim do mundo. Nunca entendeu o poder adormecido que havia em você. Lá, naquele mundo de ilusões, seu silêncio nunca foi recompensado, mas aqui no Paraíso, é tudo seu. Não apenas uma parte, não uma cota, mas tudo. O Paraíso é seu! O que você quiser, é tudo seu!

Então, Bontsha, ousou finalmente levantar os olhos. A luz o cegava. A luz esplendorosa que estava em tudo e em toda parte. Os anjos brilhando na luz, o trono iluminado. Ele baixou novamente os olhos, ofuscados:

— Verdade? — Perguntou incrédulo e um pouco embaraçado.

— Sim, de verdade! — respondeu o Todo Poderoso, e com ele, numa só voz, todo o coro celestial — É tudo seu! Tudo no Paraíso é seu! Escolha! Tome! É tudo seu! Você estará tomando daquilo que já é seu!

— Nesse caso — disse Bontsha, sorrindo pela primeira vez —, nesse caso, Excelência, eu gostaria de ter todos os dias, no café da manhã, um pãozinho quente com bastante manteiga.

Um silêncio terrível tomou conta do Tribunal, mais terrível ainda do que tinha sido o silêncio de Bontsha durante toda sua vida. E Deus e os anjos baixaram a cabeça, envergonhados de terem criado na Terra tanta e tão desnecessária humildade.

Então o silêncio foi quebrado pela gargalhada amarga do anjo acusador.

*Tradução de Octávio Marcondes*

# O FANTASMA DE CANTERVILLE

### OSCAR WILDE
### (1854-1900 | Irlanda)

*Oscar Fingall O'Flahertie Wills Wilde, o escritor irlandês/inglês mais engenhoso, fértil, amado e odiado de seu tempo — na modernidade, poucos como ele conheceram ao mesmo tempo a glória e a execração oficial, ao ser condenado à prisão por sua... homossexualidade —, escreveu todos os gêneros. Estreou como poeta;* O Retrato de Dorian Gray *destaca-se entre seus romances;* A Importância de ser Ernesto, *entre outras peças, são encenadas até hoje; contista de primeira grandeza, como bem mostra este* O Fantasma de Canterville, *entre outros; frasista genial, cujos epigramas são citados até por quem não o conhece ("Posso resistir a tudo, menos às tentações"). Escreveu o drama* Salomé *em francês, para ser montado por Sarah Bernhardt (e traduzido entre nós por João do Rio, seu discípulo). Símbolo da Inglaterra vitoriana e da Belle Époche, Oscar Wilde morreu pobre no seu exílio de Paris.*

Quando Mr. Hiram B. Otis, o ministro americano, adquiriu Canterville Chase, todos lhe disseram que estava fazendo um mau negócio, pois não havia dúvida de que o lugar era assombrado. O próprio Lord Canterville, que era pessoa da mais escrupulosa honestidade, achara seu dever mencionar o fato a Mr. Otis quando começaram a discutir o contrato.

— Nós mesmos não quisemos morar ali desde que minha tia-avó, a duquesa de Bolton, desmaiou de susto, do qual nunca chegou a se refazer, ao sentir duas mãos de esqueleto sobre seus ombros quando se vestia para o jantar — disse Lord Canterville. — E eu me sinto na obrigação de lhe dizer, Mr. Otis, que o fantasma foi visto por vários membros ainda vivos da minha família, assim como pelo reitor da paróquia, o Reverendo Augustus Dampier, que é membro do King's College, em Cambridge. Após o lamentável incidente com a duquesa, nenhum dos nossos criados mais jovens quis permanecer conosco e Lady Canterville muitas vezes não conseguiu dormir à noite em conseqüência de misteriosos ruídos que partiam do corredor e da biblioteca.

— Milord — respondeu o ministro —, decidamos o preço da mobília e do fantasma. Venho de um país novo, onde temos tudo o que se pode obter com dinheiro. Com toda a nossa ativa mocidade revolucionando o Velho Mundo e arrebatando as melhores atrizes e primadonas, julgo que se existisse na Europa algo parecido com um fantasma, o teríamos em nosso país em muito pouco tempo, nos museus ou como espetáculo ambulante.

— Temo que o fantasma exista — disse Lord Canterville, sorrindo —, embora tenha resistido às propostas dos ativos empresários americanos. É bastante conhecido há três séculos, desde 1584, e sempre aparece antes da morte de algum membro da nossa família.

— Bem, o mesmo faz o médico, Lord Canterville, fantasmas não existem e acho que as leis da natureza não vão ser suspensas pela aristocracia inglesa.

— Os americanos são bastante naturais — respondeu Lord Canterville, que não compreendeu inteiramente a última observação de Mr. Otis. — Se o senhor não se incomoda com um fantasma na casa, está tudo muito bem. Mas não se esqueça de que eu o preveni...

Semanas depois, foi fechado o negócio e no encerramento da temporada o ministro e sua família mudaram-se para Canterville Chase. Mrs. Otis que, como Lucretia R. Tappan, fora uma famosa beldade de Nova York, era agora uma bela mulher de meia-idade, com lindos olhos e um magnífico perfil. Várias senhoras americanas, ao deixar sua pátria, afetam uma crônica indisposição, sob a impressão de que isto constitui uma forma de requinte europeu; Mrs. Otis, porém, não caíra neste erro. Possuía magnífica constituição e uma espantosa energia. Na verdade, em vários sentidos, era bastante inglesa e um excelente exemplo do fato de que hoje em dia temos tudo em comum com a América exceto, naturalmente, a língua. Seu filho mais velho, a quem os pais deram o  nome de Washington num momento de patriotismo que ele nunca deixara de lamentar, era um rapaz louro, de bonita aparência, que se qualifica para a carreira diplomática americana por se destacar no cassino de Newport durante três temporadas sucessivas e porque mesmo em Londres era conhecido como um excelente dançarino. As gardênias e a nobreza eram suas únicas fraquezas. Fora isso, era extremamente ajuizado. Mrs. Virgínia E. Otis era uma jovenzinha de quinze anos, esbelta e encantadora como uma gazela, e seus grandes olhos azuis refletiam um agradável desembaraço. Era excelente amazona e certa vez, montada em seu pônei, apostara uma corrida com o velho Lord Bilton, vencendo por um corpo e meio, para grande alegria do jovem duque de Cheshire. Este a pedira em casamento ali mesmo, e por seus tutores fora envido, afogado em lágrimas, de volta a Eton naquela mesma noite. Depois de Virgínia, vinham os gêmeos, comumente chamados de *the stars and stripes*, pois eram freqüentemente açoitados. Eram meninos encantadores e, com exceção do digno ministro, os únicos verdadeiros republicanos da família.

Como Canterville Chase ficava a sete milhas de Ascot, a estação ferroviária mais próxima, Mr. Otis telegrafou para que uma carruagem estivesse à espera da família. Todos começaram o passeio de muito bom humor. Era uma linda noite de julho e o ar estava leve e recendia a pinho. De vez em quando ouviam uma rola selvagem arrulhando com sua doce voz ou viam nas profundezas do mato o peito brilhante de um faisão. Pequenos esquilos espreitavam-se das faias e os coelhos disparavam pelas moitas e pelos outeiros cobertos de musgo, com suas caudas brancas levantadas. Quando entraram na alameda de Canterville Chase, porém, o firmamento ficou de súbito nublado, uma estranha quietude apossou-se da atmosfera e um bando de gralhas passou silenciosamente sobre suas cabeças; antes que chegassem à casa principiaram a cair grossos pingos de chuva.

Uma senhora caprichosamente vestida de seda negra, com avental e boné brancos, estava na escada para recebê-los. Era Mrs. Umney, a governanta, a quem Mrs. Otis, por insistente pedido de Lady Canterville, consentira em manter na sua antiga posição. Mrs. Umney fez uma profunda reverência para cada um deles quando saíram do veículo e disse com sua bonita maneira antiquada:

— Dou-lhes as boas-vindas a Canterville Chase.

Seguindo-a, atravessaram o lindo vestíbulo Tudor e entraram na biblioteca, um aposento longo, de teto baixo, com painéis de carvalho negro, na extremidade do qual havia uma grande janela de vidraças coloridas. Ali estava preparada a mesa do chá e, depois de tirarem suas capas, sentaram-se todos e começaram a olhar ao redor, enquanto Mrs. Umney os servia.

De repente, os olhos de Mrs. Otis caíram sobre uma nódoa escura ao lado da lareira, e inteiramente alheia ao seu significado, a digna senhora observou:

— Acho que derramaram alguma coisa ali.

— Sim, minha senhora — respondeu a governanta em voz baixa — derramaram sangue naquele lugar.

— Que coisa horrível! — exclamou Mrs. Otis. — Não gosto absolutamente de manchas de sangue numa sala. Esta precisa ser removida imediatamente.

A governanta sorriu e respondeu no mesmo tom baixo e misterioso.

— É sangue de Lady Eleonora de Canterville, que foi assassinada naquele lugar por seu marido, *Sir* Simon de Canterville, em 1575. *Sir* Simon sobreviveu à esposa nove anos e desapareceu subitamente em circunstâncias misteriosas. Seu corpo jamais foi encontrado, mas seu espírito ainda vagueia pela casa. A mancha de sangue tem sido muita admirada por turistas e visitantes, e não pode ser removida.

— Tudo isto é tolice! — exclamou Washington Otis. — O removedor de manchas Pinkerton e o detergente Paragon farão com que ela desapareça num instante.

E antes que a aterrorizada governanta pudesse intervir, ajoelhou-se e esfregou rapidamente o assoalho com um bastão que parecia um cosmético negro. Dentro de alguns instantes, não se viam mais traços da mancha de sangue.

— Eu sabia que o Pinkerton resolveria o caso! — exclamou triunfante, olhando para a família que o rodeara cheia de admiração; porém, mal acabara de pronunciar aquelas palavras, o clarão de um raio iluminou o sombrio aposento e um medonho trovão fez estremecer a todos. Mrs. Umney desmaiou.

— Que clima horrível! — disse calmamente o ministro americano, acendendo um longo charuto. — Acho que o país está superpovoado e que não há clima bom que chegue para todos. Sempre achei que a emigração é a única solução para a Inglaterra.

— Meu caro Hiram! — exclamou Mrs. Otis —, que se há de fazer com uma mulher que desmaia?

— Desconte o desmaio do ordenado entre as coisas quebradas — respondeu o ministro. — Depois disto ela não há de repeti-lo.

E dentro de alguns instantes Mrs. Umney voltou realmente a si. Não há dúvida, porém, de que estava extremamente abalada e preveniu seriamente a Mr. Otis que se cuidasse, pois alguma desgraça ia suceder naquela casa.

— Vi coisas com meus próprios olhos. Mr. Otis, coisas que fariam os cabelos de qualquer cristão ficar de pé; e noites sem conta não consegui dormir por causa dos fatos horríveis que aqui se dão — disse ela.

Mr. Otis e sua esposa, contudo, asseguraram à pobre criatura que não tinham medo de fantasmas e, depois de invocar as bênçãos da Providência sobre seus novos patrões e de dar passos para obter um aumento de ordenado, a velha governanta retirou-se vacilante para o seu quarto.

* * *

A tempestade desencadeou-se furiosa durante toda a noite, mas nada de particular aconteceu. Na manhã seguinte, porém, quando desceram para o desjejum, encontraram novamente no assoalho a terrível mancha de sangue.

— Acho que não se pode culpar o detergente Paragon, pois eu já o experimentei de todas as maneiras — disse Washington. — Deve ser o fantasma.

Por conseguinte, esfregou a mancha pela segunda vez; na manhã seguinte, porém, ela novamente apareceu. Na manhã do terceiro dia, também lá estava, embora a biblioteca tivesse sido trancada à noite pelo próprio Mr. Otis, que levara as chaves para cima. A esta altura a família inteira estava extremamente interessada. Mr. Otis começou a suspeitar que havia sido demasiadamente dogmático ao negar a existência de fantasmas; Mrs. Otis declarou sua intenção de entrar para a Sociedade Psíquica e Washington preparou uma longa carta a Myers & Podmore sobre a permanência de manchas sangüíneas quando relacionadas com um crime. Naquela noite, qualquer dúvida a respeito da existência objetiva de fantasmas foi dissipada para sempre.

O dia fora quente e ensolarado, e na frescura da noite toda a família saiu a passeio. Só voltaram às nove horas, quando fizeram uma ligeira ceia. A conversação não versou absolutamente sobre fantasmas, por isso não havia sequer esta condição primária de expectativa que tantas vezes precede a apresentação de fenômenos psíquicos. Os assuntos abordados, segundo soube por Mr. Otis, eram os de uma conversação comum entre americanos cultos de classe mais elevada, tais como a imensa superioridade como atriz de Miss Fanny Davenport sobre Bernhardt, a dificuldade de se conseguir trigo verde e bolos de milho mesmo nas melhores casas inglesas, a importância de Boston no desenvolvimento da espiritualidade mundial, as vantagens do sistema de conferir bagagens nas viagens por estrada de ferro e a suavidade do sotaque nova-iorquino comparado ao arrastado modo de falar londrino. Não se fez menção absolutamente nenhuma do sobrenatural, nem se aludiu de modo algum a *Sir* Simon de Canterville. Às onze horas, a família se recolheu e, meia-noite e meia, todas as luzes estavam apagadas. Algum tempo depois, Mr. Otis foi despertado por um estranho ruído no corredor, diante da porta do seu quarto. Soava como um clangor de metal e parecia aproximar-se cada vez mais. Era exatamente uma hora. O ministro americano estava inteiramente calmo, contou suas pulsações e verificou que não eram exageradas. O estranho ruído continuava e com ele Mr. Otis ouviu distintamente um rumor de passos. Calçou os chinelos, tirou uma garrafinha oblonga da gaveta de sua mesa de cabeceira e abriu a porta. Exatamente diante de si viu, ao pálido clarão da lua, um velho de terrível aspecto. Seus olhos eram vermelhos como carvões em brasa; longos cabelos grisalhos caíam-lhe sobre os ombros em mechas ardentes, suas roupas eram de corte antiquado, estavam sujas e rasgadas e de seus pulsos e artelhos pendiam pesadas algemas e enferrujados grilhões.

— Meu caro senhor — disse Mr. Otis —, devo insistir em que lubrifique essas cadeias e para este fim trouxe-lhe uma pequena garrafa de lubrificante Tamany Sol Levante. Dizem que é inteiramente eficaz numa só aplicação e há vários testemunhos neste sentido no invólucro, assinados por alguns dos nossos mais eminentes teólogos. Dou deixá-lo aqui para o senhor, ao lado das velas, e terei prazer em fornecer-lhe mais, caso o solicite.

Com estas palavras o ministro dos Estados Unidos colocou a garrafa na mesa de mármore e, fechando a porta, recolheu-se para dormir.

Durante um momento, o fantasma de Canterville ficou inteiramente imóvel, naturalmente indignado; em seguida, jogando com violência a garrafa no chão, fugiu pelo corredor, articulando cavos gemidos e emitindo uma terrível luz esverdeada. Quando chegou, porém, ao extremo da grande escada de carvalho, uma porta se abriu de repente, surgiram dois vultozinhos vestidos de branco e um enorme travesseiro passou-lhe raspando pela cabeça! Evidentemente não havia tempo a perder.

Adotando às pressas a quarta dimensão como meio de fuga, desapareceu através do assoalho e a casa voltou à tranqüilidade.

Quando chegou à pequena câmara secreta da ala esquerda, apoiou-se num raio de luar para recuperar o alento e procurar compreender a situação. Jamais, numa brilhante e ininterrupta carreira de trezentos anos, havia sido tão grosseiramente insultado. Lembrou-se da duquesa viúva, a quem fizera desmaiar de susto quando estava diante do espelho com seus brilhantes e seu vestido de renda, das quatro criadinhas que haviam ficado histéricas só porque ele sorrira para elas por entre as cortinas de um dos quartos desocupados, do reitor da paróquia, cuja vela ele apagara certa noite e que desde então estivera aos cuidados de *Sir* William Gull, perfeito joguete de perturbações nervosas, e da velha madame de Tremouillac que, tendo acordado cedo certa manhã e visto um esqueleto sentado na cadeira de braços ao lado da lareira lendo o seu diário, ficara presa ao leito durante seis semanas com febre cerebral. Ao convalescer, reconciliara-se com a Igreja, rompendo relações com aquele renomado cético, *monsieur* de Voltaire. Lembrou-se da terrível noite em que o malvado Lord Canterville fora encontrado meio sufocado em seu quarto de vestir, com uma carta de baralho enfiada na garganta, e confessara antes de morrer que havia trapaceado e roubado com aquela mesma carta cinqüenta mil libras de Charles James Fox, jurando que o fantasma o obrigara a engoli-la. Todos os seus grandes feitos voltaram-lhe à memória, desde o caso do mordomo que se suicidara na copa porque vira uma mão verde batendo nos vidros da janela, até o da bela Lady Stutfield, que fora obrigada a usar uma faixa de veludo negro ao redor do pescoço a fim de ocultar a marca de quatro dedos em fogo sobre sua branca pele e acabara por se afogar no lago das carpas que ficava na extremidade da alameda do rei. Com o entusiasmo de um verdadeiro artista, recordou suas mais célebres interpretações e, sorriu amargamente ao pensar em seu último aparecimento como Red Ruben ou O Infante Estrangulado, sua estréia como o Magro Gibeon, ou o Vampiro de Bexley Moor e o terror que provocara certa noite de julho, brincando simplesmente com seus ossos na cancha de tênis. Depois de tudo aquilo, uns desgraçados americanos modernos tinham a coragem de lhe oferecer o lubrificante Sol Levante e jogar-lhe travesseiros na cabeça! Era insuportável! Nenhum fantasma da História fora jamais tratado daquela maneira. Por conseguinte, resolveu vingar-se e permaneceu até a aurora em atitude de profunda meditação.

Na manhã seguinte, quando a família Otis se reuniu para o desjejum, conversou-se um pouco sobre o fantasma. O ministro dos Estados Unidos estava naturalmente um tanto aborrecido por ver que o seu presente não fora bem recebido.

— Não desejo causar ao fantasma nenhum dano pessoal — declarou —, e acho que, considerando-se o tempo que ele reside nesta casa, não é absolutamente delicado jogar-lhe travesseiros na cabeça.

Observação muito justa, diante da qual, pesa-me dizê-lo, os gêmeos caíram na risada.

— Por outro lado — ele continuou —, se recusar o lubrificante, teremos de lhe tirar as correntes. Seria impossível dormir com tal barulho.

No resto da semana, contudo, não foram molestados, e a única coisa que excitou a curiosidade foi a renovação da mancha de sangue no assoalho da biblioteca. O fato era certamente muito estranho, pois a porta era sempre trancada à noite por Mr. Otis e as janelas continuavam fortemente gradeadas. A variedade no colorido provocava também muitos comentários. Certas manhãs era vermelho escuro, depois passava ao vermelhão, em seguida, ao púrpura, e, certa vez, quando desceram para fazer a oração comum, de acordo com o singelo rito da Livre Igreja Episcopal Americana Reformada, acharam-na de um brilhante verde-esmeralda. Aquelas mudanças caleidoscópicas divertiam muito a família, que todas as noites fazia apostas para o dia seguinte. A única pessoa que não entrava na brincadeira era a pequena Virgínia que, por inexplicável razão, ficava sempre muito perturbada diante da mancha de sangue e quase chorou na manhã em que esta apareceu verde-esmeralda.

A segunda aparição do fantasma deu-se numa noite de domingo. Pouco depois de se terem recolhido, foram subitamente despertados por um alarido no vestíbulo. Descendo apressadamente as escadas, descobriram que uma grande armadura se desprendera do seu pedestal e caíra no assoalho de pedra. Sentado numa cadeira de espaldar alto estava o fantasma de Canterville, esfregando os joelhos com uma expressão de intensa dor. Os gêmeos haviam trazido suas atiradeiras e atirado nele dois projéteis, com uma exatidão que só pôde ser conseguida depois de longa e cuidadosa prática, adquirida contra professores; ao mesmo tempo, o ministro dos Estados Unidos o ameaçava com seu revólver e lhe ordenava, de acordo com a etiqueta californiana, a erguer os braços! O fantasma levantou-se com um grito de raiva e passou entre eles como uma neblina, apagando a vela de Washington Otis e deixando-os em total escuridão. Chegando ao cimo da escada, refez-se e decidiu emitir a sua célebre gargalhada demoníaca, o que lhe fora em mais de uma ocasião extremamente útil. Dizia-se que aquele gargalhar tornara grisalha numa só noite a cabeça de Lord Raker e fizera com que três governantas francesas de Lady Canterville se despedissem antes do fim do mês. Riu, portanto, com sua risada mais horrível, fazendo tremer o teto abobadado. Mal, porém, se extinguira o medonho eco, abriu-se uma porta e Mrs. Otis surgiu, trajando um leve roupão azul.

— Suponho que o senhor não esteja se sentindo bem. Trouxe-lhe vidro do elixir do Dr. Dobell. Se se trata de indigestão, o senhor verá que é um excelente remédio.

O fantasma olhou-a furioso e começou imediatamente a fazer preparativos para se transformar num grande cão negro, proeza pela qual era justamente renomado e que motivara, segundo o médico da família, a permanente idiotice do tio de Lord Canterville, o Hon, Thomas Horton. O som de passos que se aproximavam fê-lo, porém, hesitar. Limitou-se a tornar-se ligeiramente fosforescente e desapareceu com um tétrico gemido no momento em que os gêmeos acabavam de chegar.

Entrando em seu quarto inteiramente aniquilado, tornou-se presa da mais violenta agitação. A vulgaridade dos gêmeos e o crasso materialismo de Mrs. Otis eram extremamente desagradáveis, mas o que realmente o perturbava era o fato de não ter podido usar a armadura. Tivera a esperança de que mesmo americanos modernos se aterrorizassem à visão do Espectro da Armadura, se não por um motivo razoável, pelo menos por respeito ao poeta nacional Longfellow, sob cuja graciosa e atraente poesia ele mesmo se entretivera quando os Cantervilles estavam na cidade. Além disto, tratava-se de sua própria armadura. Usara-a com êxito no torneio de Kenilworth e fora muito cumprimentado pela Rainha Virgem em pessoa. Contudo, ao vesti-la, sentira-se completamente abatido pelo peso da enorme couraça e do capacete de aço, caindo pesadamente no chão de pedra e ferindo ambos os joelhos e os dedos da mão direita.

Durante alguns dias sentiu-se muito doente e não se afastou do quarto, exceto para manter em ordem a mancha de sangue. Cuidando-se, porém, restabeleceu-se e resolveu fazer uma terceira tentativa de assustar o ministro dos Estados Unidos e sua família. Escolheu uma sexta-feira, 13 de agosto, para a aparição e gastou a maior parte do dia examinando seu guarda-roupa. Decidiu-se, por fim, a favor de um grande chapéu com uma pena vermelha, um lençol franzido nos punhos e no pescoço e um enferrujado punhal. À tarde desabou um violento temporal e o vento era tão forte que fazia estremecer todas as janelas e portas da velha casa. Era exatamente a espécie de tempo que lhe agradava. Seu plano de ação era o seguinte: caminharia sem ruído até o quarto de Washington Otis, gemeria aos pés da cama e se apunhalaria três vez no pescoço, ao som de música lenta. Nutria por Washington um especial rancor, estando ciente do fato de que era ele quem tinha o hábito de remover a famosa nódoa de Canterville com o detergente Paragon, de Pinkerton. Depois de reduzir o desabrido e tolo jovem à condição de abjeto terror, avançaria para o quarto ocupado pelo ministro dos Estados Unidos e sua esposa, e colocaria sua mão pegajosa sobre a testa de Mrs. Otis, ao mesmo tempo em que murmuraria aos ouvidos de seu trêmulo marido segredos medonhos de necrotério. Com respeito a Virgínia, ainda não tomara uma decisão. Ela jamais o insultaria de modo algum e era bonita e tranqüila. Alguns gemidos cavos dentro do armário seriam mais que suficientes ou, se isto não a despertasse, poderia segurar a colcha com dedos trêmulos. Quanto aos gêmeos, estava decidido a dar-lhes uma lição. A primeira coisa a fazer, naturalmente, era sentar-se sobre o peito dos meninos, a fim de produzir sensação de asfixia e pesadelo. Em seguida, como as camas eram próximas uma da outra, ficaria de pé entre elas, tomando a aparência de um cadáver até que ambos ficassem paralisados pelo medo. Finalmente, se despojaria do lençol e se arrastaria pelo quarto, branco esqueleto de pupilas móveis, no papel de Daniel Mudo, ou o Esqueleto do Suicida, caracterização em que tivera grande êxito mais de uma vez e que considerava igual ao seu famoso papel de Martin, o Maníaco, ou o Misterioso Mascarado.

Às 10h30min, percebeu que a família se recolhia aos seus aposentos. Durante algum tempo, foi perturbado pelas selvagens risadas dos gêmeos que, com a despreo-cupação de escolares, se divertiam antes de dormir. Às 11h15min, porém, tudo estava em paz e, ao soar a meia-noite, ele se pôs a caminho. Uma coruja bateu contra os vidros da janela, um corvo crocitou no velho teixo e o vento gemeu ao redor da casa como uma alma penada; a família Otis, porém, dormia inconsciente do que a aguarda-va e muito acima da chuva e do vento o fantasma ouvia o firme ressonar do ministro dos Estados Unidos. Deslizou sub-repticiamente pela claraibóia, com um sorriso mal-doso na boca franzida e cruel, e a lua ocultou seu rosto numa nuvem quando ele passou pela grande janela redonda onde suas armas e as de sua esposa assassinada fulgiam em ouro e azul. Continuou deslizando como uma sombra maligna e quando ele passava a própria escuridão parecia repeli-lo. Em dado momento, julgou ouvir um chamado e parou: mas era apenas o uivar de um cão e ele prosseguiu, murmurando estranhas pragas do século XVI e brandindo de vez em quando o enferrujado punhal. Chegou finalmente ao ângulo do corredor que conduzia ao quarto do infeliz Washington. Deteve-se por um instante e o vento soprou-lhe as madeixas grisalhas ao redor da cabeça e retorceu-lhe em dobras grotescas e fantásticas a horrível mortalha. O relógio soou um quarto de hora e ele decidiu que o momento era chegado. Riu consigo mesmo e dobrou o ângulo do corredor; mal o fez, recuou com um grito de terror e ocultou o rosto lívido nas mãos longas e ossudas. Bem diante dele havia um medonho espectro, imóvel como uma estátua e monstruoso como o sonho de um louco! A cabeça era calva e brilhante, o rosto, redondo, gordo e branco, e um riso parecia contorcer-lhe perenemente as feições. Dos olhos desciam raios de luz escarlate, a boca era um poço de fogo e um medonho vestuário, parecido com o seu, envolvia em gelo e silêncio a forma titânica. Sobre o peito exibia um cartaz com estranha escrita em caracteres antigos, algum pergaminho de vergonha, registro de medonhas faltas, terrível calendário de crime. Com a mão direita segurava bem alto uma cimitarra de aço brilhante.

Como nunca vira um espectro em sua vida, o fantasma ficou naturalmente assustado e, após uma segunda olhadela para a medonha aparição, fugiu para o seu quarto, tropeçando na longa mortalha ao descer o corredor e finalmente deixando cair o enferrujado punhal nas botas do ministro, onde foi encontrado na manhã seguinte pelo mordomo. Uma vez na segurança do seu apartamento, lançou-se numa pequena enxerga e escondeu o rosto debaixo das cobertas. Depois de algum tempo, contudo, o bravo espírito dos Canterville reagiu e ele resolveu procurar o outro fantasma assim que rompesse o dia. Por conseguinte, logo que a aurora pintou as colinas de prata, voltou ao lugar onde tinha avistado o horrível espectro, achando que, afinal, era melhor serem dois do que estar sozinho, e que com a ajuda do novo amigo poderia em segurança lidar com os gêmeos. Ao chegar ao local, porém, divisou um terrível quadro. Evidentemente algo sucedera ao espectro, pois a luz desaparecera inteiramente de seus olhos vazios; a brilhante cimitarra caíra-lhe da mão e ele estava encostado à parede numa atitude forçada e incômoda. O fantasma de Canterville adiantou-se rapidamente e tomou-o nos braços, mas ficou horrorizado ao ver que a cabeça escorregava e rolava no chão e o corpo assumiu uma posição indolente. Descobriu então que estava segurando um cortinado de leito de fustão branco, uma vassoura, um facão de cozinha e um nabo! Incapaz de compreender aquela curiosa transformação, agarrou o cartaz com agitação febril à luz cinzenta da manhã, leu estas horríveis palavras:

O Fantasma Otis
O único verdadeiro e original espantalho.
Cuidado com as imitações
Todos os outros são falsificados

Num relance compreendeu toda a história. Fora enganado, derrotado, ludibriado! O antigo olhar dos Canterville voltou-lhe às pupilas; rangeu as gengivas sem dentes e, erguendo os punhos descarnados acima da cabeça praguejou na pitoresca fraseologia da escola antiga que quando Chantecler entoasse pela segunda vez seu alegre canto, sangrentos homicídios seriam perpetrados e o crime andaria à solta com pés silenciosos...

Mal acabara a medonha praga, quando no telhado de uma distante fazenda um galo cantou. O fantasma deu uma risada longa, baixa, amarga e esperou. Esperou hora após hora, mas o galo, por alguma estranha razão, não cantou novamente. Por fim, às 7h30min, a chegada das criadas fez com que ele desistisse da terrível vigília e voltasse ao quarto, pensando em suas vãs esperanças e em seu frustrado propósito. Ali consultou vários livros de cavalaria, dos quais gostava extremamente, e descobriu que em todas as ocasiões em que aquela *praga* fora usada Chantecler cantara sempre duas vezes.

— Perdição recaia sobre a maldita ave! — murmurou. — Virá o dia em que com minha valente espada lhe cortarei o pescoço, fazendo-o cantar antes de morrer! — Retirou-se então para um confortável ataúde de chumbo e ficou lá até o anoitecer.

* * *

No dia seguinte, o fantasma sentiu-se fraco e muito cansado. A terrível excitação das últimas semanas começava a produzir efeitos. Seus nervos estavam completamente abalados e ele se sobressaltava ao menor ruído. Durante cinco dias, conservou-se no quarto e, por fim, resolveu desistir da mancha de sangue do assoalho da biblioteca. Se a família Otis não a queria, era evidentemente porque não a merecia. Era óbvio que se tratava de pessoas de nível inferior, inteiramente incapazes de apreciar o valor simbólico de fenômenos sensoriais. A questão das aparições fantasmagóricas e do desenvolvimento de corpos astrais era, na verdade, um assunto inteiramente diferente e fora da sua alçada. Considerava, porém, seu solene dever surgir no corredor uma vez por semana e gemer na grande janela redonda, na primeira e terceira quarta-feira de cada mês, e não via como pudesse honrosamente fugir a estas obrigações. É verdade que a sua vida se tornara muito desagradável mas, por outro lado, era extremamente consciencioso em tudo o que se referisse ao sobrenatural. Nos três sábados seguintes, portanto, atravessou o corredor como de costume, entre meia-noite e três horas, tomando todas as precauções possíveis para não ser visto nem ouvido. Tirou as botas, caminhou tão de leve quanto possível sobre as velhas tábuas carcomidas, vestiu uma grande capa de veludo negro e teve o cuidado de usar nas correntes o lubrificante Sol Levante. Foi obrigado a reconhecer que foi com grande relutância que chegou a adotar este modo de proteção. Certa noite, quando a família estava jantando, esgueirou-se para dentro do quarto de Mr. Otis e carregou a garrafa. Em princípio, sentiu-se um tanto humilhado, mas depois teve o bom senso de reconhecer que o preparado tinha seus méritos e que até certo ponto realizava sua finalidade. Apesar de tudo não deixou de ser molestado. Freqüentemente estendiam barbantes no corredor, que o faziam tropeçar no escuro, e em certa ocasião, quando estava vestido para o papel de Isaac Negro ou o Caçador dos Bosques de Hogley, levou um sério tombo por ter pisado em manteiga, que os gêmeos haviam colocado na entrada da Sala da Tapeçaria, no alto da escadaria de carvalho. Este último insulto enraiveceu-o de tal forma que ele resolveu afirmar sua dignidade visitando os insolentes meninos na noite seguinte, em sua célebre caracterização de Rupert Despreocupado ou O Conde sem Cabeça.

Não usara aquele disfarce há mais de setenta anos, desde que assustara de tal modo a bonita Lady Bárbara Modish, que esta de súbito rompera o noivado com o avô do atual Lord Canterville e fugira para Gretna Green com o belo Jack Castleton, declarando que nada no mundo a forçaria a entrar numa família que permitia que um fantasma tão horrível passeasse no terraço ao crepúsculo. O pobre Jack fora mais tarde morto num duelo por Lord Canterville em Wandsworth Common e Lady Bárbara morrera de tristeza em Turnbridge Wells pouco depois. Em todos os sentidos, ele tivera, portanto, grande êxito. Tratava-se, porém, de uma difícil caracterização, se me posso permitir a expressão teatral com referência a um mistério do sobrenatural, ou, para empregar um termo mais científico, do mundo natural superior. Foram-lhe necessárias três horas para fazer os preparativos. Tudo ficou pronto finalmente e ele se sentiu muito satisfeito com sua aparência. As altas botas de couro que faziam parte do vestuário estavam um tanto largas e ele só conseguiu achar uma de suas pistolas, mas no conjunto estava satisfeito. À 1h15min deslizou pela clarabóia e avançou cautelosamente pelo corredor. Ao chegar diante do quarto ocupado pelos gêmeos, que era chamado Câmara do Leito Azul por causa da cor das suas cortinas, encontrou a porta entreaberta. Desejoso de fazer uma entrada de grande efeito, escancarou-a, e neste momento um pesado jarro de água caiu sobre ele, molhando-o até os ossos, e por pouco não atingindo seu ombro esquerdo. No mesmo instante ouviu risos abafados que partiam da cama com colunas. Foi tão grande o choque para seu sistema nervoso que ele fugiu para o quarto tão depressa quanto possível e no dia seguinte estava de cama com um sério resfriado. A única coisa que o consolou em toda a história foi não ter levado consigo a sua cabeça, pois se tivesse feito isto as conseqüências poderiam ter sido muito sérias.

Desistiu, então, de assustar aquela rude família americana e contentou-se de modo geral em deslizar de chinelos pelos corredores, com um grosso cachecol enrolado no pescoço, por medo de correntes de ar, e um pequeno arcabuz, no caso de ser atacado pelos gêmeos. O golpe final ocorreu a 19 de setembro. Descera até o grande vestíbulo da entrada, certo de que lá pelo menos não seria perturbado, e divertia-se fazendo observações irônicas diante das grandes fotografias do ministro dos Estados Unidos e de sua esposa, que agora tomavam o lugar dos retratos da família Canterville. Estava simplesmente vestido com uma longa mortalha, pontilhada de mofo de cemitério, amarrara o queixo com uma faixa de linho amarelo e carregava uma pequena lanterna e uma pá de coveiro. De fato, estava vestido para o papel de Jonas, o Desenterrado, ou o Ladrão de Defuntos de Chertsey Barn, uma de suas notáveis caracterizações. Os Canterville tinham muitas razões para recordá-la, pois fora a verdadeira origem de uma briga com Lord Rufford, o vizinho. Eram cerca de 2h15min da madrugada e, pelo menos que ele o soubesse, ninguém estava de pé. Quando se aproximava da biblioteca, porém, para verificar se havia traços da mancha de sangue, saltaram de repente sobre ele, vindas de um canto escuro, duas figuras que agitavam os braços loucamente e gritaram-lhe ao ouvido: Bu-u-u-u!

Preso pelo pânico, muito natural nas circunstâncias, correu para a escada, mas ali encontrou Washington Otis à sua espera com um grande esguicho de jardim. Vendo-se rodeado de inimigos por todos os lados, e quase encurralado, desapareceu no grande fogareiro de ferro que, felizmente para ele, não estava aceso e teve de caminhar pelos canos e chaminés, chegando ao quarto num terrível estado de sujeira, desordem e desespero.

Depois disto não mais foi visto em expedições noturnas. Os gêmeos ficaram de tocaia várias vezes e todas as noites espalharam nozes nos corredores, para grande aborrecimento dos pais e dos criados, mas foi inútil. Era evidente que estava tão mago-ado que não queria reaparecer. Por conseguinte, Mr. Otis recomeçou o grande trabalho sobre a História do Partido Democrático. Mrs. Otis organizou um maravilhoso piquenique que surpreendeu toda a região; os meninos dedicaram-se ao pôquer e a vários jogos nacionais americanos, e Virgínia passeou pelas alamedas montada em seu pônei e acompanhada pelo jovem duque de Cheshire, que viera passar a última semana de férias em Canterville Chase. Acreditava-se que o fantasma se fora e Mr. Otis escreveu uma carta neste sentido a Lord Canterville, que em resposta manifestou seu grande prazer pela notícia e enviou congratulações à digna esposa do ministro.

A família Otis, porém, estava enganada, pois o fantasma continuava na casa e, embora quase inválido, não estava de maneira alguma disposto a permitir que as coisas se acalmassem, principalmente desde que soubera que entre os hóspedes se encontrava o jovem duque de Cheshire cujo tio-avô, Lord Francis Stilton, certa vez apostara cem guinéus com o coronel Carbury, que jogaria dados com o fantasma de Canterville. Fora encontrado na manhã seguinte estendido no chão da sala de jogos, imobilizado por uma paralisia, e embora tivesse vivido longos anos, nunca mais fora capaz de pronunciar outras palavras além de *duplo seis*. A história tivera muita reper-cussão naquela época, embora, naturalmente, por respeito às duas nobres famílias, tentassem abafá-la. Uma narração completa de todas as circunstâncias a ela relacio-nadas pode ser encontrada no terceiro volume das *Recordações do Príncipe Regente e seus Amigos,* de Lord Tattle. O fantasma estava, portanto, ansioso para mostrar que não havia perdido sua influência sobre os Stiltons, com os quais era, aliás, meio apa-rentado, pois sua prima-irmã havia casado em segundas núpcias com o *sieur* de Bulkeley, de quem, conforme era do conhecimento geral, descendia da linhagem dos Cheshires. Por conseguinte, fez preparativos para surgir diante do jovem namorado de Virgínia em sua célebre caracterização de O Monge Vampiro, ou O Beneditino sem Sangue, interpretação tão horrível que quando a velha Lady Startup a viu numa fatídica véspe-ra de Ano-Bom, no ano de 1764, emitiu gritos agudíssimos, que culminaram em vio-lenta apoplexia e morreu três dias após, deserdando os Canterville, que eram seus parentes mais próximos, e deixando todo o seu dinheiro para um boticário de Londres.

No último instante, porém, seu terror pelos gêmeos o impediu de sair do quarto e o pequeno duque dormiu em paz sob o dossel do aposento real e sonhou com Virgínia.

* * *

Alguns dias depois, Virgínia e seu admirador de cabelos ondulados foram passear a cavalo nos prados de Brockley, onde a menina rasgou, de tal modo o traje de montar que, ao voltar para casa, resolveu subir pela escada dos fundos a fim de não ser vista. Ao passar correndo pela Sala da Tapeçaria, cuja porta estava por acaso aberta, teve a impressão de que havia alguém no seu interior. Pensando que se tratava da criada de sua mãe, que às vezes levava para lá suas costuras, entrou para pedir que ela consertasse seu traje. Com imensa surpresa, porém, viu-se diante do próprio fantasma de Canterville! Estava sentado junto à janela, contemplando as folhas douradas que caíam e as folhas vermelhas que dançavam loucamente na comprida alameda. Tinha a cabeça apoiada na mão e toda a sua atitude denotava depressão. De fato, parecia tão abatido que a pequena Virgínia, cujo primeiro impulso fora o de sair correndo e trancar-se em seu quarto, ficou muito penalizada e resolvida a consolá-lo. Tão leves eram os seus passos e tão profunda a melancolia do fantasma que este não notou sua presença senão quando ela lhe dirigiu a palavra.

— Estou com muita pena do senhor — disse —, porém meus irmãos vão voltar amanhã para Eton e depois, se quiser se portar bem, ninguém o aborrecerá.

— É absurdo pedir para eu me portar bem — respondeu, voltando-se admirado para a bonita menina que tinha ousado dirigir-lhe a palavra. — Inteiramente absurdo. Preciso arrastar minhas correntes, gemer pelas fechaduras e passear à noite, se é a isto que se refere. É a minha única razão de ser.

— Isto não é razão de ser e o senhor sabe que está se portanto muito mal. Mrs. Umney nos contou no dia em que chegamos que o senhor assassinou sua esposa.

— Bem, admito que o fiz — disse o fantasma, com petulância —, mas isto é um assunto puramente familiar e não interessa a mais ninguém.

— É muito errado matar as pessoas — disse Virgínia, que às vezes tinha uma gravidade puritana, herdada de algum antepassado da Nova Inglaterra.

— Oh, detesto a severidade barata da ética abstrata! Minha esposa era muito simplória, nunca mandava engomar convenientemente os meus punhos e não sabia coisa alguma a respeito de culinária. Veja, certa vez matei um gamo no bosque de Hogley, um magnífico animal, e sabe como ela mandou prepará-lo?... Bem, isto agora não tem importância, é coisa passada, mas acho que não foi gentil da parte dos irmãos dela deixarem-me morrer de fome, embora eu a tivesse matado.

— Deixaram-no morrer de fome? Oh, senhor fantasma, quero dizer, *Sir* Simon, o senhor está com fome? Tenho um sanduíche em minha bolsa. Gostaria de comê-lo?

— Não, obrigado. Agora não me alimento mais; porém, é muita bondade sua. A senhora é mais amável que o resto da sua horrível, rude, vulgar e desonesta família.

— Basta! — exclamou Virgínia, batendo com o pé. — É o senhor que é indelicado, horrível e vulgar. E quanto à desonestidade, sabe muito bem que roubou as tintas da minha caixa para renovar aquela ridícula mancha de sangue da biblioteca. Em princípio tirou todos os meus vermelhos, inclusive o vermelhão, e eu não pude mais pintar o pôr-do-sol. Em seguida, tirou o verde-esmeralda e o amarelo-cromo e finalmente não me restou mais nada senão o anil e o branco, e eu só podia pintar cenas ao luar, que são sempre deprimentes e nem um pouquinho fáceis. No entanto, eu nunca o denunciei, embora ficasse muito aborrecida e achasse a história toda extremamente ridícula, pois quem jamais ouviu falar em sangue de esmeralda?

— Bem — murmurou o fantasma, um tanto embaraçado —, o que podia fazer? Hoje em dia é muito difícil arranjar sangue verdadeiro, e como seu irmão começou o caso com aquele detergente Paragon, não vi razão para não tirar suas tintas. Quanto às cores, isto é uma questão de gosto: os Canterville têm sangue azul, por exemplo, o mais azul da Inglaterra. Mas eu sei que vocês, americanos, não se importam com estas coisas...

— O senhor não entende nada a respeito do assunto e o melhor que tem a fazer é emigrar e ilustrar-se. Meu pai terá o maior prazer em lhe dar uma passagem grátis, e embora haja uma pesada multa sobre espíritos[1] de qualquer espécie, não haverá dificuldades na alfândega, pois todos os funcionários são democratas. Em Nova York o senhor terá grande êxito. Conheço lá muita gente que daria cem mil dólares para ter um avô e quantia muito maior para ter um fantasma na família.

— Acho que eu não gostaria da América.

— Suponho que é porque não temos ruínas e curiosidades — disse Virgínia, ironicamente.

— Nenhuma ruína! Nenhuma curiosidade! — exclamou o fantasma. — Vocês têm a Marinha e a etiqueta americana.

— Boa noite. Vou pedir ao papai que dê aos gêmeos uma semana extra de férias.

— Por favor, não se vá, Miss. Virgínia! — exclamou o fantasma. — Sinto-me tão só e tão infeliz que não sei o que fazer. Quero dormir, mas não consigo.

— Isto é um absurdo. Não é preciso mais do que ir para a cama e soprar a vela. Às vezes é muito difícil manter-se acordada, principalmente na igreja, mas não há dificuldade para dormir. Ora, até bebês sabem fazer isto e eles não são muito inteligentes.

— Não durmo há trezentos anos — disse o fantasma, tristemente, e os lindos olhos azuis de Virgínia se dilataram de espanto. — Não durmo há trezentos anos e estou tão cansado!

Virgínia ficou muito séria e seus lábios estremeceram como pétalas tocadas pela brisa. Aproximou-se do fantasma e, ajoelhando-se ao seu lado, olhou para aquele rosto velho e enrugado.

---

[1] Trocadilho. *Spirits*, em inglês, também significa bebida alcoólica.

— Pobre, pobre fantasma — murmurou. — Não tem um lugar para dormir?

— Longe, além dos pinheiros, há um pequeno jardim — respondeu ele em voz baixa e sonhadora. — O capim está alto e lá desabrocham as grandes flores níveas das cicutas. O rouxinol canta a noite inteira, a lua de cristal olha para baixo e o teixo estende seus braços gigantescos sobre os que dormem.

Virgínia sentiu os olhos marejados de lágrimas e ocultou o rosto nas mãos.

— O senhor está falando sobre o jardim da morte — ela murmurou.

— Sim, a morte. A morte deve ser tão bela! Deitar-se na terra fofa, ouvir o silêncio e ver o capim que se agita sobre nossa cabeça... Não ter passado nem futuro. Esquecer o tempo, esquecer a vida, estar em paz. Você precisa me ajudar. Você precisa abrir para mim os portais da morte, pois traz sempre consigo o amor e isto é mais forte do que a morte.

Virgínia estremeceu e durante alguns minutos ninguém falou. A menina tinha a impressão de estar mergulhada num terrível sonho.

O fantasma tornou a falar e a sua voz parecia o gemido do vento.

— Já leu a velha profecia da janela da biblioteca?

— Ah, muitas vezes! — exclamou a menina, erguendo a cabeça. Conheço-a muito bem. Está pintada com estranhas letras negras e é difícil decifrá-la. São apenas seis linhas:

*Quando uma loura menina conseguir*
*Preces dos lábios de um pecador,*
*Quando a velha amendoeira florir*
*E uma criancinha chorar,*
*Toda a casa ficará tranqüila*
*E a paz a Canterville voltará.*

— Mas eu não sei o que ela significa...

— Significa que você deve chorar por mim os meus pecados, porque eu não tenho lágrimas, rezar comigo pela minha alma, porque eu não tenho fé, e depois, se for sempre amável, boa e misericordiosa, o Anjo da Morte terá pena de mim. Você verá talvez formas medonhas nas trevas e vozes maldosas murmurarão ao seu ouvido, porém não lhe farão mal, pois contra a pureza de uma criança os poderes do inferno não prevalecem.

Virgínia não respondeu e o fantasma contorceu as mãos desesperado, olhando para aquela cabeça loura inclinada. De súbito, a menina se ergueu muito pálida, com um reflexo estranho nos olhos.

— Não tenho medo — disse com firmeza. — Vou pedir ao Anjo que tenha compaixão de você.

O fantasma se levantou com uma débil exclamação de alegria e, tomando-lhe a mão, beijou-a com graça cavalheiresca. Seus dedos eram frios como gelo e seus lábios queimavam como fogo, mas Virgínia não vacilou quando ele a conduziu através do aposento em penumbra. Na tapeçaria, de um verde desbotado, havia pequenos caçadores bordados, que sopravam trombetas enfeitadas e com mãos diminutas lhe faziam sinais para que recuasse.

— Volte, Virgínia! — gritavam. — Volte!

O fantasma, porém, segurou-lhe a mão com mais força e a menina fechou os olhos para não vê-los. Horríveis animais com caudas de lagarto e olhos esbugalhados piscavam para ela das esculturas da lareira e murmuravam:

— Cuidado, Virgínia! Cuidado! Talvez nunca mais nos encontremos.

O fantasma, porém, deslizava com maior rapidez e Virgínia não o ouviu. Ao chegarem à extremidade do aposento, ele parou e murmurou algumas palavras que a menina não compreendeu. Virgínia abriu os olhos e viu que a parede estava desaparecendo como um nevoeiro e uma grande caverna negra surgia diante dela. Um vento gelado os rodeou e ela sentiu que algo puxava seu vestido.

— Depressa! Depressa! — exclamou o Fantasma. — Senão, será, tarde demais!

E num instante o painel se fechou atrás deles e a Sala da Tapeçaria ficou deserta.

\* \* \*

Cerca de dez minutos mais tarde, tocou o sino para o chá, e como Virgínia não aparecesse, Mrs. Otis mandou um criado chamá-la. Depois de algum tempo, ele voltou dizendo que não encontrara Miss Virgínia em parte alguma. Como a menina tinha o hábito de ir ao jardim todas as tardes para colher flores para a mesa do jantar, Mrs. Otis em princípio não ficou alarmada, mas quando soaram seis horas e Virgínia não apareceu, ficou verdadeiramente preocupada e mandou os meninos procurá-la, enquanto ela e Mr. Otis revistavam todas as peças da casa. Às 18h30min os meninos entraram e disseram que não haviam encontrado a irmã em parte alguma. Estavam todos muito agitados, sem saber o que fazer, quando Mr. Otis de repente se lembrou de que, alguns dias antes, havia dado permissão a um bando de ciganos para acampar no parque. Dirigiu-se então para Blackfell Hollow, onde se encontravam, acompanhado pelo filho mais velho e por dois empregados. O jovem duque de Cheshire, louco de ansiedade, pediu insistentemente que o deixassem ir também, mas Mr. Otis não permitiu, temendo que pudesse haver uma escaramuça. Chegando ao lugar, descobriram que os ciganos haviam partido e era evidente que a partida fora súbita, pois o fogo ainda estava aceso e havia alguns pratos na grama. Depois de enviar Washington e os dois homens para fazerem uma busca pelo distrito, Mr. Otis correu para casa e despachou telegramas a todos os inspetores de polícia do condado, pedindo-lhes que procurassem uma menina que havia sido raptada por vagabundos ou ciganos. Em seguida, ordenou que trouxessem um cavalo para ele e depois de insistir em que a esposa e os filhos se sentassem para jantar, dirigiu-se com um criado à estrada de Ascot. Mal percorrera duas milhas, ouviu um galope atrás de si, e ao voltar-se deu com o pequeno duque de Cheshire, que se aproximava montado em seu pônei, com o rosto muito corado e sem chapéu.

— Desculpe-me, Mr. Otis — arquejou o rapaz —, mas não posso jantar enquanto Virgínia não for encontrada. Por favor, não se zangue comigo; se o senhor tivesse permitido que ficássemos noivos no ano passado, toda esta história não teria acontecido. O senhor não vai me mandar de volta, não é? Não posso ir! E não irei!

O ministro não pôde deixar de sorrir para o belo rapaz e ficar comovido pela sua dedicação a Virgínia. Inclinando-se, bateu-lhe amigavelmente no ombro, dizendo:

— Bem, Cecil, se você não quer voltar, acho que tem de vir comigo, mas preciso lhe arranjar um chapéu em Ascot.

— Oh! Que importa o meu chapéu? Eu quero Virgínia! — exclamou, rindo, o pequeno duque.

E os dois galoparam até a estação da estrada de ferro. Ali Mr. Otis indagou ao chefe da estação se alguém que correspondesse à descrição de Virgínia fora visto na plataforma, porém não obteve notícias da menina. O chefe da estação telegrafou para todas as direções e assegurou-lhe que ficariam vigilantes. Depois de ter comprado um chapéu para o pequeno duque numa loja que estava fechando as portas, Mr. Otis dirigiu-se para Brixley, uma aldeia que ficava a cerca de quatro milhas de Ascot e que, segundo lhe disseram, era um conhecido ponto de reunião dos ciganos, pois havia nas proximidades um grande terreno público. Ali despertaram o policial rural, mas não obtiveram dele nenhuma informação. Depois de percorrerem todo o campo, dirigiram os cavalos para casa e chegaram ao castelo por volta das onze horas, mortos de cansaço e quase desanimados. Encontraram Washington e os gêmeos à espera no casebre do porteiro, munidos de lanternas, pois a alameda estava muito escura. Não se descobrira o menor traço de Virgínia. Os ciganos haviam sido presos em Brixley, porém a menina não estava com eles e o bando havia explicado sua súbita partida, dizendo que tinham se enganado a respeito da data da feira de Chorton e haviam partido às carreiras por medo de chegarem atrasados. De fato ficaram tristes ao ter notícia do desaparecimento de Virgínia, pois estavam muito gratos a Mr. Otis por lhes ter permitido acampar no parque. Quatro deles haviam ficado para trás, a fim de ajudar na busca. O lago das carpas fora dragado e todo o castelo fora minuciosamente revistado, mas em vão. Era evidente que, pelo menos naquela noite, Virgínia continuaria desaparecida. E foi num estado de grande depressão que Mr. Otis e os meninos caminharam para casa, enquanto o criado seguia atrás com os dois cavalos e o pônei. No vestíbulo encontraram um grupo de criados apavorados, e na biblioteca, estendida num sofá, estava a pobre Mrs. Otis quase louca de terror e de ansiedade. A velha governanta banhava-lhe a testa com água-de-colônia. Mr. Otis insistiu imediatamente em que ela comesse alguma coisa e ordenou que servissem a ceia para todos. Foi uma refeição melancólica; quase ninguém falou e até os gêmeos estavam assombrados e tímidos, pois eram muito amigos da irmã. Quando terminaram, apesar das súplicas do jovem duque, ordenou que todos fossem para a cama, dizendo que nada mais podia ser feito naquela noite e que na manhã seguinte telegrafaria para a Scotland Yard, pedindo que mandassem imediatamente alguns detetives.

Exatamente quando saíam do salão de jantar começou a tocar meia-noite no relógio da torre. Ao soar a última badalada, todos ouviram um estrondo e um grito agudo. Um medonho trovão fez estremecer a casa e acordes de música celestial flutuaram no ar. No alto da escada, um painel abriu-se de repente com grande ruído e no patamar, muito pálida, com um pequeno cofre na mão, apareceu Virgínia. Todos correram para ela. Mrs. Otis abraçou-a apaixonadamente, o duque afogou-a em violentos beijos e os gêmeos executaram uma louca dança de guerra ao redor do grupo.

— Meu Deus, filha! Onde esteve? — perguntou Mr. Otis meio zangado, pensando que ela lhes pregara uma peça. — Cecil e eu percorremos toda a região à sua procura e sua mãe estava morrendo de aflição! Nunca mais faça brincadeiras assim.

— Exceto com o fantasma! Exceto com o fantasma! — gritaram os gêmeos em meio às suas brincadeiras.

— Minha querida, graças a Deus você foi encontrada. Nunca mais se separe de mim — murmurou Mrs. Otis, beijando a trêmula menina e alisando-lhe os cabelos louros e embaraçados.

— Papai, estive com o fantasma — disse Virgínia, tranqüilamente. — Ele está morto e o senhor precisa vir vê-lo. Foi muito mau, porém está arrependido de tudo o que tinha feito e antes de morrer deu-me esta caixa com lindas jóias.

Toda a família a olhou tomada de mudo assombro, mas Virgínia estava séria e falava com gravidade. Voltando-se, conduziu-os através da abertura da parede por um estreito corredor secreto, Washington seguiu-os com uma vela acesa que apanhara de sobre a mesa. Finalmente chegaram a uma porta de carvalho guarnecida de pregos enferrujados. Quando Virgínia a tocou, a porta girou sobre seus pesados gonzos e a família se encontrou num pequeno quarto baixo, de teto abobadado, com uma estreita janela gradeada. Embutida na parede, viu-se uma enorme argola de ferro, e preso a ela havia um esqueleto que se achava estirado ao comprido no chão de pedra e parecia tentar agarrar com seus longos dedos descarnados um antigo prato e um jarro colocados fora do seu alcance. O jarro evidentemente contivera água, pois estava interiormente coberto por um mofo esverdeado. Nada havia no prato senão um monte de pó. Virgínia ajoelhou-se ao lado do esqueleto e, juntando as mãos, começou a rezar em silêncio, enquanto o resto do grupo contemplava assombrado a horrível tragédia cujo segredo lhes tinha sido revelado.

— Vejam! — exclamou um dos gêmeos que estava olhando pela janela a fim de descobrir em que ala do castelo estava situado o quarto. — Vejam! A velha amendoeira floriu. Distingo as flores claramente ao luar.

— Deus lhe perdoou — disse Virgínia gravemente, pondo-se de pé.

E seu rosto parecia iluminado por uma luz interior.

— Você é um anjo! — exclamou o jovem duque, enlaçando-lhe o pescoço e beijando-a.

Quatro dias depois destes estranhos incidentes, saiu um funeral de Canterville Chase por volta das onze horas da noite. O esquife fora puxado por oito cavalos negros, e cada um tinha a cabeça ornada com um grande tufo de plumas de avestruz e o caixão de chumbo estava coberto por uma rica mortalha de púrpura, onde se viam bordadas a ouro as armas de Canterville. Ao lado do esquife e das carruagens seguiam os criados com tochas acesas. A procissão era extremamente impressionante. Lord Canterville tinha vindo de Gales especialmente para assistir ao funeral e estava na primeira carruagem com Virgínia. Em seguida vinham o ministro dos Estados Unidos e sua esposa, depois Washington e os dois meninos, e na última carruagem Mrs. Umney. Era opinião geral que, por ter sido assustada pelo fantasma durante mais de cinqüenta anos, tinha o direito de assistir ao seu enterro. Haviam cavado uma profunda sepultura na extremidade do cemitério, exatamente sob o velho teixo. As orações fúnebres foram recitadas de modo impressionante pelo Reverendo Augustos Dampier. Quando a cerimônia terminou, os criados, de acordo com um antigo costume observado na família Canterville, apagaram suas tochas; no momento em que o caixão baixava à sepultura, Virgínia adiantou-se e colocou sobre ele uma grande cruz de flores cor-de-rosa e brancas. Naquele momento a lua saiu detrás de uma nuvem e inundou com sua luz prateada o velho cemitério. Num bosque distante, um rouxinol começou a cantar. Virgínia recordou as palavras do fantasma sobre o jardim da morte, seus olhos ficaram marejados de lágrimas e ela quase não falou no trajeto de volta.

Na manhã seguinte, antes que Lord Canterville partisse para a cidade, Mr. Otis teve com ele uma conversa a respeito das jóias que o Fantasma dera a Virgínia. Eram magníficas, principalmente um certo colar de rubis de antiga montagem veneziana, que era na verdade um soberbo exemplar do século XVI. Era tão valioso que Mr. Otis sentiu consideráveis escrúpulos em permitir que a filha o aceitasse.

— Milord — disse —, sei que neste país a alienação de bens aplica-se tanto a jóias como a terras, e é bem claro que estas jóias são ou deveriam ser propriedade da sua família. Suplico-lhe, portanto, que leve-as para Londres e que as considere simplesmente como parte de seus bens que lhe foi devolvida em estranhas circunstâncias. Quanto à minha filha, é uma simples criança e, até agora, agrada-me dizê-lo, tem pouco interesse por objetos de vão luxo. Fui também informado por Mrs. Otis — que não deixa de ser uma autoridade em arte, pois teve o privilégio de passar vários invernos em Boston quando era moça — de que estas gemas são de grande valor monetário, e se fossem postas à venda alcançariam preços elevados. Em tais circunstâncias, Lord Canterville, estou certo de que reconhecerá ser impossível para mim consentir que elas permaneçam na posse de um membro da minha família; e, na verdade, todos esses frívolos adornos, por mais necessários e convenientes à aristocracia inglesa, estariam completamente deslocados entre pessoas educadas nos severos e imortais princípios da simplicidade republicana. Devo mencionar, talvez, que Virgínia está muito ansiosa para que o senhor lhe permita guardar a caixa como recordação de seu extraviado e infeliz antepassado. Como o cofre é extremamente antigo e, portanto, muito estragado, o senhor talvez julgue razoável atender-lhe o pedido. De minha parte, confesso que estou surpreso ao ver um filho meu demonstrar simpatia por qualquer espécie de medievalismo, e só posso compreendê-lo pelo fato de Virgínia ter nascido num subúrbio de Londres pouco depois de Mrs. Otis regressar de uma viagem a Atenas.

Lord Canterville ouviu gravemente o discurso do digno ministro, alisando de vez em quando seu bigode grisalho a fim de ocultar um involuntário  sorriso, e quando Mr. Otis terminou apertou-lhe cordialmente a mão e disse:

— Meu caro senhor, sua encantadora filhinha prestou ao meu antepassado, *Sir* Simon, um importante serviço e eu e a minha família estamos endividados para com ela por sua maravilhosa coragem e energia. As jóias lhe pertencem e creio que se eu fosse tão mesquinho que as tirasse do senhor, meu maldoso antepassado sairia do túmulo dentro de duas semanas, fazendo-me viver uma atormentada existência. Quanto a serem jóias de família, só os objetos mencionados num testamento ou documento legal são considerados bens e a existência dessas jóias é inteiramente desconhecida. Asseguro-lhe que não tenho mais direitos sobre elas do que seu mordomo, e quando Miss Virgínia crescer ouso dizer que ficará satisfeita por ter lindas jóias para usar. Além disto, o senhor se esquece de que adquiriu o mobiliário e o fantasma, e qualquer coisa que tenha pertencido a ele passa imediatamente ao seu poder, pois fosse qual fosse a atividade exercida por *Sir* Simon no corredor à noite, por lei estava realmente morto e o senhor adquiriu sua propriedade pela sua compra.

Mr. Otis ficou bastante perturbado com a recusa de Lord Canterville e pediu-lhe que reconsiderasse a decisão, mas o bondoso cavalheiro manteve-se inflexível e finalmente convenceu o ministro a permitir que sua filha conservasse o presente que o fantasma lhe tinha dado. E quando, na primavera de 1890, a jovem duquesa de Cheshire foi apresentada à rainha, por ocasião do seu casamento, suas jóias foram tema universal de admiração. Virgínia recebeu a coroazinha, que é a recompensa de todas as jovens americanas bem-educadas, e casou-se com seu jovem namorado assim que este completou a maioridade. Eram ambos tão encantadores e se amavam tanto que todos ficaram satisfeitíssimos com o casamento, exceto duas pessoas: a velha marquesa de Dumbleton, que tentara agarrar o duque para uma de suas sete filhas solteiras e havia dado com este propósito nada menos do que três dispendiosas festas, e, embora pareça estranho, o próprio Mr. Otis. Pessoalmente Mr. Otis gostava muito do jovem duque, mas teoricamente fazia objeções a títulos. Para usar suas próprias palavras, não deixava de estar apreensivo, pois entre as influências deletérias de uma aristocracia amante do prazer, os verdadeiros princípios de simplicidade republicana poderiam ser esquecidos. Suas objeções, contudo, foram inteiramente rejeitadas, e creio que quando ele percorreu a nave, de St. George, Hanover Square, com a filha apoiada no seu braço, não haveria homem mais orgulhoso em todo o território inglês.

O duque e a duquesa, depois da lua-de-mel, foram a Canterville Chase, e no dia seguinte ao de sua chegada caminharam até o abandonado cemitério ao lado do pinheiral. Em princípio houve muita discussão a respeito do epitáfio para o túmulo de *Sir* Simon, mas finalmente decidiram gravar sobre ele apenas as iniciais do velho cavalheiro e os versos da janela da biblioteca. A duquesa trouxera lindas rosas e espalhou-as sobre o túmulo. Depois de ficarem ali por um instante, caminharam vagarosamente até o coro arruinado da velha abadia. A duquesa sentou-se numa pilastra caída e o duque estirou-se a seus pés, fumando um cigarro e contemplando os belos olhos da esposa. De súbito, lançou fora o cigarro, apoderou-se da mão de Virgínia e disse:

— Virgínia, uma esposa não deve ter segredos para seu marido.

— Meu querido Cecil! Eu não tenho segredos para você.

— Sim, tem — replicou ele, sorrindo. — Você nunca me contou o que lhe aconteceu quando estava com o fantasma.

— Nunca revelei isto a pessoa alguma — disse Virgínia gravemente.

— Eu sei, mas você poderia contar para mim.

— Por favor, não me faça perguntas, Cecil. Não posso lhe dizer nada. Pobre *Sir* Simon! Devo-lhe muito. Sim, não ria, Cecil, é verdade. Ele me mostrou o que é a vida e o que significa a morte e por que o amor é mais forte do que ambos.

O duque se ergueu e beijou-a carinhosamente.

— Pode guardar seu segredo, contanto que eu possua o seu coração.

— Ele sempre foi seu, Cecil.

— E algum dia você contará às crianças, não é?

Virgínia corou.

*Tradução de Otto Schneider*

## DEUS

### ALPHONSE ALLAIS
(1854-1905 | França)

*A arte dele é uma espécie de "terrorismo do espírito, que utiliza inúmeros pretextos para pôr em evidência nos homens o conformismo médio (...), desvendando neles o animal social excessivamente limitado", escreveu André Breton, que o incluiu na sua* Anthologie de l'Humour Noir. *Allais até hoje é lembrado na França como "o príncipe dos humoristas", embora seus textos, espalhados pela imprensa da época, e só depois recolhidos em livros, estejam meio esquecidos. Injustamente, como se pode ver com os seguintes contos.*

Começava a esquentar. A festa estava no auge. Os alegres convivas vibravam de euforia, barulhentos e amorosos. As belas mulheres, corpetes desabotoados, ficavam à vontade. Seus olhos suavemente se semicerravam. E seus lábios se entreabriam, deixando promessas de humildes tesouros de púrpura e néctar. Nunca cheias e nunca vazias, as taças! As canções se desmanchavam no ar, acompanhando o tinir dos cristais e das cascatas de risos das belas mulheres. E eis que o velho relógio da sala de jantar interrompe seu tique-taque monótono e sussurrante para ranger raivosamente, como sempre faz quando se dispõe a marcar as horas. As doze badaladas caíram, lentas e graves, solenes, como aquele ar de censura peculiar aos velhos relógios patrimoniais. Elas pareciam nos dizer que soaram muitas outras vezes para os nossos avós desaparecidos, e que soarão ainda muitas para os nossos netos, quando não mais estivermos no mundo. Sem se aperceberem da advertência, os alegres convivas fizeram, no entanto, uma pausa em seu tumulto e as belas mulheres deixaram de rir. Mas Alberico, o mais louco do grupo, levantou a taça e disse, com uma cômica gravidade:

— Senhores, é meia-noite! É a hora de negarmos a existência de Deus.

Toc-toc-toc! Alguém batia à porta.

— Quem é?... Não estamos esperando ninguém e os criados estão de folga...

Alguém abriu a porta, deixando ver a grande barba prateada de um velho de estatura alta, vestindo uma longa túnica branca.

— Quem é você, meu bom velho?

E o velho respondeu, com uma grande simplicidade:

— Eu sou Deus.

Frente a essa declaração, todos os jovens convivas sentiram certo constrangimento. Mas Alberico, que inegavelmente tinha muito sangue-frio, convidou-o:

— Espero que isso não possa lhe impedir de brindar conosco?

Na sua infinita bondade, Deus aceitou o convite do moço e, em pouco tempo, todos se sentiam à vontade. Recomeçaram a beber, a rir, a cantar. O azul matinal já empalidecia as estrelas quando resolveram se separar. Antes das despedidas de seus anfitriões, com a melhor boa vontade do mundo, Deus concordou que ele, Deus, não existia.

# UMA PETIÇÃO

### ALPHONSE ALLAIS

Há muito pouco tempo, o Sr. Onésimo Lahilat, pacato morador de Pourd-sur-Alaure (Haute-Toucque), que vivia de pequenas rendas, vinha da estação onde fora ver a passagem do trem de Paris e comprar o jornal. Ao chegar à altura do funileiro colado ao Café do Correio, o Sr. Onésimo Lahilat experimentou um inconveniente de certa gravidade. Uma espécie de terrina veio a se quebrar contra a barriga de sua perna direita, e todo o seu conteúdo (líquido gorduroso e detritos orgânicos) se espalhou pelo culote de camurça do pobre cavalheiro. Uma mulher de certa idade, a própria esposa do funileiro, responsável pela catástrofe, não encontrou nada de melhor para fazer, frente a esse desagradável incidente, do que colocar todas as suas mãos disponíveis nas cadeiras. Enquanto isso, um aprendiz ria às gargalhadas, mostrando os dentes de jovem lobo.

Indignado, menos ainda pelo infortúnio de que fora vítima do que pela alegria intempestiva que despertara naquela gente de baixa capacidade intelectual, o Sr. Onésimo Lahilat limpava os vestígios do desastre com seu lenço xadrez, enquanto ia balbuciando:

— Bem, acho que vocês deveriam ter prestado mais atenção...

Surgiu então o funileiro em pessoa, enfrentando-o de um modo brusco:

— Mas, olha aqui, velho de uma figa, quando se esvazia um vaso numa calçada, você só precisa passar para a outra calçada!

— É o que eu vou fazer de agora em diante — contentou-se em dizer, perfeitamente enxovalhado, o Sr.Onésimo Lahilat.

E foi o que fez dali em diante: exatamente como havia dito. Ele, que tinha o hábito de ir à estação pela calçada da direita da Grand-Rue e de voltar pela calçada da esquerda, tomou a brava decisão de adotar a calçada da direita, quando ia ou quando voltava. Mais tarde, no entanto, seu coração foi perturbado por uma caso de consciência. Tinha ele realmente o direito de adotar, em conseqüência de uma raiva súbita, um dos lados da rua em vez do outro? Se havia duas calçadas, oferecida aos passos de todos os cidadãos, não seria de sua obrigação passar pelas duas? Tal como um destroço ao sabor das ondas, balançava seu senso moral de cidadão, de eleitor, de contribuinte. Em breve, ele não conseguiu mais se conter e, um belo dia, sobre uma branca e espaçosa folha de papel ofício ele redigiu uma petição ao Sr. Carnot, presidente da República. Longamente fundamentada e respeitosamente formulada, a redação concluía que: "...em conseqüência dos fatos anunciados acima, o signatário pede humildemente autorização ao chefe de Estado para passar unicamente sobre a calçada do lado direito da Grand-Rue, de Pourd-sur-Alaure (Haute-Toucque).

A França, para sua felicidade, tem à frente do Governo o Sr.Carnot, um rapaz sério que se ocupa de seus assuntos, fazendo questão de que tudo passe pelas suas mãos, como ele mesmo diz, em sua linguagem metafórica. Isso não é bem melhor, cá entre nós, para a saúde da magistratura suprema, assim como para com os interesses da pátria, do que colocar na Presidência da República um desses sujeitos que ficam bebericando até às três da manhã nos cafés de Montmartre? À leitura da petição do Sr. Onésimo Lahilat, o Sr. Carnot não conseguiu reprimir um vivo movimento de interesse:

— O que pensa a respeito disso, Kornprobst?

— Mas — respondeu polidamente seu assessor — sobre esta questão o meu parecer é exatamente o mesmo de Vossa Excelência, senhor Presidente...

— Pois o que eu acho é que esse assunto é mais da alçada do Loubert do que da minha.

Sr. Kornprobst bateu no gongo e um guarda republicano a cavalo logo apareceu.

— Leve isso ao ministro do Interior — ordenou o Sr. Kornsbrobst com aquela arrogância que os oficiais da Marinha se vêem afetados quando diante de um membro das forças terrenas. E acrescentou:

— Diga a Loubert que encaminhe depressa este problema. É assunto urgente.

O guarda republicano, a cavalo, não precisou importunar sua montaria para uma corrida tão curta. Se do Champs Elysées à Place Beauvau houvesse mais de cinqüenta metros pareceria o fim do mundo.

O Sr. Loubert tomou conhecimento da petição do Sr. Onésimo Lahilat.

— Sr. Carnot é muito gentil - murmurou ele —, mas às vezes me encarrega de tarefas com as quais nada tenho a ver. Essa história é um problema a ser resolvido pelo prefeito do Departamento de Haute-Toucque.

E, pedindo com o que escrever, o Sr. Loubert dirigiu-se ao funcionário mencionando a petição em questão, e pedindo-lhe que fosse diligente ao dar-lhe solução. O prefeito de Haute-Toucque estava quase a ponto de fazer outra espécie de diligência com uma cocote de Paris, quando lhe chegou às mãos a mensagem de seu superior hierárquico.

— Mas — interrompeu ele — uma chatura dessas só podia acontecer comigo! O que é que eu tenho com isso? É coisa para o administrador municipal de Pourd-sur-Alaure. Mandem me chamar logo esse gendarme.

— Presidente! — ouviu-se uma voz marcial. Era o gendarme.

— E sobretudo, gendarme, peça ao *maire* que não durma sobre esse estratagema, heim?

Empregara a palavra "estratagema" só para impressionar o gendarme.

Ao receber a missiva, a fisionomia do *maire* ficou pálida como a de uma serpente.

— Oxalá — disse ele — que esse assunto não venha a atrapalhar a condecoração que espero receber dia primeiro de janeiro.

Era tarde.

Todo mundo importante de Pourd-sur-Alaure tinha saído para jantar.

Tomar ele próprio uma decisão era coisa que o *maire* nem pensava.

Mandou subir ao seu escritório um agente de polícia (um intimador, como eram chamados) e lhe confiou uma quinzena de pequenos ofícios convocando os conselheiros municipais da cidade para uma reunião extraordinária. Ninguém faltou, vivos ou mortos.

Era quase meia-noite quando a sessão terminou. Temos a boa fortuna de fornecer aos nossos leitores os últimos "considerandos" da decisão do Conselho:

"Considerando etc., etc.;

Considerando que os motivos invocados pelo Sr. Onésimo Lahilat não parecem suficientemente justificados e que tal exemplo abriria um precedente caprichoso e inoportuno;

Considerando que o legislador fez colocar duas calçadas nas ruas para que elas fossem igualmente usadas;

Considerando que se a população de Pourd-sur-Alaure adquirisse o hábito de passar por uma só calçada em detrimento da outra e reciprocamente etc., etc;

o Conselho Municipal de Pourd-sur-Alaure não autoriza o Sr. Onésimo Lahilat a passar exclusivamente pela direita da Grand-Rue."

## DE CIMA PARA BAIXO

### ARTUR AZEVEDO
#### (1855-1908 | Brasil)

*Um autor de sucesso desde sua estréia juvenil — uma de suas primeiras peças, escrita aos 15 anos, teve centenas de encenações no Brasil e em Portugal —, o maranhense-carioca Artur Azevedo é um contista e comediógrafo de lugar garantido na nossa história literária. Suas peças continuam sendo encenadas, assim como seus livros, publicados (Contos Efêmeros, Contos Fora de Moda etc), além de seus textos, aliás carioquíssimos, estarem sempre presentes em antologias e coletâneas nacionais.*

Naquele dia o ministro chegou de mau humor ao seu gabinete, e imediatamente mandou chamar o diretor-geral da Secretaria.

Este, como se movido fosse por uma pilha elétrica, estava, poucos instantes depois, em presença de Sua Excelência, que o recebeu com duas pedras na mão.

— Estou furioso! — exclamou o conselheiro; — por sua causa passei por uma vergonha diante de Sua Majestade o Imperador!

— Por minha causa? — perguntou o diretor-geral, abrindo muito os olhos e batendo nos peitos.

— O senhor mandou-me na pasta um decreto de nomeação sem o nome do funcionário nomeado!

— Que me está dizendo, Excelentíssimo?...

E o diretor-geral, que era tão passivo e humilde com os superiores, quão arrogante e autoritário com os subalternos, apanhou rapidamente no ar o decreto que o ministro lhe atirou, em risco de lhe bater na cara, e, depois de escanchar a luneta no nariz, confessou em voz sumida:

— É verdade! Passou-me! Não sei como isto foi...

— É imperdoável esta falta de cuidado! Deveriam merecer-lhe um pouco mais de atenção os atos que têm de ser submetidos à assinatura de Sua Majestade, principalmente agora que, como sabe, está doente o seu oficial-de-gabinete!

E, dando um murro sobre a mesa, o ministro prosseguiu:

— Por sua causa esteve iminente uma crise ministerial: ouvi palavras tão desagradáveis proferidas pelos augustos lábios de Sua Majestade, que dei a minha demissão!...

— Oh!...

— Sua Majestade não o aceitou...

— Naturalmente; fez Sua Majestade muito bem.

— Não a aceitou porque me considera muito, e sabe que a um ministro ocupado como eu é fácil escapar um decreto mal copiado.

— Peço mil perdões a Vossa Excelência — protestou o diretor-geral, terrivelmente impressionado pela palavra *demissão*. — O acúmulo de serviço fez com que me escapasse tão grave lacuna; mas afirmo a Vossa Excelência que de agora em diante hei de ter o maior cuidado em que se não reproduzam fatos desta natureza.

O ministro deu-lhe as costas e encolheu os ombros, dizendo:

— Bom! Mande reformar essa porcaria!

O diretor-geral saiu, fazendo muitas mesuras, e chegando no seu gabinete, mandou chamar o chefe da 3ª seção, que o encontrou fulo de cólera.

— Estou furioso! Por sua causa passei por uma vergonha diante do Sr. Ministro!

— Por minha causa?

— O senhor mandou-me na pasta um decreto sem o nome do funcionário nomeado!

E atirou-lhe o papel, que caiu no chão.

O chefe da 3ª seção apanhou-o, atônito, e, depois de se certificar do erro, balbuciou:

— Queira Vossa Senhoria desculpar-me, Sr. Diretor... são coisas que acontecem... havia tanto serviço... e todo tão urgente!...

— O Sr. Ministro ficou, e com razão, exasperado! Tratou-me com toda a consideração, com toda a afabilidade, mas notei que estava fora de si!

— Não era caso para tanto.

— Não era caso para tanto? Pois olhe, Sua Excelência disse-me que eu devia suspender o chefe de seção que me mandou isto na pasta!

— Eu... Vossa Senhoria...

— Não o suspendo; limito-me a fazer-lhe uma simples advertência, de acordo com o regulamento.

— Eu... Vossa Senhoria.

— Não me responda! Não faça a menor observação! Retire-se, e mande reformar essa porcaria!

\* \* \*

O chefe da 3ª seção retirou-se confundido, e foi ter à mesa do amanuense que tão mal copiara o decreto:

— Estou furioso, Sr. Godinho! Por sua causa passei por uma vergonha diante do sr. diretor-geral!

— Por minha causa?

— O senhor é um empregado inepto, desidioso, desmazelado, incorrigível! Este decreto não tem o nome do funcionário nomeado!

E atirou o papel, que bateu no peito do amanuense.

— Eu devia propor a sua suspensão por 15 dias ou um mês: limito-me a repreendê-lo, na forma do regulamento! O que eu teria ouvido, se o sr. diretor-geral me não tratasse com tanto respeito e consideração!

— O expediente foi tanto, que não tive tempo de reler o que escrevi...

— Ainda o confessa!

— Fiei-me em que o sr. chefe passasse os olhos...

— Cale-se!... Quem sabe se o senhor pretende ensinar-me quais sejam as minhas atribuições?!...

— Não, senhor, e peço-lhe que me perdoe esta falta...

— Cale-se, já lhe disse, e trate de reformar essa porcaria!...

\* \* \*

O amanuense obedeceu.

Acabado o serviço, tocou a campainha.

Apareceu um contínuo.

— Por sua causa passei por uma vergonha diante do chefe da seção!

— Por minha causa?

— Sim, por sua causa! Se você ontem não tivesse levado tanto tempo a trazer-me o caderno de papel imperial que lhe pedi, não teria eu passado a limpo este decreto com tanta pressa que comi o nome do nomeado!

— Foi porque...

— Não se desculpe: você é um contínuo muito relaxado! Se o chefe não me considerasse tanto, eu estava suspenso, e a culpa seria sua! Retire-se!

— Mas...

— Retire-se, já lhe disse! E deve dar-se por muito feliz: eu poderia queixar-me de você!...

\* \* \*

O contínuo saiu dali, e foi vingar-se num servente preto, que cochilava num corredor da Secretaria.

— Estou furioso! Por sua causa passei pela vergonha de ser repreendido por um bigorrilhas!

— Por minha causa?

— Sim. Quando te mandei ontem buscar na portaria aquele caderno de papel imperial, por que te demoraste tanto?

— Porque...

— Cala a boca! Isto aqui é andar muito direitinho, entendes? — Porque, no dia em que eu me queixar de ti ao porteiro estás no olho da rua. Serventes não faltam!...

O preto não redargüiu.

\* \* \*

O pobre diabo não tinha ninguém abaixo de si, em quem pudesse desforrar-se da agressão do contínuo; entretanto, quando depois do jantar, sem vontade, no frege-moscas, entrou no pardieiro em que morava, deu um tremendo pontapé no seu cão.

O mísero animal, que vinha, alegre, dar-lhe as boas-vindas, grunhiu, grunhiu, grunhiu, e voltou a lamber-lhe humildemente os pés.

O cão pagou pelo servente, pelo contínuo, pelo amanuense, pelo chefe da seção, pelo diretor-geral e pelo ministro!...

## O TELEFONE

**ARTUR AZEVEDO**

Isto passou-se nos últimos tempos do Segundo Império:

O Chagas, moço de vinte e cinco anos, amanuense numa secretaria de estado, era tímido, o que, aliás, não o impediu de corresponder prontamente aos olhares libidinosos que certa noite — por sinal que era domingo — lhe atirou de um camarote, no Recreio Dramático, uma bonita mulher, um pouco mais velha que ele, acompanhada pelo marido, muito mais velho que ambos.

Este parecia interessado pelo espetáculo: tinha os olhos pregados no palco, sem desconfiar nem de leve que a sua cara-metade namorava escandalosamente às suas barbas, um jovem espectador da platéia.

Depois de castigado o vício e premiada a virtude, o Chagas acompanhou, a certa distância, o casal, até o Largo de São Francisco e, apesar de tímido, teve a coragem de sentar ao lado da senhora.

Dali até São Cristóvão, como não se pudessem falar, entenderam-se ambos, a princípio com os cotovelos e os joelhos, depois com os pés e afinal com as próprias mãos, que se apertaram furtivamente, quando, nas alturas do canal do Mangue, o marido deixou de fazer considerações críticas sobre o dramalhão que ouvira, e começou a cochilar, como todos os maridos confiantes.

Alguns metros antes de chegar ao domicílio conjugal, ela preveniu o Chagas com uma joelhada mais enérgica e, voltando-se para o sonolento, disse-lhe:

— Acorda, Barroso, que estamos quase!

Apearam-se, e o Chagas tomou nota do número da casa.

\* \* \*

No dia seguinte, o ditoso mancebo colheu todas as informações desejáveis. O Barroso era um honrado negociante, estabelecido perto do Mercado; saía de casa às seis da manhã e só voltava à noitinha — o que facilitou ao Chagas os meios de escrever a Clorinda, que assim se chamava a bela.

Pediu-se uma entrevista, e escusado é dizer que ela não opôs a esse pedido a menor resistência; exigiu apenas, depois do primeiro encontro, que os outros se efetuassem longe do bairro, e que o Chagas a esperasse no campo de São Cristóvão, dentro de um carro fechado. Este os transportaria para um retiro longínquo e discreto.

\* \* \*

O venturoso amante em pouco tempo se convenceu de que as mulheres mais caras são justamente as que se dão de graça. Os seus magros cobres de amanuense não chegavam para aquele carro escandalosamente misterioso e para o hotel com duas entradas, onde se escondiam aqueles amores ignóbeis. O pobre rapaz recorreu ao prego e ao usurário: encalacrou-se deveras.

Demais, o namoro estragou o funcionário. Como estivesse profundamente impressionado por Clorinda, e não pensasse noutra coisa que não fosse ela, e só ela, o amanuense começou a meter os pés pelas mãos, errando os trabalhos mais insignificantes que lhe confiavam, tornando-se incapaz até de extrair uma simples cópia.

Junte-se a isto a circunstância de faltar pelo menos uma vez por semana à repartição — nos dias em que, metido no carro, suando por todos os poros, trêmulo de impaciência e com o coração aos saltos, esperava que ela entrasse também, para voarem ambos ao miserável ninho das suas poucas-vergonhas.

Algumas vezes Clorinda faltava à entrevista, porque uma circunstância qualquer a impedia de sair de casa. Nessas ocasiões o Chagas passava por tormentos incríveis.

— Ainda nada, ó Maciel? — perguntava de vez em quando ao cocheiro, sempre o mesmo, que o servia naquelas arriscadas aventuras, homem já maduro, pai de filhos, e tão discreto que não encarava Clorinda quando esta apontava ao longe e vinha na direção do carro, protegida pela sombrinha e pelo véu, arregaçando a saia com muita elegância, e apressando os passinhos miúdos, lépida, saltitante como se houvesse saído de casa para boa coisa.

— Nada!

Mas, desde que a via, o cocheiro voltava-se para o Chagas e o avisava:

— Agora!

E o Chagas esperava-a com a portinhola entreaberta.

\* \* \*

Um dia Clorinda deu-lhe uma notícia desagradável: o marido tinha mandado colocar em casa um aparelho telefônico.

— É um perigo — observou ela — mas por outro lado é bom, porque posso falar-te quando estiveres na secretaria. Vocês têm lá telefone?

— Naturalmente.

\* \* \*

Poucos dias depois, estava o Chagas, sentado à sua mesa de amanuense, copiando pela terceira vez um aviso, quando se aproximou dele um contínuo e lhe disse:

— O sr. ministro chama-o.

— A mim?!

— Sim, senhor.

— Ora essa! Você não está enganado?...

— Não, senhor. S. Exª me perguntou: — Há aqui na casa algum empregado chamado Chagas? — Respondi-lhe que sim, ele disse-me: — Pois vá chamá-lo.

— Que diabo será? — perguntou o amanuense aos seus botões.

E foi para o gabinete do ministro.

Tremia que nem varas verdes.

O conselheiro, homem enfatuado e rebarbativo, estava sentado à secretária, com as barbas metidas numa papelada que o absorvia.

— Estou às ordens de V. Exª — gaguejou o Chagas.

Não teve resposta.

Dois minutos depois, repetiu:

— Estou às ordens de V. Exª.

S. Exª, sem se dignar erguer os olhos, perguntou em tom áspero:

— É o sr. Chagas?

— Sim, senhor.

— Estão o chamando no telefone.

E, sempre de olhos baixos, e carrancudo, apontou para o telefone, que ficava a alguns passos de distância, e fazia ouvir o seu impertinente e desrespeitoso tlin-tlin-tlin.

O Chagas sentiu faltar-lhe o chão debaixo dos pés; entretanto, conseguiu aproximar-se do aparelho, e dizer engasgado pela comoção:

— Alô! Alô!

— Quem fala?

— É o amanuense Chagas.

— Ah! Bom! Sou eu, a tua Clorinda. Quem foi o sujeito que falou antes de ti? É um malcriado! Então? Não respondes?

— Não sei.

— Ele disse que era o ministro.

— Era. Que deseja a senhora?

— Por que me tratas por senhora?

— Não posso dizer neste momento!

— Por quê?

— Por... por nada... estou muito ocupado... a ocasião é imprópria.

— Já não me amas?

— Sim!

— Como sim? Já não me amas?

— Não... isto é, não posso... Diga o que deseja.

— Estás zangado comigo?

— Não.

— Então dize: não estou zangado e amo-te!

— Isso não posso. Depois explicarei por quê.

— Não vás amanhã: o Barroso faz anos e janta em casa... eu não me lembrava... mas dize ao menos que ainda me amas!

— Não posso agora.

— Por quê?

— Depois saberá.

O ministro, sem levantar os olhos da papelada:

— Veja se acaba com isso, meu caro senhor; quero trabalhar!

O Chagas estremeceu, largou das mãos o telefone, que ficou pendurado, e saiu do gabinete fazendo muitas mesuras.

O conselheiro ergueu-se para desligar o aparelho, mas levou o fone ao ouvido e ainda ouviu:

— Que modos são esses? Nunca me trataste assim! Já não me amas! E eu que por tua causa enganei o meu pobre marido! Está tudo acabado entre nós!...

— Tenha juízo, senhora! — bradou o ministro com a sua bela voz parlamentar.

E desligou o aparelho, sem suspeitar que ao mesmo tempo desligava dois amantes.

# CONDENAÇÃO

### GEORGES COURTELINE
### (1858-1929 | França)

*Como romancista, comediógrafo e contista, Georges Courteline (pseudônimo de George Moinaux), hoje esquecido mesmo em seu país, é quase um protótipo do humor parisiense da (Bela) época, mostrando os burgueses, burocratas e militares nos cafés parisienses, nos boudoirs femininos, sempre com uma noção clara do risível e do cômico do ser humano de seu tempo.*

I

De Marthe Passoire
para O. Courboillon.
Deputado de Sathe-et-Loiret

Paris, 10 de março.

Senhor deputado:

Perdoe a uma pobre e desesperada que toma a liberdade de importuná-lo, interrompendo seus numerosos trabalhos. Para que eu me atreva a proceder tão indiscretamente assim com um homem a quem seus méritos conquistaram o respeito público há tantos anos, é mister que me veja impelida pela imensidade de desgraça que se abate sobre mim, sendo a maior delas, talvez, a maior que já feriu uma mulher!... Esclareço, senhor, que a senhora de T..., sua amiga, e minha também, muito me insistiu a dirigir-me a V.S., assegurando-me que sua bondade e complacência não têm limites, e que será para V.S. uma satisfação estender uma mão tão caridosa à minha aflição. Queiram os céus que ela haja dito a verdade!

Senhor deputado, vou tudo lhe contar. Só com a franqueza confio eu achar o caminho do seu coração. Cometi uma falta, senhor deputado, uma falta grave, gravíssima, a tal ponto que, à idéia de ter de confessá-la, sinto que o rubor sobe a meu rosto. Fui — Deus meu, que humilhação! —, fui, em uma palavra, surpreendida em flagrante delito daquilo-que-o-senhor-já-deve-saber, com meu sobrinho, um estudante, garotinho de dezessete anos e meio...

Dir-me-á o senhor: "Mas é vergonhoso!" Eu sei, senhor deputado, e se pudesse minha culpa purgar com uma gota do meu sangue ou um naco da minha carne... No entanto, o senhor não pode condenar-me sem antes me ouvir. Confio no seu senso de justiça. O senhor haverá de compreender as fatalidades da vida.

Sim, vergonhoso! Sim, o senhor tem razão! Sim, sou a mais vil das mulheres! Mas o arrependimento tudo apaga e, por outro lado, não devo silenciá-lo por mais tempo: eu não pequei senão por imprudência. Ah! Quanto a isso posso jurar pelo que tenho de mais sagrado no mundo: se atendi ao chamado vindo do Hotel Términus, se aceitei o encontro do qual devia voltar desonrada, ah! ferimento meu, com minha honra manchada para sempre, aceitei o encontro com um excelente propósito em mente. Queria repreender a esse menino que me perseguia com cartas e com versos extravagantes; esperava chamá-lo à razão com algumas palavras severas. Desgraçadamente as coisas acabaram mal. Sozinho comigo, meu sobrinho começou a fazer loucuras, gritando, chorando, batendo a própria cabeça contra a parede, jurando que eu era toda a sua vida, toda a sua alma e todo o seu pensamento, e ameaçando-me, caso não cedesse, a dar-se um tiro nos miolos ali mesmo na minha presença. Finalmente perdi eu a cabeça... e não sei o que aconteceu!... Em resumo, meu marido (que sem dúvida havia desconfiado de algo) chegou de repente acompanhado pelo comissário de polícia. O processo foi instaurado e ontem fui eu condenada a um mês de prisão por corrupção de menor. Um mês de prisão, Deus meu!... Permanecer encerrada um mês em São Januário, entre ladras e prostitutas!... Jamais! Ah, isso jamais!... Antes a morte, cem vezes, mil vezes a morte!

Senhor deputado, não tenho outra esperança que não a esperança em V. Senhoria. A senhora de T..., a quem me confessei, disse-me que o senhor é íntimo amigo do ministro da Justiça e que bastaria uma palavra sua ao ouvido dele para obter o cancelamento da minha pena no tribunal. Essa palavra o senhor a dirá porque, estou certa disso, irá querer impedir-me de cometer uma loucura... Necessito dizer que toda uma vida de gratidão, de abnegação e de devoção não será suficiente para pagar-vos tão relevante favor?

Na certeza em que me encontro de que o senhor escutará minha súplica, que não bati em vão à porta do mais nobre e do mais generoso dos homens, rogo, aceite, senhor deputado, a expressão de profundo respeito com o qual tenho a honra de me subscrever, sua mais humilde, obediente e mui aflita servidora,

Marthe Passoire

P.S. — O jovem colegial foi obrigado a embarcar a bordo do Belle-Junon.

## II

O. Courboillon para Marthe Passoire

11 de março.

Senhora:

Em resposta a sua carta, me apresso a informá-la que recebo todas as manhãs, das dez e meia ao meio-dia, e que me será grato falar um instante com a senhora.
Receba, senhora, minhas recomendações.

O. Courboillon

## III

Marthe Passoire a O. Courboillon

17 de março.

Meu senhor e querido amigo:

Desde que teve a amabilidade de me conceder uma audiência, cinco dias transcorreram, cinco dias mortais, que me pareceram mais intermináveis do que cinco séculos, e no transcurso dos quais escrevi-lhe quatro vezes. Minhas cartas não tiveram resposta.

Sem saber o que pensar, buscando, sem encontrá-la, a explicação de um silêncio tão prolongado quanto misterioso, pergunto a mim mesma, aterrorizada, o que devo esperar para que minha solicitação seja aceita. Acaso obteve o senhor informações desfavoráveis a meu respeito? Em caso positivo, só me restaria me eliminar, pois jamais uma mulher sem defesa, abandonada por tudo e por todos, seria injustamente atirada à iniqüidade de inimigos que querem a sua ruína... Por sorte, senhor e querido amigo, meu passado responde por mim. E ele está isento de toda mancha, o que posso jurar sobre o túmulo do meu pai! (Não falo do assunto do jovem estudante; quanto mais penso nisso, mais me convenço de que segui impulsos de um acesso de loucura.) O que então? Por que esse silêncio? Terei causado má impressão? Sua acolhida tão generosa, seus cumprimentos tão lisonjeiros, as palavras de consolo e esperança, tão bem recebidas pela minha inquietação, que o senhor me prodigalizou, me autorizam a não acreditar nisso. Será porque, em determinado momento, eu lhe disse: "Acalme essas mãos, não se faça de menino, seja justo?" Se é por isso, por eu ter lhe falado de maneira tão descortês, pois bem, apresento-lhe minhas desculpas!... Desconhecia o que o senhor queria; além disso, confesso, tive medo... Pareceu-me o senhor um grande leão.

Por piedade, senhor e mui querido amigo, ponha um fim ao meu suplício, fazendo-me saber se, assim como o senhor se propusera, falou por mim ao senhor ministro da Justiça; se, de qualquer maneira, posso continuar contando com sua preciosa proteção. É natural que não saiba como estou vivendo! Já não me alimento; já não durmo; se batem à minha porta, fico aos sobressaltos... Acho sempre que seja a polícia!... Meus nervos estão em um estado!!!...

Sua humilde servidora, bem digna de compaixão,

Marthe Passoire

IV

O. Courboillon a Marthe Passoire

17 de março.
(Por telégrafo)

Querida senhora:

Parece uma menina para afligir-se tanto assim. Que significa um mês de prisão comparado à eternidade? Tudo isso, desde logo, pode ser arranjado; mas eu a previno que depende exclusivamente de si mesmo. Passe, pois, por minha residência, amanhã pela manhã, por volta das nove, o mais pontualmente possível. Trataremos desse assunto.

O . Courboillon

P.S. — Meu criado recebeu ordens para introduzi-la diretamente ao meu gabinete. Logo, não precisará aguardar na ante-sala.

V

O. Courboillon a Marthe Passoire

19 de março.

Acabo de falar com o ministro. Resolvido.
Não foi possível mais do que a comutação da pena, em lugar de sua retirada: a condenação de um mês foi substituída por uma multa de 2.000 francos. Como estás casada sob o regime de comunhão de bens, teu marido é quem a pagará.
Beijos em teu biquinho de lacre.

# VI

Marthe Passoire a O. Courboillon

20 de março.

Ah, meu doce de coco!... Ah, meu coquinho!... Quer dizer que é verdade? Não irão mais me prender?... Ah, que dia de alegria, que dia feliz!... Desde a minha primeira comunhão, nunca fui tão feliz!... Além do mais — sabe, meu bem? — até que para um deputado você é um louco adorável...

Aquela que te ama,

Marthe

P.S. — Será que você também é amigo do ministro da Marinha? Neste caso, serias tão bonzinho a ponto de lhe dizer ao pé do ouvido uma palavra para que trouxessem meu pobre sobrinho de volta?

# A OBRA DE ARTE

## ANTON TCHECOV
### (1860-1904 | Rússia)

*Ele é o grande renovador/inaugurador do conto moderno, com influência em contistas do mundo todo — inclusive em relação à concisão da narrativa, que tornaria Hemingway famoso mais tarde. Anton Pavolovitch Tchecov, médico e dramaturgo até hoje sempre encenado em algum lugar do mundo (Tio Vânia, Ivanov, As Três Irmãs, O Jardim das Cerejeiras), começou publicando seus contos na imprensa — e aos russos parecia apenas um autor divertido. Mas revelou-se logo, junto com sua popularidade, um escritor de um humor implacável, um humor às vezes melancólico quando não angustiante. Um mestre do conto universal.*

Carregando sob o braço um objeto embrulhado no número 223 do *Mensageiro da Bolsa*, Sacha Smirnoff, filhinho de mamãe, assumiu uma expressão de tristeza e entrou no consultório do doutor Kochelkoff.

— Ah! meu grande jovem! — exclamou o médico. — Como vamos? O que há de novo?

Fechando as pálpebras, Sacha pôs a mão no coração e, comovido, falou:

— Mamãe lhe manda seus cumprimentos, Ivan Nicolaievtch, e me encarregou de lhe agradecer... Mamãe só tem a mim no mundo, e o senhor me salvou a vida... curando-me de grave enfermidade e... não sabemos como lhe agradecer.

— Ora! O que é isso, meu jovem! — atalhou o médico, realizado. — Não fiz mais do que qualquer um no meu lugar teria feito...

Depois de observar o presente, o médico coçou lentamente a orelha, bufou e suspirou, confuso.

— Sim — murmurou —, é algo realmente magnífico... como diria?... um tanto ou quanto ousado... Não é apenas decotada; é... sei lá, que diabos!

— Mas... por que diz isso?

— Nem a serpente em pessoa poderia inventar alguma coisa de mais indecente. Se eu colocasse esta fantasiazinha na mesa, iria contaminar a casa toda.

— Que modo mais excêntrico tem o senhor de interpretar a arte! — disse Sacha, ofendido. — É um objeto artístico!... Olhe! Que beleza! Que elegância! É de se ficar com a alma inundada de piedade, e com lágrimas a subir aos olhos! Contemplando-se tamanha beleza, nos esquecemos de tudo o que seja da Terra... Veja bem... Que movimentos! Que harmonia! Que expressão!...

— Compreendo muito bem tudo isso, meu caro — interrompeu o médico —, mas acontece que eu sou pai de família. Meus filhos costumam vir aqui. Recebo senhoras...

— É evidente — disse Sacha — que se a gente adotar o ponto de vista do povo, este objeto, altamente artístico, causará uma impressão diferente... Sou o filho único de mamãe... somos pobres, e por isso não podemos lhe recompensar os seus cuidados; e não sabemos o que fazer; embora, apesar de tudo, mamãe e eu... seu filho único... lhe suplicamos de todo o coração que aceite, como penhor de gratidão... esta ninharia que... É um bronze antigo... uma obra rara... de arte.

— Mas não havia necessidade — disse o médico, franzindo as sobrancelhas. — Por que razão?

— Não, eu imploro ao senhor, não recuse! — continuou a murmurar Sacha, desembrulhando de todo o pacote. — Seria uma ofensa, a mamãe e a mim... Trata-se de um objeto belíssimo... em bronze antigo. Foi herança de papai, guardada como uma querida lembrança.. Papai comprava bronzes antigos e revendia-os aos colecionadores... Já mamãe e eu não nos ocupamos disso...

Sacha acabou de desembrulhar o objeto e colocou-o solenemente em cima da mesa. Era um pequeno candelabro de bronze antigo, de fina feitura. Representava duas figuras femininas em trajes de Eva e em atitudes que não ousaria — nem tenho temperamento para isso — descrever.

As figuras sorriam ostensivamente, dando a impressão de que, não fossem elas retidas pela obrigação de suster o castiçal, teriam imediatamente fugido do pedestal e dançado tal cancã que, amigo leitor, nem é bom imaginar.

— O doutor, claro, está acima destas coisas todas e portanto sua recusa nos daria, a mamãe e a mim, uma enorme frustração. Sou o filho único de mamãe; o senhor me salvou a vida... Damos-lhe de presente o que de mais precioso possuímos, e... só tenho a tristeza de não nos pertencer o par do candelabro!

— Muito agradecido, meu jovem amigo. Fico-lhe muito grato... Minhas recomendações à sua mãe, mas rogo-lhe, o senhor mesmo considere a questão! Meus garotos costumam vir aqui... Aparecem muitas senhoras... Mas deixo-o aqui, já que me parece impossível convencê-lo!

— Ora, não há de que me convencer! — disse Sacha, com habilidade. — Coloque o candelabro do lado desta jarra. Que infelicidade não possuir o par!... Bem, vou indo, adeus, doutor.

Depois da saída de Sacha, o doutor observou bastante o candelabro, coçou a orelha e concluiu:

"Não se pode negar que é magnífico. É uma pena abrir mão dele. Ao mesmo tempo é impossível deixá-lo aqui... Hum... Está criado o problema... Poderia dá-lo de presente a quem?"

Depois desta reflexão, lembrou-se do advogado Ukhoff, seu amigo íntimo, que gostaria de ter o objeto.

"Às mil maravilhas!", decidiu. "Ukof Ukhoff não aceita receber dinheiro de mim, mas ficará contente com esta lembrança... E assim me livrarei deste incômodo. Além do mais, ele é solteiro e maroto..."

Rápido, o médico se vestiu, pegou o candelabro e foi até a casa do advogado.

— Bom dia, amigo — disse, ao encontrar Ukhoff em sua morada... — Venho lhe trazer uma recompensa pela amolação... Já que não quer aceitar dinheiro meu, aceitará um pequeno presente... Ei-lo, meu amigo! É um objeto magnífico!

Ao ver o candelabro, o advogado viu-se tomado de inefável encantamento.

— Isso sim é que é obra de arte — disse, rindo às gargalhadas. — Que o diabo carregue os meliantes capazes de sequer imaginar alguma coisa de parecido... É maravilhoso! Onde foi que você encontrou tal preciosidade?

Assim que o entusiasmo se esgotou, o advogado lançou temerosos olhares para o lado da porta e disse:

— No entanto, meu velho amigo, é melhor levar de volta o seu presente. Não posso aceitá-lo...

— Por quê? — quis saber, espantado, o médico.

— Porque... Mamãe vem aqui, meus clientes... e além do mais é constrangedor em relação aos criados...

— Ora, essa é boa!... Você não terá a ousadia de recusá-lo. (E o médico agitou as mãos.) Eu ficaria ofendido!... Trata-se de um objeto de arte... Que movimentos! Que expressão!... Não quero ouvir seus argumentos! Você me deixaria melindrado!

— Se pelo menos tivesse alguma sutileza, ou se estivesse coberta...

O médico, porém, ainda a agitar as mãos e contente por conseguir se desfazer do presente, voltou para o seu consultório.

Sozinho em casa, o advogado pôs-se a examinar o candelabro, apalpou-lhe todas as partes e, da mesma forma que o médico, viu-se tentado a refletir sobre o que deveria fazer com ele.

"É um objeto belíssimo", pensou. "Seria uma pena se desfazer dele; ao mesmo tempo, é inconveniente tê-lo em casa... Melhor seria oferecê-lo a alguém... Já sei, vou levá-lo hoje à noite ao cômico Chachkine. O sacana adora as coisas desse gênero, e hoje é justamente o dia de sua estréia..."

Foi o que fez, tão rápido quanto pensou. À noite o candelabro, lindamente embrulhado, era oferecido ao cômico Chachkine.

A noite toda o camarim do artista foi invadido pelos homens que queriam admirar o presente; a noite toda foi de murmúrios de aprovação e de risadas que mais pareciam relinchos... Quando uma artista se aproximava do camarim e perguntava: "Pode-se entrar?", logo a voz rouca do cômico retumbava:

— Não, não, cara amiga! Estou sem roupa!

Terminado o espetáculo, Chachkine dizia, dando de ombros e abrindo os braços:

— Onde vou colocar tamanha indecência? Moro em casa de família e recebo muitos artistas! E isso não é como fotografia, que a gente pode esconder dentro da gaveta..

— Ora, por que não o vende, senhor? — aconselhou o cabeleireiro, que o ajudava a trocar de roupa. — Tem uma velha aqui no bairro que compra bronze antigo. Vá lá e pergunte pela senhora Smirnoff... Todo mundo a conhece.

O cômico resolveu seguir o conselho...

Dois dias depois, o doutor Kochelkoff meditava sobre os ácidos biliosos, de dedo na testa. Subitamente a porta se abriu e Sacha Smirnoff jogou-se a seu encontro. Sorria exultante, e todo o seu ser transpirava felicidade... Trazia alguma coisa embrulhada em jornal.

— Doutor — disse, ofegante —, imagine só nossa alegria!... Para nossa felicidade, encontramos o par do seu candelabro!... Mamãe está se sentindo tão feliz!... E o senhor me salvou a vida...

E então, tremendo de gratidão, Sacha colocou o candelabro diante dos olhos de Ivan Nicolaievtch. O médico quis dizer alguma coisa mas não conseguiu. Perdera o uso da palavra.

# 51

## NO ESCURO

ANTON TCHECOV

Uma mosca meteu-se pelo nariz de Gáguin, promotor-assistente e conselheiro da Corte. Levada pela curiosidade, pela imprudência ou simplesmente perdida na escuridão, o fato é que o nariz não agüentou a presença daquele corpo estranho — e anunciou que ia espirrar. Gáguin espirrou com convicção: um trinado ruidoso e tão forte que a cama estremeceu e uma de suas molas gemeu, reclamando. A esposa de Gáguin, loira enorme e gorda, igualmente estremeceu, e acordou. Abriu os olhos na escuridão, suspirou e virou-se para o outro lado da cama. Cinco minutos mais tarde, virou-se novamente, em vão fechou com mais força as pálpebras — o sono não voltava. Depois de vários suspiros, virando-se na cama de um lado para o outro, ela ergueu-se, passou por cima do corpo do marido, calçou os chinelos e andou até a janela.

Reinava a escuridão lá fora. Vislumbrava-se apenas o vulto das árvores e o negro contorno dos telhados das cocheiras. Do lado do nascente havia uma leve palidez que as nuvens iriam logo recobrir. O silêncio dominava a atmosfera sonolenta e enevoada. Mesmo o guarda-noturno, que ganhava para quebrar o silêncio, não se fazia ouvir. Calava-se também a codorniz, única ave silvestre que não se amedronta com a vizinhança dos veranistas da capital.

Foi a própria Maria Mikháilovna que rompeu o silêncio. Contemplando o pátio, de pé junto à janela, ela de repente soltou um grito. Teve a impressão de ver saindo, por entre os álamos mirrados e podados, um vulto andando em direção à casa. Pensou, a princípio, que se tratava de alguma vaca ou cavalo, mas, depois de bem esfregar os olhos, percebeu-lhe nítidos contornos humanos.

Em seguida teve a sensação de que o vulto se aproximara da janela da cozinha e ali se detivera por um instante, como que indeciso, passando então uma das pernas pelo espaldar, e... desaparecera na escuridão.

"Um ladrão!", o pensamento rápido como um relâmpago cruzou-lhe a mente ao mesmo tempo em que uma palidez mortal lhe cobria o rosto.

Em segundos sua imaginação esboçou o quadro tão temido pelos veranistas: o ladrão penetra na cozinha... passa à sala de jantar... a prataria está no armário... entra no quarto de dormir... um machado... um rosto de bandido... jóias... os joelhos se dobram, e um arrepio percorre-lhe a espinha.

— Vassil! — sacudiu o corpo do marido. — Vassil! Vassil Prokofiévitch! Oh, meu Deus, parece morto! Acorde, Vassil! Por favor!

— O que foi? — mugiu o promotor-assistente, aspirando profundamente e cevando os maxilares com o barulho de quem mastiga.

— Pelo amor de Deus, acorde! Tem um ladrão na cozinha! Eu estava na janela e vi alguém entrar na cozinha; da cozinha ele irá para a sala... os talheres estão no armário! Vassil! Foi assim mesmo que entraram na casa de Maria Iegorovna no ano passado.

— Casa de quem?... Mas o que você está querendo?

— Meu Deus do céu! Você não está me ouvindo? Entenda, criatura: acabo de ver um homem entrar na cozinha. Pelaguéia vai levar um susto daqueles e... os talheres de prata estão no armário.

— Bobagem.

— Vassil, mas que coisa mais insuportável! Estou te dizendo do perigo e você fica dormindo e zombando de mim. Você quer ser roubado e assaltado? É isso que você quer?

O promotor-assistente levantou-se com lentidão, sentou-se na cama, enchendo o quarto com seus bocejos.

— Só o diabo é que consegue compreender vocês, mulheres! —resmungou. — Será que nem durante a noite se pode ter sossego? Por qualquer coisinha acordam a gente.

— Vassil, juro que vi um homem pulando a janela!

— E o que tem isso demais? Deixe-o em paz... Com certeza é o bombeiro que veio visitar Pelaguéia.

— O quê? O que é que você disse?

— Disse que o bombeiro veio ver Pelaguéia.

— Pois pior ainda! — exclamou Maria Mikháilovna. — Muito pior do que um ladrão! Não irei tolerar um cinismo desses na minha casa.

— Ora, ora, vejam só quanta virtude!... Não irei tolerar um cinismo desses na minha casa. E por acaso isso é cinismo? Para que ficar gastando palavras estrangeiras à toa? Isto, minha filha, é coisa que sempre existiu, consagrada pela tradição humana. Bombeiro foi feito para procurar cozinheira.

— Não, Vassil! Se é assim, estou vendo que você não me conhece. Não posso admitir a idéia de que em minha casa... uma coisa dessas... Faça-me o favor de ir já à cozinha e ordene que ele se retire imediatamente! Amanhã vou ter uma conversa com Pelaguéia para que não se atreva mais a ter semelhante conduta. Quando eu estiver morta vocês poderão admitir o cinismo nesta casa, mas, até lá, não se atrevam! Faça-me o favor de ir.

— Diabos!... — resmungou Gáguin, chateado. — Raciocine um pouco, mulher, com os teus miolos microscópicos: o que é que eu vou fazer lá?

— Vassil, vou desmaiar!

Gáguin cuspiu uma vez, calçou os chinelos, cuspiu outra vez e seguiu o rumo da cozinha. Estava escuro como dentro de um barril fechado, e o promotor-assistente viu-se forçado a ir tateando seu caminho. Por fim encontrou a porta do quarto das crianças e acordou a babá.

— Vassilisa — disse. — Você levou meu roupão para limpar, onde você o escondeu?

— Entreguei-o a Pelaguéia, patrão.

— Que bagunça! Apanhar a roupa todos apanham, mas colocar de novo no lugar ninguém coloca. E fico eu zanzando pela casa sem meu roupão!

Ao pisar na cozinha, dirigiu-se diretamente ao lugar onde dormia a cozinheira, um catre debaixo da prateleira cheia de panelas.

— Pelaguéia! — chamou, tateando-lhe o ombro e empurrando-a. — Ei, Pelaguéia! Deixa de fingir, eu sei que você não está dormindo. Quem foi que entrou pela janela para se encontrar com você?

— Hum... Bom dia! Entrar pela janela? Mas... quem seria?

— Deixa de querer jogar areia nos meus olhos. É melhor você dizer logo ao teu malandro para dar o fora sem barulho, está me ouvindo? Ele não perdeu nada aqui...

— O patrão perdeu o juízo? Bom dia... Tudo porque encontrou uma bobalhona: passar o dia inteiro trabalhando como uma escrava, correndo para lá e para cá sem parar um instante, e de noite ainda ter de ouvir coisas assim. É a vida que tenho de levar por quatro rublos por mês... e ainda precisando comprar açúcar e chá com o próprio dinheiro: essa é a gratidão que se recebe de volta. Nem nas casas dos comerciantes em que trabalhei passei tanta vergonha.

— Pára de se lamuriar! Teu soldadão que trate de sumir daqui agora mesmo, está ouvindo?

— É um pecado, patrão! — havia lágrimas na voz de Pelaguéia. — Senhores letrados, distintos, não se apiedam da miséria da gente e ainda nos ofendem — chorava. — Não temos ninguém que nos defenda.

— Na, na... Por mim, não! Foi a patroa que me mandou até aqui. Por mim você pode deixar o próprio diabo entrar pela janela que eu estou pouco me incomodando.

O promotor-assistente reconhecia que aquele interrogatório era fora de propósito, e só lhe restava voltar para junto de sua mulher.

— Escuta, Pelaguéia — disse. — Você apanhou o meu roupão para limpar. Onde foi que o colocou?

— Ai, patrão, desculpe, esqueci de pendurá-lo na sua cadeira. Ele está ali no prego perto do fogão.

Gáguin tateou em torno do fogão, encontrou e vestiu o roupão, voltando a passos lentos para o quarto de dormir.

Depois que o marido saiu, Maria Mikháilovna ficou a esperá-lo na cama. Durante os três primeiros minutos manteve-se calma, mas, em seguida, começou a se inquietar.

"Como está demorando!", pensou. "Ainda bem que é aquele cínico... Mas, e se for um ladrão?"

Sua imaginação mais uma vez pôs-se a desenhar-lhe uma cena: o marido entra na cozinha escura... um golpe... ele cai sem um gemido... uma poça de sangue...

Cinco minutos... cinco e meio... finalmente seis. Suor frio cobria-lhe a fronte.

— Vassil! — guincha. — Vassil!

— Está gritando por quê? Estou aqui — ela ouve a voz e os passos do marido. — Estão te matando, por acaso?

O promotor-assistente aproxima-se da cama, senta-se na ponta do colchão.

— Não tem ninguém lá — diz. — Tudo coisa da tua cabecinha brincalhona... Pode ficar tranqüila, sua boba. Pelaguéia é tão cheia de virtude quanto sua patroa. Como você é medrosa! Como é...

O promotor pôs-se a zombar da esposa. E tanto zombou que acabou perdendo o sono.

— Medrosa! — riu. — Amanhã mesmo deves procurar um médico que te trate dessas alucinações. Sofres de doença mental!

— Que cheiro de alcatrão! — disse a esposa. — De alcatrão ou de... de uma outra coisa... parece cebola... ou sopa de legumes.

— Sim, também sinto qualquer coisa... Perdi o sono. É melhor acender uma vela. Onde estão os fósforos? Por falar nisso, me lembrei: vou te mostrar o retrato do procurador do Tribunal. Ontem, ao se despedir, ele deu um retrato a cada um de nós. Com autógrafo...

Gáguin riscou um fósforo na parede e acendeu a vela, mas, antes de dar o primeiro passo para apanhar o retrato, um grito cortante, desses que despedaçam a alma, ouviu-se às suas costas. Virando-se, enxergou dois olhos grandes de mulher a fitá-lo cheios de espanto, horror e raiva.

— Você apanhou o roupão na cozinha? — perguntou-lhe a esposa, pálida.

— Por quê?

— Olha só.

O promotor-assistente voltou-se para o espelho e soltou um gemido. Em vez do seu roupão, tinha nos ombros o capote do bombeiro. Como havia ele parado ali? Enquanto tentava resolver este problema, uma nova cena surgia na imaginação de sua esposa. Uma cena horrível, impossível: escuridão... silêncio... murmúrios... etc... etc.

# JEFF PETERS E A HIPNOSE MAGNÉTICA

## O. HENRY
### (1862-1910 | Estados Unidos)

*Clássico do conto anedótico norte-americano, O. Henry é bem conhecido no Brasil. Menos, curiosamente, alguns de seus melhores contos de humor, caso daqueles que têm como personagem principal esse Jeff Peters, como estas duas histórias curtas selecionadas, e que saem aqui publicadas em português pela primeira vez. A malandragem deste personagem da América pioneira não é nada estranha a nós outros, brasileiros de hoje, pelo menos daqueles que "gostam de levar vantagem em tudo", certo?*

Jeff Peters já se envolveu em tantos esquemas para ganhar dinheiro, quantas são as receitas, conhecidas em Charleston, para cozinhar arroz.

Mas as histórias que eu mais gosto de ouvi-lo contar são aquelas do seu início de vida, quando vendia pelas esquinas ungüentos milagrosos e xaropes para a tosse, vivendo da mão para a boca, lidando diretamente com o povo e arriscando seu último centavo num cotidiano cara-ou-coroa com o destino.

Eu cheguei em Fisher Hill, no Arkansas, (contou ele) vestindo uma roupa de camurça, com o cabelo longo e trançado, calçando mocassins e com um solitário de trinta quilates num anel que eu conseguira, trocando com um ator em Texarkana por um canivete, que até hoje não entendi para que ele queria.

Apresentei-me como o famoso Doutor Waugh-hoo. Minha melhor, e única, aposta na época era o "Elixir Amargo da Ressurreição", feito com ervas milagrosas que Ta-qua-la, a linda esposa do chefe da nação Choctaw, descobrira por acaso enquanto colhia folhas de urtiga para acompanhar um ensopadinho de cachorro feito para o festival da colheita do milho.

Os negócios haviam andado tão mal na última cidade, que eu só tinha cinco dólares no bolso. Fui diretamente ao farmacêutico que me deu, em crédito, seis dúzias de frascos de meio litro com as rolhas. Eu tinha os rótulos e os ingredientes que sobraram da última cidade. Então, no meu quarto de hotel, com a água correndo na pia e dúzias de frascos do "Elixir Amargo da Ressurreição" se alinhando sobre a mesa, fiz as pazes com a vida.

Fraude? Não senhor. Havia pelo menos dois dólares de extrato de quinino naqueles frascos sem falar nos dez centavos da anilina. Eu tenho passado pelas mesmas cidades, anos a fio, sempre encontrando pessoas que me perguntam por ele, querendo comprar mais.

Naquela noite, eu aluguei uma carroça e comecei a vender o elixir na rua principal. Fisher Hill era um lugar de paludes que cheirava a malária, e um composto hipotético-pneumocardiotônico-antiescorbútico foi o que eu receitei, depois de um rápido diagnóstico, ao povo que se aglomerou em torno da carroça. O elixir começou a sair como salada de alface num restaurante vegetariano. Já vendera duas dúzias, a 50 centavos o frasco, quando senti que alguém me puxava pela manga do casaco. Eu sabia o que aquilo queria dizer; desci da carroça e meti uma nota de cinco dólares na mão do cara com um distintivo no peito.

— Seu guarda — eu disse a ele —, a noite está linda.

— Você tem uma licença municipal — ele perguntou — para vender essa droga que você enfeita com o nome de medicinal?

— Não, não tenho — disse —, mas amanhã, se for necessário, vou ver se consigo uma.

— Enquanto você não conseguir uma eu vou ter que fechar seu negócio — disse o guarda.

Parei de vender e voltei para o hotel. Conversando com o proprietário a respeito do fato, fui informado:

— Ah! Você não vai se dar bem em Fisher Hill — disse ele. — Doutor Hoskins, o único médico da cidade, é cunhado do prefeito e eles não permitem que nenhum charlatão exerça o curandeirismo por aqui.

— Eu não sou um charlatão, tenho uma licença estadual de ambulante, e posso tirar uma municipal se for necessário.

Na manhã seguinte fui procurar o prefeito e, na prefeitura, disseram-me que ele ainda não chegara. Não tinham idéia de quando chegaria. Então, o Doutor Waughhoo voltou para o hotel, achou uma poltrona, acendeu um "mata-rato" Corona e esperou sentado.

Dali a pouco um jovem engravatado escorregou numa poltrona a meu lado e me pergunta as horas.

— Dez e meia — respondi — e você é Andy Tucker. Já o vi trabalhando. Não foi você que inventou e vendia o "Pacote Cupido" pelos estados do Sul? Se me lembro bem, era um anel de noivado com um diamante chileno, uma aliança de ouro, um espremedor de batatas, um frasco de xarope para a tosse mais a Dorothy Vernon; tudo por 50 centavos.

Andy gostou de saber que me lembrava dele. Era um ótimo vendedor de rua; e mais que isto — alguém que respeitava a própria profissão, longe de ser ganancioso, satisfazia-se com 300% de lucro. Não lhe faltaram ofertas para entrar em negócios escusos, como drogas ou sementes de flores, mas ele nunca se afastou do caminho da retidão.

Eu precisava de um sócio; então combinei com Andy para trabalharmos juntos. Expliquei a ele como andavam as coisas em Fisher Hill e como minha situação financeira estava abalada devido à mistura local de política e picaretagem. Andy, que tinha acabado de descer de um trem, não estava melhor que eu. Seu plano era levantar, ali, alguns dólares para ir a Eureka Springs, onde pretendia criar uma lista de subscrição pública para financiar a construção de um navio de guerra. Fomos juntos para a varanda, onde nos sentamos, para conversar negócios.

Na manhã seguinte, pelas onze horas, eu estava lá, sentado, quando um preto velho entrou no hotel perguntando pelo Doutor e querendo que eu fosse ver o Juiz Banks, que era como, aparentemente, se chamava o prefeito e que segundo ele estava muito doente.

— Eu não sou médico — disse. — Por que você não chama o Doutor Hoskins?

— Patrão — disse ele —, dotô Hoskins teve qui i vê uns duente, longe pra mais de trinta quilometro, nu iteriô. Só tem ele de dotô por aqui, e o patrão Banks tá muito mal. Ele pidiu pr'eu vim chamá o sinhô, pra pur favô i lá.

— Por dever de humanidade — eu disse — irei vê-lo. — Coloquei então um frasco de "Elixir Amargo da Ressurreição" no bolso e subi a rua que levava à mansão do prefeito, a melhor casa da cidade, com um teto de mansarda e dois cachorros de ferro forjado no jardim.

O tal Prefeito Banks estava na cama, coberto dos pés até a barba. Do seu interior saía um ruído capaz de fazer qualquer pessoa em São Francisco correr para o parque com medo de um terremoto. Um jovem estava de pé, ao lado da cama, com um copo de água na mão.

— Doutor! — disse o prefeito. — Estou me sentindo muito mal. Parece que vou morrer. Por favor, faça alguma coisa por mim.

— Senhor prefeito — disse eu —, não tendo nunca freqüentado uma escola de medicina legal, nem sendo um já ordenado discípulo de Essquiu Lapius, venho, apenas na qualidade de um ser humano em socorro de outro, a ver se posso ser de alguma ajuda.

— Muito obrigado — disse ele. — Doutor Waugh-hoo, este é o Senhor Biddle, meu sobrinho. Ele vem tentando aliviar meu mal, mas sem nenhum sucesso. Oh! Deus! Ui-Ui-Ui! — ele continuou, cantando.

Acenei com a cabeça para Biddle, sentei-me na cama e tomei o pulso do prefeito.

— Deixe-me ver seu fígado, quero dizer sua língua — disse. Depois, levantando suas pálpebras, examinei com cuidado suas pupilas.

— Há quanto tempo está assim? — perguntei.

— Eu caí de cama, "ui, ouch", ontem à noite — disse o prefeito. — Dê-me alguma coisa, que faça passar isto, por favor.

—Senhor Fiddle — disse eu —, abra um pouco a cortina, por favor.

— Biddle! — disse o jovem. — O senhor acha que consegue comer alguma coisa, tio James? Uns ovos?

— Prefeito Banks — disse, depois de encostar o ouvido a sua omoplata direita e auscultar por alguns segundos —, o senhor tem um grave ataque de superinflamação na clavícula direita do harpsicórdio.

— Meu Deus — disse ele com um gemido. — Você não tem algo que possa friccionar aí? Faça qualquer coisa!

Eu peguei meu chapéu e comecei a dirigir-me para a porta.

— Doutor, o senhor não está indo embora? — uivou o prefeito. — O senhor não pode me abandonar assim, à beira da morte, com esta... superfluidez da base da espinhela; pode?

— Um pouco de humanidade, Doutor Whoa-há — disse Biddle —, não permitirá que abandone seu semelhante numa situação de sofrimento como essa.

— O nome é Waugh-hoo, quando você se dirigir a mim — disse eu. E voltei ao leito do enfermo, jogando para trás minhas tranças.

— Prefeito — disse-lhe eu —, há uma única esperança no seu caso. Produtos da química, com todo seu enorme poder, não terão nenhum efeito em seu caso. Mas existe um poder maior que a mais poderosa das drogas.

— E o que será isso? — perguntou.

— Está cientificamente demonstrado — eu prossegui — o triunfo do poder da mente sobre a salsaparrilha. Na crença de que não existe enfermidade ou dor que não seja provocada pela sensação de mal-estar que tem o próprio doente. Declare-se curado e o mal desaparece. Como queríamos demonstrar! Provado!

— De que diabo de parafernália está falando, Doutor? O senhor não é um desses socialistas, é?

— Estou falando — disse eu — da doutrina da escola iluminística, psíquico-financeira de tratamento, telepático subconsciente, das falácias e meningites e das maravilhas conseguidas com a aplicação da chamada hipnose-magnética.

— O senhor sabe fazer isto, Doutor?

— Eu sou um dos únicos Sanadrins, iniciado nos segredos do Púlpito Oculto; basta que eu faça um passe para que os paralíticos falem e os cegos caminhem, eu sou um médium da hipnose kaleidoscópica e do controle do espírito; foi através de mim que o finado Presidente da Vinagres Amargos S.A. conseguiu, em recentes sessões espíritas no Centro da famosa Ann Arbor, revisitar nossa dimensão e comunicar-se com sua irmã Jane; eu posso ser visto mascateando ungüentos e xaropes pelas ruas para a massa pobre e ignara, mas a hipnose magnética eu não arrasto pelo pó das ruas, esta eu reservo para os iluminados e ricos.

— O senhor tratará do meu caso? — perguntou o prefeito.

— Bem, eu tive, em várias ocasiões, sérios problemas com a Ordem dos Médicos, em quase toda parte aonde vou. Eu não pratico medicina; mas no seu caso, para salvar uma vida, posso abrir uma exceção se o senhor relevar o problema da minha carência de uma licença médica.

— Claro, tudo bem, mas agora comece o tratamento que as dores estão voltando.

— Isto vai custar-lhe 250 dólares. Cura garantida em duas sessões.

— Está bem, eu pago; acho que minha vida vale mais que isso.

— Agora, libere sua mente da idéia de doença — disse. — O senhor não está doente. O senhor não tem uma clavícula, não tem ossos, não deve pensar no seu coração, não tem um coração, não deve pensar, não tem um cérebro para pensar, não sente nenhuma dor. Confesse-se curado, e sentirá que a dor, que não tinha, começa a desaparecer. Não é verdade?

— Parece que estou melhorando, Doutor, é incrível; se o senhor me iludisse que não estou mais sentindo esse inchaço do lado esquerdo, eu poderia até pensar em comer umas panquecas com salsichas.

Fiz alguns passes com as mãos.

— Agora — disse a ele — a inflamação está passando. O lóbulo direito do peritônio está abrandando. O senhor sente sono, muito sono, suas pálpebras estão pesadas, não consegue mais manter seus olhos abertos; as dores passaram; o senhor está dormindo.

O prefeito, fechando os olhos, começou a roncar.

— Observe, senhor Tiddle, as maravilhas da ciência moderna.

— Biddle — disse ele. — Quando é que vai dar a meu tio o resto do tratamento Doutor Phoo-phoo?

— Waugh-hoo — disse eu. — Deixe-o dormir, voltarei amanhã às 11 horas. Quando acordar dê a ele oito gotas de turpentina e um quilo e meio de carne mal passada. No mais, tenha um bom dia.

Na manhã seguinte eu estava lá, na hora marcada.

— Bem, senhor Riddle, como se sente seu tio esta manhã?

— Ele parece bem melhor — disse o jovem.

O prefeito estava mais corado e seu pulso estava ótimo. Fiz o segundo tratamento, e ele me disse que as dores haviam desaparecido.

— Agora, o melhor é ficar de cama um ou dois dias, por precaução, mas o senhor está curado. Foi muita sorte sua eu estar em Fisher Hill, Prefeito Banks — eu disse a ele —, porque todos os remédios na cornucópia da medicina oficial não seriam capazes de salvá-lo. E, assim, já que a ilusão da doença desapareceu, e a dor, ficou provado, não ser mais que fictícia, vamos falar de assunto mais ameno, ou seja, dos meus 250 dólares. Em dinheiro, por favor, que eu odeio assinar meu nome em cheques, tanto atrás quanto na frente.

— Eu tenho seu dinheiro aqui — disse o prefeito, tirando a carteira debaixo do travesseiro.

Ele contou cinco notas de 50 dólares, e com elas na mão disse para Biddle:

— Traga o recibo.

Assinei o recibo, o prefeito passou-me o dinheiro, que coloquei, por cautela, no meu bolso interno.

— Pode cumprir seu dever, inspetor — disse o prefeito, com um largo sorriso que não era o de um homem doente.

—Você está preso, Doutor Waugh-hoo, também conhecido como Jeff Peters, por exercer a medicina sem as qualificações legais exigidas pelo Estado.

— Quem é você? — perguntei.

— Eu lhe conto quem é ele — disse o prefeito, sentando-se na cama. — É um inspetor da Ordem dos Médicos. Ele vem seguindo seus passos por cinco condados deste Estado. Ontem me procurou e nós arranjamos esta armadilha para pegá-lo. Acredito que você não estará mais exercendo a medicina por estas bandas, pelo menos por um bom tempo. Como era mesmo o nome da doença que você diagnosticou para mim? — o prefeito deu uma boa gargalhada. — Superinflamação agravada do... Bem, uma coisa eu sei, miolo mole não era.

— Um inspetor! — eu disse.

— Certo — disse Biddle —, e tenho de entregá-lo ao xerife.

— Quero ver como vai fazer isto — disse, agarrando Biddle pelo pescoço e quase jogando-o pela janela; mas o homem sacou um revólver e botou na minha cara e tive que ficar quieto enquanto ele me algemava e retirava do meu bolso o dinheiro.

— Testemunharei — disse ele — que estas são as mesmas notas que eu e o senhor marcamos ontem, Prefeito Banks. Eu as depositarei com o xerife, que lhe dará um recibo. Elas serão usadas como evidência no julgamento.

— Está certo, senhor Biddle — disse o prefeito. — E agora, Doutor Waugh-hoo, por que é que você não usa um pouco de abracadabra e hipnose magnética para fazer desaparecerem essas algemas?

— Vamos embora, inspetor — eu disse, tentando manter a dignidade. — O melhor a fazer é andar logo com isto. — E voltando-me algemado para Banks, disse: — Prefeito, breve virá o dia em que o senhor também acreditará na eficácia de meus métodos e verá que até mesmo no seu caso a hipnose magnética foi um sucesso.

E ainda hoje acredito, que foi exatamente isto o que aconteceu.

Quando já estávamos no portão eu disse:

— Alguém pode nos ver na rua, Andy, é melhor tirar-me essas algemas. Como?... Claro que o inspetor era Andy Tucker. Foi assim que conseguimos o dinheiro para iniciar nossa sociedade.

*Tradução de Octávio Marcondes*

# ÉTICA DE PORCO

## O. HENRY

Num trem, indo para o Leste, no vagão de fumantes encontrei Jefferson Peters, o único homem com miolos a oeste do rio Wabash capaz de usar, ao mesmo tempo, seu cérebro, cerebelo e medula alongada.

Jeff trabalha no ramo de apropriações ilegais. Não alguém para ser temido por viúvas e órfãos; Jeff é apenas um redutor de supérfluos. Seu disfarce favorito é aquele do 'pato' no qual o perdulário ou um investidor desavisado pode arriscar uns poucos e inconseqüentes dólares. Uma porção de tabaco costuma soltar sua língua; e assim, com o auxílio de dois charutos, consegui o relato de sua última aventura.

No meu ramo de trabalho (começou Jeff) o mais difícil é encontrar alguém confiável, honesto e honrado o suficiente para ser sócio de uma boa trapaça. Os melhores tipos com quem já trabalhei nos meus golpes terminaram sempre, mais cedo ou mais tarde, se revelando eles próprios trapaceiros.

Então, no verão passado, resolvi inspecionar uma região do país onde, segundo ouvi, a serpente da tentação ainda não havia penetrado, para ver se poderia encontrar ali um sócio; alguém com um talento natural para o crime e ainda não contaminado pelo sucesso.

Encontrei um lugarejo que parecia ter o tom adequado para o que eu tinha em mente. Os habitantes do lugar não haviam, ainda, sido informados que Adão fora despejado e continuavam dando nome aos bichos e matando cobras como se estivessem vivendo no Éden. O lugar era chamado Mount Nebo e ficava no entroncamento das divisas do Kentucky, Oeste da Virgínia e Carolina do Norte. Como? Estes Estados não se encontram? Bem, de qualquer jeito, era nas vizinhanças.

Depois de gastar uma semana para que eles entendessem que eu não era um fiscal de rendas, fui à venda, onde se reuniam os rudes personagens da vila, a ver se havia alguém que me pudesse indicar a pessoa que procurava.

— Senhores — disse, depois que já havíamos estreitado relações, e confraternizávamos em torno de um barril de maçãs secas. — Não creio que exista, em todo o mundo, um lugar como este, onde o crime e a chicana tenham permeado tão pouco; viver entre mulheres tão virtuosas e propícias e homens tão honestos e empreendedores é de fato idílico.

— Bem, Mr. Peters — disse o dono da venda —, eu reconheço que nós temos uma aparência de torpe idoneidade moral, tão realista ou mais, que qualquer outro lugar conhecido; isto segundo variadas opiniões e o censo, mas eu aposto que o senhor não conheceu ainda Rufus Tatum.

— Não, com certeza ele ainda não o conheceu — disse o xerife. — Rufus é, sem dúvida, o mais pernicioso delinqüente que ainda não enforcaram, e acabo de me lembrar que devia tê-lo posto em liberdade antes de ontem; ele já cumpriu os trinta dias que pegou pela morte de Yance Goodloe, mas acho que um ou dois dias a mais não lhe farão mal.

— Vixe! — disse no dialeto local. — Não me digam que existe um desajustado assim em Mount Nabo.

— Pior — disse o dono da venda —, ele rouba porcos.

Eu pensei que devia conhecer esse tal Sr. Tatum; assim, uns dias depois de ser posto em liberdade pelo xerife, eu fiz amizade com ele e o levei para um passeio pela bucólica periferia local, onde, sentados em um tronco, falamos de negócios.

O que eu queria era um parceiro com um ar natural de desavisado matuto para a encenação de um pequeno ultraje rápido, de duas cenas em um ato, que pretendia agendar com a Cia. Teatral Tombos&Trampas para um *tour* pelas cidades do Oeste; e este senhor Tatum tinha nascido para o papel como Fairbanks para o personagem que impede que Elisa se afogue no rio.

Ele era do tamanho de um armário; tinha uns ambíguos olhos azuis, como daqueles cachorros de porcelana que se usavam junto à lareira e tia Harriet brincava quando era criança; tinha os cabelos ondulados como a estátua do lançador de discos de férias em Roma, mas com uma tonalidade de louro que lembrava o 'Pôr-do-Sol no Grande Cânion por um Artista Americano' que costumam pendurar atrás do balcão dos bares. Ele era o 'otário' sem retoques, mesmo que você o houvesse visto num palco com um macacão desbotado e palha seca atrás da orelha.

Disse-lhe o que pretendia e o encontrei disposto a agarrar aquela oportunidade de trabalho.

— Deixando de lado pequenos pecados, como homicídio — perguntei a ele —, do que mais você é capaz, no ramo da pirataria indireta e do enriquecimento ilegal, que com ou sem orgulho, pudesse lembrar para mostrar-me suas credenciais para o emprego?

— Bem — disse ele, naquele jeito sulista de arrastar as palavras —, não te contaram? Não existe outro homem nessas montanhas, branco ou negro, capaz de roubar um porco como eu; sem ser visto, ouvido ou apanhado. Eu posso levar um porco — continuou ele — de um chiqueiro, debaixo de um alpendre, de um cocho, no mato, de dia ou de noite, em qualquer lugar e de qualquer forma, e garanto que ninguém escuta um grunhido. O segredo está no jeito que você pega o bicho e em como o carrega depois. Algum dia — prosseguiu o rapinador de chiqueiros — eu ainda espero ser reconhecido como o campeão mundial dos ladrões de porcos.

— A ambição é um sentimento admirável num homem — disse eu — e roubar porcos é a coisa própria para ser feita em Mount Nebo; mas no vasto mundo, lá fora, seu Tatum, seria considerado um negócio, para dizer o mínimo, mais sujo que assaltar uma carvoaria. De qualquer forma, vou aceitar isto como uma garantia da sua boa fé. Eu tenho mil dólares em dinheiro e com seu aspecto rural e caseiro acho que poderemos ganhar bastante no mercado de capitais investindo em ações preferenciais da Lucros Rápidos S.A.

Então, tendo engajado os serviços de Rufus, nós deixamos Mount Nebo e descemos para a planície. E, durante toda a viagem, ensaiei com ele o número que tinha em mente. Passamos dois meses sem fazer nada, perambulando pela costa da Flórida; eu me sentia impregnado daquela energia "Ponce de Leon", estava cheio de esquemas e tinha tantas cartas escondidas na manga que precisava andar de quimono.

Minha idéia era assumir a forma de um funil e passar o arado numa faixa de terra, de uns quinze quilômetros de largura, através do cinturão agrícola do Meio-Oeste; assim, nós partimos nesta direção. Mas, quando estávamos passando por Lexington, descobri que os Binkley Brothers estavam na cidade e os caipiras haviam vindo todos, e invadido as ruas com seus tamancos e aquela sua deselegância arbitrária e peculiar. Eu nunca consegui passar por um circo sem descer do trem para recolher um pouco daquele dinheiro fácil que gira em sua volta. Aluguei dois quartos, para mim e Rufe, na pensão de uma senhora viúva, perto do circo. Então levei Rufe a uma alfaiataria para fantasiá-lo de cavalheiro. Ele ficou perfeito, como eu sabia que ficaria, numa fatiota domingueira. Eu e o velho "corta-pano" o enfiamos num terno pronto, de uma cor azul brilhante meio furta-cor para verde do Nilo, com um colete acetinado-estampado, uma gravata vermelha e os sapatos mais amarelos que encontramos.

Era a primeira vez que Rufe vestia alguma coisa que não fosse o macacão de brim e as botinas do seu uniforme de montanhês e sua auto-estima inflamada dava-lhe um ar de touro de exposição com uma argola nova no nariz.

Àquela noite fui para a entrada do circo e armei um joguinho com três conchas de noz e uma bolinha. Rufe devia fazer o chamariz. Dei a ele umas notas falsas para jogar e guardei comigo um monte delas para pagar suas apostas. Não por desconfiança nele, mas devido a uma incapacidade minha em manipular a bola para perder quando está em jogo dinheiro de verdade. Meus dedos entram em greve sempre que tento isto.

Armei minha mesa e comecei a mostrar às pessoas como era fácil descobrir que noz escondia a bolinha. Os iletrados caipiras se amontoaram num círculo a minha volta, roçando ombros e provocando uns aos outros para ver quem começava a apostar. Este era o momento para Rufe fazer sua entrada e chamar o jogo, ganhando umas quantas notas de dez e cinco para animá-los. Mas, nada do Rufe aparecer. Eu o vi passar umas duas ou três vezes com a boca cheia de amendoins no meio das barracas de diversão, mas ele não veio ao jogo.

A multidão ainda se animou um pouco, mas o jogo da bolinha sem um chamariz é como pescar sem isca. Fechei o jogo com apenas 42 dólares de todo aquele dinheiro sem dono, eu que havia contado com um mínimo de 200, e voltei para a pensão às 11 da noite e fui dormir. Imaginei que o fascínio fora grande demais para Rufe e ele sucumbira aos encantos do espetáculo com banda e tudo; mas eu tinha em mente chamar-lhe a atenção, pela manhã, para os interesses comerciais de nossa sociedade.

Justo quando Morfeu começava a me abraçar, eu escuto a casa cheia de um barulho horrível como o choro de um bebê com diarréia. Abri a porta e, do corredor, chamei a viúva; quando ela botou a cabeça fora da porta eu lhe disse:

— Madame, a senhora se importaria de estrangular esta sua criança de forma que as pessoas honestas possam voltar a dormir.

— Meu caro senhor — disse ela —, não é uma criança minha. É um porco que está gritando; seu amigo, o senhor Tatum, trouxe um da rua, uma hora atrás, e o meteu em seu quarto. E talvez, sendo seu parente, o senhor mesmo o fizesse ficar quieto, por favor.

Vesti, por polidez, umas roupas de uso externo e fui até o quarto de Rufe. Ele estava de pé, com a lâmpada acesa, enchendo de leite uma panela no chão, para um leitão branco rosado que não parava de grunhir.

— Como é que é, Rufe? — disse eu — Você me deixou na mão na hora do trabalho hoje à noite e o joguinho ficou perneta. Agora como é que você explica este porco? Me parece uma traição.

— Não fique zangado comigo, Jeff — disse ele. — Você sabe como eu tenho o hábito de roubar porcos, e, esta noite, quando vi a oportunidade de roubar este leitão, não consegui resistir.

— Bem — disse eu —, talvez seja um caso de cleptosuinia, o seu; e quando estivermos num lugar onde não haja porcos, pode ser que você consiga pôr sua mente em mais altas e lucrativas atividades criminosas. Por que alguém desejaria emporcalhar a vida com um animal estúpido, desagradável, pervertido e barulhento como esse, é coisa que vai além da minha compreensão.

— O seu problema, Jeff — disse ele —, é que você antipatiza com porcos. Você não os entende como eu. Este aqui, por exemplo, é um animal com poderes de raciocínio e inteligência fora do comum. Pouco antes de você entrar ele estava caminhando nas patas traseiras.

— Eu vou voltar para a cama — disse eu. — Veja se consegue colocar na cabeça inteligente do seu amigo a idéia de que ele não deve fazer tanto barulho.

— Ele estava com fome — disse Rufe. — Agora ele vai dormir sem problemas.

Eu me levanto antes do café da manhã e leio o jornal, sempre que me encontro no raio de alcance de uma tipografia ou de uma rotativa. Na manhã seguinte acordei cedo e peguei o *Diário de Lexington*, que estava na porta da casa ao lado. A primeira coisa que vi no jornal foi um anúncio de duas colunas bem na primeira página que dizia o seguinte:

"A quantia acima será paga, sem perguntas, pela devolução, vivo e com saúde, de Beppo, famoso e aclamado porco educado na Europa, que se perdeu ou foi roubado ontem à noite de uma das tendas do circo Binkley Brothers.

Procurar George B. Tapley — Gerente Comercial"

Dobrei o jornal, escondi-o no bolso de dentro do meu paletó e fui ao quarto de Rufe. Ele estava acabando de se vestir e dando ao porco um resto do leite que sobrara junto com umas cascas de maçã.

— Bem! Bem! Bem! Bom dia a todos! — disse eu, num tom caloroso e amigável. — Então estamos todos de pé? E o nosso porquinho está fazendo o seu café da manhã. Diga, Rufe, o que você pretende fazer com ele?

— Vou embalá-lo — disse Rufe — e despachá-lo para mamãe em Mount Nebo. Ele fará companhia a ela, enquanto estou fora.

— É um belo porco — disse eu, alisando suas costas.

— Você o chamou de outras coisas, à noite passada — disse Rufus.

— Ah! Quer dizer... — disse eu — Ele me parece bem melhor esta manhã. Eu cresci numa fazenda e gosto muito de porcos, mas eu, nessa época, ia dormir quando o sol se punha e nunca cheguei a ver um porco à luz de uma lâmpada, talvez por isso o tenha estranhado ontem à noite. Quer saber de uma coisa, eu lhe dou 10 dólares por ele.

— Não acredite que eu vá vender este porco — disse ele. — Se fosse um outro talvez, mas não este.

— Por que não este? — Perguntei, temeroso que ele já soubesse de algo.

— Por quê? Ora, porque este — disse ele — foi o maior feito de toda minha vida. Ninguém mais seria capaz de fazê-lo. Se um dia eu tiver filhos e uma lareira, eu vou reunir todos eles diante do fogo para contar pra eles como o pai deles roubou um porco de dentro de um circo cheio de gente. E contarei aos meus netos também. Isto os encherá de orgulho. Eu tive que passar por duas tendas, uma dando na outra. Este porco estava numa plataforma, preso por uma corrente. Eu passei por um gigante e por uma senhora com uma enorme barba branca, na outra tenda, antes de escorregar com o porco por debaixo da lona. Tudo isto sem que o porco gritasse. Eu coloquei ele debaixo do casaco e devo ter cruzado com pelo menos cem pessoas antes de chegar a uma rua escura. Eu acho que não vou vender este porco, Jeff. Quero que mamãe o guarde, para ter uma testemunha do que fiz.

— O porco não viverá tanto tempo assim — disse eu — para ser usado como evidência na sua loquacidade senil junto a uma lareira. Seus netos vão ter de confiar na sua palavra. Dou cem dólares pelo animal.

Rufe me olhou atônito e disse:

— Ele não pode valer tanto assim para você. Para que é que você quer o porco?

— Olhando para mim assim, formalmente — disse eu, com meu melhor sorriso —, você não diria que eu tenho uma alma artística. Mas tenho. Eu sou um colecionador de porcos. Reuni um mundo de porcos raros. Lá para os lados de Wabash, tenho uma fazenda de porcos, com espécimes de praticamente todas as raças de porcos, desde Merinos até um Polaco da China. Este seu porco me parece um puro-sangue, acredito que seja um legítimo Berkshire. Por isso quero comprá-lo.

— Gostaria de te satisfazer, Jeff — disse ele —, mas eu também tenho um caráter artístico. Não vejo como não se considerar um artista alguém que é capaz de roubar porco melhor que qualquer outra pessoa no mundo. Roubar porco, pra mim, é um caso de inspiração e gênio; especialmente este aqui. Não o venderia nem por 250 dólares.

— Ouça — disse eu, enxugando com um lenço o suor da testa. — Pra mim, não é o caso de negociar, é muito mais uma questão de arte e filantropia. Como conhecedor e promotor de porcos, eu sentiria como se tivesse faltado com o meu dever em relação à humanidade, não somando este Berkshire à minha coleção. Não de forma intrínseca, mas segundo a ética suína, vendo no porco um amigo e coadjutor do homem, eu lhe ofereço 500 dólares pelo bicho.

— Jeff — disse o esteta do porco —, não é uma questão de dinheiro, para mim trata-se de sentimentos.

— 700 dólares! — disse eu.

— Por 800 eu sufocarei qualquer sentimento em meu coração — disse Rufe.

Busquei por baixo da roupa o cinto com meu dinheiro e contei para ele 40 notas de 20 dólares.

— Vou levá-lo para meu quarto — disse eu — e deixá-lo lá até depois do café.

Peguei o porco pelas pernas traseiras; ele começou a berrar mais forte que a soprano do circo.

— Deixe-me fazer isso para você — disse Rufe, que pegou o porco debaixo de um braço e, segurando seu focinho com a mão, levou-o para meu quarto como uma criança adormecida.

Depois de comer, Rufe, que desde a compra do seu novo enxoval, estava atacado de uma febre de roupas novas, disse que iria olhar na loja do velho "corta-panos" e procurar um par de meias, violeta. Então eu me vi com mais coisas para fazer que um maneta com urticária colando papel de parede. Encontrei um negro velho, com uma carroça de aluguel; com ele, amarramos o porco dentro de um saco e fomos para o circo.

Encontrei George B. Tapley numa pequena tenda, sentado atrás de uma janela aberta como guichê. Era mais para gordo que para magro, com um olhar esperto, tinha uma viseira preta na testa e um diamante de cem gramas num alfinete espetado no peito de seu suéter vermelho.

— Você é George B. Tapley? — perguntei.

— Eu mesmo — disse ele.

— Vim fazer a entrega — disse eu.

— Especifique — disse ele —, você é o homem com os porquinhos da Índia para a serpente asiática ou com a alfafa para o búfalo sagrado?

— Nem uma coisa nem outra — disse eu —, tenho Beppo, o seu porco com doutorado, num saco naquela carroça. Encontrei-o esta manhã arrancando as flores do meu jardim. Se for possível, gostaria dos meus 5000 dólares em notas de cem.

George B. saiu de trás do guichê e me disse para segui-lo. Entramos numa tenda onde havia, deitado na palha, um porco negro com um laço rosa no pescoço; estava comendo umas cenouras que um homem lhe dava.

— Diga, Mac — perguntou G.B. — Alguma coisa errada com a oitava maravilha esta manhã?

— Com ele? Não! — disse o homem. — Tem o apetite de uma corista na madrugada.

— De onde você tirou essa idéia? — perguntou-me Tapley. — Comeu costeletas demais ontem à noite?

Abri o jornal e mostrei a ele o anúncio.

— Falso! — disse ele. — Não sei nada a respeito. Você mesmo viu a mundialmente famosa maravilha suína do reino dos quadrúpedes comendo com sagacidade e apetite sua refeição matinal. Nem perdido nem roubado. Bom dia.

Eu começava a entender. Voltei para a carroça e disse a Pai José que procurasse o primeiro buraco na rua mais próxima. Ali me despedi do porco com um pontapé que o jogou na outra esquina, vinte metros adiante do seu grunhido. Paguei os cinqüenta centavos ao Pai José e me dirigi à redação do jornal. Queria ouvir, o que já sabia, em frias sílabas. Encontrei o encarregado dos classificados no guichê:

— Para decidir uma aposta — perguntei-lhe —, o homem que botou este anúncio não era um gordo e baixo, com barba e uma perna de pau?

— Não, não era — disse o homem. — Ele tinha 1,90m, cabelos cor de palha de milho e se vestia como uma boneca do conservatório.

Na hora do jantar eu voltei à pensão da viúva.

— Quer que eu deixe o jantar do senhor Tatum aquecido até ele voltar? — ela me perguntou.

— Será uma longa espera, madame — disse eu —, e para manter essa comida quente não bastaria todo o carvão das minas nem toda a lenha das florestas.

— Por aí você pode ver (disse Jeff Peters, concluindo) como é difícil, no meu ramo, encontrar um sócio justo e honesto.

— Mas — disse eu, com liberdade que me dava nossa velha amizade —, as regras devem valer para as duas partes. Se você tivesse proposto a ele dividir a recompensa, não teria...

O ar de dignidade ofendida no rosto de Jeff me interrompeu.

— Não se trata, de forma alguma, da mesma coisa — disse ele. — Da minha parte, o que houve, foi apenas uma tentativa de especular no mercado. Comprar na baixa para vender na alta. Não é o que fazem em Wall Street? Por que com nominativas e preferenciais pode, e com costeletas não?

*Tradução de Octávio Marcondes*

# O DRAGÃO APAIXONADO

ISRAEL ZANGWILL

(1864-1926 | Inglaterra)

*Romancista e contista londrino, sionista, defensor do direito de voto das mulheres, intelectual de presença marcante na Inglaterra entre os séculos XIX e XX, e sobretudo um de seus grandes humoristas, Zangwill deixou inúmeros romances (Sonhadores do Ghetto, 1889; Os que Marcharam na Escuridão, 1889 etc), ensaios e volumes de contos. Em geral abordando a vida comum dos judeus de Londres, suas histórias mostram sobretudo interesse por todos os homens. O conto aqui incluído, contando as estrepolias de um dragão apaixonado, é mais "mundano e londrino" do que de temática judaica.*

Aparentemente, o dragão nada tinha que indicasse um coração vulcânico e uma alma sentimental: era um dragão normalíssimo, de enorme corpo coberto por uma couraça de escamas brilhantes qual uma armadura prateada. A monstruosa cabeça, com uma língua bifurcada, adornava-se de uma volumosa crista; a espinha denteada era ornada de um par de asas em forma de leque; as pernas eram munidas de grandes garras, mostrando um aspecto aterrador. Era, em suma, o tipo do dragão lendário, conforme o descreve a fábula. Mas em conseqüências de quais aventuras poderia ele se tornar tão sensível?

É o que lhes vou contar.

Houve um tempo, narra um velho cronista, em que o Egito jazia sob a cruel opressão de um dragão. Essa assustadora besta era um verdadeiro flagelo, uma autêntica praga para o país. Não existia senão um meio de mitigar um pouco de sua fúria: oferecer-lhe para jantar, a cada dia, uma jovem e esplêndida virgem. Durante vinte e quatro anos foi-lhe ofertado esse cardápio; no entanto, um belo dia as provisões se extinguiram... Não restava mais nem uma só jovem intocada em todo o reino, além de Sabra, a filha do rei. Nesse ínterim, um turista inglês de boa fisionomia se apresentou; vinha de Conventry, onde era conhecido pelo nome de Jorge (em seguida foi promovido ao grau de "santo"), tinha um aspecto de guerreiro e se ofereceu para liquidar o monstro. O inglês cavalheiresco teve muita sorte no embate, pois ao conseguir se refugiar sob uma laranjeira, descobriu que aquela árvore de flores simbólicas tornava-o inatacável por parte do dragão. E assim foi que pôde finalmente matar o monstro.

Esta é a fábula.

Acontece que, alguns séculos depois destes acontecimentos, verdadeiros ou falsos, um digníssimo cidadão, homem totalmente iletrado, descreveu o episódio em versos, sob o título sugestivo de "São Jorge e o dragão".

O drama foi representado num teatro de província, com uma cenografia dourada, e se iniciava com um tom suave, o que contrastava gritantemente com a lenda, devido ao luto que angustiava naquele momento o belo sexo do bom Ptolomeu. Fato bastante destacável, a princesa Sabra, que o texto apresentava como "senhorita", realmente o era, e além disso, jovem e graciosa: uma linda criatura, viva, ágil, bem modelada, de carnação resplandecente de saúde, que honraria qualquer anúncio de sabonete de luxo. E todos no teatro estavam loucos por Sabra; começando pelo diretor, que fazia o papel de São Jorge, até o porteiro, que vez por outra vestia o manto de São Pedro.

Portanto, desnecessário seria dizer que foi Sabra quem tornou o dragão sentimental... Não só no libreto, naturalmente; pois o ardente desejo dele de devorar a moça não variava nem um pouquinho dado ao estado emotivo em que se encontrava. É preciso no entanto reconhecer para inteira justeza com o nosso dragão, que só uma metade dele mesmo se deixou atingir pelas seduções de sua vítima. A outra metade, a melhor, membro taciturno de uma sociedade de temperança e respondendo pelo nome de Davie Brigg, permaneceu insensível. Davie era a cabeça do dragão. Ele dirigia com incomparável maestria as partes dianteiras do monstro; afastava a cabeça, sacudia as asas com barulhos assustadores e acendia bombas de fogo na garganta flamejante da fantástica fera. Era um escocês rude e simples, maluco por teatro e com carreira assegurada.

A parte de trás do dragão era simplesmente conhecida pelo nome de Jimmy. Ele recebia dezoito soldos por dia e se apaixonou por Sabra.

Como aquela ignara atriz chegou a seduzir, sem o desejar, a metade do dragão? Foi o destino. A ternura de Jimmy por Sabra nasceu durante um ensaio. De tanto encontrá-la e admirá-la nos ensaios, ele ficou feliz por desempenhar um papel naquela peça justamente com ela. Mas logo se desiludiu amargamente porque, se lhe era permitido nos ensaios de tempos em tempos desembaraçar-se da casca do dragão para respirar um pouco e ao mesmo tempo se deliciar com a visão de Sabra, durante a representação isto lhe era absolutamente impossível. Durante os largos intervalos em que o dragão não estava em cena, ele precisava ficar estendido no escuro, enquanto Ptolomeu representava ou Sublime ou São Jorge, declamando a sua ousadia em versos livres. A rainha de seus sonhos era totalmente invisível, exceto por alguns segundos nos quais, por acaso, lhe acontecia de descobri-la a deslizar do palco para o camarim, como um raio de luar. Algumas vezes, no entanto, durante o espetáculo, a voz de Sabra alcançava suavemente os seus ouvidos, sufocada pela espessa couraça e pelas lâminas de zinco da casca do monstro; e ele experimentava com isso uma tal emoção que freqüentemente se esquecia de agitar a cauda.

Deste modo o amor cego via-se privado da visão da adorada, enquanto a indiferença personalizada do apático Davie Brigg deixava passar um olhar, distraído pelos buracos que serviam de olhos ao animal. Jimmy não demorou muito a se tornar loucamente ciumento dos privilégios do companheiro. E uma noite, empunhando a coragem com as duas mãos, ousou propor a Davie trocar de lugar com ele.

— Você é um idiota! Nem tente mais me fazer semelhante proposta! — assim respondeu o outro, suspeitando que a sugestão escondesse a intenção de suplantá-lo.

Desesperado, Jimmy resolveu aproveitar a primeira oportunidade para entrar antes dele na carcaça de fios de ferro; mas, desgraçadamente, Davie, como artista consciencioso, chegava sempre antes no seu lugar. Essa competição se tornara um incentivo para intermináveis discussões para eles, discussões que, durante o espetáculo, faziam vibrar os flancos metálicos da carcaça, provocando no pobre dragão os mais estranhos rumores intestinais.

E uma noite, enquanto Sabra cantava a romança, Jimmy confessou a Davie o seu amor pela jovem princesa. Davie explodiu numa boa risada.

— Tire essa fantasia da cabeça e pode ficar sabendo, meu caro — disse ele —, que a tua princesa é um espírito prático, porque já faz tempo que ela pôs os olhos em São Jorge, ou melhor, no nosso diretor.

O dragão sentiu um arrepio e soltou uma espécie de rugido.

— Cale essa boca — sussurrou a parte de trás raivosamente. —Ela é pura como um anjo.

— Pelo amor de Deus! — respondeu a cabeça. — Não ofenda os anjos do céu! Por que então ela se deixaria apertar assim contra o peito do diretor para receber beijos que não estão no programa?...

— Mas ela não pode saber que ele é casado — responderam as pernas de trás em tom choroso.

— Não se iluda! Ela sabe muito bem disso... e sabe também outras coisinhas. Se você visse como ela se entrega nos braços de São Jorge!

Um urro de dor escapou da parte de trás do dragão:

— Mentiroso! Mentiroso infame! — rugiu Jimmy.

Naquele momento o dragão devia começar a sua participação. Davie esquenta seus motores e faz sair chamas pela boca e pelas narinas do monstro e começa balançar a cabeça. O pobre apaixonado deveria balançar por sua vez. Naquela prisão móvel, escura e sufocante, o pensamento de Sabra entre os braços de São Jorge lhe deu vertigens.

\* \* \*

Sabemos que a constância acaba sempre por triunfar.

**330**

Uma noite, Davie, que se atrasara em casa estudando algumas nova modulações para a voz do dragão, chegou tarde ao teatro e apenas a tempo de se enfiar na carcaça que já estava em cena. Grande foi a sua surpresa quando viu Jimmy instalado no seu posto.

— Sai já daí! — gritou.

Mas Jimmy, fascinado pela visão da sorridente Sabra, nem se deu por rogado. Davie sacudiu-o, mas em vão.

— Você vai defender a minha parte e eu a sua na noite de hoje; e não me aborreça mais — disse-lhe Jimmy.

Para não comprometer a sorte da representação, Davie não reagiu, porém a raiva o remoía e lhe sugeriu um atroz pensamento. Calmo e decidido, chamou:

— Jimmy!

— Fique quieto, Davie, estou ocupado.

— Previno você que eu estou armado com um longo alfinete... e juro que se você não me entregar meu posto, vou te cutucar com o alfinete.

— Fique tranqüilo aí onde você está — foi a resposta de Jimmy, em tom peremptório.

A ponta aguda penetrou profundamente na parte carnosa de Jimmy mais ao alcance da mão de Davie... e o dragão deu um salto de lado e um rugido tão potente que gelou o sangue nas veias dos espectadores. Pensando nas desastrosas conseqüências que uma segunda alfinetada poderia acarretar, Davie desistiu dela e se resignou ao destino que, durante aquela noite, condenava-o a uma situação humilhante. No entanto, bem diferentes eram as emoções da "cabeça" do dragão: a alegria de Jimmy por finalmente ocupar o sonhado lugar se transformava numa indignação crescente à medida que sua clarividência de apaixonado lhe revelava a existência real de entendimento amoroso entre a primeira atriz e o primeiro ator. Vendo a ternura que São Jorge, esquecido das regras mais elementares do cavalheirismo, prodigalizava à princesa, Jimmy sentia ferver o sangue nas veias.

Por fim, chegou a hora da cena principal: a suprema luta entre São Jorge e o dragão.

A princesa, divinamente bela na sua veste de seda egípcia, encorajava com gestos e voz o seu defensor, que, encerrado na armadura prateada, se retirara sob a laranjeira protetora e aguardava o ataque do monstro. Ao sinal do maquinista, Jimmy, o vulcânico apaixonado, saltou para frente, lançando gritos inarticulados de raiva e maldição, atirando seus petardos nos olhos do defensor, seu rival, com a feroz intenção de lhe causar todo o mal possível. Os petardos porém não são projéteis e por outro lado a vista do diretor estava protegida pelo elmo.

Finalmente, Jimmy e Davie foram desarvorados pela fina lâmina de São Jorge, que passou exatamente entre os dois atores, transpassando o monstro de lado a lado, entre os aplausos delirantes dos espectadores. O dragão morreu conscienciosamente, estendendo-se pelo palco na mais comovente das posições, e mordendo o pó que ali se encontrava em abundância.

Sabra, então, se jogou nos braços do seu salvador, e o apertou apaixonadamente, enquanto São Jorge, levantando a viseira, fazia ecoar uma onda de beijos no rosto empurpurado da virgem.

Foi a gota d'água que transbordou o copo. A raiva e a atmosfera viciada que se respirava na carcaça por pouco não sufocaram Jimmy, e assim o dragão perdeu completamente a cabeça. Davie jamais esquecerá o horror do instante em que se sentiu arrastado num arranco irresistível. Com um esforço sobre-humano, ele tentou firmar-se no chão, mas em vão. De repente o corpo do dragão se endireitou... Um instante depois Jimmy arrancou sua odiosa máscara, descobrindo uma cabeleira hirta e tempestuosa, cobrindo um rosto agitado, congestionado, invadido pelo suor. Assustado, horrorizado por aquele inqualificável procedimento, Davie crivava Jimmy desesperadamente de pecadas de alfinete; mas o amante enlouquecido se tornara completamente insensível.

Os aplausos para aquela estranha aparição cessaram bruscamente e fez-se no teatro um silêncio de morte; seria possível de se perceber o ruído da queda do alfinete de Davie.

São Jorge, que observava tudo sempre abraçado com Sabra, passou do auge da satisfação a um espanto cômico: estarrecido, abriu os braços e afastou-se diante do olhar selvagem que o ameaçava.

— Miserável... como ousa... — rugiu enfim uma voz rouca saída daquela cabeça assustadora; e com um vigoroso golpe de perna direita, o monstro híbrido aterrorizou o defensor de Sabra.

— Ensinar-lhe-ei a respeitar as donzelas — urrou ainda o vingador.

E resistindo aos esforços de Davie, que pretendia puxá-lo para trás, o teimoso apaixonado continuou a desferir golpes sobre o pobre São Jorge, entre aplausos e gritos de alegria dos espectadores.

Deste dia em diante, *São Jorge e o dragão* não foi mais representada.

## O PAPAGAIO

### J. SIMÕES LOPES NETO
(1865-1916 | Brasil)

*Uma anedota — a história do papagaio que falava latim, por exemplo — circula entre as pessoas e às vezes chega aos ouvidos de um escritor que a transforma em conto. Foi assim com* Le Perroquet Missionaire, *de Alphonse Allais,* em Ne nous frappons pas. *Humberto de Campos recontou-a numa coluna de jornal. E o gaúcho João Simões Lopes Neto, o grande nome do nosso regionalismo, retomou-a e deu-lhe a dimensão de uma história. Publicou-a no jornal* Correio Mercantil *de Pelotas, no começo do século.* O Papagaio *só tomou forma de livro* (Contos de Romualdo), *postumamente, em 1952.*

O reverendo Padre Bento de S. Bento — que o senhor talvez conhecesse, não? — era um santo homem paciente — paciente! paciente! — como naquela época outro não houve.

Nos circos de burlantins muita cousa curiosa tenho apreciado: cachorros sábios, cabras que fazem provas, cavalos dançarinos e burros que a dente pegam o palhaço pelo... atrás das pantalonas; mas a paciência para esse ensino não pode comparar-se, não se pode, com a do reverendíssimo.

O Padre Bento, farto de aturar sacristães e não querendo estragar a sua paciência, que estava-lhe na massa do corpo, resolveu dizer as suas missas... sozinho.

Preparava as galhetas, o missal etc.; depois pachorrentamente paramentava-se e pachorrentamente esperava a hora de oficiar; chegada, encaminhava-se para o altar, e começava e concluía, parte por parte, tudo muito em ordem.

Mas o filé, o bem-bom, era quando entrava a ladainha: ele cantava o nome do soneto e uma vozinha esquisita, porém muito clara, respondia logo:

— O-o-a por nob-s!

E os fiéis, em seguida, pela pequena nave afora, acudiam ao estribilho:

— *Ora pro nobis!*

Dessas ladainhas assisti eu a muitas, na capelinha de S. Romualdo, que era próxima à nossa casa, na Vila de...

Agora sabem quem cantava as ladainhas do Padre Bento?

Era o Lorota, um papagaio amarelo, criado na gaiola e muito bem falante...

Com ele diverti-me muitas vezes:

— Lorota, dá cá o pé!

E ele, ensinado pelo padre, respondia, amável!

Coitado!... O padre morreu e o Lorota, não tendo mais a quem dar contas, fugiu. Passaram-se os anos.

Uma vez, estava eu na Serra, numa espera de onça, quando senti — confesso, não medo, mas um arrepio de... frio — quando ouvi, nas profundezas do mato virgem, uma ladainha religiosa!...

E pausada, afinada, bem puxada em suma!

Seria um sonho?... Estaria eu errado na tocada das onças, e, em vez de estar na floresta cheia de bichos ferozes, estava na vizinhança de algum convento, de alguma capela, de alguma romaria?...

E a ladainha, compassada e cheia, vinha se aproximando:

— Bento S. Bento!

— *Ora pro nobis!*

— Santo Atanásio!

— *Ora pro nobis!*

— S. Romualdo!

— *Ora pro nobis!*

Eu mergulhava os olhos por entre os troncos, os cipós e as japecangas a ver se bispava uma cor de opa, uma luz de tocha, uma figura de gente; nada!

Nisto, a ladainha pousou nas árvores, por cima de mim. Pousou, sim, é o termo próprio, porque quem cantava era um bando de papagaios e quem puxava a ladainha era o papagaio do Padre Bento, era o Lorota!

A paciência do bicho!... Ensinar, direitinho, aos outros, a cantoria toda!...

Pasmo daquele espetáculo, e duvidando, quis tirar uma prova real, e perguntei para cima:

— Lorota? Dá cá o pé!...

Pois o papagaio conheceu a minha voz, conheceu, porque logo retrucou-me com a antiga resposta que ele sempre dava:

— Romualdo é bonito! Bonito!...

E como para obsequiar-me fez um — crr! — como aviso de comando e recomeçou a ladainha:

— Bento S. Bento!

— *Ora pro nobis!*

— Santo...

Nisto tremeu o mato com um berro pavoroso... o Lorota e seu bando bateu asas... e eu olhei em frente: a sete passos de distância estava agachada, de bocarra aberta, pronta para o salto, uma onça dourada, uma onça ruiva, uma onça de braça e meia de comprido!...

E na aragem do mato ainda soou um vozerio distante.

— *Or... a pro no... bis!*

*S... Ro... mual... do!*

*Ora... pro... nobis!...*

## MÉNAGE À TROIS

TRISTAN BERNARD
(1866-1947 | França)

*Até 1914 ( Primeira Guerra Mundial), Tristan Bernard era o comediógrafo e* boulevardier *que dominava, absoluto, os palcos franceses. No Brasil, foi popularizado, também no começo do século, por Leopoldo Fróes, ator de grande sucesso. Bernard era igualmente romancista (*Memoires d'un Jeune Homme Rangé*) e* contista *(*Contes de Pantruche et d'Ailleurs *e* Autour du Ring*) Este* Ménage à Trois *está presente em várias antologias de humor publicadas mundo afora.*

Todo mundo conhece aquela fábula de La Fontaine, em que um ancião em seu leito de morte aconselha aos seus familiares que se mantenham unidos, se quiserem progredir na vida. E a quem melhor poder-se-ia dirigir essa recomendação do que a dois irmãos siameses, os quais, enquanto se acharem unidos, poderiam ganhar até cento e cinqüenta francos em um dia, ao passo que, se se separarem, ganhariam apenas três francos diários, subscritando envelopes?

Eu conheci em Londres dois destes gêmeos ligados, chamados comumente de irmãos siameses e denominados cientificamente de xifópagos. Eduardo-Edmundo possuíam uma fortuna bastante considerável, que os dispensava de exibir-se como fenômenos. Eduardo havia nascido em Manchester, há vinte e cinco anos. Edmundo havia nascido igualmente em Manchester, pela mesma época. Na adolescência se pareciam de uma forma extraordinária. A ponto de várias pessoas, confundindo a sua direita com a sua esquerda, não conseguirem distinguir um do outro.

No entanto, manifestaram-se neles, com a idade, diferenças morais de grande profundidade. Eduardo tinha gostos serenos e amor aos estudos; Edmundo, instintos plebeus. Esse último só se divertia na companhia dos devassos, dos vadios, dos beberrões. O desventurado Eduardo, com seu livro de estudo na mão, via-se na contingência de seguir Edmundo pelas tabernas e bordéis. E quando voltavam, com o rosto vermelho de vergonha, via-se forçado a ziguezaguear com ele, para não romper a membrana.

Eduardo chegou a ser um famoso erudito. Mas não pôde ser por muito tempo convidado para os banquetes das corporações científicas, onde o famigerado Edmundo, mal se servia da sopa, começava logo a contar histórias obscenas que as pessoas decentes reservam de ordinário para depois do café.

O ano passado, Eduardo pediu em casamento a mão de uma bela e rica donzela, sendo a cerimônia celebrada com grande pompa e circunstância. Não houve alternativa senão convidar Edmundo que, aliás, se portou admiravelmente bem durante todo o ato. Parecia-lhe que sua cunhada lhe inspirava certo respeito. No cortejo nupcial, a mulher de Eduardo, este e Edmundo, iam, os três, na frente, em meio à admiração geral.

Na noite de núpcias, Edmundo portou-se, ainda, com grande correção. Dormira primeiro e, na manhã seguinte, fingiu acordar-se mais tarde do que os outros. Durante a lua-de-mel do seu irmão, entregou-se menos à bebida, cuidou da sua linguagem e vestiu-se com decência, posto que tivesse de sair com uma senhora.

A jovem — já disse, por acaso, que ela se chamava Cecília? —, a jovem exercia sobre Edmundo uma grande influência. Ao cabo de algum tempo, aconteceu o que acontece toda vez que um solteiro penetra em um lar. Estabeleceram-se relações entre Cecília e o malvado Edmundo.

Durante seis meses, Eduardo não desconfiou de nada. Tudo, no entanto, acabou por saber-se. Eduardo encontrou cartas em uma gaveta mal fechada, e apurou de maneira irrespondível que sua mulher e seu irmão traiam-no diariamente.

Que fazer numa situação como esta? Bater-se em duelo com Edmundo não seria permitido pelos costumes ingleses. Temia também os comentários irônicos das testemunhas. O duelo a pistola, a dez metros de distância, não seria nada fácil, sucedendo o mesmo com o duelo a espada, tendo em vista a habitual proibição do corpo a corpo. Além disso, que aconteceria se matasse o seu irmão? Poderia continuar a existência comum com sua mulher? E depois, sempre aquele cadáver entre ambos!...

Resolveu chamar Cecília e disse a ela:

— A partir de hoje, não profanarás mais nosso domicílio conjugal. Vai-te embora!

— Está bem! — concordou ela.

— Está bem! — secundou Edmundo. — Mas eu a acompanho.

O marido viu-se obrigado a segui-los.

Edmundo instalou Cecília em um primeiro andar muito confortável. E como tudo acaba por se regularizar entre xifópagos, viveram lá os três, muito felizes.

# A PÍLULA

## STEPHEN LEACOCK
### (1869-1944 | Canadá)

*Inglês de nascimento, Stephen Leacock fez sua vida no Canadá, para onde foi ainda criança. Formado em Filosofia e professor de Economia Política da Universidade de McGill, ficou conhecido internacionalmente como ficcionista. "Pessoalmente preferiria ter escrito* Alice no País das Maravilhas *do que ser autor de toda a* Enciclopédia Britânica" *— afirmou ele, certa vez.* Sunshine Sketches of a Little Town *(1942) foi o começo de sua reputação de escritor de humor.* A Pílula *é um bom exemplo disso.*

Leio nos jornais que o Professor Plumb, da Universidade de Chicago, inventou recentemente um novo tipo de alimento, de altíssima concentração orgânica. Todos os elementos essenciais para a nutrição estão nele contidos e condensados sob a forma de tabletes deglutíveis que contêm de duas a trezentas vezes a substância normal de uma onça de qualquer espécie de alimento. Esses tabletes, quando dissolvidos em água, de preferência água aquecida, proporcionam tudo quanto é necessário para se viver. Quanto ao professor Plumb, ele confia estar bem próximo de operar uma verdadeira revolução no atual sistema alimentar do mundo todo.

Ora, as coisas deste gênero andarão sem dúvida muitíssimo bem, mas não sem alguns inevitáveis enganos, pelo menos no princípio. E mesmo no esplendoroso futuro previsto pelo professor Plumb não seria difícil imaginar fatos como o que passo aqui a narrar.

Nossa pequena família estava alegremente sentada na sala de jantar. Sobre a mesa, preparada de uma maneira sofisticada, havia apenas uma grande panela de água quente, e cada um de nós, as crianças também, tinha diante de si uma tigela. Minha mãe, alegríssima, sorria para todos nós naquela oportunidade solene de ceia de Natal, contida ela inteira dentro de um dedal que repousava em cima de uma ficha de jogo de cartas. Estávamos todos em silêncio quando meu pai, levantado-se da cadeira na cabeceira de mesa, virou o dedal de cabeça pra baixo e mostrou finalmente uma pequena pílula em cima da ficha de plástico que era usada como bandeja. Continha a pílula ao mesmo tempo o peru, o molho, a farofa de castanhas, a torta e o pudim. Tudo estava ali, naquela pílula mínima, que não esperava outra coisa senão ser dissolvida em água quente. Foi então que meu pai, com um ar contrito e olhos devotos, mirando ora a pílula ora o céu, começou a habitual oração abençoando o alimento.

Um grito de horror seguiu-se a estas palavras da minha mãe:

— Ah, Harry, depressa, depressa! O pequeno Peter engoliu a pílula!

Era verdade, o anjinho de cabelos dourados chamado Peter, no meio tempo da oração, agarrara toda a ceia de Natal e a havia colocado na boca, sorrindo, muito satisfeito com sua alegre gaiatice. E eis que 175 quilos de alimentos desciam pelo esôfago do inocente abaixo.

— Que alguém bata nas costas dele! — gritou mamãe, torcendo as mãos, acometida de um enlouquecido desespero. — Dá-lhe um pouco d'água!

Pois esta idéia foi fatal para o pequeno Peter. A água, ao se encontrar com a pílula, subitamente fez com que ela se expandisse. Ouviu-se um triste e profundo ruído e, logo depois, um tremendo estrondo. Peter acabara de  explodir por sobre a mesa do nosso primeiro Natal em pílulas.

Quando juntaram as migalhas do corpinho do meu irmão, seus lábios ainda arvoravam um sorriso: o sorriso de uma criança que havia comido treze ceias de Natal de uma só vez.

# O SANTO E O DUENDE

## SAKI
### (1870-1916 | Inglaterra)

*A imprensa inglesa antes da Primeira Guerra (em cujos campos de batalha ele acabou morrendo) está cheia de contos de Hector Hugh Munro, que tirou seu pseudônimo Saki de um verso de Omar Khayyam. Foi o contista mais famoso da Inglaterra vitoriana. Adaptando a seu temperamento o estilo de Maupassant, de envolvimento emocional inicial à "surpresa final", Saki até hoje participa de antologias universais pelo mundo afora. Quanto ao humor, os costumes e a sátira são o seu forte.*

O pequeno Santo de pedra ocupava um nicho escondido numa ala lateral da velha catedral. Ninguém se lembrava muito bem a quem ele pertencera, embora tal fato constituísse de certo modo uma garantia de respeitabilidade. Pelo menos era isso o que o Duende dizia. O Duende era um belíssimo espécime antigo de pedra cinzelada, e encontrava-se instalado sobre uma mísula que se ressaía da parede fronteira ao nicho do pequeno Santo. Relacionava-se assim com alguns dos mais distintos habitantes da catedral, tais como as pequenas e bizarras esculturas dos bancos do coro e da divisória de madeira que separava o altar-mor do resto do templo, e até as gárgulas alcandoradas nas alturas do telhado. Todos os animais e homúnculos fantásticos que se acachapavam ou se espiralavam em madeira ou pedra ou chumbo lá no cimo das abóbadas, ou ao fundo da cripta, eram de certo modo seus parentes; tratava-se portanto de um ser de reconhecida importância no mundo da catedral.

O pequeno Santo de pedra e o Duende se davam muito bem, embora tivessem pontos de vista diferentes sobre a maior parte das coisas. O Santo, um filantropo à moda antiga, pensava que o mundo, tal como ele o via, era bom, mas poderia ser melhor. Particularmente, compadecia-se dos ratos de igreja, que eram miseravelmente pobres. Por outro lado, o Duende entendia que o mundo, tal como o conhecia, era mau, embora considerasse preferível não tentar reformá-lo. Fazia parte da natureza dos ratos de igreja serem pobres.

— Mesmo assim — dizia o Santo —, sinto muita pena deles.

— Claro que sente — dizia o Duende —, é da *tua* natureza sentir pena deles. Se deixassem de ser pobres, o senhor não poderia preencher as suas faculdades de Santo. O seu lugar se transformaria numa sinecura.

Sua esperança era de que o Santo lhe perguntasse o que era "sinecura", mas ele refugiu-se num silêncio de pedra. Talvez o duende tivesse razão, pensava ele, mas de qualquer forma gostaria de fazer alguma coisa pelos ratos de igreja antes que o inverno chegasse. Eram uns pobres coitados!

Enquanto refletia sobre esta questão surpreendeu-se com algo que lhe caiu aos pés, produzindo um pesado tilintar de metal. Era uma moeda de um táler novinha em folha; um dos corvos da catedral, que costumava colecionar objetos diversos, voava com a moeda no bico até uma cornija de pedra que ficava bem em cima do nicho do Santo, enquanto o bater de uma porta lá na sacristia veio a sobressaltá-lo, soltando assim sua presa. Desde a invenção da pólvora para a caça que os nervos dos corvos já não eram os mesmos...

— O que foi que caiu aí? — perguntou o Duende.

— Um táler de prata — disse o Santo. — É muita sorte; agora já posso fazer alguma coisa pelos ratos de igreja.

— Fazer, como? — perguntou o Duende.

O Santo parou para pensar.

— Vou aparecer em visão para a empregada que varre a igreja. Direi a ela que irá encontrar um táler de prata entre os meus pés e que deverá apanhá-lo e com ele comprar farinha e deixá-la no meu nicho. Quando encontrar a moeda, ela entenderá que o sonho era verdadeiro e se apressará para cumprir minhas instruções. Assim os ratos terão comida para todo o inverno.

— Claro que *você* pode fazer isso — observou o Duende. — Quanto a mim, só consigo aparecer em sonhos para as pessoas depois que tenham jantado bem tarde um prato cheio de comida pesada. As minhas oportunidades com a empregada seriam portanto bastante limitadas. Afinal de contas, ser santo sempre tem lá suas vantagens.

Enquanto isso, a moeda continuava aos pés do Santo. Estava bem lustrosa e rutilante e mostrava numa das faces uma bela estampa das armas do Eleitor. O Santo pôs-se a pensar que tal oportunidade era rara demais para ser desperdiçada precipitadamente. Talvez a caridade indiscriminada se tornasse nociva para os ratos de igreja. Afinal, era da natureza deles serem pobres, como dissera o Duende, e o Duende em geral tinha sempre razão.

— Estou pensando cá comigo — disse a seu vizinho — que seria muito melhor se eu, em vez de farinha, mandasse comprar velas para serem colocadas no meu nicho.

Desejara muita vezes, por mera questão de salvaguardar as aparências, que acendessem de vez em quando uma vela no seu nicho; mas como há muito tinham esquecido quem ele fora, as pessoas achavam que não valia a pena investir o dinheiro de uma vela para lhe prestar uma homenagem de rendimento bastante duvidoso.

— As velas são bem mais ortodoxas — disse o Duende.

— Com toda a certeza — concordou o Santo —, e os ratos poderão comer os cotos das velas que são muito nutritivos.

O Duende era educado demais para piscar o olho; além disso, sendo um duende de pedra, isso estava além das suas possibilidades.

..................................................................................................................................................

— Ora, ei-la, não tenho dúvida! — disse a empregada da limpeza, na manhã seguinte. Pegou a moeda rutilante do gélido nicho e revolveu-a várias vezes nas mãos enegrecidas. Depois levou à boca e mordeu-a.

"Será que ela vai comer a moeda?", pensou o Santo, fixando nela seu granítico olhar.

— Ora, bolas! — exclamou a mulher, num tom ligeiramente mais agudo. — Quem haveria de dizer! E ainda por cima um santo!

Depois, proferiu um palavrão que não devemos repetir. Procurou no fundo do bolso um pedaço de pano, atou-o na transversal com uma grande laçada em torno da moeda e pendurou-o no pescoço do pequeno Santo.

Em seguida foi embora.

— A única explicação plausível — disse o Duende — é que a moeda seja falsa.

..................................................................................................................................................

— Que condecoração é aquela que colocaram no meu vizinho? — perguntou um dragão alado talhado no capitel de um pilar ao lado.

Arrasado, o Santo sentia-se a ponto de chorar, só não o fazendo por ser de pedra.

— É uma moeda de... hm!... de um valor fabuloso — respondeu o Duende, com muito tato.

E correu a notícia por toda a catedral de que o nicho do pequeno Santo de pedra fora enriquecido por uma inestimável dádiva.

— Afinal de contas, sempre serve para alguma coisa ter uma consciência de Duende — disse o Santo, lá com seus botões.

E os ratos de igreja continuaram tão pobres como antes e como sempre. Mas isso já é outra história.

# DEITADO NA CAMA

## G. K. CHESTERTON
### (1874-1936 | Inglaterra)

*Famoso como o criador dos contos do detetive Padre Brown, um dos pioneiros da literatura policial, mas também como romancista (O Homem que Era Sexta-feira), Gilbert Keith Chesterton foi um polêmico católico romano convertido num país de católicos anglicanos. Ele foi também um ensaísta brilhante, manejando o ensaio à inglesa, na primeira pessoa, como se fosse uma peça de ficção – caso deste texto escolhido.*

Ficar deitado na cama seria, tudo considerado, uma perfeita e suprema experiência se ao menos tivéssemos um lápis de cor longo o bastante para desenhar no teto. Mas não é normal encontrarmos um aparato como este, à mão, entre os utensílios domésticos. Acho que a coisa poderia ser resolvida com algumas latas de tinta e uma vassoura; só que, se alguém trabalhasse assim, com largas varreduras, como os mestres, espalhando as cores em grandes movimentos, a tinta respingaria de volta no seu rosto como estranha chuva encantada, o que poderia ser uma desvantagem. Receio que tenhamos que nos restringir ao preto e branco neste tipo de composição artística. Para isso um teto branco seria de extrema utilidade; na verdade não posso imaginar nenhuma outra forma de utilizar um teto branco.

Não fosse a fantástica experiência de ficar deitado na cama eu jamais teria feito tal descoberta. Há anos que eu busco nas casas modernas um espaço onde desenhar. Papel é pequeno demais para um verdadeiro desenho alegórico. Como diz Cyrano de Bergerac: "Il me faut dês géants" (em francês no original: Necessito de gigantes), mas sempre me desapontei, procurando por grandes espaços em branco, nos modernos interiores onde vivemos. Entre mim e o objeto de meu desejo uma infinidade de obstáculos e complicações, de objetos presos à parede como uma cortina em cadeia de pequenos elos. Por trás deles, examinando as paredes, eu as encontrei surpreso, já cobertas de papel, e o papel de parede coberto por sua vez com figuras sem o menor interesse, uma ridiculamente igual à outra. Não consegui entender como aquelas figuras, arbitrárias e completamente destituídas de qualquer significado religioso ou filosófico, se espalharam por toda a minha parede como uma espécie de varíola. Acho que a Bíblia deve se referir ao papel de parede quando diz: "Não use vãs repetições, como faz o gentio." Achei o tapete turco uma massa de cores tão sem sentido quanto o Império Otomano ou uma Delícia Turca. Não sei exatamente o que seja a Delícia Turca, mas creio que devem ser os massacres da Macedônia. Por toda parte onde procurei, com o lápis ou o pincel, descobri que alguém antes de mim havia estragado as cortinas, os móveis e as paredes com bárbaros e infantis desenhos.

Em parte alguma encontrei um espaço em branco onde desenvolver os meus esboços até o dia em que prolonguei, para além de todos os limites, o prazer de ficar deitado na cama. Então a luz do branco céu atingiu meus olhos, num hálito de claridade como a própria definição do Paraíso na sua pureza e liberdade. Mas como o Paraíso, tão logo o vislumbrei, logo o descobri inatingível; mais austero e distante que o céu azul lá fora da janela. Quanto à minha idéia de pintá-lo usando uma vassoura: fui de pronto desencorajado por uma pessoa que, embora destituída de qualquer investidura política, não concedeu nem mesmo à minha proposta, mais modesta, de queimar o cabo da vassoura no fogão e usá-lo como carvão. No entanto estou seguro de que foi alguém na minha posição quem teve a inspiração original de cobrir os tetos de palácios e catedrais com uma profusão de anjos caídos e deuses vitoriosos. Tenho certeza de que foi graças ao antigo e honrado hábito de ficar deitado na cama que Michelangelo imaginou como o teto da Capela Sistina poderia se transformar numa incrível imitação do drama divino que só no alto pode ser encenado.

O tom que se usa hoje em dia em relação ao hábito de ficar na cama é insalubre e hipócrita. Entre todos os traços da modernidade com a marca da decadência não existe nenhum tão ameaçador e perigoso quanto a exaltação do mesquinho e secundário em detrimento do importante e primordial, dos trágicos e eternos princípios da moral humana. Se existe algo pior que o moderno enfraquecimento da verdadeira moral, será sem dúvida o moderno fortalecimento de uma moral menor. Assim é mais ofensivo acusar alguém de ter mau gosto que acusá-lo de não ser ético. O asseio não vem mais depois da bondade, porque hoje em dia o asseio é essencial e a bondade ofensiva. Um autor teatral pode atacar a instituição do casamento desde que seus personagens tenham boas maneiras, e tenho conhecido pessimistas Ibsenianos que consideram deselegante tomar cerveja e correto tomar ácido prússico. A regra é válida especialmente no que toca aos assuntos de higiene e em particular a ficar na cama. Ao invés de ser visto, como devia ser, como questão de preferência ou conveniência pessoal, levantar-se cedo é considerado por todos como essencial a um caráter moral. É, no fundo, o resultado da popular visão pragmática das coisas, mas na verdade não há nada que se possa dizer objetivamente nem a favor de levantar cedo nem contra o oposto disso.

Usurários se levantam cedo; e arrombadores, segundo me informaram se levantam de véspera. O grande perigo de nossa sociedade é que seus mecanismos ficam cada vez mais rígidos enquanto seu espírito é cada vez menos confiável. Os atos menores do homem devem ser livres, flexíveis e criativos; e a rigidez ser reservada para seus princípios e ideais. Mas conosco é o inverso; nós mudamos nossos pontos de vista constantemente, mas almoçamos sempre à mesma hora. Eu gostaria de ver homens com convicções fortes e enraizadas, mas no que se refere a seus almoços, para mim, podem ser feitos no jardim ou na cama, no telhado ou no galho de uma árvore. Que eles discutam sempre os mesmos princípios, mas discutam onde quiserem, na cama, num barco ou num balão. Este crescimento alarmante de bons hábitos significa na verdade que uma ênfase muito grande está sendo dada àquelas virtudes que os costumes por si só são capazes de manter e que muito pouca ênfase se dá àquelas virtudes que o mero costume jamais será capaz de manter. Súbitas e esplendidas virtudes de inspirada piedade ou inspirado candor. Quando precisarmos delas elas não estarão lá. Um homem pode se habituar a levantar as cinco da manhã, mas ninguém se acostuma a ser queimado por suas idéias; a primeira experiência na maioria dos casos é fatal. Devemos dar um pouco mais de atenção à possibilidade do inesperado e do heróico. Ouso dizer que quando me levantar desta cama me espera um gesto de terrível virtude.

Para aqueles que estudam a grande arte de viver na cama, devo de forma enfática incluir uma palavra de cautela. Que serve também àqueles que podem trabalhar na cama (como os jornalistas) e até àqueles que não podem trabalhar na cama (como os arpoadores de baleias), é claro que a indulgência deve ser ocasional. Mas não é este o aviso de cuidado que quero dar. A palavra de cautela é esta: se você ficar na cama até tarde, faça isso sem nenhuma justificativa. Não estou falando, é claro, para os enfermos. Mas se um homem saudável resolve ficar deitado, deve fazê-lo sem nenhuma desculpa; assim e só assim ele se levantará saudável. Se fizer isso com o álibi de alguma razão higiênica ou com alguma explicação científica, corre o risco de se levantar hipocondríaco.

*Tradução de Octávio Marcondes*

## O CABEÇA VAI PARA CASA

### DAMON RUNYON
(1880-1946 | Estados Unidos)

*Escritor que encantou o jovem Julio Cortázar, a ponto de este considerá-lo o melhor contista americano (o que não é pouca coisa num país de grandes contistas), Damon Runyon sempre se ocupou de figuras populares, bandidos e prostitutas da Nova York por volta da época da Depressão. Nenhum de seus livros saiu até hoje no Brasil. Ele ficou um pouco mais conhecido entre nós graças ao filme* Guys and Dolls, *com Marlon Brando, adaptado de um conto seu.*

Uma noite o Cabeça está passeando comigo, para cima e para baixo, pela Broadway, falando disso e daquilo, e nós estamos aí pela altura do restaurante do Mindy quando aparece uma ruiva vestida nuns trapos vendendo duas maçãs por cinco centavos. Cabeça, que adora maçãs, pega uma do cesto e dá para ela uma nota de cinco dólares.

A ruiva, já para lá dos trinta que não é nada em matéria de encantos físicos, olha a nota e diz:

— Não tenho troco para tudo isso, espere um pouco que eu vou trocar.

— Pode ficar com o troco — diz o Cabeça, mordendo meia maçã e me pegando pelo braço para continuar o passeio.

A ruiva olha para o Cabeça com um olhar quase com lágrimas. E diz:

— Muito obrigada, senhor! Muito obrigada mesmo! Que Deus o abençoe!

E sai apressada, pela rua, com as mãos nos olhos e os ombros sacudidos por soluços. O Cabeça fica parado, olhando espantado, até que ela desapareça na esquina.

— Meu Deus! Veja só isso! — diz o Cabeça. — Ontem eu dei um presente de dez mil dólares para Doris Clare que não fez a metade da cena que esta gata armou por uma nota de cinco.

— Talvez — digo eu — a ruiva das maçãs precise mais dos cinco que Doris Clare dos dez mil.

— Talvez! — diz o Cabeça. — É claro que Doris me dá mais que uma maçã e um "Deus abençoe"; Doris me dá seu amor. Eu acho — continua ele — que gasto mais dinheiro com amor que qualquer outra pessoa no mundo.

— É o que eu também acho! — disse, e penso que temos razão. Calculando por baixo, o Cabeça deve gastar por ano uns 300 mil em amor. E isto é, na verdade, um cálculo modesto, porque, como é do conhecimento de todos, o Cabeça tem três gatas além da sua legítima e amantíssima esposa.

Na verdade, muitos cidadãos se referem a ele como o "Rei do Amor", quando ele não está presente, é claro. O Cabeça gosta de pensar que seus casos são um assunto estritamente confidencial do qual apenas poucos amigos têm conhecimento, mas se existe alguém na cidade que não conheça todos os detalhes tem que ser alguém cego, surdo e mudo.

Uma vez eu li a história de um cara que se chamava Salomão, Rei Salomão, que viveu há muito tempo atrás e que tinha mil gatas, todas de uma vez (o que eu considero gostar de gatas de uma forma exagerada). Mas se você juntar as despesas que as mil gatas davam a ele eu aposto que não custavam tanto quanto qualquer uma das do Cabeça. Só o custo operacional de uma gata como Doris Clare é para botar qualquer cara doido. E você poderia chamar Doris de frugal em comparação com Cynthia Harris e Bobby Baker.

Há ainda Charlotte, que é a legítima e amantíssima esposa dele e que, com o vírus do *society*, precisa sempre de um monte de fichas para acompanhar o jogo. Uma vez, ouvi o Cabeça descrever a esposa para Bobby Baker como se ela fosse mais ou menos uma inválida; na verdade não há nada de errado com ela que um pouco de grana não resolva, embora você possa dizer a mesma coisa de qualquer outra gata no mundo, inválida ou não.

Se um cara tem o tempo de Broadway que o Cabeça tem é natural que ele acumule gatas, aqui e ali, mas a maioria dos caras acumula uma de cada vez. E quando uma o abandona, como as gatas da Broadway sempre fazem, aí então ele acumula outra, e vai por aí até que o cara chega naquela idade de perder o interesse por elas, o que costuma acontecer quando ele passa dos cento e quatro, embora eu conheça alguns caras que estouraram esse limite.

Mas quando o Cabeça acumula uma gata, ele a mantém acumulada, e parece que nenhuma delas nunca o abandonou. E isto, que seria uma tremenda aporrinhação para a maioria dos caras, não parece incomodar o Cabeça, ao contrário, lhe dá prazer pensar no incrível poder que tem sobre as mulheres.

— Não é culpa delas se elas se apaixonam por mim — diz o Cabeça para mim, uma noite. — Eu jamais magoaria uma delas por nada no mundo.

Bem, é claro que me espanta ouvir um cara, esperto como o Cabeça, dizendo uma coisa dessas; mas eu acho que ele realmente acredita no que diz, porque o cara vive, o tempo todo, com uma ótima impressão dele mesmo. Embora alguns caras digam que a verdadeira razão pela qual o Cabeça não se livra de suas mulheres é que ele é egoísta demais para passá-las para os outros. Eu, pessoalmente, não pegaria nenhuma delas nem se o Cabeça pagasse por isto; com a exceção, talvez, de Bobby Baker.

De qualquer forma, o Cabeça mantém suas gatas acumuladas e, ainda por cima, gasta uma nota com elas comprando carros, peles e diamantes e mantendo os lugares caríssimos onde elas vivem. Uma vez eu disse que ele economizaria um monte de dinheiro se alugasse uma casa grande e colocasse todas elas juntas, como uma família feliz, ao invés de tê-las espalhadas pela cidade. Mas ele não gostou da idéia:

— Em primeiro lugar — diz ele —, elas não sabem umas das outras. Embora Doris, Cynthia e Bobby saibam de Charlotte, Charlotte não sabe delas. Cada uma delas pensa que é única para mim. Juntas seria uma ciumeira enorme por minha causa, e, de todo jeito, um arranjo desses seria altamente imoral, além de ilegal. É melhor assim. Pense em quantas casas eu tenho para ir, caso me dê vontade de ir para casa. Acho que ninguém tem mais casas que eu em toda a Broadway.

Bem, isto pode ser verdade, mas, para que é que o Cabeça quer tantas casas é um grande mistério na Broadway. Ainda mais ele, que nunca vai para casa. O que faz o Cabeça não ir para casa é a idéia de que alguma coisa possa acontecer na rua, enquanto isso, e ele não participar do lucro. Aliás, é raro que ele vá a algum lugar. Ele nunca sai com nenhuma de suas mulheres a não ser, uma ou duas vezes por ano, com Charlotte; e ultimamente nem isto, desde que Doris Clare reclamou dizendo que ficava mal que os amigos dela o vissem com a esposa.

O Cabeça se casou com Charlotte muito antes de se transformar no maioral do jogo no Leste e ficar multimilionário, mas ele não é o tipo de cara que vai sossegar em casa e aproveitar a vida com a esposa como tantos maridos costumam fazer. E antes, no tempo que ainda não tinha dinheiro, ele morava longe demais para voltar para casa, assim, acho que no final ele perdeu o hábito.

Charlotte não passou mais de um ou dois anos olhando os quadros nas paredes. Parece que os quadros nas paredes eram todos de vacas pastando nos vales ou de casas cobertas de neve, por isso ela também não fica muito em casa. Ela tem seus próprios amigos e vive satisfeita e feliz, especialmente depois que o Cabeça se arrumou e pode bancar.

Uma coisa que posso dizer, do Cabeça e de suas gatas, é que ele nunca pegou um bagulho. O cara tem um bom olho para corpos e caras. Nem mesmo Charlotte, a legítima e amantíssima esposa, é de se jogar fora, embora não seja mais tão jovem quanto já foi. Doris Clare, no tempo dela, foi uma das maiores beldades do Ziegfield; e mesmo que o tempo dela não fosse ontem, nem anteontem, Doris se segura muito bem. Eu diria que Doris tem uns trinta e dois ou trinta e três anos, mas ainda é cheia de atrativos e seu cabelo continua louro apesar do tempo.

Na verdade, o Cabeça não liga muito se suas gatas são louras ou morenas, porque os cabelos de Cynthia Harris são negros como o interior de um lobo, enquanto Bobby Baker fica na metade do caminho com os seus, de um castanho claro. Cynthia Harris é uma novata em comparação com Doris Clare, tendo saído do "Vanities" de Earl Carrol. Segundo ouvi, ela veio para Nova Iorque como Miss Alguma-coisa, num destes concursos de beleza que ela ganharia com um pé nas costas se uma outra Miss Não-sei-quem não tivesse piscado um olho para um dos jurados.

É claro que Cynthia também estava dando suas piscadas, mas parece que o cara, que ela pensava ser um jurado, era só um jornalista sem nenhum poder de decisão no concurso.

Bem, Earl Carrol fica com pena de Cynthia e assim leva-a para o "Vanities", onde ela pode mostrar-se sem roupas. Logo, o Cabeça a vê, e, num instante, ela está rodando num carro importado maior que um barco de contrabandista de rum.

Pessoalmente, considero Bobby Baker como a mais inteligente das gatas do Cabeça. Ela é a menos chamativa das três e nunca teve as vantagens na vida de um trabalho no palco, como Doris e Cynthia, onde pudesse aparecer despida para caras assim como o Cabeça. Bobby Baker começou praticamente do nada, trabalhando como secretária de um cara de Wall Street, onde ela andava sempre vestida, ou pelo menos tão vestida quanto as gatas andam hoje em dia.

Parece que o Cabeça tem algum negócio para resolver com o cara em Wall Street e então fica conversando com Bobby, e ela conta para ele de como sempre desejou conhecê-lo com tudo que ouve e lê nos jornais sobre ele e de como o Cabeça é bonito e tem um ar romântico, exatamente como ela imaginara.

Sendo um cavalheiro, eu nunca chamaria uma gata de mentirosa, e talvez Bobby Baker realmente ache o Cabeça um cara bonito e com um ar romântico, mas pessoalmente creio que se ela não estava exagerando devia estar muito excitada e um pouco fora da realidade quando fez tal afirmação. O melhor que se pode dizer do Cabeça, hoje em dia, é que ele se veste bem.

Ele anda pelos quarenta e começa a acumular peso na cintura, o que é de se esperar de alguém que passa todo o tempo sentado jogando cartas e nunca faz nenhum exercício, a não ser passear com caras como eu pela Broadway em frente ao restaurante do Mindy. Tem um rosto pálido sempre barbeado e dentes muito brancos, que lhe dão um belo sorriso que ele nunca usa com quem lhe deve dinheiro.

Direi ainda, a favor do Cabeça, que ele tem o que se chama de personalidade. É capaz de contar uma história com graça (embora seja sempre ele o herói de todas as histórias que conta) e, além disso, conhece várias outras maneiras de agradar uma gata. Ele tem uma razoável cultura e, se Cynthia, Doris e provavelmente Charlotte preferem uma conta aberta na "Cartier" a toda a cultura que possa haver em Yale e Harvard, parece que Bobby Baker gosta da conversa inteligente que o Cabeça gasta com ela.

Bem, logo Bobby está andando num carro ainda maior que o de Cynthia, embora nem um nem outro seja tão grande quanto o de Doris, e as garotas, filhas dos vizinhos em Flatbush, que é onde Bobby se esconde, estão mortas de inveja e espalhando boatos maledicentes a respeito dela, mas, é claro, com um olho grande e a fim de um carrão também. Da minha parte, acho que o Cabeça se rebaixa um pouco, socialmente, se misturando com uma gata de Flatbush; em especial com alguém como Bobby, que tem uma inclinação por caras intelectuais, como jornalistas, escritores e outros tipos do gênero, que circulam por Greenwich Village.

Mas não há como negar que Bobby Baker é esperta e, nos quatro ou cinco anos que ela tem sido uma das gatas do Cabeça, ela conseguiu tirar mais dinheiro dele que todas as outras juntas. Isto porque ela está sempre dizendo quanto o ama e como não pode viver sem ele, enquanto Doris Clare e Cynthia Harris às vezes esquecem de repetir isto mais que uma ou duas vezes por mês.

Agora, o que aconteceu naquele dia foi que um cara, um tal de Daafy Jack, vai e de repente enfia uma faca no lado esquerdo do peito do Cabeça. Parece que a encomenda é da parte de um tal Homer Swing, que deve muita grana de jogo ao Cabeça e anda indignado com a pressão que vem recebendo para pagar. Daafy Jack, que é um hábil e conceituado artista com uma faca na mão, aparentemente busca o coração, mas erra por alguns centímetros e deixa o Cabeça sangrando muito, com um corte feio na lateral, que necessita ser costurado.

Big Nig, o jogador de dados, e eu estamos parados na esquina da rua Cinqüenta e dois com a Sétima Avenida, aí por volta das duas da manhã, jogando conversa fora, quando o Cabeça aparece, cambaleando, vindo da Cinqüenta e dois, e cai nos braços de Big Nig, sujando de sangue um sobretudo novo pelo qual o negão pagou sessenta e cinco dólares há poucos dias. Naturalmente Big Nig se queima com isto, mas nós percebemos que não é o momento para reclamar por causa de um sobretudo. Dá para ver que o cara está bem machucado e com um péssimo aspecto.

É claro que não ficamos muito surpresos em ver o Cabeça naquelas condições, porque há anos que ele não é muito querido na área e uns e outros estão ansiosos para fazer isto ou aquilo com ele. Mas não imaginávamos vê-lo fatiado como um peru de Natal. O que se esperava é que ele fosse baleado; e tanto eu quanto Big Nig ficamos chocados com a idéia de que existem caras capazes de usar um instrumento primitivo como uma faca para fazer este tipo de serviço.

Mas, enquanto estamos fazendo estas considerações, o Cabeça diz para mim:

— Chame Hymie Weissberger e o Doutor Frisch — diz ele — e me leve para casa.

Naturalmente, um cara como o Cabeça pensa primeiro em seu advogado e só depois no seu médico, e Hymie Weissberger é o homem de confiança do Cabeça e pessoa da maior competência.

Bem — digo eu —, acho melhor levar você para um hospital onde possam tratar dessa ferida, logo.

— Não — diz o Cabeça —, é melhor manter isto em segredo. Não é bom que a notícia se espalhe, e se eu for para um hospital eles vão ter que fazer um relatório para a polícia. Leve-me para casa.

Naturalmente fico confuso, com as várias casas do Cabeça, e pergunto qual delas. Ele pensa por um minuto, ponderando bem a questão:

— Park Avenue —, diz ele finalmente. Big Nig pára um táxi, nós ajudamos o Cabeça a embarcar, e eu digo ao piloto para nos levar para o edifício em Park Avenue, perto da rua Sessenta e quatro, onde vive Charlotte, a legítima e amantíssima esposa do Cabeça.

Quando chegamos lá, decido que é melhor que eu suba primeiro e prepare o espírito da pobre Charlotte; porque posso prever o choque de uma esposa amantíssima abrindo a porta, no meio da madrugada, para um marido todo retalhado.

Primeiro o porteiro e o ascensorista tentam me impedir de subir até ao apartamento com uma história confusa sobre alguma coisa que está acontecendo lá, e só depois que explico que o Cabeça está doente é que me deixam passar. Um mordomo gordo me atende à porta, de onde eu vejo que o apartamento está cheio de caras e gatas, todos vestidos para a noite e que alguém está cantando.

O mordomo tenta dizer que Charlotte não pode me receber, mas eu termino por convencê-lo que é melhor ir chamá-la e no final ela vem até a porta, uma festa para os olhos, toda coberta de jóias. Eu enrolo um pouco para não alarmá-la muito e acabo contando que o Cabeça sofreu um acidente, que está lá embaixo num táxi e pergunto a ela onde é que nós vamos colocá-lo.

— Mas — diz ela — num hospital, é claro. Eu tenho visitas importantes esta noite e não vou estragar a festa trazendo para casa alguém que já deveria estar internado. Leve-o para um hospital e diga a ele que amanhã irei vê-lo levando uma canja.

Eu começo a explicar que o Cabeça não precisa de uma canja, que o que ele necessita, urgente, é de uma cama onde possa deitar, mas ela fica irritada e bate a porta na minha cara depois de dizer:

— Leve-o para um hospital, como estou dizendo. O que você quer fazer é ridículo; isto não é hora dele voltar para casa, em mais de vinte anos ele nunca chegou tão cedo.

Aí, enquanto estou esperando o elevador, ela abre a porta de novo e pergunta:
— Ele está muito ferido?

Eu digo a ela que não temos idéia da gravidade da ferida e ela fecha a porta outra vez, e eu volto para o táxi pensando na raça de gata desalmada que ela é; embora eu entenda que seria bastante inconveniente para ela acabar com uma festa desta forma.

O Cabeça está encostado num canto do assento do carro, com os olhos meio fechados e parece que Big Nig conseguiu estancar um pouco o sangue com um lenço, mas mesmo assim o Cabeça me parece sem forças. Quando entro no carro ele dá uma despertada, e quando eu conto para ele que Charlotte não está em casa o Cabeça dá um sorriso e sussurra:

— Vamos para a casa da Doris.

Bem, Doris vive num condomínio do Lado Oeste, na altura da Setenta e dois com Riverside; eu digo ao piloto para tocar para lá, enquanto o Cabeça volta ao estado de semi-inconsciência. Aí, Big Nig se inclina para mim e diz em voz baixa:

— Não adianta ir lá — diz o negão. — Eu vi a Doris, num casaco de pele, saindo esta noite com aquele cara, Jack Waalen, o ator; eles estão tendo um caso e é um escândalo a forma como ela se comporta. Vamos levá-lo para a Cynthia — continua Big Nig —, ela tem bom coração e vai ficar feliz em poder ajudar.

Cynthia vive numa suíte, de quinze mil dólares por ano, num hotel quase na esquina da Quinta Avenida. Cynthia é uma gata que gosta de viver perto do movimento porque, quando ouve que alguma coisa acontece, ela pode chegar lá na mesma hora. Quando chegamos ao hotel eu a chamei da portaria e disse que tinha algo de muito importante para dizer-lhe e ela me disse que subisse.

Deviam ser umas três e quinze, e eu estava um pouco surpreso de encontrá-la em casa. Mas lá estava ela me recebendo com um enorme sorriso, linda, vestida num négligé e com seus cabelos soltos, me mostrando que o Cabeça sabia, como ninguém, escolher suas gatas. Mas, logo que expliquei a razão da minha presença, sua linda boquinha perdeu o sorriso e endureceu para me dizer:

— Escute — disse ela —, eu já tenho problemas demais com a gerência desta espelunca. Ontem mesmo, foram dois caras brigando por minha causa, numa festinha que dei aqui e o segurança do hotel teve que vir para separá-los. Eu não posso me envolver em outra confusão. Você já imaginou o que é que os jornais vão publicar, se souberem que o Cabeça está aqui? Pense na minha reputação!

Bem, em poucos minutos, eu percebo que não vai adiantar nada ficar argumentando com ela; porque ela fala muito mais rápido que eu e continua insistindo sempre na mesma tecla, do golpe que vai ser para sua reputação receber o Cabeça. Então eu vou embora e a deixo ali, belíssima no seu négligé.

Agora, o que nos resta a fazer é levar o Cabeça para Bobby Baker, que vive num duplex em Sutton Place no East River, onde os ricos construíram seus enormes prédios de apartamentos como uma ilha, no coração do antigo bairro. Enquanto estamos indo para lá, com o Cabeça deitado no banco e respirando mal, eu digo para Big Nig:

— Nig — digo —, quando chegarmos na casa de Bobby, nós levamos o Cabeça para dentro sem perguntar nada a ela e colocamos ele numa cama antes que ela tenha tempo de se recusar a recebê-lo; embora Bobby Baker seja uma gata legal, que com certeza fará tudo para ajudá-lo, principalmente — eu continuo — levando em consideração que o cara paga os cinqüenta mil dólares de aluguel pelo apartamento dela. Mas é sempre bom prevenir.

Assim, quando o táxi pára na frente do prédio de Bobby, Nig e eu o arrastamos, cambaleando entre nós dois, até a porta do apartamento onde toco a campainha. Bobby vem, ela mesma, abrir e, pela porta, eu vejo as pernas de um cara desaparecerem no fundo do apartamento. Não que exista nada de errado com isso, mas as pernas do cara vestiam um pijama cor-de-rosa.

Claro que Bobby fica muito surpresa em ver o Cabeça balançando entre Nig e eu, mas ela não convida ninguém para entrar enquanto eu explico a situação e começo a contar para ela que o Cabeça foi esfaqueado e que suas últimas palavras foram para levá-lo para sua querida Bobby. Mas ela interrompe a história triste que estou lhe contando:

— Se vocês não o levarem daqui, agora mesmo — diz ela —, eu chamo a polícia e vocês vão ser presos como suspeitos.

Então ela bate com a porta na nossa cara e nós temos que arrastar o Cabeça de volta para a rua, e, de repente, realizamos que Bobby está certa e que, se a polícia nos encontra carregando o cara, todo cortado, ou se o cara morre conosco, vai ser muito difícil explicar. Principalmente, levando em conta a tendência natural que a polícia tem para suspeitar de caras como eu e Nig.

Na rua descobrimos que o taxista deve ter pensado a mesma coisa, depois que saímos do carro, porque o cara desapareceu. E nós estamos ali, no East River, com o dia amanhecendo, sem ver nenhum táxi pelas ruas e na iminência de encontrar um policial a qualquer instante.

Bem, não há nada a fazer a não ser carregar o Cabeça conosco e tentar sair dali. Nós andamos vários quarteirões e, afinal, estamos no meio das velhas casas do bairro quando ouvimos alguém abrindo uma porta e de repente, de um subsolo, aparece a gata.

Ela nos vê antes de termos tempo de sair da luz e nos escondermos. É uma gata bastante decidida e vem até onde estamos olhando para mim e Big Nig e depois para o Cabeça, que perdeu o chapéu pelo caminho e tem o rosto pálido bem visível, mesmo na luz fraca do poste.

— Meu Deus! — diz a gata. — É aquele senhor gentil que me deu cinco dólares por uma maçã. O dinheiro para os remédios que salvaram a vida do meu Joey. O que é que há com ele?

— Bem — digo para a gata, ruiva e mal vestida como sempre —, não há muita coisa, a não ser que precisamos deitá-lo em algum lugar senão ele morre.

— Traga-o para dentro — diz a gata, apontando para a porta de onde saiu —, minha casa não é grande coisa, mas ele pode descansar enquanto vocês vão procurar ajuda. Eu só ia até a farmácia comprar uns remédios para meu Joey, que, graças a este senhor, já está fora de perigo.

Então nós carregamos o Cabeça e descemos os degraus para o apartamento com a ruiva nos mostrando o caminho até um quarto com um cheiro de lavanderia chinesa e cheio de crianças dormindo no chão. Só há uma cama no quarto, não é grande, e nela já está deitado um menino, mas a ruiva põe o garoto num canto da cama e acena para que nós deitemos o Cabeça ao lado dele. Então, com um pano molhado, ela começa a lavar o ferimento.

O Cabeça, afinal, abre os olhos e vê a ruiva que sorri para ele. Pensando bem, eu acho que ele esteve consciente da maior parte das coisas que aconteceram durante a noite, enquanto o carregamos de um lado para outro, e que só não disse nada por estar muito fraco. De todo jeito, ele vira para Big Nig e diz:

— Traga Weissberger e Frisch o mais rápido que puder. Mais que tudo traga Weissberger. Não sei se é grave este corte, mas há umas coisas que preciso dizer a ele.

Bem, o caso era grave, como sabemos, e o Cabeça não se recuperou. Mas ele ficou ali, naquele porão até morrer, três dias depois. Com a ruiva cuidando dos dois, dele e do garoto dela, deitados na mesma cama. O Dr. Frisch achou melhor não movê-lo porque isso só faria apressar sua morte. Na verdade, Frisch ficou espantado que ele não tivesse morrido antes, depois do passeio que demos com ele de uma casa para outra.

Eu fui ao funeral do Cabeça, como todo mundo na Broadway, e posso dizer que nunca vi tantas flores em toda minha vida. Flores cobrindo todo o caixão e flores por todo o chão, até a altura do joelho. Aquelas coroas devem ter custado uma fortuna com o preço que andam as flores nos dias de hoje. Na verdade, foi o tamanho e o preço de todos aqueles arranjos e coroas de flores que me chamaram a atenção para um pequeno apanhado de cravos vermelhos, não muito maior que minha mão e bem ao lado de um travesseiro de violetas, grande como um cobertor de cavalo.

Junto com os cravos há um pequeno cartão que diz: "Para um cavalheiro gentil." Mostro para Big Nig e comento que, no meio de todo aquele dinheiro em flores, os cravos são provavelmente a única homenagem sincera. O negão diz que provavelmente eu tenho razão, mas que nem mesmo sinceridade vai servir de grande ajuda ao Cabeça, lá para onde ele vai.

Qualquer pessoa pode confirmar que Charlotte, a amantíssima esposa do Cabeça, é uma competente carpideira, mas o choro dela não chega aos pés do espetáculo armado por Doris Clare, Cynthia Harris e Bobby Baker. Bobby chorou tão alto que chegaram a pensar em expulsá-la do funeral.

Mas, eu soube mais tarde, que toda a dor que elas mostraram no funeral foi nada em comparação com o pranto derramado quando descobriram que o Cabeça fizera Hymie Weissberger redigir um novo testamento e deixara todo seu dinheiro para uma ruiva chamada O'Halloran, viúva de um pedreiro e com cinco filhos.

Bem, no princípio, todo mundo na Broadway acha que foi um gesto maravilhoso do Cabeça e que é bem feito para sua amantíssima esposa assim como para Doris e Cynthia e Bobby. Da maneira que falam dá para acreditar que vão levantar um monumento para o Cabeça pela sua generosidade com a pobre ruiva.

Mas, duas semanas depois de sua morte, as mesmas pessoas já estão dizendo que, com certeza, a pobre ruiva era uma das antigas gatas do Cabeça, que as crianças devem ser todas dele, e que sua consciência o incomodou na hora da morte. É assim que são as pessoas na Broadway. Mas eu sei que elas estão erradas, porque se há uma coisa que o Cabeça nunca teve foi uma consciência.

*Tradução de Octávio Marcondes*

# O HOMEM DE CABEÇA DE PAPELÃO

## JOÃO DO RIO
### (1881-1921 | Brasil)

*Cronista maior e contista da nossa Belle Époche, João do Rio (Paulo Barreto) sempre foi aten-
to ao Brasil do seu tempo. Ruy Barbosa, derrotado para presidente da República, não perdia oportunidade de discursar sobre o culto brasileiro à incompetência, onde os "despreparados" assumiam
sempre o lugar dos "preparados'. Quintino Bocaiúva, ao apoiar a candidatura do militar Hermes da
Fonseca, sustentava que não era necessário que o presidente da República fosse "um assombro de
inteligência ou de erudição". Foi neste contexto que João do Rio escreveu este O Homem de Cabeça
de Papelão. Resultado: uma perfeita sátira política, presente nas boas antologias do ramo.*

No país que chamavam de Sol, apesar de chover, às vezes, semanas inteiras,
vivia um homem de nome Antenor. Não era príncipe. Nem deputado. Nem rico. Nem
jornalista. Absolutamente sem importância social.

O País do Sol, como em geral todos os países lendários, era o mais comum, o
menos surpreendente em idéias e práticas. Os habitantes afluíam todos para a capital,
composta de praças, ruas, jardins e avenidas, e tomavam todos os lugares e todas as
possibilidades da vida dos que, por desventura, eram da capital. De modo que estes
eram mendigos e parasitas, únicos meios de vida sem concorrência, isso mesmo com
muitas restrições quanto ao parasitismo. Os prédios da capital, no centro elevavam
aos ares alguns andares e a fortuna dos proprietários, nos subúrbios não passavam
de um andar sem que por isso não enriquecessem os proprietários também. Havia
milhares de automóveis à disparada pelas artérias matando gente para matar o tempo,
cabarés fatigados, jornais, trâmueis, partidos nacionalistas, ausência de conservado-
res, a Bolsa, o Governo, a Moda e um aborrecimento integral. Enfim, tudo quanto a
cidade de fantasia pode almejar para ser igual a uma grande cidade com pretensões da
América. E o povo que a habitava julgava-se, além de inteligente, possuidor de imenso
bom senso. Bom senso! Se não fosse a capital do País do Sol, a cidade seria a capital do
Bom Senso!

Precisamente por isso, Antenor, apesar de não ter importância alguma, era exceção mal vista. Esse rapaz, filho de boa família (tão boa que até tinha sentimentos), agira sempre em desacordo com a norma dos seus concidadãos.

Desde menino, a sua respeitável progenitora descobriu-lhe um defeito horrível: Antenor só dizia a verdade. Não a sua verdade, a verdade útil, mas a verdade verdadeira. Alarmada, a digna senhora pensou em tomar providências. Foi-lhe impossível. Antenor era diverso no modo de comer, na maneira de vestir, no jeito de andar, na expressão com que se dirigia aos outros. Enquanto usara calções, os amigos da família consideravam-no um *enfant terrible*, porque no País do Sol todos falavam francês com convicção, mesmo falando mal. Rapaz, entretanto, Antenor tornou-se alarmante. Entre outras coisas, Antenor pensava livremente por conta própria. Assim, a família via chegar Antenor como a própria revolução; os mestres indignavam-se porque ele aprendia ao contrário do que ensinavam; os amigos odiavam-no; os transeuntes, vendo-o passar, sorriam.

Uma só coisa descobriu a mãe de Antenor para não ser forçada a mandá-lo embora: Antenor nada do que fazia, fazia por mal. Ao contrário. Era escandalosamente, incompreensivelmente bom. Aliás, só para ela, para os olhos maternos. Porque quando Antenor resolveu arranjar trabalho para os mendigos, e corria a bengala os parasitas na rua, ficou provado que Antenor era apenas doido furioso. Não só para as vítimas da sua bondade como para a esclarecida inteligência dos delegados de polícia a quem teve de explicar a sua caridade.

Com o fim de convencer Antenor de que devia seguir os trâmites legais de um jovem solar, isto é: ser bacharel e depois empregado público nacionalista, deixando à atividade da canalha estrangeira o resto, os interesses congregados da família em nome dos princípios organizaram vários *meetings* como aqueles que se fazem na inexistente democracia americana para provar que a chave abre portas e a faca serve para cortar o que é nosso para nós e o que é dos outros também para nós. Antenor, diante da evidência, negou-se.

— Ouça! — bradava o tio. — Bacharel é o princípio de tudo. Não estude. Pouco importa! Mas seja bacharel! Bacharel você tem tudo nas mãos. Ao lado de um político-chefe, sabendo lisonjear, é a ascensão: deputado, ministro.

— Mas não quero ser nada disso.

— Então quer ser vagabundo?

— Quero trabalhar.

— Vem dar na mesma coisa. Vagabundo é um sujeito a quem faltam três coisas: dinheiro, prestígio e posição. Desde que você não as tem, mesmo trabalhando — é vagabundo.

— Eu não acho.

— É pior. É um tipo sem bom senso. É bolchevique. Depois, trabalhar para os outros é uma ilusão. Você está inteiramente doido.

Antenor foi trabalhar, entretanto. E teve uma grande dificuldade para trabalhar. Pode-se dizer que a originalidade da sua vida era trabalhar para trabalhar. Acedendo ao pedido da respeitável senhora que era mãe de Antenor, Antenor passeou a sua má cabeça por várias casas de comércio, várias empresas industriais. Ao cabo de um ano, dois meses, estava na rua. Por que mandavam embora Antenor? Ele não tinha exigências, era honesto como a água, trabalhador, sincero, verdadeiro, cheio de idéias. Até alegre — qualidade raríssima no país onde o sol, a cerveja e a inveja faziam batalhões de biliosos tristes. Mas companheiros e patrões prevenidos, se a princípio declinavam hostilidades, dentro em pouco não o aturavam. Quando um companheiro não atura o outro, intriga-o. Quando um patrão não atura o empregado, despede-o. É a norma do País do Sol. Com Antenor depois de despedido, companheiros e patrões ainda por cima tomavam-lhe birra. Por quê? É tão difícil saber a verdadeira razão por que um homem não suporta outro homem!

Um dos seus ex-companheiros explicou certa vez:

— É doido. Tem a mania de fazer mais que os outros. Estraga a norma do serviço e acaba não sendo tolerado. Mau companheiro. E depois com ares...

O patrão do último estabelecimento de que saíra o rapaz respondeu à mãe de Antenor:

— A perigosa mania de seu filho é pôr em prática idéias que julga próprias.

— Prejudicou-lhe, Sr. Praxedes?

— Não. Mas podia prejudicar. Sempre altera o bom senso. Depois, mesmo que seu filho fosse águia, quem manda na minha casa sou eu.

No País do Sol o comércio é uma maçonaria. Antenor, com fama de perigoso, insuportável, desobediente, não pôde em breve obter emprego algum. Os patrões que mais tinham lucrado com as suas idéias eram os que mais falavam. Os companheiros que mais o haviam aproveitado tinham-lhe raiva. E se Antenor sentia a triste experiência do erro econômico no trabalho sem a norma, a praxe, no convívio social, compreendia o desastre da verdade. Não o toleravam. Era-lhe impossível ter amigos, por muito tempo, porque esses só o eram enquanto não o tinham explorado.

Antenor ria. Antenor tinha saúde. Todas aquelas desditas eram para ele brincadeira. Estava convencido de estar com a razão, de vencer. Mas, a razão sua, sem interesse chocava-se à razão dos outros ou com interesses ou presa à sugestão dos alheios. Ele via os erros, as hipocrisias, as vaidades, e dizia o que via. Ele ia fazer o bem, mas mostrava o que ia fazer. Como tolerar tal miserável? Antenor tentou tudo, juvenilmente, na cidade. A digníssima sua progenitora desculpava-o ainda.

— É doido, mas bom.

Os parentes, porém, não o cumprimentavam mais. Antenor exercera o comércio, a indústria, o professorado, o proletariado. Ensinara geografia num colégio, de onde foi expulso pelo diretor; estivera numa fábrica de tecidos, forçado a retirar-se pelos operários e pelos patrões; oscilara entre revisor de jornal e condutor de bonde. Em todas as profissões vira os círculos estreitos das classes, a defesa hostil dos outros homens, o ódio com que o repeliam, porque ele pensava, sentia, dizia outra coisa diversa.

— Mas, Deus, eu sou honesto, bom, inteligente, incapaz de fazer mal...

— É da tua má cabeça, meu filho.

— Qual?

— A tua cabeça não regula.

— Quem sabe?

Antenor começava a pensar na sua má cabeça, quando o seu coração apaixonou-se. Era uma rapariga chamada Maria Antônia, filha da nova lavadeira de sua mãe. Antenor achava perfeitamente justo casar com a Maria Antônia. Todos viram nisso mais uma prova do desarranjo cerebral de Antenor. Apenas, com pasmo geral, a resposta de Maria Antônia foi condicional.

— Só caso se o senhor tomar juízo.

— Mas que chama você juízo?

— Ser como os mais.

— Então você gosta de mim?

— E por isso é que só caso depois.

Como tomar juízo? Como regular a cabeça? O amor leva aos maiores desatinos. Antenor pensava em arranjar a má cabeça, estava convencido.

Nessas disposições, Antenor caminhava por uma rua no centro da cidade, quando os seus olhos descobriram a tabuleta de uma "relojoaria e outros maquinismos delicados de precisão". Achou graça e entrou. Um cavalheiro grave veio servi-lo.

— Traz algum relógio?

— Trago a minha cabeça.

— Ah! Desarranjada?

— Dizem-no, pelo menos.

— Em todo o caso, há tempo?

— Desde que nasci.

— Talvez imprevisão na montagem das peças. Não lhe posso dizer nada sem observação de trinta dias e a desmontagem geral. As cabeças como os relógios para regularem bem...

Antenor atalhou:

— E o senhor fica com a minha cabeça?

— Se a deixar.

— Pois aqui a tem. Conserte-a. O diabo é que não posso andar sem cabeça...

— Claro. Mas, enquanto arranjo, empresto-lhe uma de papelão.

— Regula?

— É de papelão! — explicou o honesto negociante...

Antenor recebeu o número de sua cabeça, enfiou a de papelão, e saiu para a rua.

Dois meses depois, Antenor tinha uma porção de amigos, jogava pôquer com o Ministro da Agricultura, ganhava uma pequena fortuna vendendo feijão bichado para os exércitos aliados. A respeitável mãe de Antenor via-o mentir, fazer mal, trapacear e ostentar tudo o que não era. Os parentes, porém, estimavam-no, e os companheiros tinham garbo em recordar o tempo em que Antenor era maluco.

Antenor não pensava. Antenor agia como os outros. Queria ganhar. Explorava, adulava, falsificava. Maria Antônia tremia de contentamento vendo Antenor com juízo. Mas Antenor, logicamente, desprezou-a propondo um concubinato que o não desmoralizasse a ele. Outras Marias ricas, de posição, eram de opinião da primeira Maria. Ele só tinha de escolher. No centro operário, a sua fama crescia, querido dos patrões burgueses e dos operários irmãos dos espartaquistas da Alemanha. Foi eleito deputado por todos, e, especialmente, pelo Presidente da República — a quem atacou logo, pois para a futura eleição o Presidente seria outro. A sua ascensão só podia ser comparada à dos balões. Antenor esquecia o passado, amava a sua terra. Era o modelo da felicidade. Regulava admiravelmente.

Passaram-se assim anos. Todos os chefes políticos do País do Sol estavam na dificuldade de concordar no nome do novo senador, que fosse o expoente da norma, do bom senso. O nome de Antenor era cotado. Então Antenor passeava de automóvel pelas ruas centrais, para tomar pulso à opinião, quando os seus olhos deram na tabuleta do relojoeiro e lhe veio a memória.

— Bolas! E eu que esqueci! A minha cabeça está ali há tempo... Que acharia o relojoeiro? É capaz de tê-la vendido para o interior. Não posso ficar toda vida com uma cabeça de papelão!

Saltou. Entrou na casa do negociante. Era o mesmo que o servira.

— Há tempos deixei aqui uma cabeça.

— Não precisa dizer mais. Espero-o ansioso e admirado da sua ausência, desde que ia desmontar a sua cabeça.

— Ah! — fez Antenor.

— Tem-se dado bem com a de papelão?

— Assim...

— As cabeças de papelão não são más de todo. Fabricações por séries. Vendem-se muito.

— Mas a minha cabeça?

— Vou buscá-la.

Foi ao interior e trouxe um embrulho com respeitoso cuidado.

— Consertou-a?

— Não.

— Então, desarranjo grande?

O homem recuou.

— Senhor, na minha longa vida profissional jamais encontrei um aparelho igual, como perfeição, como acabamento, como precisão. Nenhuma cabeça regulará no mundo melhor do que a sua. É a placa sensível do tempo, das idéias, é o equilíbrio de todas as vibrações. O senhor não tem uma cabeça qualquer. Tem uma cabeça de exposição, uma cabeça de gênio, *hors-concours*.

Antenor ia entregar a cabeça de papelão. Mas conteve-se.

— Faça o obséquio de embrulhá-la.

— Não a coloca?

— Não.

— V. Ex.ª faz bem. Quem possui uma cabeça assim, não a usa todos os dias. Fatalmente dá na vista.

Mas Antenor era prudente, respeitador da harmonia social.

— Diga-me cá. Mesmo parada em casa, sem corda, numa redoma talvez prejudique.

— Qual! V. Ex.ª terá a primeira cabeça.

Antenor ficou seco.

— Pode ser que V. Ex.ª, profissionalmente, tenha razão. Mas, para mim, a verdade é a dos outros, que sempre a julgaram desarranjada e não regulando bem. Cabeças e relógios querem-se conforme o clima e a moral de cada terra. Fique V. Ex.ª com ela. Eu continuo com a de papelão.

E, em vez de viver no País do Sol um rapaz chamado Antenor, que não conseguia ser nada tendo a cabeça mais admirável — um dos elementos mais ilustres do País do Sol foi Antenor, que conseguiu tudo com uma cabeça de papelão.

# O HOMEM QUE SABIA JAVANÊS

**LIMA BARRETO**
(1881-1922 | Brasil)

*Dois tipos de humor pelas mãos de um mesmo escritor: a sátira que é quase um retrato de certo tipo de brasileiro (será que já não tivemos um "homem que sabia javanês" alçado à presidência da República?) e um exemplar quase cândido de humor negro. O carioca Afonso Henriques de Lima Barreto, mulato "humilhado e ofendido" em sua época, é um clássico, como comprovam, além de muitos dos seus contos, seus romances* O Triste Fim de Policarpo Quaresma *e* Recordações do Escrivão Isaías Caminha.

Em uma confeitaria, certa vez, ao meu amigo Castro, contava eu as partidas que havia pregado a certas convicções e respeitabilidades, para poder viver.

Houve mesmo uma dada ocasião, quando estive em Manaus, em que fui obrigado a esconder a minha qualidade de bacharel, para mais confiança obter dos clientes, que afluíam ao meu escritório de feiticeiro e adivinho. Contava eu isso.

O meu amigo ouvia-me calado, embevecido, gostando daquele meu Gil Blás vivido, até que, em uma pausa de conversa, ao esgotarmos os copos, observou a esmo:

— Tens levado uma vida bem engraçada, Castelo!

— Só assim se pode viver... Isto de uma ocupação única: sair de casa a certas horas, voltar a outras, aborrece, não achas? Não sei como me tenho agüentado lá, no consulado!

— Cansa-se; mas não é disso que me admiro. O que me admira é que tenhas corrido tantas aventuras aqui, neste Brasil pitoresco.

— Qual! Aqui mesmo, meu caro Castro, se podem arranjar belas páginas da vida. Imagina tu que eu já fui professor de javanês!

— Quando? Aqui, depois que voltaste do consulado?

— Não; antes. E, por sinal, fui nomeado cônsul por isso.

— Conta lá como foi. Bebes mais cerveja?

— Bebo.

Mandamos buscar mais outra garrafa, enchemos os copos, e continuei:

— Eu tinha chegado havia pouco ao Rio e estava literalmente na miséria. Vivia fugindo de casa de pensão em casa de pensão, sem saber onde e como ganhar dinheiro, quando li no *Jornal do Commercio* o anúncio seguinte:

"PRECISA-SE DE UM PROFESSOR DE
LÍNGUA JAVANESA. CARTAS ETC."

Ora, disse cá comigo, está ali uma colocação que não terá muitos concorrentes; se eu capiscasse quatro palavras, ia apresentar-me. Saí do café e andei pelas ruas, sempre a imaginar-me professor de javanês, ganhando dinheiro, andando de bonde e sem encontros desagradáveis com os "cadáveres". Insensivelmente, dirigi-me à Biblioteca Nacional. Não sabia bem que livro iria pedir, mas entrei, entreguei o chapéu ao porteiro, recebi a senha e subi. Na escada, acudiu-me pedir a *Grande Encyclopédie*, letra J, a fim de consultar o artigo relativo a Java e à língua javanesa. Dito e feito. Fiquei sabendo, ao fim de alguns minutos, que Java era uma grande ilha do arquipélago de Sonda, colônia holandesa, e o javanês, língua aglutinante do grupo malaio-polinésio, possuía uma literatura digna de nota e escrita em caracteres derivados do velho alfabeto hindu.

A enciclopédia dava-me indicação de trabalhos sobre a tal língua malaia, e não tive dúvidas em consultar um deles. Copiei o alfabeto, a sua pronunciação figurada e saí. Andei pelas ruas, perambulando e mastigando letras.

Na minha cabeça, dançavam hieroglifos; de quando em quando, consultava as minhas notas; entrava nos jardins e escrevia estes calungas na areia para guardá-los bem na memória e habituar a mão a escrevê-los.

À noite, quando pude entrar em casa sem ser visto, para evitar indiscretas perguntas do encarregado, ainda continuei no quarto a engolir o meu abecê malaio, e com tanto afinco levei o propósito que, de manhã, o sabia perfeitamente.

Convenci-me de que aquela era a língua mais fácil do mundo e saí; mas não tão cedo que não me encontrasse com o encarregado dos aluguéis dos cômodos:

— Senhor Castelo, quando salda a sua conta?

Respondi-lhe, então, com a mais encantadora esperança:

— Breve... Espere um pouco... Tenha paciência... Vou ser nomeado professor de javanês, e...

Pois aí o homem interrompeu-me:

— Que diabo vem a ser isso, senhor Castelo?

Gostei da diversão e ataquei o patriotismo do homem:

— É uma língua que se fala lá pelas bandas de Timor. Sabe onde é?

Oh! alma ingênua! O homem esqueceu-se da minha dívida e disse-me com aquele falar forte dos portugueses:

— Eu cá por mim não sei bem; mas ouvi dizer que são umas terras que temos lá para os lados de Macau. E o senhor sabe isso, senhor Castelo?

Animado com esta saída feliz que me deu o javanês, voltei a procurar o anúncio. Lá estava ele. Resolvi animosamente propor-me ao professorado do idioma oceânico. Redigi a resposta, passei pelo *Jornal* e lá deixei a carta. Em seguida, voltei à biblioteca e continuei os meus estudos de javanês. Não fiz grandes progressos nesse dia, não sei se por julgar o alfabeto javanês o único saber necessário a um professor de língua malaia ou se por ter me empenhado mais na bibliografia e história literária do idioma que ia ensinar.

Ao cabo de dois dias, recebia eu uma carta para ir falar ao doutor Manuel Feliciano Soares Albernaz, Barão de Jacuecanga, na rua Conde de Bonfim, não me recordo bem que número. É preciso não te esqueceres que entrementes continuei estudando o meu malaio, isto é, o tal javanês. Além do alfabeto, fiquei sabendo o nome de alguns autores, também perguntar e responder — "como está o senhor?" — e duas ou três regras de gramática, lastrado todo esse saber com vinte palavras do léxico.

Não imaginas as grandes dificuldades com que lutei para arranjar os quatrocentos réis da viagem! É mais fácil — podes ficar certo — aprender o javanês... Fui a pé. Cheguei suadíssimo; e, com maternal carinho, as anosas mangueiras, que se perfilavam em alameda diante da casa do titular, me receberam, me acolheram e me reconfortaram. Em toda a minha vida, foi o único momento em que cheguei a sentir a simpatia da natureza...

Era uma casa enorme que parecia estar deserta; estava maltratada, mas não sei por que me veio pensar que nesse mau tratamento havia mais desleixo e cansaço de viver que mesmo pobreza. Devia haver anos que não era pintada. As paredes descascavam, e os beirais do telhado daquelas telhas vidradas de outros tempos estavam desguarnecidos aqui e ali, como dentaduras decadentes ou malcuidadas.

Olhei um pouco o jardim e vi a pujança vingativa com que a tiririca e o carrapicho tinham expulsado os tinhorões e as begônias. Os crótons continuavam, porém, a viver com a sua folhagem de cores mortiças. Bati. Custaram-me a abrir. Veio, por fim, um antigo preto africano, cujas barbas e cabelo de algodão davam à sua fisionomia uma aguda impressão de velhice, doçura e sofrimento.

Na sala, havia uma galeria de retratos: arrogantes senhores de barba em colar se perfilavam enquadrados em imensas molduras douradas, e doces perfis de senhoras, em bandós, com grandes leques, pareciam querer subir aos ares, enfunadas pelos redondos vestidos a balão; mas daquelas velhas coisas, sobre as quais a poeira punha mais antiguidade e respeito, a que gostei mais de ver foi um belo jarrão de porcelana da China ou da Índia, como se diz. Aquela pureza de louça, a sua fragilidade, a ingenuidade do desenho e aquele seu fosco brilho de luar diziam-me a mim que aquele objeto tinha sido feito por mãos de criança, a sonhar, para encanto dos olhos fatigados dos velhos desiludidos...

Esperei um instante o dono da casa. Tardou um pouco. Um tanto trôpego, com o lenço de alcobaça na mão, tomando veneravelmente o simonte de antanho, foi cheio de respeito que o vi chegar. Tive vontade de ir-me embora. Mesmo se não fosse ele o discípulo, era sempre um crime mistificar aquele ancião, cuja velhice trazia à tona do meu pensamento alguma coisa de augusto, de sagrado. Hesitei, mas fiquei.

— Eu sou — avancei — o professor de javanês, que o senhor disse precisar.

— Sente-se — respondeu-me o velho. — O senhor é daqui, do Rio?

— Não, sou de Canavieiras.

— Como? — fez ele. — Fale um pouco alto, que sou surdo.

— Sou de Canavieiras, na Bahia — insisti eu.

— Onde fez os seus estudos?

— Em São Salvador.

— E onde aprendeu o javanês? — indagou ele, com aquela teimosia peculiar aos velhos.

Não contava com essa pergunta, mas imediatamente arquitetei uma mentira. Contei-lhe que meu pai era javanês. Tripulante de um navio mercante, viera ter à Bahia, estabelecera-se nas proximidades de Canavieiras como pescador, casara, pros-perara, e fora com ele que aprendi javanês.

— E ele acreditou? E o físico? — perguntou meu amigo, que até então me ouvira calado.

— Não sou — objetei — lá muito diferente de um javanês. Estes meus cabelos corridos, curtos e grossos, e a minha pele basanée podem dar-me muito bem o aspecto de um mestiço de malaio... Tu sabes bem que, entre nós, há de tudo: índios, malaios, taitianos, malgaxes, guanches, até godos. É uma comparsaria de raças e tipos de fazer inveja ao mundo inteiro.

— Bem — fez o meu amigo —, continua.

— O velho — emendei eu — ouviu-me atentamente, considerou demoradamente o meu físico, pareceu que me julgava de fato filho de malaio e perguntou-me com doçura:

— Então, está disposto a ensinar-me javanês?

A resposta saiu-me sem querer:

— Pois não.

— O senhor há de ficar admirado — aduziu o Barão de Jacuecanga — que eu, nesta idade, ainda queira aprender qualquer coisa, mas...

— Não tenho que admirar. Têm-se visto exemplos e exemplos muito fecundos...

— O que eu quero, meu caro senhor...?

— Castelo — adiantei eu.

— O que eu quero, meu caro senhor Castelo, é cumprir um juramento de família. Não sei se o senhor sabe que eu sou neto do Conselheiro Albernaz, aquele que acom-panhou Pedro I, quando abdicou. Voltando de Londres, trouxe para aqui um livro em língua esquisita, a que tinha grande estimação. Fora um hindu ou siamês que lho dera, em Londres, em agradecimento a não sei que serviço prestado por meu avô. Ao morrer meu avô, chamou meu pai e lhe disse: "Filho, tenho este livro aqui, escrito em javanês. Disse-me quem mo deu que ele evita desgraças e traz felicidade para quem o tem. Eu não sei nada ao certo. Em todo caso, guarda-o; mas, se queres que o fado que me deitou o sábio oriental se cumpra, faze que teu filho o entenda, para que sempre a nossa raça seja feliz." Meu pai — continuou o velho barão — não acreditou muito na história; contudo, guardou o livro. Às portas da morte, ele mo deu e disse-me o que prometera ao pai. Em começo, pouco caso fiz da história do livro. Deitei-o a um canto e fabriquei minha vida. Cheguei até a esquecer-me dele; mas, de uns tempos a esta parte, tenho passado por tanto desgosto, tantas desgraças têm caído sobre a minha velhice que me lembrei do talismã da família. Tenho que o ler, que o compreender, e não quero que os meus últimos dias anunciem o desastre da minha posteridade; e, para entendê-lo, é claro que preciso entender o javanês. Eis aí.

Calou-se e notei que os olhos do velho se tinham orvalhado. Enxugou-os discretamente e perguntou-me se queria ver o tal livro. Respondi-lhe que sim. Chamou o criado, deu-lhe as instruções e explicou-me que perdera todos os filhos, sobrinhos, só lhe restando uma filha casada, cuja prole, porém, estava reduzida a um filho, débil de corpo e de saúde frágil e oscilante.

Veio o livro. Era um velho calhamaço, um in quarto antigo, encadernado em couro, impresso em grandes letras, em um papel amarelado e grosso. Faltava a folha de rosto, e por isso não se podia ler a data da impressão. Tinha ainda umas páginas de prefácio, escritas em inglês, onde li que se tratava das histórias do príncipe Kulanga, escritor javanês de muito mérito.

Logo informei disso o velho barão, que, não percebendo que eu tinha chegado aí pelo inglês, ficou tendo em alta consideração o meu saber malaio. Estive ainda folheando o cartapácio, à laia de quem sabe magistralmente aquela espécie de vasconço, até afinal contratarmos as condições de preço e de hora, comprometendo-me a fazer que ele lesse o tal alfarrábio antes de um ano.

Dentro em pouco, dava a minha primeira lição, mas o velho não foi tão diligente quanto eu. Não conseguiu aprender a distinguir e a escrever nem sequer quatro letras. Enfim, com metade do alfabeto levamos um mês, e o Senhor Barão de Jacuecanga não ficou lá muito senhor da matéria: aprendia e desaprendia.

A filha e o genro (penso que até aí nada sabiam da história do livro) vieram a ter notícias do estudo do velho; não se incomodaram. Acharam graça e julgaram a coisa boa para distraí-lo.

Mas com que tu vais ficar assombrado, meu caro Castro, é com a admiração que o genro ficou tendo pelo professor de javanês. Que coisa única! Ele não se cansava de repetir: "É um assombro! Tão moço! Se eu soubesse isso, ah!, onde estava!"

O marido de Dona Maria da Glória (assim se chamava a filha do barão) era desembargador, homem relacionado e poderoso; mas não se pejava em mostrar diante de todo mundo a sua admiração pelo meu javanês. Por outro lado, o barão estava contentíssimo. Ao fim de dois meses, desistira da aprendizagem e pedira-me que lhe traduzisse, um dia sim, outro não, um trecho do livro encantado. Bastava entendê-lo, disse-me ele; nada se opunha que outrem o traduzisse e ele ouvisse. Assim evitava a fadiga do estudo e cumpria o encargo.

Sabes bem que até hoje nada sei de javanês, mas compus umas histórias bem tolas e impingi-as ao velhote como sendo do cronicon. Como ele ouvia aquelas bobagens!...

Ficava extático, como se estivesse a escutar palavras de um anjo. E eu crescia aos seus olhos!

Fez-me morar em sua casa, enchia-me de presentes, aumentava-me o ordenado. Eu passava, enfim, uma vida regalada.

Contribuiu muito para isso o fato de vir ele a receber uma herança de um seu parente esquecido, que vivia em Portugal. O bom velho atribuiu a coisa ao meu javanês; e eu estive quase a crê-lo também.

Fui perdendo os remorsos; mas, em todo caso, sempre tive medo que me aparecesse pela frente alguém que soubesse o tal patuá malaio. E esse meu temor foi grande quando o doce barão me mandou com uma carta ao Visconde de Caruru, para que me fizesse entrar na diplomacia. Fiz-lhe todas as objeções: a minha fealdade, a falta de elegância, o meu aspecto tagalo. "Qual! retrucava ele. Vá, menino; você sabe javanês!" Fui. Mandou-me o visconde para a Secretaria dos Estrangeiros com diversas recomendações. Foi um êxito.

O diretor chamou os chefes de seção: "Vejam só, um homem que sabe javanês — que portento!"

Os chefes de seção levaram-me aos oficiais e amanuenses, e houve um destes que me olhou mais com ódio do que com inveja ou admiração. E todos diziam: "Então, sabe javanês? É difícil? Não há quem o saiba aqui!"

O tal amanuense, que me olhou com ódio, acudiu então: "É verdade, mas eu sei canaque. O senhor sabe?" Disse-lhe que não e fui à presença do ministro.

A alta autoridade levantou-se, pôs as mãos às cadeiras, concertou o pincenê no nariz e perguntou: "Então, sabe javanês?" Respondi-lhe que sim; e, à sua pergunta onde o tinha aprendido, contei-lhe a história do tal pai javanês. "Bem", disse o ministro, "o senhor não deve ir para a diplomacia; o seu físico não se presta... O bom seria um consulado na Ásia ou Oceania. Por ora, não há vaga, mas vou fazer uma reforma e o senhor entrará. De hoje em diante, porém, fica adido ao meu ministério, e quero que, para o ano, parta para Bali, onde nos vai representar no Congresso de Lingüística. Estude, leia o Hovelacque, o Max Müller, e outros!"

Imagina tu que eu até aí nada sabia de javanês, mas estava empregado e iria representar o país em um congresso de sábios.

O velho barão veio a morrer, passou o livro ao genro para que o fizesse chegar ao neto, quando tivesse a idade conveniente, e fez-me uma deixa no testamento.

Pus-me com afã no estudo das línguas malaio-polinésias; mas não havia meio!

Bem-jantado, bem-vestido, bem-dormido, não tinha energia necessária para fazer entrar na cachola aquelas coisas esquisitas. Comprei livros, assinei revistas: *Revue Anthropologique et Linguistique, Proceedings of the English-Oceanic Association, Archivo*

*Glottologico Italiano*, o diabo, mas nada! E a minha fama crescia. Na rua, os informados apontavam-me, dizendo aos outros: "Lá vai o sujeito que sabe javanês!" Nas livrarias, os gramáticos consultavam-me sobre a colocação dos pronomes no tal jargão das ilhas de Sonda. Recebia cartas dos eruditos do interior, os jornais citavam o meu saber, e recusei aceitar uma turma de alunos sequiosos de entenderem o tal javanês. A convite da redação, escrevi, no *Jornal do Commercio*, um artigo de quatro colunas sobre a literatura javanesa antiga e moderna...

— Como, se tu nada sabias? — interrompeu-me o atento Castro.

— Muito simplesmente: primeiramente, descrevi a ilha de Java, com o auxílio de dicionários e umas poucas de geografia, e depois citei a mais não poder.

— E nunca duvidaram? — perguntou-me ainda o meu amigo.

— Nunca. Isto é, uma vez quase fico perdido. A polícia prendeu um sujeito, um marujo, um tipo bronzeado que só falava uma língua esquisita. Chamaram diversos intérpretes, ninguém o entendia. Fui também chamado, com todos os respeitos que a minha sabedoria merecia, naturalmente. Demorei-me em ir, mas fui afinal. O homem já estava solto, graças à intervenção do cônsul holandês, a quem ele se fez compreender com meia dúzia de palavras holandesas. E o tal marujo era javanês — ui!

Chegou, enfim, a época do congresso, e lá fui para a Europa. Que delícia! Assisti à inauguração e às sessões preparatórias. Inscreveram-me na secção de tupi-guarani e eu abalei para Paris. Antes, porém, fiz publicar no *Mensageiro de Bali* o meu retrato, notas biográficas e bibliográficas. Quando voltei, o presidente pediu-me desculpas por ter-me dado aquela secção; não conhecia os meus trabalhos e julgava que, por ser eu americano-brasileiro, me estava naturalmente indicada a secção do tupi-guarani. Aceitei as explicações e até hoje ainda não pude escrever as minhas obras sobre o javanês, para lhe mandar, conforme prometi.

Acabado o congresso, fiz publicar extratos do artigo do *Mensageiro de Bali* em Berlim, em Turim e Paris, onde os leitores de minhas obras me ofereceram um banquete, presidido pelo senador Gorot. Custou-me toda essa brincadeira, inclusive o banquete que me foi oferecido, cerca de dez mil francos, quase toda a herança do crédulo e bom Barão de Jacuecanga.

Não perdi meu tempo, nem meu dinheiro. Passei a ser uma glória pública e, ao saltar no cais Pharoux, recebi uma ovação de todas as classes sociais, e o presidente, dias depois, convidava-me para almoçar em sua companhia, no palácio.

Dentro de seis meses, fui despachado cônsul em Havana, onde estive anos e para onde voltarei, a fim de aperfeiçoar os meus estudos das línguas da Malaia, Melanésia e Polinésia.

— É fantástico — observou Castro, agarrando o copo de cerveja.

— Olha: se não fosse estar contente, sabes que ia ser?

— Quê?

— Bacteriologista eminente. Vamos?

— Vamos.

# CARTA DE UM DEFUNTO RICO

## LIMA BARRETO

"Meus caros amigos e parentes. Cá estou no carneiro n° 7..., da 3ª quadra, à direita, como vocês devem saber, porque me puseram nele. Este Cemitério de São João Batista da Lagoa não é dos piores. Para os vivos, é grave e solene, com o seu severo fundo de escuro e padrasto granítico. A escassa verdura verde-negra das montanhas de roda não diminuiu em nada a imponência da antiguidade da rocha dominante nelas. Há certa grandeza melancólica nisto tudo; mora neste pequeno vale uma tristeza teimosa que nem o sol glorioso espanta... Tenho, apesar do que se possa supor em contrário, uma grande satisfação; não estou mais preso ao meu corpo. Ele está no aludido buraco, unicamente a fim de que vocês tenham um marco, um sinal palpável para as suas recordações; mas anda em toda a parte.

Consegui afinal, como desejava o poeta, elevar-me bem longe dos miasmas mórbidos, purificar-me no ar superior — e bebo, como um puro e divino licor, o fogo claro que enche os límpidos espaços.

Não tenho as dificultosas tarefas que, por aí, pela superfície da terra, atazanam a inteligência de tanta gente.

Não me preocupa, por exemplo, saber se devo ir receber o poderoso imperador do Beluchistã com ou sem colarinho; não consulto autoridades constitucionais para autorizar minha mulher a oferecer ou não lugares do seu automóvel a príncipes herdeiros — coisa, aliás, que é sempre agradável às senhoras de uma democracia; não sou obrigado, para obter um título nobiliárquico, de uma problemática monarquia, a andar pelos adelos, catando suspeitas bugigangas, e pedir a literatos das ante-salas palacianas que as proclamem raridades de beleza, a fim de encherem salões de casas de bailes e emocionarem os ingênuos com recordações de um passado que não devia ser avivado.

Afirmando isto, tenho que dizer as razões. Em primeiro lugar, tais bugigangas não têm, por si, em geral, beleza alguma; e, se a tiveram era emprestada pelas almas dos que se serviram delas. Semelhante beleza só pode ser sentida pelos descendentes dos seus primitivos donos.

Demais, elas perdem todo o interesse, todo o seu valor, tudo o que nelas possa haver de emocional, desde que percam a sua utilidade e desde que sejam retiradas dos seus lugares próprios. Há senhoras belas, no seu interior, com os seus móveis e as costuras; mas que não o são na rua, nas salas de baile e de teatro. O homem e as suas criações precisam, para refulgir, do seu ambiente próprio, penetrado, saturado das dores, dos anseios, das alegrias de sua alma; é com as emanações de sua vitalidade, é com as vibrações misteriosas de sua existência que as coisas se enchem de beleza.

É o sumo de sua vida que empresta beleza às coisas mortais; é a alma do personagem que faz a grandeza do drama, não são os versos, as metáforas, a linguagem em si, etc., etc. Estando ela ausente, por incapacidade do ator, o drama não vale nada.

Por isso, sinto-me bem contente de não ser obrigado a caçar, nos belchiores e cafundós domésticos, bugigangas, para agradar futuros e problemáticos imperantes, porque teria que dar a elas alma, tentativa em projeto que, além de inatingível, é supremamente sacrílego.

De resto, para ser completa essa reconstrução do passado ou essa visão dele, não se podia prescindir de certos utensílios de uso secreto e discreto, nem tampouco esquecer determinados instrumentos de tortura e suplício, empregados pelas autoridades e grão-senhores no castigo dos seus escravos.

Há, no passado, muitas coisas que devem ser desprezadas e inteiramente eliminadas, com o correr do tempo, para a felicidade da espécie, a exemplo do que a digestão faz, para a do indivíduo, com certas substâncias dos alimentos que ingerimos.

Mas... estou na cova e não devo relembrar aos viventes coisas dolorosas.

Os mortos não perseguem ninguém e só podem gozar da beatitude da superexistência aqueles que se purificam pelo arrependimento e destroem na sua alma todo o ódio, todo o despeito, todo o rancor.

Os que não conseguem isso — ai deles!

Alonguei-me nessas considerações intempestivas, quando a minha tenção era outra.

O meu propósito era dizer a vocês que o enterro esteve lindo. Eu posso dizer isto sem vaidade, porque o prazer dele, da sua magnificência, do seu luxo, não é propriamente meu, mas de vocês, e não há mal algum que um vivente tenha um naco de vaidade, mesmo quando é presidente de alguma coisa ou imortal da Academia de Letras.

Enterro e demais cerimônias fúnebres não interessam ao defunto; elas são feitas por vivos para vivos.

É uma tolice de certos senhores disporem nos seus testamentos como devem ser enterrados. Cada um enterra seu pai como pode — é uma sentença popular, cujo ensinamento deve ser tomado no sentido mais amplo possível, dando aos sobreviventes a responsabilidade total do enterro dos seus parentes e amigos, tanto na forma como no fundo.

O meu, feito por vocês, foi de truz. O carro estava soberbamente agaloado; os cavalos bem paramentados e empenachados; as riquíssimas coroas, além de ricas, eram lindas. Da Haddock Lobo, daquele casarão que ganhei com auxílio das ordens terceiras, das leis, do câmbio e outras fatalidades econômicas e sociais que fazem pobres a maior parte dos sujeitos e a mim me fizeram rico; da porta dele até o portão de São João Batista, o meu enterro foi um deslumbramento. Não havia, na rua, quem não perguntasse quem ia ali.

Triste destino o meu, esse de, nos instantes do meu enterramento, toda uma população de uma vasta cidade querer saber o meu nome e dali a minutos, com a última pá de terra deitada na minha sepultura, vir a ser esquecido, até pelos meus próprios parentes.

Faço esta reflexão somente por fazer, porque, desde muito, havia encontrado, no fundo das coisas humanas, um vazio absoluto.

Essa convicção me veio com as meditações seguidas que me foram provocadas pelo fato de meu filho Carlos, com quem gastei uma fortuna em mestres, a quem formei, a quem coloquei altamente, não saber nada desta vida, até menos do que eu.

Adivinhei isto e fiquei a matutar como que é que ele gozava de tanta consideração fácil e eu apenas merecia uma contrariedade? Eu, que...

Carlos, meu filho, se leres isto, dá o teu ordenado àquele pobre rapaz que te fez as sabatinas por "tuta-e-meia"; e contenta-te com o que herdaste do teu pai e com o que tem tua mulher! Se não fizeres... ai de ti!

Nem o Carlos nem vocês outros, espero, encontrarão nesta última observação matéria para ter queixa de mim. Eu não tenho mais amizade, nem inimizade.

Os vivos me merecem unicamente piedade; e o que me deu esta situação deliciosa em que estou, foi ter sido, às vezes, profundamente bom. Atualmente, sou sempre...

Não seria, portanto, agora que, perto da terra, estou, entretanto, longe dela, que havia de fazer recriminações a meu filho ou tentar desmoralizá-lo. Minha missão, quando me consentem, é fazer bem e aconselhar o arrependimento.

Agradeço a vocês o cuidado que tiveram com o meu enterro; mas, seja-me permitido, caros parentes e amigos, dizer a vocês uma coisa. Tudo estava lindo e rico; mas um cuidado vocês não tiveram. Por que vocês não forneceram librés novas aos cocheiros das caleças, sobretudo, ao do coche, que estava vestido de tal maneira andrajosa que causava dó?

Se vocês tiverem que fazer outro enterro, não se esqueçam de vestir bem os pobres cocheiros, com o que o defunto, caso seja como eu, ficará muito satisfeito. O brilho do cortejo será maior e vocês terão prestado um obra de caridade.

Era o que eu tinha a dizer a vocês. Não me despeço, pelo simples motivo de que estou sempre junto de vocês. É tudo isto do

José Boaventura da Silva.

N.B. — Residência, segundo a Santa Casa: Cemitério de São João Batista da Lagoa; e segundo a sabedoria universal, em toda a parte. — J.B.S."

Posso garantir que transladei esta carta para aqui, sem omissão de uma vírgula.

## ODISSÉIA DE UMA VACA

### ARKADI AVERCHENKO
### (1881-1924 | Rússia)

*Ele já foi considerado "o rei do humor russo". Com a mesma arma da sátira e do riso, Arkadi (Arcádio) Averchenko conseguiu tanto fustigar a Rússia czarista quanto o novo (1917) governo soviético. Resultado: exilou-se em Praga, onde continuou a escrever suas histórias sobre a vida cotidiana, com uma graça despretensiosa, algo contrária ao humor melancólico ou semitrágico da tradição russa de um Gogol, de um Tchecov.*

O que mais me revolta é pensar que algum leitor mal-humorado, depois de ler o que aqui conto, possa fazer uma careta e dizer, em tom que não admite réplica:

— Na vida real, tudo isso é impossível.

Ora, pois afirmo que é possível, sim.

O leitor, lógico, poderá replicar:

— Poderia nos apresentar alguma prova?

Prova? Como provar uma coisa destas? Meu Deus, é muito simples: o fato é possível porque aconteceu.

Espero que não me exijam outras provas.

Olho o leitor nos olhos e afirmo com toda a convicção: o fato deu-se no mês de agosto, numa cidadezinha do sul.

Mas, enfim, o que há de tão extraordinário nesta história?

Não se organizam sorteios nas festas populares, nos jardins públicos? Sim, organizam-se. E não oferecem como prêmio máximo uma vaca viva? Sim, oferecem. Qualquer pessoa que tenha comprado um bilhete não pode ganhar a vaca em questão? Sim, pode.

Muito bem, é isso aí. Essa vaca é comparável à clave de um trecho de música. É óbvio: convencionou-se que toda música deve ser tocada de acordo com a clave. Ou então nem eu nem o leitor entendemos patavina de música.

No parque que contorna o rio, organizaram um grande baile popular por ocasião de uma festa religiosa. Havia duas orquestras, uma gincana com corrida de sacos e corrida de ovos. Chamava-se ainda a atenção para a loteria com muitos e valiosos prêmios, entre os quais uma vaca viva, um gramofone e um samovar de imitação de prata.

O baile foi um sucesso, e a loteria teve grande aceitação.

O caixeiro de uma fábrica de amido, Pétia Smirnov, foi para o parque em companhia de Nástia, da encantadora Nástia que embelezava sua insípida existência. Quando chegaram, a festa estava no auge. Muitos jovens já haviam corrido, com as pernas dentro de sacos de farinha presos acima da cintura, o que, por sinal, representava o empacotamento do nobre esporte das "corridas de sacos". Outro grupo de jovens esportistas já desfilara diante do público, com os olhos vendados, levando com o braço estendido uma colher com um ovo. A metade dos bilhetes já fora vendida...

Nástia, de repente, apertou o braço do companheiro e sugeriu:

— Que acha, Pétia, de tentarmos a sorte... Pode ser que ganhemos alguma coisa!

Pétia, como um cavalheiro, não se opôs.

— Nástia — disse —, sua vontade é uma ordem para mim.

E precipitou-se para a roda da loteria.

Com um gesto digno de um Rothschild, lançou seu penúltimo rublo e, mostrando à companheira dois pequenos bilhetes enrolados, propôs:

— Pode escolher! Um é seu, o outro é meu.

Nástia, depois de muito hesitar, escolheu o seu, desenrolou-o e, proferindo um "zero!" desanimado, atirou-o no chão. Pétia, ao contrário, emitiu um grito de triunfo: "Ganhei!"

E acrescentou, contemplando Nástia amorosamente:

— Se for espelho ou algum perfume, é seu.

Dirigiu-se em seguida para a barraquinha e perguntou:

— Senhorita! O número quatorze... Qual é o prêmio do número quatorze?

— Do quatorze? Um momentinho... Mas é a vaca! O senhor ganhou a vaca!

Todos queriam felicitar o felizardo, e Pétia compreendeu que na vida há momentos inesquecíveis cuja glória perdura por muito tempo, clareando, como faróis luminosos, o triste caminho da rotina cotidiana.

E — tal o tremendo efeito da riqueza e da glória — a própria Nástia perdeu o encanto aos olhos de Pétia. Veio-lhe logo a idéia de que outra garota, muito mais atraente, poderia embelezar-lhe a vida totalmente.

— Mas me diga — interrogou Pétia, depois de serenarem o entusiasmo e a inveja dos espectadores. — Será que posso levar minha vaca?

— Com certeza. Ou será que o senhor não prefere vendê-la? Por 25 rublos ficamos com ela.

Pétia soltou uma risadinha.

— Ha ha! Quer dizer que vocês anunciam que "o valor da vaca ultrapassa 150 rublos" e agora oferecem 25? Ha, não! Tinha graça. Pode me dar a minha vaca e estamos conversados.

Com uma das mãos agarrou a corda amarrada nos chifres da vaca, com a outra segurou o braço de Nástia e, alegre, exultante de felicidade, disse:

— Vamos para casa, minha querida, não temos mais nada a fazer aqui.

Nástia estava um tanto ou quanto chocada com a companhia daquele ruminante de olhar meditabundo. Timidamente, objetou:

— Mas... você mesmo vai levá-la?... Eu à esquerda, ela à direita?

— E por que não? É uma vaca como outra qualquer, ora. Além disso, a quem eu poderia confiá-la, aqui?

Pétia Smirnov era inteiramente destituído de senso de humor. Foi por isso que não se deu conta um momento sequer no que havia de grotesco naquele pequeno grupo saindo do parque: ele, Nástia e a vaca.

Ao contrário, perspectivas fantasiosas de riqueza delineavam-se à sua frente, e a imagem de Nástia começava já a perder pouco a pouco o seu encanto...

Nástia, franzindo a testa, perscrutou Pétia com o olhar, e seu lábio inferior pôs-se a tremer...

— Escute, Pétia... Você não vai me acompanhar até em casa?

— Sim, por que não iria?

— Mas... e a vaca?

— Mas em que está ela nos atrapalhando?

— Então você pensa que eu iria atravessar a cidade na companhia desse animal ridículo? Minhas amigas dariam boas gargalhadas, e os moleques de rua iriam me gozar!

— Bem... — disse Pétia, depois de pensar —, vamos pegar um carro. Ainda me sobraram 30 copeques.

— E... a vaca?

— Ela vai atrás, amarrada.

Nástia ficou rubra de indignação.

— Quem você acha que eu sou? Só falta me propor que eu vá montada na sua vaca!

— Você se acha engraçada? — perguntou Pétia em tom de desprezo. — Aliás, não estou te compreendendo. Seu pai é dono de quatro vacas. Como pode você ter medo de uma, apenas? Minha vaca não tem nada de diabólica!

— Não podia tê-la deixado no parque até amanhã? Será que iriam roubá-la? Um tesouro desses!... Meu Deus!

— Como você quiser — e Pétia levantou os ombros; estava irritado. — Se minha vaca não lhe agrada...

— Quer dizer que você não vai me levar...?

— E a vaca, onde é que eu vou pôr a vaca? No meu bolso é que não pode ser...

— Muito bem! Pois seja! Volto para casa sozinha! E não cometa a burrice de aparecer lá amanhã!

— Como você quiser! — Pétia fez um gesto de cumprimento; estava ofendido. — Tampouco aparecerei depois de amanhã; posso mesmo nunca mais aparecer, se esta for a sua vontade...

— Lógico. Você encontrou agora a companhia que lhe convém!

Ofendendo-o com seu sarcasmo, Nástia apressou-se em afastar-se de cabeça curvada, sentindo que o coração se partia para sempre.

Por instantes, Pétia olhou Nástia se afastando. Logo voltou a si...

— Eia! vaca!... Vamos em frente, amiga.

Enquanto Pétia e a vaca seguiam pela rua escura que margeia o parque, tudo foi muito bem, mas, assim que desembarcaram na Rua da Nobreza, movimentada e iluminada, Pétia sentiu-se meio atrapalhado. Os passantes olhavam para ele espantados, e um menino ficou tão excitado que soltou um grito agudo e pôs-se a berrar:

— Olha o novilho levando sua mãe para dormir!

— Vou te dar um tapa para você aprender a ficar quieto! — disse Pétia, em tom de ameaça.

— Pois dê! Te pago com a mesma moeda!

Pura bravata. O menino não corria nenhum risco; Pétia não podia soltar a corda. A vaca, aliás, apenas caminhava, com vagar.

Ao chegar no meio da Rua da Nobreza, Pétia não conseguiu mais suportar a expressão irônica dos transeuntes. Procurou uma saída: soltou a corda e, dando pontapés na vaca, obrigou-a a andar sozinha. Ele próprio, simulando distração, prosseguia seu caminho a certa distância, como um transeunte qualquer que nada tivesse a ver com aquele animal. Quando a vaca diminuía o passo, detendo-se bovinamente debaixo de alguma janela, Pétia reiterava discretamente os pontapés, e o bicho voltava a trotar...

Chegaram assim à rua onde morava Pétia. Era uma pequena casa na qual ele alugava um quarto — residência de um moleiro. De uma hora para outra, como um relâmpago, uma idéia subiu-lhe à cabeça:

— Mas onde irei guardar esta vaca?

Claro, não havia estábulo na casa. Prendê-la no pátio seria arriscar-se a ser roubado, tanto mais que a portela não fechava.

— Tenho uma idéia — decidiu-se Pétia, após laboriosa meditação. — Vou introduzi-la com cuidado no meu quarto e amanhã tudo se arrumará. Afinal de contas, não há nada demais no fato de uma vaca passar uma noite dentro de um quarto...

Devagar, o feliz proprietário da vaca abriu a porta de entrada, puxando atrás de si, com mil cuidados, o melancólico animal:

— Vamos, por aqui... Psiu! Os donos da casa estão dormindo... Não bate tanto com os cascos!... Na pontinha dos pés, animal!

É bem possível que o comportamento de Pétia, nesta situação, seja considerado por todos estranho, absurdo, incrível. A única pessoa que não pensava desta forma era o próprio Pétia. E talvez a vaca. Ora, o próprio Pétia não via outra solução para o problema. E, quanto à vaca, parecia-lhe a mesma coisa dormir num quarto como num estábulo.

No quarto, a vaca parou, indiferente, próxima à cama de Pétia e começou a mastigar a ponta do travesseiro.

— Psiu!... bicho ruim. Pastando meu travesseiro! Será que está com fome? Ou com sede?

Pétia encheu uma bacia d'água e colocou-a sob o focinho do animal. Depois, pé ante pé, saiu da casa, quebrou alguns ramos de árvore e, de volta, colocou-os cuidadosamente na bacia.

Aí está... Hum... Como é o teu nome? Nieta? Coma! Vamos, coma!

A vaca mergulhou a cabeça na bacia, passou a língua nas folhas e, de repente, erguendo a cabeça, pôs-se a mugir ruidosamente.

— Psiu, bicho ruim!... — gemeu Pétia, perdendo a calma. — Silêncio! —e praguejou.

Atrás de Pétia a porta rangeu de mansinho. Um homem nu, envolto num cobertor, olhava o quarto e, depois de verificar o que se passava, recuou com uma exclamação de medo.

— É você, Ivan? — sussurrou Pétia. — Pode entrar, não tenha medo... Estou com uma vaca no meu quarto.

— Você enlouqueceu, Pétia? Onde foi arranjar esta vaca?

— Ganhei-a na loteria. Come, Nieta, come. Cuidado!... Huê! Assim...

— Mas... não se pode dormir com uma vaca dentro do quarto — objetou o outro, sublocatário, aborrecido, sentando-se na cama. — Se os donos da casa souberem, vão jogar você porta afora!

— Ora, é só até amanhã. Ela passará a noite aqui e depois dá-se um jeito.

— Mu... u... Mu... — mugiu a vaca, como se concordasse com o dono.

— Idiota! Já calada! Me dá este cobertor aqui, Ivan, vou enrolá-lo na cabeça dela. Um momento! O que fazer? Eis o bicho, agora come o cobertor. Diabos!

Pétia jogou a coberta na cabeça da vaca e deu um soco com força na cabeça do animal, bem entre os olhos.

— Mu-u... Mu-u!...

— Você vai ver — disse o sublocatário. — O senhorio vai acabar aparecendo e vai jogá-lo na rua, você e a vaca.

— Mas o que eu posso fazer? — gemeu Pétia, desesperado. — O que é que você me aconselha?

— Aconselhá-lo?... E se a vaca passar a noite toda mugindo? Sabe o que você deve fazer? Matá-la.

— Como matá-la?

— É muito simples. Matá-la. E amanhã você vende a carne para os açougueiros.

Os dotes intelectuais da visita não eram, de fato, superiores aos do dono do quarto.

Pétia contemplou o sublocatário com ar estúpido e, depois de instantes de hesitação, observou:

— Que lucro teria com isso?

— Como assim? Esta vaca deve pesar uns trezentos quilos... Poderá vendê-la a uns cinco rublos por arroba, o que já representará uns cem rublos de lucro. Sem contar o couro e o resto. Não lhe darão mais do que isto por ela viva.

— Você acha mesmo? Mas como iria matá-la? Tenho uma faquinha de sobremesa, sem fio. Tenho ainda uma tesoura.

— Isso aí, e se lhe enfiássemos a tesoura pelos olhos até atingir o cérebro?...

— Mas e se o bicho resolver se defender? E gritar?...

— É verdade. Não poderíamos envenená-la?

— Uma boa idéia: poderíamos dar um narcótico para ela dormir. Mas onde arrumar um narcótico?

— Mu... Mu... u... u — mugiu a vaca, olhando o teto com olhos redondos e néscios.

Ouviram alguém se mexer atrás do tapume e da porta. Alguém que chiava, limpava a garganta e soltava palavrões. Depois ouviu-se um rumor de pés descalços a se aproximar, a porta abriu-se com um estrondo e, diante de Pétia, confuso, surgiu o senhorio, desgrenhado e sonolento.

Olhou para a vaca, depois para Pétia, rangeu os dentes e, sem fazer perguntas inúteis, emitiu duas palavras curtas porém enérgicas:

— Fora daqui!

— Deixa eu explicar, Alexandre Fomitch...

— Fora daqui! Que eu não te veja nunca mais! Vou te ensinar a não fazer escândalo!

— Bem que eu avisei — observou calmamente o sublocatário, como se tudo tivesse se resolvido às mil maravilhas.

E enrolou-se num cobertor pronto a meter-se na cama.

Era noite alta quando Pétia se viu na rua com a vaca, sobre a qual colocara sua maleta, seu travesseiro e sua coberta.

— Ande, caminhe, seu camelo! — disse Pétia com voz sonolenta. — Não podemos ficar aqui parados.

Aos poucos dirigiram-se para a saída da cidade. Depois de passar pelas casinhas suburbanas, entraram numa estepe deserta, fechada de um lado por uma cerca. Pétia quase desmaiava de cansaço.

— Estou com vontade de cochilar um pouco ao lado desta cerca — murmurou. — E a vaca, amarro no meu braço.

Foi assim que Pétia, joguete de um destino caprichoso, adormeceu profundamente.

* * *

— Bom dia, senhor! — disse uma voz ao seu lado.

Era uma manhã clara e alegre.

Pétia abriu os olhos e se espreguiçou.

— Senhor! — disse o camponês, tocando-o com a ponta do tamanco. — O senhor amarrou o braço na árvore. Que idéia mais esquisita!

Pétia estremeceu como que picado por uma vespa, e soltou um profundo gemido: a outra extremidade da corda estava fortemente amarrada a um raquítico arbusto.

Alguém supersticioso teria imaginado que, durante o sono, uma força misteriosa metamorfoseara a vaca em arbusto; mas Pétia era apenas um rapaz essencialmente prático.

Soluçou e começou a berrar:

— Roubaram!... Roubaram a minha vaca!

\* \* \*

— Devagar — disse o comissário. — O senhor fica repetindo "roubado" e "vaca". Afinal, do que é que se trata? Que espécie de vaca exatamente?

— Como, que espécie de vaca? Ora, uma vaca igual às outras vacas.

— De que cor?

— Ora, o senhor sabe... castanha... com manchas brancas.

— Onde eram as manchas?

— O focinho, se não me engano, o focinho era branco. Não, espere aí... A cabeça é que era branca... E as costas... E também a cauda.. Resumindo: era igualzinha a todas as outras vacas.

— Não — exclamou categoricamente o funcionário, empurrando uma folha de papel. — Não posso sair à procura de sua vaca baseado em informações tão confusas. Existem milhares de vacas no mundo!

E o pobre Pétia dirigiu-se, muito desapontado, para sua fábrica de amido... Doía-lhe o corpo todo por ter dormido encolhido devido ao frio. O chefe o aguardava, com a censura engatilhada, pois já passava do meio-dia...

O pobre Pétia começou a meditar sobre a vaidade de todas as coisas; na véspera, possuía tudo: uma vaca, um teto, uma namorada; hoje, tudo perdera: a vaca, o teto, a namorada.

Estranhos são os caprichos da sorte, e todos nós, enquanto existimos, não passamos de escravos resignados e cegos do Destino.

## ÉDIPO REI

### ARKADI AVERCHENKO

O contínuo da redação entrou no meu gabinete e disse:

— Querem falar com o senhor!

— Quem é?

— O Sr. Édipo Rei.

— O que ele deseja?

— Chegou com um manuscrito ou coisa que o valha.

— Que espere. Quando eu terminar, tocarei a campainha. Então pode mandá-lo entrar.

Ao meu chamado, Édipo Rei em pessoa entrou no meu gabinete. Era um jovem de boa aparência, de olhos à flor das órbitas, lábios túmidos e cabeça orgulhosamente levantada. O rosto picado de bexigas e as mãos cobertas de pêlos vermelhos.

— Bom dia, bom dia — disse ele, em tom condescendente, sentando-se. — Com certeza o senhor se recorda de Édipo Rei, da "Posta Restante".

— Mais do que isso. Não apenas dessa "Posta restante".

Ele ficou admirado.

— Como? Já conhecia de alguma lugar o meu nome?

— Sim, houve um grego chamado Édipo. Depois Antígona...

— É um mito! — interrompeu ele. — Escolhi um belo pseudônimo, não é mesmo?

— Feio não é.

— Sólido, não é verdade?

— Ressonante — concordei eu.

— É um pseudônimo robusto. O senhor com certeza ficou admirado quando respondeu pela primeira vez na "Posta restante". Mas o que o senhor respondeu naquela ocasião?

— Se não me engano, o seguinte: "Aqui, a Édipo Rei. Escrito com absoluta despreocupação. Com isso, o texto se aniquilou."

— Sim, acho que foi mais ou menos assim. Da segunda vez o senhor escreveu: "Nenhuma 'cabeça', além da sua, rimaria com a palavra 'coma'". De fato, os meus versos continham essa rima errada.

— O que é que o senhor pretende, então? — perguntei, cauteloso. — Veio me pedir uma explicação por causa dessa resposta?

— Não, não é isso. Vim por causa de sua terceira resposta. Desta vez o senhor escreveu, em tom um tanto quanto sério: "Deixe, para sempre, de fazer versos. Amiga-velmente, aconselhamo-lo a que se ocupe de qualquer outra coisa." De que, então, eu me devo ocupar?

— Não estou entendendo: o que o senhor pretende?

— Ora, saber do que é que eu devo me ocupar!

— Que sei eu!

— Não — reagiu ele, ainda mais gravemente —, esse caso não pode ficar assim. Desde que o senhor me aconselhou tão categoricamente num sentido, deve também aconselhar-me em outro. O senhor há de convir, dissuadindo-me da poesia, o senhor tomou, por assim dizer, a responsabilidade do meu destino.

— Bem, certamente poderia lhe aconselhar algo na escolha de sua carreira, mas para isso preciso conhecer o que o senhor sabe fazer e aquilo para o que tem aptidões.

— Estou apto a quase tudo — interrompeu-me ele de novo.

—Tudo é muita coisa, e algumas vezes é, além do mais, perigoso. É preciso estar apto a uma única coisa. Por exemplo: deseja ocupar-se com o quê?

— Com qualquer coisa, de preferência que tenha relação com a literatura.

— Como, por exemplo?

— Gostaria de ser secretário da sua revista.

— Já temos um secretário.

— Não faz mal. Ele pode ser demitido.

— E como, se não existe motivo?

— Quer que eu lhe diga um — falou ele, sorrindo. — Levante um problema, acuse-o de ter perdido um manuscrito importante, por exemplo. E despache-o.

— Possivelmente eu poderia montar esta farsa — disse-lhe, com ar de inocente simplicidade. — Mas quem me assegura que o senhor será melhor do que ele?

— Não tenha dúvidas. Eu lhe provarei que sou capaz de fazer tudo, de alto a baixo... Eu....

\* \* \*

A datilógrafa entrou no gabinete.

— Que deseja, Ana Nikolaievna? — perguntei.

— Comunicaram da tipografia que a censura não deixou passar a poesia com a vinheta.

— E por que mandaram a poesia? — retorquiu Édipo Rei, em tom severo. — Deviam ter mandado apenas a vinheta.

— Primeiro mandamos a vinheta, mas não a deixaram passar.

Édipo Rei tamborilava nervosamente com os dedos sobre a mesa.

— O que posso fazer no meio desta confusão? — murmurou ele, pensativo. — Bem... Já decidi. Diga que eu mesmo irei falar com Piotr Vassilievic.

A datilógrafa olhou admirada para Édipo, depois para mim, e saiu.

— Quem é esse Piotr Vassilievic? — perguntei eu.

— É um... um... amigo. Toda a censura depende dele...Ele é o Alfa e o Ômega! De quem compra o papel? Paga quanto por ele?

Dei-lhe as informações.

— Ah! É muito caro! Eu posso conseguir quinze por cento mais barato. Isso lhe convém?

Antes que eu tivesse tempo de dizer qualquer palavra, ele, pegando o telefone, pediu: "Central? 77-18. Bem, obrigado. Quem fala? É você, Eduard Paulic? Preciso de você: escuta! Por quanto você pode me fornecer, como um favor especial, o papel para o *Novo Satiricon*? Como? Faz os cálculos. Sim... Isso mesmo. Quanto? Estás brincando. É caro! Faz um preço mais camarada. Como? Assim é outra história. Obrigado. Por que ontem à noite você saiu à francesa do restaurante? Adeus! Vamos te mandar um pedido por escrito."

Colocou o fone no aparelho e disse:

— Pronto. O senhor pagou sempre quinze por cento a mais. Em um ano isso chega a cinco mil rublos e em dez anos a cinqüenta mil e em cem anos a meio milhão de rublos! Já tinha pensado nisso?

Eu me levantei e pus-me a andar de um lado para o outro.

* * *

— Diga-me: como é a organização do serviço de anúncios? Por que não tem publicidade dos bancos?

Ele apressou-se a sentar-se no meu lugar e, de lápis na mão, tomou notas de alguma coisa.

— Os bancos não dão publicidade.

— É um absurdo. Com certeza o Banco do Estado não a dará. Mas, e os outros? O Banco Siberiano, por exemplo? Mas isso nós podemos conseguir, e imediatamente! Tenho minhas relações.... "Pronto? Central? 121-14. Obrigado. Banco Siberiano? Chame Mickael Evgrafovic. Sim, é você? Bom dia. Que dividendos vocês tiveram este ano? Manda amanhã o comunicado ao *Novo Satiricon*. Como? Deixa de brincadeira! Não, não quero ouvir desculpas! E... e então? Ah! sim, não é muito. O banco pagará 500 rublos por página. Não, nenhum desconto!"

— Faça-lhe um desconto de vinte por cento — disse eu.

Ele abanou a cabeça, desaprovando.

— Eles vão ficar mal acostumados... Não vai ser preciso. "Muito bem, você ainda está aí? Escuta: faço um desconto de vinte por cento para você. O que é que você me diz?"

Voltou-se para mim, e falou:

— Ele agradece.

— Bravo! — disse-lhe eu. — O negócio está fechado?

— Não tem tempo de mandar hoje. Fica para amanhã de manhã. Faz diferença?

— Ah... Obrigado.

Cruzou os braços no peito e inclinou-se sobre o espaldar da minha poltrona.

— E agora me diga uma coisa: como está organizada a redação?

— Em que sentido?

— Quero saber quem escreve na revista?

— Muitos escrevem.

— Ah! Assim...

Levantou a cabeça e perguntou com ar sério:

— Korolenko também escreve?

— Não. Ele geralmente não escreve para revistas de humor.

— Não tem importância. É um nome interessante. Que ele escreva qualquer banalidade e pronto. Bem. Vamos sondar o terreno. Vamos farejar para que lado o vento sopra: Pronto! "Central? Senhorita, me dê o *Ruskoje Bogatsvo.* O quê? Sabe-se lá que número é?" Procure... — disse, dirigindo-se a mim.

Humildemente peguei a lista telefônica e falei:

— 477-11.

— Obrigado. "Pronto. 477-11. Sim. Chame Vladimir Ignatic ao telefone!"

— Galaktionic — corrigi eu.

— Sim? Não importa. Nunca o chamamos pelo nome patronímico. "Pronto! Quem fala? É você, Volodja? O que andas rabiscando? E se você, meu caro, deixasse de lado teu trabalho jornalístico e escrevesse alguma coisa literária...Onde? Fique tranqüilo. Deixa comigo. Mande-me qualquer escrito seu e te farei um adiantamento conveniente. Preste atenção, Volodicka: escreva qualquer coisa alegre. Compreende, como das outras vezes. O quê? Já está escrito? Seiscentas linhas? É muito! Ah, de acordo! Podemos cortar. Vamos lê-lo e responderemos na "Posta restante". Adeus. Meus respeitos a Ana Evgrafovna e a Katiusca. Uff..."

E deixou-se cair, cansado, na cadeira.

* * *

— Como estou vendo, o senhor tem um bom relacionamento — comentei, cativante.

Ele sorriu, complacente.

— Não muitos. Alguns tenho, de fato. Se você precisar de qualquer coisa, não faça cerimônia. Agora me diga: seu secretário pode se comparar a mim?

— Não dá para fazer um paralelo. Mas como hei de me livrar dele, de uma maneira decente? Devo acusá-lo de ter perdido um manuscrito ou simplesmente levantar dúvidas sobre as suas convicções?

Édipo Rei refletiu.

— Podemos fazer assim — aconselhou. — Escrevemo-lhe uma carta da parte de outra revista, oferecendo-lhe um lugar melhor, com o dobro de salário. Ele na mesma hora pedirá demissão. O caminho é esse!

— Que idéia! — aprovei eu. — Então até amanhã.

— Irá me telefonar amanhã?

— Telefonar... — balbuciei, olhando-o de revés. — Não é assim tão simples. A propósito: conhece o diretor da companhia telefônica?

— O diretor? Suficientemente. Quem não conhece Vanicka? O que está precisando?

— Peça-lhe por favor que recomende o mais depressa possível a ligação deste aparelho à rede telefônica. Há três dias que o trouxeram, mas se esqueceram de ligá-lo. Estamos, como é costume dizer, isolados do mundo.

Édipo aproximou-se do divã e acariciou-lhe o espaldar. Depois chegou-se até a janela, levantou a cortina e observou a rua. Tirou um fósforo do cinzeiro e acendeu-o Tornou a acariciar o espaldar do divã. Mudou o porta-lápis de lugar. Pegou o chapéu e limpou-o com a manga. A seguir, sem dizer uma palavra, saiu correndo...

* * *

Continuamos até hoje com o mesmo secretário.

# O COLOCADOR DE PRONOMES

## MONTEIRO LOBATO
### (1882-1948 | Brasil)

*Um clássico inegável do conto brasileiro de humor,* O Colocador de Pronomes *não poderia faltar numa antologia como esta. Embora mais conhecido como autor de literatura infantil, o paulista Monteiro Lobato foi um intelectual combativo e um contista maduro, como mostram seus vários volumes de contos publicados, como* Urupês, Cidades Mortas *e* Negrinha.

Aldrovando Cantagalo veio ao mundo em virtude dum erro de gramática.

Durante sessenta anos de vida terrena pererecou como um peru em cima da gramática.

E morreu, afinal, vítima dum novo erro de gramática.

Mártir da gramática, fique este documento da sua vida como pedra angular para uma futura e bem merecida canonização.

Havia em Itaoca um pobre moço que definhava de tédio no fundo de um cartório. Escrevente. Vinte e três anos. Magro. Ar um tanto palerma. Ledor de versos lacrimogêneos e pai duns acrósticos dados à luz no "Itaoquense", com bastante sucesso.

Vivia em paz com as suas certidões quando o frechou venenosa seta de Cupido. Objeto amado: a filha mais moça do coronel Triburtino, o qual tinha duas, essa Laurinha, do escrevente, então nos dezessete, e a do Carmo, encalhe da família, vesga, madurota, histérica, manca da perna esquerda e um tanto aluada.

Triburtino não era homem de brincadeiras. Esgoelara um vereador oposicionista em plena sessão da câmara e desd'aí se transformou no tutu da terra. Toda gente lhe tinha um vago medo; mas o amor, que é mais forte que a morte, não receia sobrecenhos enfarruscados nem tufos de cabelos no nariz.

Ousou o escrevente namorar-lhe a filha, apesar da distância hierárquica que os separava. Namoro à moda velha, já se vê, pois que nesse tempo não existia a gostosura dos cinemas. Encontros na igreja, à missa, troca de olhares, diálogos de flores — o que havia de inocente e puro. Depois, roupa nova, ponta de lenço de seda a entremostrar-se no bolsinho de cima e medição de passos na rua d'Ela, nos dias de folga. Depois, a serenata fatal à esquina, com o

*Acorda, donzela ....*

sapecado a medo num velho pinho de empréstimo. Depois, bilhetinho perfumado.

Aqui se estrepou...

Escrevera nesse bilhetinho, entretanto, apenas quatro palavras, afora pontos exclamativos e reticências:

*Anjo adorado!*
*Amo-lhe!*

Para abrir o jogo bastava esse movimento de peão.

Ora, aconteceu que o pai do anjo apanhou o bilhetinho celestial e, depois de três dias de sobrecenho carregado, mandou chamá-lo à sua presença, com disfarce de pretexto — para umas certidõezinhas, explicou.

Apesar disso o moço veio um tanto ressabiado, com a pulga atrás da orelha.

Não lhe erravam os pressentimentos. Mal o pilhou portas aquém, o coronel trancou o escritório, fechou a carranca e disse:

— A família Triburtino de Mendonça é a mais honrada desta terra, e eu, seu chefe natural, não permitirei nunca — nunca, ouviu? — que contra ela se cometa o menor deslise.

Parou. Abriu uma gaveta. Tirou de dentro o bilhetinho cor-de-rosa, desdobrou-o.

— É sua esta peça de flagrante delito?

O escrevente, a tremer, balbuciou medrosa confirmação.

— Muito bem! continuou o coronel em tom mais sereno. Ama, então, minha filha e tem a audácia de o declarar... Pois agora...

O escrevente, por instinto, ergueu o braço para defender a cabeça e relanceou os olhos para a rua, sondando uma retirada estratégica.

— ... é casar! concluiu, de improviso, o vingativo pai.

O escrevente ressuscitou. Abriu os olhos e a boca, num pasmo. Depois, tornando a si, comoveu-se e com lágrimas nos olhos disse, gaguejante:

— Beijo-lhe as mãos, coronel! Nunca imaginei tanta generosidade em peito humano! Agora vejo com que injustiça o julgam aí fora!...

Velhacamente o velho cortou-lhe o fio das expansões.

— Nada de frases, moço, vamos ao que serve: declaro-o solenemente noivo de minha filha!

E, voltando-se para dentro, gritou:

— Do Carmo! Venha abraçar o teu noivo!

O escrevente piscou seis vezes e, enchendo-se de coragem, corrigiu o erro.

— Laurinha, quer o coronel dizer...

O velho fechou de novo a carranca.

— Sei onde trago o nariz, moço. Vassuncê mandou este bilhete à Laurinha dizendo que ama-"lhe". Se amasse a ela deveria dizer amo-"te". Dizendo "amo-lhe" declara que ama a uma terceira pessoa, a qual não pode ser senão a Maria do Carmo. Salvo se declara amor à minha mulher...

— Oh, coronel...

— ... ou à preta Luzia, cozinheira. Escolha!

O escrevente, vencido, derrubou a cabeça, com uma lágrima a escorrer rumo à asa do nariz. Silenciaram ambos, em pausa de tragédia. Por fim o coronel, batendo-lhe no ombro paternalmente, repetiu a boa lição da sua gramática matrimonial.

— Os pronomes, como sabe, são três: da primeira pessoa — quem fala, e neste caso vassuncê; da segunda pessoa — a quem se fala, e neste caso Laurinha; da terceira pessoa — de quem se fala, e neste caso do Carmo, minha mulher ou a preta. Escolha!

Não havia fuga possível.

O escrevente ergueu os olhos e viu do Carmo que entrava, muito lampeira da vida, torcendo acanhada a ponta do avental. Viu também sobre a secretária uma garrucha com espoleta nova ao alcance do maquiavélico pai. Submeteu-se e abraçou a urucaca, enquanto o velho, estendendo as mãos, dizia teatralmente:

— Deus vos abençoe, meus filhos!

No mês seguinte, solenemente, o moço casava-se com o encalhe, e onze meses depois vagia nas mãos da parteira o futuro professor Aldrovando, o conspícuo sabedor da língua que durante cinqüenta anos a fio coçaria na gramática a sua incurável sarna filológica.

Até aos dez anos não revelou Aldrovando pinta nenhuma. Menino vulgar, tossiu a coqueluche em tempo próprio, teve o sarampo da praxe, mais a cachumba e a catapora. Mais tarde, no colégio, enquanto os outros enchiam as horas de estudo com invenções de matar o tempo — empalamento de moscas e moidelas das respectivas cabecinhas entre duas folhas de papel, coisa de ver o desenho que sai — Aldrovando apalpava com erótica emoção a gramática de Augusto Freire da Silva. Era o latejar do furúnculo filológico que o determinaria na vida, para matá-lo, afinal...

Deixemo-lo, porém, evoluir e tomemo-lo quando nos serve, aos 40 anos, já a descer o morro, arcado ao peso da ciência e combalido de rins. Lá está ele em seu gabinete de trabalho, fossando à luz dum lampião os pronomes de Filinto Elísio. Corcovado, magro, seco, óculos de latão no nariz, careca, celibatário impertinente, dez horas de aulas por dia, duzentos mil réis por mês e o rim volta e meia a fazer-se lembrado.

Já leu tudo. Sua vida foi sempre o mesmo poente idílio com as veneráveis costaneiras onde cabeceiam os clássicos lusitanos. Versou-os um por um com mão diurna e noturna. Sabe-os de cor, conhece-os pela morrinha, distingue pelo faro uma seca de Lucena duma esfalfa de Rodrigues Lobo. Digeriu todas as patranhas de Fernão Mendes Pinto. Obstruiu-se da broa encruada de Fr. Pantaleão do Aveiro. Na idade em que os rapazes correm atrás da raparigas, Aldrovando escabichava belchiores na pista dos mais esquecidos mestres da boa arte de maçar. Nunca dormiu entre braços de mulher. A mulher e o amor — mundo, diabo e carne eram para ele os alfarrábios freiráticos do quinhentismo, em cuja soporosa verborréia espapaçava os instintos lerdos, como porco em lameiro.

Em certa época viveu três anos acampado em Vieira. Depois vagabundeou, como um Robinson, pelas florestas de Bernardes.

Aldrovando nada sabia do mundo atual. Desprezava a natureza, negava o presente. Passarinho, conhecia um só: o rouxinol de Bernardim Ribeiro. E se acaso o sabiá de Gonçalves Dias vinha bicar "pomos de Hesperides" na laranjeira do seu quintal, Aldrovando esfogueteava-o com apóstrofes:

— Salta fora, regionalismo de má sonância!

A língua lusa era-lhe um tabu sagrado que atingira a perfeição com Fr. Luiz de Sousa, e daí para cá, salvo lucilações esporádicas, vinha chafurdando no ingranzéu barbaresco.

— A ingresia d'hoje, declamava ele, está para a Língua, como o cadáver em putrefação está para o corpo vivo.

E suspirava, condoído dos nossos destinos:

— Povo sem língua!... Não me sorri o futuro de Vera Cruz...

E não lhe objetassem que a língua é organismo vivo e que a temos a evoluir na boca do povo.

— Língua? Chama você língua à garabulha bordalenga que estampam periódicos? Cá está um desses galicígrafos. Deletreemo-lo ao acaso.

E, baixando as cangalhas, lia:

— *Teve lugar ontem*... É língua esta espurcícia negral? Ó meu seráfico Frei Luiz, como te conspurcam o divino idioma estes sarrafaçais da moxinifada!

— *... no Trianon*... Por que Trianon? Por que este perene barbarizar com alienígenos arrevezos? Tão bem ficava — a *Benfica*, ou, se querem neologismo de bom cunho — o *Logratório*... Tarelos é que são, tarelos!

E suspirava deveras compungido.

— Inútil prosseguir. A folha inteira cacografa-se por este teor. Ai! Onde param os boas letras d'antanho? Fez-se peru o níveo cisne. Ninguém atende a lei suma — Horácio! Impera o desprimor, e o mau gosto vige como suprema regra. A gálica intrujice é maré sem vazante. Quando penetro num livreiro o coração se me confrange ante o pélago de óperas barbarescas que nos vertem cá mercadores de má morte. E é de notar, outrossim, que a elas se vão as preferências do vulgacho. Muito não faz que vi com estes olhos um gentil mancebo preferir uma sordícia de Oitavo Mirbelo, *Canhenho duma dama de servir*,[1] creio, à... adivinhe ao quê, amigo? À *Carta de Guia* do meu divino Francisco Manoel!...

— Mas a evolução...

— Basta. Conheço às sobejas a escolástica da época, a "evolução" darwínica, os vocábulos macacos — pitecofonemas que "evolveram", perderam o pêlo e se vestem

---

[1] Octave Mirbeau — *Journal d'une Femme de Chambre.*

hoje à moda de França, com vidro no olho. Por amor a Frei Luiz, que ali daquela costaneira escandalizado nos ouve, não remanche o amigo na esquipática sesquipedalice.

Um biógrafo ao molde clássico separaria a vida de Aldrovando em duas fases distintas: a estática, em que apenas acumulou ciência, e a dinâmica, em que, transfeito em apóstolo, veio a campo com todas as armas para contrabater o monstro da corrupção.

Abriu campanha com memorável ofício ao congresso, pedindo leis repressivas contra os ácaros do idioma.

— "Leis, senhores, leis de Dracão, que diques sejam, e fossados, e alcaçares de granito prepostos à defensão do idioma. Mister sendo, a forca se restaure, que mais o baraço merece quem conspurca o sacro patrimônio da sã vernaculidade, que quem ao semelhante a vida tira. Vêde, senhores, os pronomes, em que lazeira jazem..."

Os pronomes, aí! eram a tortura permanente do professor Aldrovando. Doía-lhe como punhalada vê-los por aí pre ou posposto contra-regras elementares do dizer castiço. E sua representação alargou-se nesse pormenor, flagelante, concitando os pais da pátria à criação dum Santo Ofício gramatical.

Os ignaros congressistas, porém, riram-se da memória, e grandemente piaram sobre Aldrovando as mais cruéis chalaças.

— Quer que instituamos patíbulo para os maus colocadores de pronomes! Isto seria autocondenar-nos à morte! Tinha graça!

Também lhe foi à pele a imprensa, com pilherias soezes. E depois, o público. Ninguém alcançara a nobreza do seu gesto, e Aldrovando, com a mortificação n'alma teve que mudar de rumo. Planeou recorrer ao púlpito dos jornais. Para isso mister foi, antes de nada, vencer o seu velho engulho pelos "galicígrafos de papel e graxa". Transigiu e, breve, desses "pulmões da pública opinião" apostrofou o país com o verbo tonante de Ezequiel. Encheu colunas e colunas de objurgatórias ultra-violentas, escritas no mais estreme vernáculo.

Mas não foi entendido. Raro leitor metia os dentes naqueles intermináveis períodos engrenados à moda de Lucena; e ao cabo da aspérrima campanha viu que pregara em pleno deserto. Leram-no apenas a meia dúzia de Aldrovandos que vegetam sempre em toda parte, como notas resinguentas da sinfonia universal.

A massa dos leitores, entretanto, essa permaneceu alheia aos flamívomos pelouros da sua colubrina sem raia. E por fim os "periódicos" fecharam-lhe a porta no nariz, alegando falta de espaço e coisas.

— Espaço não há para as sãs idéias, objurgou o enxotado, mas sobeja, e pressuroso, para quanto recende à podriqueira!... Gomorra! Sodoma! Fogos do céu virão um dia alimpar-vos a gafa!... exclamou, profético, sacudindo à soleira da redação o pó das cambaias botinas de elástico.

Tentou em seguida ação mais direta, abrindo consultório gramatical.

— Têm-nos os físicos (queria dizer médicos), os doutores em leis, os charlatas de toda espécie. Abra-se um para a medicação da grande enferma, a língua. Gratuito, já se vê, que me não move amor de bens terrenos.

Falhou a nova tentativa. Apenas moscas vagabundas vinham esvoejar na salinha modesta do apóstolo. Criatura humana nem uma só lá apareceu a fim de remendar-se filologicamente.

Ele, todavia, não esmoreceu.

— Experimentemos processo outro, mais suasório.

E anunciou a montagem da "Agência de Colocação de Pronomes e Reparos Estilísticos".

Quem tivesse um autógrafo a rever, um memorial a expungir de cincas, um calhamaço a compor-se com os "afeites" do lídimo vernáculo, fosse lá que, sem remuneração nenhuma, nele se faria obra limpa e escorreita.

Era boa a idéia, e logo vieram os primeiros originais necessitados de ortopedia, sonetos a consertar pés de versos, ofícios ao governo pedindo concessões, cartas de amor.

Tal, porém, eram as reformas que nos doentes operava Aldrovando, que os autores não mais reconheciam suas próprias obras. Um dos clientes chegou a reclamar.

— Professor, v. s. enganou-se. Pedi limpa de enxada nos pronomes, mas não que me traduzisse a memória em latim...

Aldrovando ergueu os óculos para a testa:

— E traduzi em latim o tal ingranzéu?

— E latim ou grego, pois que o não consigo entender...

Aldrovando empertigou-se.

— Pois, amigo, errou de porta. Seu caso é ali com o alveitar da esquina.

Pouco durou a Agência, morta à mingua de clientes. Teimava o povo em permanecer empapado no chafurdeiro da corrupção...

O rosário de insucessos, entretanto, em vez de desalentar exasperava o apóstolo.

— Hei de influir na minha época. Aos tarelos hei de vencer. Fogem-me à ferula os maraus de pau e corda? Ir-lhes-ei empós, filá-los-ei pela gorja... Salta rumor!

E foi-lhes "empós". Andou pelas ruas examinando dísticos e tabuletas com vícios de língua. Descoberta a "asnidade", ia ter com o proprietário, contra ela desfechando os melhores argumentos catequistas.

Foi assim com o ferreiro da esquina, em cujo portão de tenda uma tabuleta — "Ferra-se cavalos" — escoizinhava a santa gramática.

— Amigo, disse-lhe pachorrentamente Aldrovando, natural a mim me parece que erre, alarve que és. Se erram paredros, nesta época de ouro da corrupção...

O ferreiro pôs de lado o malho e entreabriu a boca.

— Mas da boa sombra do teu focinho espero, continuou o apóstolo, que ouvidos me darás. Naquela tábua um dislate existe que seriamente à língua lusa ofende. Venho pedir-te, em nome do asseio gramatical, que o expunjas.

— ???

— Que reformes a tabuleta, digo.

— Reformar a tabuleta? Uma tabuleta nova, com a licença paga? Estará acaso rachada?

— Fisicamente, não. A racha é na sintaxe. Fogem ali os dizeres à sã gramaticalidade.

O honesto ferreiro não entendia nada de nada.

— Macacos me lambam se estou entendendo o que V. Sª. diz...

— Digo que está a forma verbal com eiva grave. O "ferra-se" tem que cair no plural, pois que a forma passiva e o sujeito é "cavalos".

O ferreiro abriu o resto da boca.

— O sujeito sendo "cavalos", continuou o mestre, a forma verbal é "ferram-se" — ferram-se cavalos!"

— Ahn! respondeu o ferreiro, começo agora a compreender. Diz V. Sª. que...

— ... que "ferra-se cavalos" é um solecismo horrendo e o certo é "ferram-se cavalos".

— V. s. me perdôe, mas o sujeito que ferra os cavalos sou eu, e eu não sou plural. Aquele "se" da tabuleta refere-se cá a este seu criado. É como quem diz: Serafim ferra cavalos — Ferra Serafim cavalos. Para economizar tinta e tábua abreviaram o meu nome, e ficou como está: Ferra Se (rafim) cavalos. Isto me explicou o pintor, e entendi-o muito bem.

Aldrovando ergueu os olhos para o céu e suspirou.

— Ferras cavalos e bem merecias que te fizessem eles o mesmo!... Mas não discutamos. Ofereço-te dez mil réis pela admissão dum "m" ali...

—Se V. Sª. paga...

Bem empregado dinheiro! A tabuleta surgiu no dia seguinte dessolecismada, perfeitamente de acordo com as boas regras da gramática. Era a primeira vitória obtida e todas as tardes Aldrovando passava por lá para gozar-se dela.

Por mal seu, porém, não durou muito o regalo. Coincidindo a entronização do "m" com maus negócios na oficina, o supersticioso ferreiro atribuiu a macaca à alteração dos dizeres e lá raspou o "m" do professor.

A cara que Aldrovando fez quando no passeio desse dia deu com a vitória borrada! Entrou furioso pela oficina adentro, e mascava uma apóstrofe de fulminar quando o ferreiro, às brutas, lhe barrou o passo.

— Chega de caraminholas, ó barata tonta! Quem manda aqui, no serviço e na língua, sou eu. E é ir andando, antes que eu o ferre com bom par de ferros ingleses!

O mártir da língua meteu a gramática entre as pernas e moscou-se.

— "Sancta simplicitas!" ouviram-no murmurar na rua, de rumo à casa, em busca das consolações seráficas de Fr. Heitor Pinto. Chegado que foi ao gabinete de trabalho, caiu de borco sobre as costaneiras venerandas e não mais conteve as lágrimas, chorou...

O mundo estava perdido e os homens, sobre maus, eram impenitentes. Não havia desviá-los do ruim caminho, e ele, já velho, como o rim a resignar, não se sentia com forças para a continuação da guerra.

— Não hei de acabar, porém, antes de dar a prelo um grande livro onde compendie a muita ciência que hei acumulado.

E Aldrovando empreendeu a realização de um vastíssimo programa de estudos filológicos. Encabeçaria a série um tratado sobre a colocação dos pronomes, ponto onde mais claudicava a gente de Gomorra.

Fê-lo, e foi feliz nesse período de vida em que, alheio ao mundo, todo se entregou, dia e noite, à obra magnífica. Saiu trabuco volumoso, que daria três tomos de 500 páginas cada um, corpo miúdo. Que proventos não adviriam dali para a lusitanidade! Todos os casos resolvidos para sempre, todos os homens de boa vontade salvos da gafaria! O ponto fraco do brasileiro falar resolvido de vez! Maravilhosa coisa...

Pronto o primeiro tomo — *Do pronome Se* — anunciou a obra pelos jornais, ficando à espera das chusmas de editores que viriam disputá-la à sua porta. E por uns dias o apóstolo sonhou as delícias da estrondosa vitória literária, acrescida de gordos proventos pecuniários.

Calculava em oitenta contos o valor dos direitos autorais, que, generoso que era, cederia por cinqüenta. E cinqüenta contos para um velho celibatário como ele, sem família nem vícios, tinha a significação duma grande fortuna. Empatados em empréstimos hipotecários, sempre eram seus quinhentos mil réis por mês de renda, a pingarem pelo resto da vida na gavetinha onde, até então, nunca entrara pelega maior de duzentos. Servia, servia!... E Aldrovando, contente, esfregava as mãos de ouvido alerta, preparando frases para receber o editor que vinha vindo...

Que vinha vindo mas não veio, ai!... As semanas se passaram sem que nenhum representante dessa miserável fauna de judeus surgisse a chatinar o maravilhoso livro.

— Não me vêm a mim? Salta rumor! Pois me vou a eles!

E saiu em via sacra, a correr todos os editores da cidade.

Má gente! Nenhum lhe quis o livro sob condições nenhumas. Torciam o nariz, dizendo: "Não é vendável"; ou: "Por que não faz antes uma cartilha infantil aprovada pelo governo?

Aldrovando, com a morte n'alma e o rim dia a dia mais derrancado, retesou-se nas últimas resistências.

— Fá-la-ei imprimir à minha custa! Ah, amigos! Aceito o cartel. Sei pelejar com todas as armas e irei até ao fim. Bofé!...

Para lutar era mister dinheiro e bem pouco do vilíssimo metal possuía na arca o alquebrado Aldrovando. Não importa! Faria dinheiro, venderia móveis, imitaria Bernardo de Pallissy, não morreria sem ter o gosto de acaçapar Gomorra sob o peso da sua ciência impressa. Editaria ele mesmo um por um todos os volumes da obra salvadora.

Disse e fez.

Passou esse período de vida alternando revisão de provas com padecimentos renais. Venceu. O livro compôs-se, magnificamente revisto, primoroso na linguagem como não existia igual.

Dedicou-o a Fr. Luiz de Souza:

*À memória daquele que me sabe as dores,*

O AUTOR

Mas não quis o destino que o já trêmulo Aldrovando colhesse os frutos de sua obra. Filho dum pronome impróprio, a má colocação doutro pronome lhe cortaria o fio da vida.

Muito corretamente havia ele escrito na dedicatória: *...daquele que me sabe...* e nem poderia escrever doutro modo um tão conspícuo colocador de pronomes. Maus fados intervieram, porém — até os fados conspiram contra a língua! — e por artimanha do diabo que os rege empastelou-se na oficina esta frase. Vai o tipógrafo e recompõe-na a seu modo... *d'aquele que sabe-me as dores...* E assim saiu nos milheiros de cópias da avultada edição.

Mas não antecipemos.

Pronta a obra e paga, ia Aldrovando recebê-la, enfim. Que glória! Construíra, finalmente, o pedestal da sua própria imortalidade, ao lado direito dos sumos cultores da língua.

A grande idéia do livro, exposta no capítulo VI — *Do método automático de bem colocar os pronomes* — engenhosa aplicação duma regra mirífica por meio da qual até os burros de carroça poderiam zurrar com gramática, operaria como o "914" da sintaxe, limpando-a da avariose produzida pelo espiroqueta da pronominúria.

A excelência dessa regra estava em possuir equivalentes químicos de uso na farmacopéia alopata, de modo que a um bom laboratório fácil lhe seria reduzi-la a ampolas para injeções hipodérmicas, ou a pílulas, pós ou poções para uso interno.

E quem se injetasse ou engolisse uma pílula do futuro PRONOMINOL CANTAGALO, curar-se-ia para sempre do vício, colocando os pronomes instintivamente bem, tanto no falar como no escrever. Para algum caso de pronomorréia agudo, evidentemente incurável, haveria o recurso do PRONOMINOL N. 2, onde entrava a estriquinina em dose suficiente para libertar o mundo do infame sujeito.

Que glória! Aldrovando prelibava essas delícias todas quando lhe entrou casa adentro a primeira carroçada de livros. Dois brutamontes de mangas arregaçadas empilharam-nos pelos cantos, em rumas que lá se iam; e concluso o serviço um deles pediu:

— Me dá um mata-bicho, patrão!...

Aldrovando severizou o semblante ao ouvir aquele "Me" tão fora dos mancais, e tomando um exemplo da obra ofertou-a ao "doente".

— Toma lá. O mau bicho que tens no sangue morrerá asinha às mãos deste vermífugo. Recomendo-te a leitura do capítulo sexto.

O carroceiro não se fez rogar; saiu com o livro, dizendo ao companheiro:

— Isto no "sebo" sempre renderá cinco tostões. Já serve!...

Mal se sumiram, Aldrovando abancou-se à velha mesinha de trabalho e deu começo à tarefa de lançar dedicatórias num certo número de exemplares destinados à crítica. Abriu o primeiro, e estava já a escrever o nome de Rui Barbosa quando seus olhos deram com a horrenda cinca:

"daquele QUE SABE-ME as dores".

— Deus do céu! Será possível?

Era possível. Era fato. Naquele, como em todos os exemplares da edição, lá estava, no hediondo relevo da dedicatória a Fr. Luiz de Souza, o horripilantíssimo — "que sabe-me..."

Aldrovando não murmurou palavra. De olhos muito abertos, no rosto uma estranha marca de dor — dor gramatical inda não descrita nos livros de patologia — permaneceu imóvel uns momentos.

Depois empalideceu. Levou as mãos ao abdômen e estorceu-se nas garras de repentina e violentíssima ânsia.

Ergueu os olhos para Frei Luiz de Souza e murmurou:

— *Luiz! Luiz! Lamma Sabachtani?!*

E morreu.

De que não sabemos — nem importa ao caso. O que importa é proclamarmos aos quatro ventos que com Aldrovando morreu o primeiro santo da gramática, o mártir numero um da Colocação dos Pronomes.

Paz à sua alma.

Na 1ª edição este conto era encerrado com a seguinte nota:

"Do espólio de Aldrovando Cantagallo faziam parte numerosos originais de obras inéditas, entre os quais citaremos:

O Acento circunflexo - 3 volumes

A Vírgula no Hebraico - 5 volumes

Psicologia do Til - 2 volumes

A Crase - 10 volumes

Pesavam todos, por junto, 4 arrobas, que renderam, vendidos a 3 tostões o quilo, 18 mil réis".

## O PORCO XAVER

**JAROSLAV HASEK**
**(1883-1923 | Checoslováquia)**

*Boa literatura e boas intenções políticas quase nunca andam juntas. Não é o caso de Jaroslav Hasek, autor do romance satírico mundialmente conhecido* O Bravo Soldado Shweik. *O exemplo aqui de* O Porco Xaver, *publicado originariamente na revista Lid, em 1908, mostra como o conto satírico pode ser usado como arma política, com um resultado fulminante de uma obra-prima.*

O porco Xaver era engordado na base de ração de melaço. O nome de Xaver, ele o recebera da administração do condado, em honra do professor Xaver Kellner de Möcker, conselheiro do governo e uma das autoridades locais mais eminentes no que diz respeito à alimentação de animais de corte. E é a esse ilustre sábio que se deve esta frase espiritual lapidar: "Dado que o melaço apresenta tão bons resultados (e eu o sei graças à minha experiência nos mais diversos domínios), nenhum outro meio de alimentação merece mais a nossa atenção do que esse procedimento doméstico." O porco Xaver, aliás, lucrava enormemente com ele.

Engordava a olhos vistos a cada dia. E depois que metia o focinho no melaço e bebia do bom leite que ajudava a melhor descê-lo pela garganta, o porco Xaver filosofava sobre as delícias deste mundo. De tempos em tempos, seu dono, o Conde Ramm, vinha lhe visitar e dizia:

— Você irá para a Exposição, meu bom rapaz! Coma bastante para que eu não venha me envergonhar de você!

Às vezes a senhora Condessa também aparecia e exclamava, com seus olhos a brilhar de satisfação:

— Ah, como meu querido Xaver está grande e forte!

E quando o casal se ia, despedia-se assim:

— Boa noite, caro amigo! Que o sono te seja doce!

O porco Xaver via o casal se afastando e piscava os olhos suínos com grande ternura e soltava pequenos grunhidos tão lindos que um dia a Condessa comentou com o esposo:

— Quando ouço o nosso bom Xaver começo a acreditar na metempsicose!

Da mesma forma recebia ele outros visitantes que o admiravam em francês, em alemão e em inglês, fotografando-o como *souvenir*. Ele era um porco ruivo, tão rosadinho como uma criança recém-saída do banho, e tinha ao redor do pescoço uma enorme fita, com um laço feito com grande delicadeza.

— Meu caro Conde, vosso Xaver irá certamente tirar o primeiro prêmio no concurso agropecuário — diziam, convencidos, os amigos do Conde, *gentlemen* e aristocratas.

Quando a senhora Condessa festejou o aniversário, seu enternecido marido lhe deu o porco Xaver, entre outros presentes. Portanto Xaver a partir da data lhe pertencia, somente a ela e para todo o sempre. Graças a esse porco, o Conde recebeu o beijo mais caloroso de sua vida, como se por acaso se tratasse de um belo javali selvagem e não de um pacífico, gordo e fleumático porco.

Desde que o porco virou propriedade da Condessa, as mais enérgicas medidas sanitárias foram tomadas com o único objetivo de garantir-lhe a boa saúde. Era necessário que ele se sentisse sempre muito bem. Por isso, instalaram-no num local especial onde pudesse ele ter exatamente o considerável volume de ar que lhe fosse necessário. O porco Xaver tinha um banheiro com privada provida de descarga d'água, e instalada com todo o bom gosto que não poderia faltar à família de um Conde. Em todos os recantos haviam-se colocados termômetros. E Martim, o zelador da pocilga, recebera ordens para medir, por meio desses aparelhos, a temperatura da água e do leite destinados ao porco Xaver. O grau de temperatura fora fixado com a maior precisão por ordem e graça de um veterinário. Não se admitia que um porco tão estimado e tão aristocrático resfriasse o estômago arriscando-se a contrair um catarro crônico, vindo a fazer triste figura, o que sem dúvida obrigaria a senhora Condessa a chorar copiosamente.

Por isso, Martim tomava a temperatura da água para aquecê-la ou para abrandá-la um pouco, conforme o caso. Enfim colocaram iluminação elétrica nas instalações do porco, ensinado-o a dormir sobre um colchão de crina devidamente desinfetado. O porco Xaver a tudo acolhia com benevolência e assim ia ele engordando gradualmente. Um dia, a Condessa, acompanhada do esposo, veio visitar seu querido garotão. Xaver estava a ponto de beber água da fonte, cuja análise bacteriológica evidenciara conter zero por cento de bactérias nocivas e cuja análise química, em compensação, revelava uma certa quantidade de uma substância bastante saudável de óxido de ferro, unido ao ácido carbônico (coisa importantíssima no que se refere a um porco).

O Conde, segundo seu hábito, mergulhou o termômetro na água e se recusou a acreditar no que seus olhos viam. Em lugar da temperatura prescrita de 8 graus centígrados, o termômetro indicava 7,5! A Condessa ficou lívida. Não, não era possível. A menos que o inútil do serviçal se tivesse esquecido de tomar a temperatura da água... Por seus conjugados esforços, o Conde e a Condessa tiraram Xaver da água, não sem lhe explicar com eloqüentes palavras que ele podia resfriar as tripas. Colocaram em seguida a tampa na tina d'água e saíram à procura de Martim.

— Você mediu a temperatura da água do Xaver, seu bandido? — rugiu o Conde, dirigindo-se a ele. O relapso serviçal apontou para o leito perto da janela de sua casa:

— Vossa excelência vai compreender... O meu menino está muito doente... Vossa excelência sabe...está cheio de febre... preciso ficar lhe dando de beber.

— Ora, bolas! O que eu estou perguntando é se você mediu a temperatura da água do Xaver!

— Eu... me esqueci... Meu menino está muito doente, como vossa excelência pode ver. Eu tenho de lhe dar de beber... Ele teve vertigens...

— Ah, então é assim, é? — gritou o Conde, fora de si. — É assim que você cuida do seu trabalho? Parece que não sou teu patrão, seu bandido, já que você faz o que muito bem entende. Pois bem, arruma imediatamente tuas trouxas. Está despedido. E trata de sair daqui hoje mesmo, caso contrário mandarei que ponham vocês dois para fora, você e seu pirralho.

— Que aborrecimento mais estúpido! — disse ainda a Condessa.

E antes de cair a noite, o zelador da pocilga, Martim, matou o porco Xaver com uma facada no pescoço. Chamado com urgência, o veterinário nada conseguiu fazer, a não ser verificar e atestar o óbito. A Condessa quase enlouqueceu de desgosto, vindo a desfalecer. Os guardas amarraram Martim e expulsaram da granja o filho doente do assassino. Depois, os jornais publicaram informações assim redigidas:

"O crime de um bruto. O zelador de pocilga de nome Martim, da propriedade rural do Conde Ramm, figura da nossa aristocracia, bem conhecida por seus sentimentos cavalheirescos, acabava de ser despedido por negligência. Para se vingar, ele matou cruelmente a golpes de faca um porco que constituía um espécime único. O bruto já se encontra nas mãos da justiça. Comenta-se que o criminoso não tem religião. Se isso se confirmar, ficará demonstrado que aqueles que não acreditam em Deus são capazes das maiores monstruosidades."

Martim passou três meses sob prisão preventiva, recusando-se, como criminoso embrutecido e inveterado, a ir à missa na capela da cadeia. No curso do inquérito, foram descobertas algumas máculas no seu passado. Assim é que, com a idade de quinze anos, ele foi condenado a quinze dias de prisão pelo delito de provocar tumulto. O delinqüente estava parado e recebeu ordens de um guarda para circular, ordens essas desobedecidas por ele. Foi condenado ainda por uma segunda vez por ter gritado na rua diante de algumas senhoras elegantes: "Sim, senhoras! De chapéus e plumas, heim?". Fato que demonstra seu caráter deletério e rancoroso.

O promotor relembrou tais pormenores assim como todos os pecados do réu. Ressaltou habilmente os maus instintos revelados pelo passado do assassino e afirmou que se o acusado tivesse à mão o Conde tê-lo-ia assassinado em lugar do porco Xaver. O defensor público viu-se diante de uma tarefa dificílima. Apagar o passado do réu, não podia. Quanto ao menino doente eram circunstâncias atenuantes muito vagas e românticas para que a elas se agarrasse com unhas e dentes.

Dilacerava o coração ver aquela pobre Condessa — já que ela estava presente na qualidade de testemunha, e quando viu a fita de veludo pousada sobre a mesa, entre outras provas, diante do presidente do Tribunal, não conseguiu reprimir o pranto.

— Eu reconheço — disse ela, respondendo a uma pergunta que o presidente lhe fizera —, eu reconheço essa fita. Ela pertenceu ao meu querido Xaver, cujas cinzas estão sepultadas sob os canteiros de lírios do meu jardim, no parque do Castelo!

O acusado, aliás sem dar nenhum sinal de arrependimento, foi condenado a seis meses de prisão por dano voluntário à propriedade alheia. Mas não foi tudo. Para que a justiça se fizesse completa, seu filho falecera neste meio tempo, pois os moinhos de Deus moem lenta, mas inexoravelmente o grão.

E assim o porco Xaver repousa em paz sob um canteiro de lírios imaculados, no meio dos quais se ergue um monumento com estas inscrições:

"Aqui jaz o nosso Xaver, morto pela mão do assassino Martim, condenado a seis meses de prisão, com seis dias de jejum. O extinto foi inumado a 8 de maio de 1907 com a idade de um ano e meio. Que a terra lhe seja leve!"

Com a fita do falecido porco Xaver, o Conde Ramm mandou confeccionar uma gravata que usa em todos os aniversários do assassinato do inesquecível cevado.

# COMUNICADO A UMA ACADEMIA

### FRANZ KAFKA
### (1883-1924 | Checoslováquia)

*Pode parecer surpreendente, mas Franz Kafka costumava ler em voz alta e às gargalhadas alguns de seus contos para um grupo de amigos. Excentricidade de um gênio ou um humor tão pessoal que passa quase desapercebido do leitor comum? É possível achar graça lendo A Metamorfose, por exemplo? Kafkianamente, parece que sim. O humor de Franz K. não é cômico nem muito menos hilariante: é um fino humor racional, quase filosófico. E às vezes cruel, como esta sátira ao antropomorfismo anti-ecológico do homem moderno, onde a ironia subjacente ao texto é tão fundamental que sem ela o conto não poderia ser compreendido em sua profundidade.*

Eminentíssimos senhores,

Destes-me a honra de me solicitar que apresentasse eu à Academia um relatório sobre o meu passado de símio.

Não poderei infelizmente atender a tal convite, nos precisos termos em que me foi formulado. Separam-me da minha vida de macaco cerca de cinco anos, período de tempo talvez curto no calendário, mas que se torna infinitamente longo quando passado, como aconteceu comigo, pulando daqui para ali pelo mundo, acompanhado de excelentes homens, de conselhos, aplausos, músicas de orquestra, e no fundo sozinho, já que a minha companhia, para nada perder do espetáculo, se mantinha afastada dos palcos. Tivesse eu me obstinado a cismar em relação às minhas origens e recordações da juventude, e as proezas por mim praticadas teriam sido impossíveis. A primeira regra que me impus era exatamente a de renunciar a qualquer tipo de obstinação; ali estava eu, macaco livre, impondo a mim mesmo uma submissão. Em contrapartida a isto, minhas recordações progressivamente foram-se dissipando. No começo poderia ainda ter regressado, se assim tivessem desejado os homens, pela porta que o céu forma sobre a Terra: mas ela ia se tornando cada vez mais baixa e mais estreita à medida em que se processava a minha evolução, ativamente estimulada; melhor me sentia, mais integrado ao mundo dos homens; a tempestade que soprava do meu passado aquietou-se. Hoje não passa de uma corrente de ar que me sopra ligeiramente aos calcanhares e ao buraco do horizonte por onde ela entra e por onde passei um dia e que tornou-se tão pequeno que para o atravessar teria de ficar sem pele, admitindo que tinha eu ainda força e vontade suficientes para o tentar. Falando francamente — nestes assuntos gosto de usar imagens —, falando francamente, a vossa vida como macacos, meus senhores, se acaso vivestes já uma existência desta espécie, não pode estar mais longe de vós do que a minha está de mim. Mas acompanha de perto todos aqueles que vivem sobre a Terra, desde o pequeno sagüi até ao grande Aquiles. No entanto, num sentido bastante restrito, posso talvez corresponder ao vosso convite, e é até com prazer que o estou fazendo. A primeira coisa que me ensinaram foi o aperto de mão. O aperto de mão é um gesto de franqueza: assim, naquele dia em que atingi o ponto mais alto da minha carreira, que a franqueza das minhas palavras acompanhe sempre este primeiro aperto de mão. Uma tal franqueza não trará nada de novo a vossa Academia, e as minhas palavras muito aquém ficarão do que me foi pedido e do que eu não saberia dizer, independente da minha melhor vontade; irão mostrar, por outro lado, o caminho pelo qual um antigo macaco ingressou no mundo dos homens e aí se fixou. Mas nem sequer conseguiria eu dizer o pouco que se segue se não estivesse inteiramente seguro de mim mesmo e se não tivesse consolidado a minha posição em todas as cenas de cabaré do universo civilizado, de maneira a não conseguir ser abalada.

Sou originário da Costa do Ouro. Como fui capturado? Neste aspecto, fico reduzido ao testemunho dos outros. Um grupo de caçadores da empresa Hagenbeck — com cujo chefe depois esvaziei muitas garrafas — estava de emboscada numa mata junto ao rio onde eu costumava beber com o meu bando. Dispararam: fui o único atingido. Recebi duas balas. Uma no rosto, ferimento sem gravidade; mesmo assim me deixou uma cicatriz vermelha, sem um só pêlo, o que me deu o apelido de Peter, o Vermelho — epíteto repugnante, perfeitamente injusto e inventado por um verdadeiro macaco —, como se fosse somente essa marca avermelhada que me distinguisse do outro Peter, o macaco sábio recentemente falecido e que gozava naquelas regiões de uma merecida reputação. Isto apenas cá entre parênteses.

A segunda bala me atingiu na parte inferior da anca. Ferimento grave que é a causa de eu coxear um pouco até hoje. Li recentemente num artigo de uma destas dez mil aves de rapina que se lançaram nos meus encalços pelos jornais, que a minha natureza de macaco não estava ainda completamente domada e que a melhor prova disso era que, quando recebo visitas, costumo tirar as calças para mostrar o buraco da bala. Só desejava que saltasse das mãos, um a um, os dedos do sujeito que escreveu isto. Quanto a mim, tenho o direito de tirar as calças diante de quem bem entender; nada mais irão ver do que um pêlo cuidado e a cicatriz, vestígio de uma ação criminosa. Tudo isso se pode mostrar em plena luz do dia, nada há para esconder. Quando se trata da verdade, os mais altivos deixam o protocolo de lado. Se o escriba em questão tirasse as calças sempre que recebesse uma visita, o quadro é claro seria totalmente diferente, e também admito, lógico, que a razão lhe impeça tal gesto. Mas a este respeito, ele e sua falta de tato que me deixem em paz!

Após os referidos tiros, acordei — e aqui é que começam minhas verdadeiras lembranças — numa jaula no porão do vapor da Hagenbeck. Não era uma jaula propriamente, gradeada por todos os lados. Contentaram-se em adaptar grades sobre três dos lados de uma grande caixa. A própria caixa, portanto, formava o quarto lado. Era baixa demais para se ficar em pé e demasiada estreita para ficar sentado. Ali permaneci, acocorado, os joelhos voltados para dentro e sempre tremendo, a cara virada para o lado da caixa, as barras das grades me ferindo a pele das costas, pois no princípio não queria ver ninguém e desejava simplesmente ficar no escuro. Este tipo de enjaulamento em geral é considerado como vantajoso nos primeiros tempos de captura de animais selvagens. Hoje, depois de toda a experiência que vivi, não posso negar a veracidade disto, sob o ponto de vista humano.

Mas naquela hora não me preocupava com isso. Pela primeira vez na minha vida, eu me encontrava num beco sem saída, por assim dizer. Ou se saída houvesse, eu é que não a via; diante de mim surgia apenas a parede da caixa com suas grandes tábuas solidamente unidas. Para falar a verdade, havia uma fenda de alto a baixo; quando a descobri, saudei-a com um grito de alegria, mas a fenda não servia sequer para passar o rabo — e eu não consegui alargá-la apesar de toda a minha força de macaco.

Conforme consegui avaliar pelo que me disseram depois, eu devia então não ser nem um pouco barulhento, donde concluíram que logo, logo, eu ia passar desta para melhor ou, se ultrapassasse o momento crítico, me tornaria perfeitamente domesticável. Sobrevivi. As primeiras ocupações da minha nova existência eram soluçar contidamente, catar penosamente as pulgas, lamber com lassidão um pedaço de coco, bater com a cabeça na parte de madeira da jaula ou botar a língua para fora quando alguém se aproximava de mim. Mas no meio de tudo isso, um só sentimento: não havia saída. É claro que não consigo agora reproduzir em palavras humanas o que sentia como macaco naquela época, e o que eu disser sai forçosamente deformado, mas embora não consiga jamais reencontrar a verdade dos símios de outrora, nem por isso a minha narração deixa de assinalar a verdadeira direção por onde ela deve ser procurada. Disto não tenho a menor dúvida.

Tantas andanças tivera eu até aquele momento! Eis-me agora sem nenhuma. Fora apanhado. Se me tivessem crucificado, a minha liberdade domiciliar não teria sido mais restrita. E por quê? Por mais que me arranhasse até sangrar nos artelhos, não conseguia saber a razão. Por mais que fizesse força com as costas contra as grades, até ficar quase cortado em dois, nada conseguia descobrir. Não tinha saída e precisava de uma, não era possível viver sem uma saída. Encostado dentro daquele cubículo da jaula ia acabar estourando. Mas os macacos de Hagenbeck são destinados justamente a viver atrás das grades... Pois bem, eu deixaria então de ser macaco! Belo pensamento, raciocínio luminoso que se formou não sei como bem no fundo da minha barriga, pois os macacos pensam com a barriga.

Não sei se vocês compreendem bem o que entendo por "uma saída". Uso a palavra no sentido comum e em toda a sua amplitude. Propositadamente evito falar em "liberdade". Não é nesse grande sentimento de liberdade em todos os sentidos que eu penso. Como macaco, eu bem o conhecia e vi homens que por esse sentimento ansiavam. Todavia, no que me diz respeito, nunca exigi nem exigirei a liberdade. Com ela, diga-se de passagem, é que muitas vezes os homens trapaceiam entre si. Como a liberdade se encontra entre os mais sublimes ideais, e o logro que se lhe corresponde passa também por sublime. Quantas vezes não vi, em espetáculos de variedades, antes da minha apresentação, artistas trabalhando no trapézio voador! Projetam-se, balançam, saltam, voam para os braços um do outro e um deles segura o companheiro pelos cabelos. "Aquilo ali também é liberdade humana", pensava eu, "é um movimento de soberania". Oh, santa ilusão! O riso da categoria simiesca ante este quadro seria o suficiente para abalar o mais sólido dos prédios.

Não, não era pela liberdade que eu ansiava. Uma simples saída, à direita, à esquerda, fosse lá onde fosse. Não tinha outra exigência, mesmo que a própria saída fosse um logro. Pequena era a minha exigência, não poderia ser maior o meu logro. Avançar, avançar! Principalmente não ficar no mesmo lugar, de braços erguidos, colado às grades de uma jaula.

Vejo hoje nitidamente que, sem a maior calma interior, não teria conseguido fugir. E de fato, tudo aquilo que me tornei, devo talvez à calma que de mim se apossou ainda a bordo passados os primeiros dias. E esta tranqüilidade, sem dúvidas, fiquei devendo à tripulação do barco.

Apesar de tudo, era um pessoal admirável. Hoje ainda gosto de me lembrar o barulho pesado dos seus passos, ressoando na minha semi-sonolência. Tinham eles o hábito de tudo fazerem com grande lentidão. Quando precisavam esfregar os olhos, levantavam a mão como quem levanta um saco de areia. Suas brincadeiras eram pesadas mas cordiais. O seu riso acabava se misturando com uma tosse que poderia parecer perigosa mas que era sem nenhuma importância. Tinham sempre alguma coisa na boca pronta para ser escarrada e sem cuidado algum para onde a cusparada poderia cair. Passavam o tempo todo se queixando que pegavam pulgas de mim, mas nunca de fato me quiseram mal. Sabiam que as pulgas abundavam nos meus pêlos e que elas tinham necessidade de saltar: esta explicação lhes era suficiente. Quando não estavam de serviço, acontecia às vezes de sentarem-se em semicírculo à minha volta, sem falar, apenas se dirigindo uns aos outros através de surdos grunhidos. Fumavam cachimbo, deitados por cima das caixas; ao menor movimento da minha parte, eles davam uma palmada nos joelhos; de vez em quando um deles pegava um pedaço de pau e me coçava no lugar certo onde eu gostava. Se me convidassem hoje para fazer uma viagem naquele barco, com certeza que eu declinaria o convite, mas com certeza também que nem todas as lembranças daquela viagem seriam ruins.

A tranqüilidade que consegui em meio àquele pessoal me impediu de tentar fugir. Me parece, vendo tudo pelos olhos de hoje, que eu tinha pelo menos pressentido que necessitava encontrar uma saída se quisesse viver, mas que essa saída não podia estar na fuga. Não sei se a fuga seria possível, mas acredito que sim; para um macaco, a fuga deve ser sempre possível. Com os meus dentes atuais preciso de prudência até mesmo para quebrar uma simples noz, mas naquele tempo teria conseguido despedaçar a dentadas a fechadura da porta. Não o fiz. O que teria ganho com isso? Assim que pusesse a cabeça de fora, eles teriam logo me recapturado e me encerrado numa jaula ainda pior; a menos que fugisse sem ser visto para o meio dos outros animais, como as boas serpentes ali em frente que me teriam dado a morte com um simples abraço. Talvez eu conseguisse escapar até o convés e dele saltar fora, caso em que eu teria boiado por alguns momentos na superfície do oceano, acabando logo por me afogar. Atos de desespero. Eu não raciocinava tão humanamente assim, mas a influência do entusiasmo me fazia crer que eu tivesse raciocinado.

No entanto, se não raciocinava, pelo menos tranqüilamente ia observando tudo. Via as idas e vindas daqueles homens, sempre com as mesmas caras, sempre com os mesmos movimentos, muitas vezes me pareciam ser apenas um. Este homem, ou estes homens, moviam-se pois livremente. Mas diante de mim começava a surgir uma grande possibilidade. Ninguém me prometera abrir as grades, caso eu me tornasse como eles; nada se promete em troca de realizações que parecem impossíveis; mas uma vez realizadas estas realizações, as promessas aparecem imediatamente onde antes as tínhamos procurado em vão. Na verdade, nada havia naquelas pessoas que me seduzisse. Fosse eu partidário da famosa liberdade de que falávamos antes, teria com certeza preferido o oceano à saída que se entrevia no olhar turvo daqueles homens. Observara-os detidamente muito antes de pensar nestas coisas, e foram mesmo essas observações repetidas que me impeliram na direção que acabei optando.

Era tão fácil imitar os humanos! Logo nos primeiros dias eu já tinha aprendido a escarrar. Escarrávamos mutuamente um na cara do outro; a única diferença era que em seguida eu me limpava lambendo-me e eles não. Não demorei a fumar cachimbo como um veterano; se acontecia de eu pôr o polegar na parte acesa, eles deliravam como espectadores. Logo passei a distinguir um cachimbo cheio de fumo de outro vazio.

O que me causou maior repugnância foi a garrafa de aguardente. O cheiro me martirizava, eu me sentia terrivelmente agredido; levei semanas para conseguir me dominar. Era curioso que as pessoas levavam muito mais a sério estas lutas morais do que todas as outras distrações que eu lhes proporcionava. Não consigo distinguir estes homens, nem mesmo nas minhas lembranças, mas havia um que vinha sempre, só ou com seus camaradas, de dia ou de noite, nas horas mais desencontradas, alojava-se com a garrafa na minha frente e me dava uma aula. Ele não conseguia me compreender, mas parecia querer resolver o enigma do meu ser. Desenrolhava lentamente a garrafa e me olhava em seguida para ver se eu tinha compreendido. Confesso que eu olhava para ele sempre com uma atenção apaixonada e ansiosa; nenhum professor de homens terá jamais encontrado aluno como eu em todo o mundo; desarrolhada a garrafa, erguia-a na direção da boca; eu o seguia com o olhar até o gargalo; satisfeito comigo, hei-lo levando a garrafa aos lábios, com uma aceno de cumplicidade; então eu, encantado por pouco a pouco ir compreendendo tudo, coçava-me e emitia pequenos guinchos ao acaso e pelo corpo; e ele, contente, emborcava o gargalo e bebia um gole; eu, desesperadamente impaciente para fazer que nem ele, jogava-me pela imundície da minha jaula, o que lhe trazia novamente uma grande satisfação, e então, afastando a garrafa com um gesto largo e trazendo-a para junto de si novamente com um movimento rápido e cheio de vigor, esvaziava-a de um só trago, inclinando-se para trás de um modo exageradamente didático. Esgotado pelos excessos do meu desejo, não conseguia mais segui-lo com os olhos e ficava ali, vacilante, encostado às grades, enquanto ele acabava minha instrução teórica e esfregava a barriga com uma careta de prazer.

Só então começavam os exercícios práticos. Não estava eu já cansado de tanta teoria? Com certeza, cansado e bem cansado. Era o meu destino. Mas agarro a garrafa que ele me estende da melhor maneira que posso; tiro-lhe a rolha, tremendo, mas o resultado obtido faz com que eu ganhe novas forças; ergo a garrafa e praticamente não me distingo mais do meu modelo; levo-a à boca e... afasto-a horrorizado, com repugnância, embora ela esteja vazia, exalando apenas seu odor característico; jogo-a no chão, cheio de asco. Para grande consternação do meu professor; para grande consternação minha. Nem aos olhos dele nem aos meus consigo reabilitar-me pelo fato de, após ter jogado a garrafa fora, acariciar a barriga com uma careta de prazer.

Quantas vezes a aula não terminava assim! E devo dizer, em honra do meu professor, que ele não me levava a mal; às vezes encostava o cachimbo aceso nos meus pêlos em algum ponto difícil de eu alcançar, até ficar vermelho, mas ele imediatamente apagava com sua mão enorme e bondosa; até que ele gostava de mim, percebendo a sua maneira que combatíamos ambos do mesmo lado contra a natureza simiesca e que era a mim que cabia a parte mais dura de roer.

Mas a vitória, para ele quanto para mim, aconteceu quando uma noite, diante de um círculo de espectadores — talvez fosse dia de festa, um gramofone tocava, um oficial passeava por entre eles —, quando uma noite, dizia eu, em que não era observado, peguei inadvertidamente numa garrafa de aguardente deixada ao lado da minha jaula, tirei-lhe a rolha de acordo com todo o meu aprendizado e, diante de uma sociedade cuja atenção foi desperta pelo meu ato, levei-a aos lábios e sem hesitação, sem uma única careta. Assim, como um verdadeiro profissional, rolando os olhos, a goela tremendo, esvaziei-a de fato, literalmente, e atirei-a fora, ainda não em desespero mas com requintada arte; é verdade que me esqueci da carícia na barriga, mas em contrapartida, porque se impunha, porque era uma necessidade, porque já tinha os sentidos inebriados, em suma, por uma razão ou por outra, soltei um "ahhh!" bem humano, entrei de imediato com esta exclamação na comunidade dos homens e o eco que me foi devolvido — "Ouçam só, ele está falando!"— espalhou-se como um beijo sobre meu corpo coberto de suor.

Repito: não me seduzia a idéia de imitar os humanos; se imitei foi porque procurava por uma saída e não por outra razão qualquer. Esta vitória, aliás, não representou para mim qualquer tipo de progresso; imediatamente a voz me faltou; não a recuperei senão depois de meses; a repulsa pela garrafa de aguardente voltou com força redobrada. Mas de uma vez para sempre, tinha percebido a direção que deveria seguir.

Quando fui entregue em Hamburgo ao meu primeiro adestrador, não demorei para reconhecer as duas possibilidades que se abriam diante de mim: jardim zoológico ou espetáculos de variedades. Não hesitei. Disse a mim mesmo: trata, com todas as tuas forças, de fazer com que te levem para o mundo dos espetáculos; é aí que está a saída, o jardim zoológico é apenas uma nova jaula. Estarás perdido neste último caso.

E aprendi, senhores! Ah, como se aprende quando é mais do que necessário encontrar uma saída! Aprende-se sem consideração por mais nada! A gente fica se vigiando de chicote em punho; à menor resistência, lá vai chicotada. A minha natureza simiesca distanciava-se de mim a olhos vistos, entrava na primeira cabeça que me aparecesse, de tal modo que o meu professor tornou-se ele próprio simiesco e se viu obrigado a renunciar às lições ingressando num manicômio. Felizmente não ficou muito tempo por lá.

Mas eu consegui muitos professores e, às vezes, vários ao mesmo tempo. Quando as minhas capacidades se afirmavam um pouco, quando o público começou a acompanhar os meus progressos e o futuro começou a se desanuviar, eu próprio escolhi meus mestres e coloquei-os de enfiada em cinco salas diferentes e tomei minhas aulas com todos ao mesmo tempo, correndo sem descanso de uma sala para a outra.

Ah, quanto progresso! Esta penetração no conhecimento cujos raios vêm de todos os lados iluminar um cérebro que desperta! Não nego: era nisso que residia a minha felicidade. Mas confesso também que, de maneira nenhuma eu me superestimava mesmo naquela época, e muito menos agora! Através de um esforço do qual não surgiu outro na face da terra, adquiri a cultura média de um europeu. Não seria grande coisa em si mesmo, mas já era um progresso no sentido em que me ajudou a sair da jaula e me ofereceu essa saída, uma saída humana. Todos vós conheceis com certeza a expressão "Pôr-se à vontade"; foi o que fiz, pus-me à vontade, não tinha outro caminho, já que decidira não optar pela liberdade.

Quando olho a minha evolução e os objetivos que a guiaram até aqui, não me lamento nem fico contente. Mãos nos bolsos, garrafa na mesa, mantenho-me meio sentado, meio deitado na cadeira de balanço e olho pela janela. Quando chega uma visita, recebo-a conforme a etiqueta. O meu empresário fica na sala de entrada: quando toco a campainha, ele aparece e escuta o que tenho para dizer. À noite, quase sempre tem espetáculo, e, sem dúvida, os meus sucessos nunca serão ultrapassados. Quando volto para casa, tarde da noite, vindo de banquetes, de sociedades eruditas ou de alguma conversa íntima agradável, está à minha espera uma jovem macaca com a qual me entrego aos prazeres da nossa raça. De dia, não quero nem vê-la; efetivamente ela traz nos olhos a expressão perdida do animal evoluído; só eu consigo ver isso e não consigo suportar tal visão.

No conjunto, cheguei ao que eu queria conseguir. Não posso dizer que não tenha valido a pena. Aliás, não preciso de julgamento dos humanos, procuro apenas divulgar conhecimentos, contento-me em relatá-los; mesmo convosco, eminentíssimos acadêmicos, contentei-me em relatar.

# A EMPREGADA ESTÁ ME ROUBANDO

### KAREL CAPEK
### (1890-1938 | Checoslováquia)

*O checo Capek ganhou renome internacional no começo do século XX com, pelo menos, um romance pioneiro de ficção científica, A Guerra das Salamandras. Já em sua peça R.U.R., também de enorme repercussão, imaginou o robô, inclusive a palavra "robô", que acabou adotada em todas as línguas. Foi também um contista urbano, lidando com o patético da solidão humana, caso do seguinte conto.*

Mesmo se esforçando para pensar em outra coisa, a idéia desagradável continuava lhe rondando a cabeça: "a empregada está me roubando". Há tantos anos que ela lhe prestava serviço, que já se acostumara a não se preocupar com suas posses. Diante dele, a camiseira. Todas as manhãs, ele a abria e retirava uma camisa limpa. De vez em quando, com intervalos mais ou menos regulares, dona Joana, a empregada, colocava-lhe diante dos olhos uma camisa rasgada e dizia:

— Estão todas assim. O senhor precisar comprar camisas novas.

Então ele no dia seguinte comprava seis camisas na primeira loja que encontrava. No entanto, intimamente ele sentia que não fazia muito tempo que havia comprado outras camisas.

"Estranho", murmurou.

Às vezes lhe ocorria que atualmente a mercadoria devia ser de má qualidade. Colarinhos e gravatas, ternos e sapatos, sabão e mil outras coisas necessárias, apesar da viuvez. Coisas necessárias de serem renovadas de quando em quando. Mas para um homem velho que nem ele, a roupa se gastava com maior rapidez. Vá lá alguém descobrir o que acontece... Sempre comprando coisas novas e, no entanto, ao abrir o guarda-roupa, lá estavam balançando os mesmos ternos, tão usados e velhos, que se poderia até precisar a época em que foram feitos. Mas não precisava se preocupar com tais trivialidades domésticas, já que dona Joana pensava por ele.

E agora, depois de tantos anos a seu serviço, vinha-lhe a suspeita de que ela o estava roubando. Aconteceu assim: naquele dia pela manhã ele recebeu um convite para um banquete. Fazia anos que não ia a parte alguma. Era tão pequeno seu círculo de amizades! Por isso o inesperado convite mergulhou-o num mar de confusões. De repente pensou nas camisas, nas camisas puídas. Pôs-se a revolver as gavetas da cômoda em busca de uma que estivesse em bom estado. Tirou todas elas de lugar, olhou-as uma a uma, cuidadosamente. Mas não existia uma só que não tivesse o colarinho puído ou os punhos rasgados. Chamou então dona Joana e perguntou-lhe se não havia em algum lugar uma camisa em bom estado.

A empregada ficou silenciosa por instantes e depois, com paciência, disse que ele precisava comprar roupas novas, pois as suas estavam mais gastas do que casca de cebola. Acrescentou ainda que não podia ficar remendando tecidos em tal estado.

Enquanto a escutava, rondou pela cabeça do homem o pensamento de que não fazia muito tempo que estivera comprando camisas, mas não podia afirmá-lo com certeza. Por isso nada comentou, mas quando a empregada se retirou, vestiu-se para ir às compras. Entretanto ocorreu-lhe revisar os bolsos de alguns ternos à cata de papéis velhos a fim de guardar os úteis e jogar fora os outros. Entre os papéis encontrou o recibo de compra das últimas camisas que adquirira, datada de sete semanas atrás. Portanto fazia somente sete semanas que comprara meia dúzia de camisas! Isto foi uma descoberta para ele!

Não saiu para comprar camisas; permaneceu no quarto caminhando de um lado para o outro e meditando. Foi assaltado pelas recordações. Passou em revista os anos de viuvez, anos de vazio e de solidão. Desde o falecimento da esposa, dona Joana se encarregara da casa e jamais lhe ocorrera suspeitar dela. Agora, acabrunhado pelas suspeitas, invadia-o a angústia de ter sido vítima de uma ladra por tantos anos. Relanceou os olhos a sua volta: não poderia dizer o que lhe faltava, mas percebia estar estranhando as coisas. Tudo parecia vazio e deserto. Tentou lembrar de coisas, objetos... Imaginou um ambiente diferente. Em vão. Cheio de íntima inquietude, abriu o guarda-roupa no qual jazia os haveres da sua falecida esposa: vestidos, chapéus, sapatos, guarda-chuvas... Encontrou só uns poucos objetos aqui e ali. Meus Deus! Quantas coisas não havia deixado a finada esposa! Aonde teria ido parar tudo aquilo?

Fechou o guarda-roupa e tratou de pensar em outro assunto, por exemplo, no banquete daquela noite. Mas apesar do esforço para esquecer, o passado lhe voltava à memória. Esses anos todos lhe pareceram, agora, mais desertos, mais amargos e mais miseráveis. Era como se alguém lhe tivesse roubado esses anos; e só esse pensamento já lhe turvava a solidão.

Uma coisa ele não conseguia entender: por que teria essa mulher lhe roubado suas coisas? O que ela faria com aquilo tudo? Ah! Ah! Pois não é que a empregada tinha lá um sobrinho a quem dedicava grande atenção? Sim... Não tivera ele muitas vezes de escutar elogios exagerados da boca da empregada a respeito daquela flor de ser humano? Ela tinha até lhe mostrado uma fotografia, dias atrás: cabelos ondulados, nariz reto e impertinentes bigodes. Os olhos de dona Joana se enchiam de lágrimas de emoção e orgulho sempre que se referia ao sobrinho.

"Naturalmente será para dar a ele que ela rouba as minhas coisas."

Sentiu-se dominado por uma fúria selvagem. Precipitou-se em direção à cozinha e, ao deparar-se com a empregada, gritou-lhe algo parecido com: "Maldita bruxa velha!" Depois voltou correndo para o quarto, deixando atrás de si a mulher, horrorizada, com os olhinhos redondos cheios de lágrimas.

À tarde, revistou todas as caixas e gavetas. Era incrível faltar-lhe alguma coisa! Às vezes lhe vinha à memória algum objeto de família que se lhe tornara infinitamente precioso. Nada encontrou. Nada, nada. Até parecia que a casa tivesse sido incendiada.

Sentou-se em meio às gavetas e caixas, estava cansado e coberto de poeira. Na mão segurava a única lembrança que lhe ficara do pai: uma carteira incrustada de corais. Há quantos anos estaria ela lhe roubando para que quase nada lhe restasse? Estava fora de si e seria capaz de dar-lhe uns tabefes se ela estivesse ali na sua frente. "O que devo eu fazer?", perguntava-se, agitado. "Devo despedi-la sem mais demora? Acusá-la de roubo? E aí, quem vai cozinhar amanhã? Terei de ir a um restaurante!", decidiu com energia. Mas em seguida pensou: "Quem irá me aquecer a água do banho e quem acenderá a estufa?" Tentou retirar essas idéias da cabeça. "Amanhã resolvo isso tudo", dizia a si mesmo. "Depois encontrarei solução. Não posso depender exclusivamente dela." No entanto, afligia-lhe mais do que era preciso a abominável conduta da mulher e, acima de tudo, a consciência de que deveria castigá-la dava-lhe coragem.

Ao entardecer, reunindo todas as forças, conseguiu ir à cozinha e dizer à Joana:

— Vá a tal e tal lugar.

Encarregou-a de missão grande e complicada, improvável, que deveria realizar imediatamente e que ele inventara a custo de penosas maquinações. A empregada dispôs-se a sair, adotando ares de vítima. Enfim fechou-se atrás dela a porta da rua e o patrão encontrou-se sozinho em casa. O coração batia com força quando, na ponta dos pés, saiu do quarto para ir à cozinha. Antes de entrar vacilou um instante com a maçaneta na mão: sentia-se tão culpado quanto um ladrão. Já estava a ponto de desistir quando abriu a porta e entrou.

A cozinha brilhava, limpa e em ordem. Num dos cantos da copa, via-se o guarda-roupa de Joana. Estava fechado e ele não tinha a menor idéia de onde estaria a chave. Forçou a porta com a ajuda de uma faquinha. Conseguiu apenas estragar a fechadura. Abriu caixas e latas em busca de alguma chave, experimentou as que encontrou e finalmente, depois de batalhar quase uma hora, percebeu que a porta do armário estava presa somente por um gancho.

A roupa na gaveta, passada e em ordem. Numa prateleira da parte de cima viu suas seis camisas novas, ainda amarradas com fita azul como tinham vindo da loja. Em uma caixa de papelão, encontrou o broche da sua mãe, os botões de madrepérola de seu pai e a miniatura em marfim da mãe! Deus meu! Para que serviriam a ela essas coisas todas? Noutra parte do armário encontrou suas meias e colarinhos numa caixa com sabonetes, escovas de dentes, um velho colete de seda, almofadões e a pistola de seu tempo de oficial. Tudo, tudo até a piteira de âmbar queimada de fumo e sem serventia. Estava claro que aquilo não passava de uma ínfima parte do que, havia muito tempo, emigrara para o guarda-roupa do sobrinho de cabelos ondulados.

Depois de uma hora, a ira que o consumia foi-se transformando em uma profunda tristeza. Então...

— Joana, Joana, como você pôde fazer isso comigo? Você!

Carregou os objetos um a um para o seu quarto e colocou-os sobre a mesa. Era uma enorme exposição de coisas, as mais diversas. Devolveu os pertences de Joana ao armário. Ensaiou arrumá-los como estavam antes, mas, depois de desastrosas tentativas, deixou-os de qualquer maneira e saiu da copa, apressado como se tivesse cometido um roubo, deixando a porta aberta.

De repente viu-se arrastado pelo temor de que Joana voltasse e de que fosse obrigado a falar seriamente com ela. A idéia desagradou-o a tal ponto que decidiu arrumar-se rapidamente e sair para o banquete. "Amanhã a gente se entende", pensou. "Por hoje, será suficiente que ela veja tudo o que descobri." Vestiu uma camisa, das novas. Estava dura, como se fosse de cartolina. Por mais que se esforçasse, não conseguiu abotoar o colarinho. E Joana ainda não voltara.

Enfiou uma camisa velha sem notar que estava puída e depois furtivamente como um ladrão saiu para a rua. Por ser ainda cedo, caminhou sem destino durante horas, até que chegasse o momento de ir ao banquete. Passava despercebido. Tentou conversar com antigos amigos, porém, sabe Deus como os anos se haviam interposto entre eles e de tal modo que dificilmente se entendiam. Não culpava os outros; procurou um cantinho afastado e dali sorria para todos, ébrio de luz e ruído. De repente ele viu-se tomado pelo temor da sua aparência. Só então percebeu que de sua camisa pendiam fiapos que lhe manchavam o fraque. Depois, quando deu por si, encontrava-se na rua, correndo para casa. Faltava muito ainda para o banquete começar.

Ao caminhar, lembrou-se mais uma vez de Joana, mas a marcha apressada o animara e, mentalmente, pôs-se a ensaiar as frases que lhe diria. Com extraordinária facilidade, construía as frases de grande e enérgica reprimenda, cheias de severidade e benevolência ao mesmo tempo. Sim, lhe perdoaria depois de tudo aquilo. Não iria despedi-la, deixá-la na rua. Certamente ela haveria de lhe pedir desculpas, entre lágrimas e choros, prometendo nunca mais repetir a presepada. Ele a escutaria em posição digna, sério e silencioso. Depois lhe diria, com uma voz descansada: "Joana, vou lhe dar uma oportunidade para que me faça esquecer a sua ingratidão. Seja honrada e fiel de hoje em diante. Não lhe peço mais nada. Sou velho e não pretendo ser cruel."

O homem entusiasmou-se de tal maneira com seus pensamentos que nem se apercebeu estar já em frente da sua casa. Abriu a porta e viu luz na cozinha. Espiou através da cortina... Joana, rosto inchado e olhos avermelhados de tanto chorar, mexia-se agitada de um lado para o outro, arrumando roupas em uma mala. A cena surpreendeu-o. Mala? Para quê? Entrou no quarto na ponta dos pés, confuso, aborrecido. Estaria Joana pensando em abandonar a casa?

Todas as coisas que ela lhe roubara ainda estavam em cima da mesa. Tocou-as, sem nenhum prazer. Falou com seus botões: "Joana sabe que eu descobri o roubo e, certa de que eu a despedirei, preparava a mala. Bem, nada lhe direi até amanhã, para que lhe sirva de lição. Bem cedo, conversarei com ela... Amanhã... Talvez... ainda me venha pedir perdão. Haverá de chorar muito, pôr-se de joelhos, e dirá isso e aquilo. Eu então responderei: bem, Joana, não desejo ser cruel. Pode ficar."

Sem desvestir o fraque, sentou-se numa cadeira e ficou esperando. Reinava um silêncio pesado na casa toda. Pressentia o ir e vir de Joana lá na cozinha. Depois o barulho da mala que se fechava. Outra vez, silêncio. Que ele significava? Assustado, saiu do quarto e no mesmo instante chegou até ele um grito forte que não parecia provir de garganta humana. O alarido se transformou em soluço histérico.

"Bem", pensou. "Quando Joana se acalmar virá me pedir perdão."

Voltou ao seu quarto, caminhando de um lado para o outro para se distrair.

De repente, escutou passos rápidos e uma batida na porta. Era a empregada. O rosto, descomposto e inchado, impressionava.

—Joana! — exclamou o homem.

— É isso que eu mereço depois de tantos anos de serviço? — gritou a mulher. — E em vez de gratidão... me trata como uma ladra! Que vergonha!

— Mas, Joana, você tirou ou não tirou todas as minhas coisas? — exclamou ele, entre surpreso e assustado.

— Que vergonha! — Joana não escutou e continuou reclamando: — Revistar meu guarda-roupa! Como se eu fosse uma ladra... Fazer isso logo comigo! Não, senhor, isso não se faz! O senhor não tinha esse direito, não tinha o direito de me ofender. Por acaso sou uma ladra? Sou ladra, eu? — e Joana, com raiva profunda, urrava: — Como, me tomar por uma ladra! Logo a mim! Com uma família como a minha? Ah, não! Isso eu não esperava! Isso eu não merecia!

— Mas Joana — respondeu ele, mais tranqüilo. — Seja razoável. Como essas coisas foram parar nas suas gavetas? E por acaso não são minhas?

— Não quero escutar mais nada! — gritou a mulher. — Meu Deus, que vergonha! Como se eu fosse uma ladra! Revistou minhas coisas! Vou-me embora daqui e vai ser agora. Não ficarei mais nessa casa nem mesmo até amanhã. Não... não... não...

— Não quero despedi-la, Joana — protestou ele. — Pelo que aconteceu, afinal... Livrai-nos Deus de algo pior. Eu não falei nada. Vamos, não chore mais!

— Pode procurar outra — retrucou Joana, engasgando-se de tanto chorar. — Não fico aqui nem mais um minuto. Sou cachorro por acaso para aturar tanto desaforo? Não fico, não fico. Nem por um milhão. Prefiro morrer na rua.

— Por que, Joana? Não lhe fiz nada — replicou ele, surpreso com a reação da empregada. — Me diga se eu lhe causei algum mal...

— Como? Algum mal? Não fez nada comigo? — uivou Joana. — Parece-lhe pouca coisa ter revistado minhas coisas? Como se eu fosse uma ladra? Ninguém jamais me fez uma coisa parecida até hoje. É impossível suportar tanta vergonha.

Suas palavras se perderam em meio a soluços. Em seguida ela saiu correndo batendo a porta com força.

O velho permaneceu em pé, imóvel, no meio do quarto, sem saber o que fazer ou dizer. Confuso, perplexo. Era o cúmulo! A atitude dela, em vez de se mostrar arrependida! "Rouba e agora se faz de ofendida porque eu descobri tudo", raciocinava o homem. 'Não tem vergonha de roubar, mas se ofende de ser chamada de ladra. Deve estar louca!"

Examinou o caso em todos os seus detalhes, até que se viu dominado por um sentimento de piedade para com a pobre infeliz. Cada um tem lá o seu ponto fraco e fica ofendido ao perceber que os outros o descobriam. Ah, que senso de moral oculta o ser humano em seus pecados! Quão frágil e delicada a alma dos que cometem más ações! Se alguém cutucar a chaga escondida, só escutará grito de dor e despeito. Em vez de se julgar um delinqüente, julga-se ofendido.

Da cozinha, chegavam até ele os soluços da mulher.

O homem dirigiu-se para lá, mas quando ia entrar encontrou a porta fechada por dentro. Tentou acalmar a empregada, dizendo-lhe frases de consolo através da porta, mas tudo o que conseguiu foi que ela redobrasse seus gritos. Voltou então para o quarto, aflito com sua própria impotência. Ali, em cima da mesa, os objetos roubados. As camisas novas e bem passadas, roupas, recordações e quem sabe quantas coisas mais.

Ficou observando tudo aquilo. Depois, suavemente, passou a mão sobre o monte de coisas. Sentiu uma imensa tristeza. Estava só e abandonado. Uma idéia súbita então, idéia absurda e sublime, surgiu na sua mente e avivou-lhe o brilho do olhar. Surpreendeu-se pensando:

"E se eu me casasse com ela?..."

# CARTAS A WARNER BROTHERS

## GROUCHO MARX
### (1890-1977 | Estados Unidos)

*Numa antologia de contos de humor há, nos parece, lugar para humoristas que não sejam contistas. Caso destas famosas cartas de Groucho Marx, que já estiveram presentes em outras antologias, como a do canadense Mordechai Richter. Marx, aliás, trabalhou junto com escritores de humor, como S.J. Perelman, autor do argumento de alguns de seus filmes (entre eles, Monkey Business).*

(Quando os irmãos Marx se preparavam para filmar A Night in Casablanca, eles receberam uma carta da produtora Warner Brothers, que, cinco anos antes, havia filmado *Casablanca* (com Humphrey Bogart e Ingrid Bergman, quem não se lembra?). A carta ameaçava os irmãos humoristas de processo, pelo simples fato de usarem a palavra "Casablanca" no título. A resposta de Groucho Marx não demorou:)

"Caros Warner Brothers:

Aparentemente existe mais de uma maneira de se conquistar uma cidade e mantê-la como sua. Por exemplo, até o momento em que nós antevimos a possibilidade de realizarmos este filme, eu não tinha a menor idéia de que a cidade de Casablanca pertencesse exclusivamente à Warner Brothers. No entanto, foi só alguns dias de anunciarmos o filme que recebemos sua longa carta, quase um documento legal a nos advertir que não poderíamos usar o nome Casablanca.

Parece que em 1471, Ferdinand Balboa Warner, seu trisavô, procurando um caminho mais curto para a cidade de Burbank [sede dos estúdios da Warner], deu com os costados na África e, levantando seu bastão de alpinista (o qual mais tarde ele iria trocar por centenas de ações ordinárias da Bolsa de Valores), batizou-a de Casablanca.

Eu simplesmente não entendo sua atitude. Mesmo que vocês planejem relançar o seu filme, tenha a certeza que o espectador comum saberá distinguir entre Ingrid Bergman e Harpo Marx. Não sei se eu conseguiria isso, mas com certeza gostaria de tentar.

Vocês se pretendem donos de Casablanca e ninguém mais poderá usar esse nome sem a sua permissão. O que dizer de Warner Brothers? É também propriedade de vocês? Provavelmente vocês têm o direito de usar o nome Warner, mas o que dizer de 'Brothers'? Profissionalmente nós somos 'brothers' bem antes de vocês existirem. Nós já nos apresentávamos como 'The Marx Brothers' quando a Vitaphone era apenas um brilho no olhar de seu inventor, e mesmo antes de nós existiram outros 'brothers' — os Irmãos Smith; os Irmãos Karamázov; os Irmãos Dan, jogadores de baseball de Detroit; e 'Irmão, tem uma Moeda Aí?'. (Originalmente, 'Irmãos, têm uma Moeda Aí?', mas isso significava tornar a moeda de um *dime* fininha demais, daí então eles retiraram um irmão, deram todo o dinheiro para o outro e ficou sendo 'Irmão, tem uma Moeda Aí?').

E então, Jack, qual é a tua? Você ainda insiste que o seu é um nome original? Bem, acontece que não é. Já era usado bem antes de você nascer. Sem pensar muito, dois Jacks me vêm à mente – houve um 'Jack [Joãozinho] e o Pé de Feijão' e 'Jack, o Estripador', que se saiu muito bem na sua época.

Quanto a você, Harry, provavelmente costuma assinar seus cheques certo de ser o primeiro Harry de todos os tempos e de que todos os outros Harrys serem impostores. Lembro-me de dois Harrys que lhe precederam. Tem o Lighthouse Harry de fama revolucionária e o Harry Appelbaum que vivia na esquina da Rua 93 com Avenida Lexington. Infelizmente, Appelbaum não era muito conhecido. A última vez que ouvi falar dele, ele estava vendendo gravatas na Weber and Heilbroner.

Agora, quanto ao Estúdio Burbank. Acredito que isto seja o que vocês, irmãos, chamem de 'seu lugar'. O velho Burbank já se foi. Talvez vocês se lembrem dele. Era um gigante de jardim. Sua esposa sempre diz que Lutero tinha dez grandes polegares. Que mulher de espírito ela deve ter sido! Burbank era o sábio que acabou cruzando frutas e vegetais até conseguir uma alimentação de pobre, numa condição tão confusa e nervosa que nunca se podia decidir se devíamos usá-la como prato principal ou como sobremesa.

Isto é pura conjuntura, claro, mas quem sabe — talvez os descendentes de Burbank não tenham ficado tão felizes assim com o fato de que uma usina que produz filmes por cota tenha se estabelecido na cidade, se apropriado de nome de Burbank e o utilize como nome de frente de seus filmes. É até possível que a família Burbank se orgulhe mais da 'batata' produzida pelo velho do que do fato de seus estúdios terem emergido *Casablanca* ou mesmo *Gold Diggers of 1931.*

Tudo isso pode nos levar a um tipo amargo de conclusão, mas posso garantir que minha intenção não foi esta. Eu amo os Warner. Alguns dos meus melhores amigos são Warner Brothers. É até possível que eu esteja lhe fazendo uma injustiça e que vocês, vocês mesmos, nada saibam desta atitude enrolada como rabo de cachorro. E a mim em nada me surpreenderia de que os chefes do seu departamento jurídico sequer saibam desta disputa absurda, pois eu me dou com vários deles e eles são gente boa, com cabelos negros e encaracolados. Com ternos finos e amados por seus colegas.

Tenho a impressão de que esta tentativa de impedir que nós venhamos a usar nosso título seja a brilhante cria de alguma multilapidada pedra preciosa que estagia no seu departamento jurídico. Conheço bem o tipo — recém saído da faculdade de Direito, ávido de sucessos e ambicioso demais para seguir as leis naturais da promoção. Este jurista sombrio provavelmente fez a cabeça de seus advogados, a maioria deles pessoas simpáticas, com seus cabelos encaracolados, seus jaquetões etc., no sentido de nos enquadrar. Bem, ele não irá muito longe com esta história. Vamos enfrentá-lo até na Suprema Corte! Nenhum advogado aventureiro com cara de pastel conseguirá que haja derramamento de sangue entre os Warners e os Marxs. Somos ambos brothers sob a pele, e continuaremos amigos até que o último rolo de filme de *A Night in Casablanca* continue rodando no projetor.

Sinceramente,

Groucho Marx."


(*O departamento jurídico da Warner, confuso com esta carta inesperada de Groucho Marx, curiosamente remeteu uma resposta. Eles pediam - com toda a seriedade do mundo — se os irmãos Marx poderiam dar alguma idéia sobre o que seria seu filme. Achavam que se poderia chegar a um acordo. Daí então Groucho respondeu-lhes:*)

"Caros Warners:

Não há muita coisa que eu possa lhes dizer sobre a história. Nela eu interpreto um Doutor da Divindade que prega o Evangelho aos nativos e, paralelamente, vende abridores de lata e ervilhas enlatadas para os selvagens, ao longo da Costa de Ouro da África.

Quando encontrei Chico pela primeira vez, ele trabalhava num *saloon*, vendendo esponjas para os bêbados que não conseguiam segurar seus drinques. Harpo é um *caddie* árabe que vive numa pequena urna grega nos arredores da cidade.

Quando o filme começa, Porridge, uma dissimulada nativa, está afiando algumas flechas para os caçadores. Paulinho Ressaca (Paul Hangover), nosso herói, está constantemente acendendo dois cigarros ao mesmo tempo. Aparentemente ele desconhece a escassez de cigarros no local.

Há cenas de antagonismo esplendoroso e ameaçador, e Colo, um garoto de recado abissínio, dirige Riot. Riot, caso vocês não saibam, é um pequeno *nighclub* na margem da cidade.

Tem muito mais coisa que eu poderia vos dizer, mas não quero estragar o final da história. Tudo isso já recebeu o OK da *Hais Office*, *Good Housekeeping* e dos sobreviventes do *Haymarket Riots*; e se o tempo for ágil, este filme poderá ser o tiro inicial de um novo desastre mundial.

Cordialmente,
Groucho Marx."

*(Em vez de se irritarem, como seria de se esperar, os advogados da empresa ficaram ainda mais curiosos; responderam dizendo que ainda não tinham compreendido a* story line *do roteiro e ficariam satisfeitos se o Sr. Marx pudesse explicar o* plot *com mais detalhes. Então Groucho atendeu-os com a seguinte carta: )*

"Caro Irmãos:

Desde que lhes escrevi, lamento dizer que fizemos certas alterações no *plot* do nosso novo filme, *A night in Casablanca.* Nesta nova versão eu faço a namoradinha de Humphrey Bogart. Harpo e Chico são vendedores ambulantes de tapetes que, exaustos de tanto andar, resolvem se aventurar  num mosteiro. Esta é uma boa piada lá deles, já que o mosteiro não havia aventura há mais de quinze anos.

Do outro lado do mosteiro havia um hotel dando para um rio com quartos cheios de maçãs, a maioria delas proibidas pela *Hays Office.*  No quinto rolo de filme, Gladstone faz um discurso que instala o tumulto na Casa dos Comuns, e o Rei prontamente pede para ele renunciar. Harpo casa-se com uma detetive de hotel; Chico gerencia uma fazenda de avestruz. A garota de Humphrey Bogart, Bordello, passa seus últimos anos na casa de Bacall.

Isso tudo, como vocês vêem, é um pobre resumo. A única coisa que pode nos salvar de extinção é a continuação das filmagens.

Seu fã,

Groucho Marx."

# NARIZ

### RYUNOSUKE AKUTAGAWA
### (1892-1927 | Japão)

*Akutagawa, já consagrado em seu país, ganhou renome mundial apenas por um conto de poucas páginas, Rashomon, que, transposto para o cinema, virou o clássico homônimo de Akira Kurosawa. Neste Nariz, uma de suas raras incursões no humor, o autor presta reverência (numa clara alusão, já a partir do título) a O Nariz, de Gogol, também incluído nesta antologia.*

Na cidade de Ikenoo, não há quem não conheça o nariz de Zenti Naigu. Tendo uns quinze centímetros de comprimento, desde de cima do lábio superior até abaixo do queixo. A grossura é a mesma, da raiz à extremidade. Dir-se-ia que algo parecido a uma comprida lingüiça se acha pendente bem no meio do rosto.

Desde os tempos de noviciado até atingir o atual posto no seminário budista do palácio, Naigu, passado já dos cinqüenta anos, sempre se atormentou com o seu nariz. É claro que ainda hoje, como quem pouco se importa, aparenta estar impassível. Mas não age assim apenas porque ache condenável que um sacerdote como ele, que deve cultivar a fé intensa na anunciada mansão etérea, fique a se amofinar por causa do nariz. Mais do que isso, na verdade, é porque não queria que chegasse ao conhecimento alheio que se agastava por sua causa. O que mais temia, nos bate-papos cotidianos, era o surgimento da palavra "nariz".

Por duas razões se aborrecia. A primeira era de ordem prática. O apêndice, por demasiado comprido, causava-lhe embaraço. Começava que, na hora da refeição, não podia comer por si. Se assim fizesse, a ponta do nariz caía no arroz da tigela de metal. Daí que resolveu pedir a um discípulo que se sentasse do outro lado da bandeja e que, enquanto durasse a refeição, ficasse a suspender-lhe o nariz com uma tábua de três centímetros de largura e setenta de comprimento. Só que não era nada fácil agirem dessa maneira, o discípulo a mantê-lo suspenso, ele a comer com o nariz sustentado. Até em Quioto foi espalhafatosamente comentado o sucesso em que a mão de um serviçal menino, que substituía o discípulo, tremeu com a espirrada que dera, deixando cair o nariz dele dentro do caldo. Todavia, essa não era a razão principal que o fazia sofrer. Naigu mortificava-se, na verdade, por causa do amor-próprio ferido.

Os habitantes de Ikenoo comentavam que, em vista do nariz que tinha, era uma felicidade para ele não ser um homem profano. Porque — é o que achavam — mulher alguma se disporia a ser sua esposa. Havia quem chegasse a propalar que ele teria escolhido a carreira sacerdotal por causa justamente do nariz. Sucede que ele próprio nunca achou que, pelo fato de ser um sacerdote, houvessem diminuído os aborrecimentos causados pelo nariz. Seu amor-próprio era por demais delicado para fazer-se governar por um mero acontecimento como o casamento. Daí, tentou reerguer o orgulho ferido através da prática de alguma ação ou submetendo-se a esta ou aquela operação.

O que primeiro lhe ocorreu foi uma forma de fazer com que o comprido nariz parecesse mais curto. Para tanto, encontrando-se a sós, sentava-se à frente do espelho e, projetando sua imagem de ângulos diferentes, pacientemente pesquisava a melhor aparência. Por vezes, não satisfeito com apenas mudar a posição do rosto, colocava-o entre as mãos ou encostava o dedo no queixo, e assim passava horas na contemplação do espelho. Apesar de tudo isso, nem uma única vez o nariz lhe pareceu suficientemente curto a ponto de satisfazê-lo. Em algumas ocasiões, chegava a ter a impressão de que quanto mais se esforçava mais parecia aumentar o seu comprimento. Quando isso sucedia, Naigu guardava o espelho no estojo e, lastimando-se qual enfrentasse a situação pela primeira vez, voltava sem vontade à escrivaninha para prosseguir a leitura das Orações a Kannon.[1]

Outrossim, Naigu preocupava-se a toda hora com o nariz dos outros. No Templo de Ikenoo realizavam-se freqüentemente conferências sobre o Budismo. Dentro de seus muros, moradias de bonzos se enfileiravam, e todos os dias havia água quente para o banho. Assim sendo, eram muitos e variados os bonzos e homens profanos que o freqüentavam. Naigu não se cansava de observar o rosto de todos eles, na esperança de descobrir alguém que tivesse um nariz como o seu, uma pessoa que fosse, para poder sentir-se tranqüilizado com a descoberta. Por essa razão, não reparava nem nos quimonos azuis de seda, nem nas alvas vestimentas. Chapéus cor-de-laranja ou vestes sacerdotais cor de castanha, então, eram como se não existissem, por familiarizados aos seus olhos. Naigu não via a pessoa, mas o nariz. Entretanto, muito embora encontrasse nariz adunco, não deparou com nenhum que se assemelhasse ao seu. De decepção em decepção, foi ficando desgostoso. Em verdade, foi por causa desta contrariedade que ele, a despeito da idade que tinha, teve de corar feito uma criança numa ocasião em que, estando a conversar com uma pessoa, sem querer levou a mão a apalpar a ponta do nariz que pendia ao jeito de uma lingüiça.

---

[1] Kannon é o nome japonês de Avalokitesvara, "Bodhissattva" que se devotou à salvação dos mortais.

Como última tentativa, chegou a pensar em encontrar algum conforto íntimo descobrindo em escritos budistas e profanos alguma personagem com o mesmo nariz que o seu. O diabo é que em nenhum texto de oração viu registrado que Mokuren ou Sharihotsu tivessem sido donos de nariz comprido. Por óbvio, tanto Ryoju como Memyo foram "Bossatsu"[2] com nariz do tamanho normal. Por falar em chineses, quando soube que era comprida a orelha de Ryu Guentoku, não pôde deixar de matutar o quanto diminuiria o seu abatimento se, em vez de orelha, se tratasse de nariz.

Seria ocioso dizer que, enquanto penava em tentar algo de uma forma não atuante, não deixou por outro lado de experimentar processos ativos de encurtamento do nariz. A este respeito, Naigu fez de tudo que estava ao seu alcance, por exemplo tomar chá de cabaça ou untar o nariz com urina de rato. Todavia, fizesse o que fizesse, o nariz persistia em mostrar-se descaído diante dos lábios com todo o seu comprimento de quinze centímetros.

Ora, aconteceu que, num outono, um discípulo que havia ido à capital de Quioto a serviço de Naigu trouxe uma receita para encurtar nariz passada por um médico seu conhecido, natural da China, e que nessa época trabalhava no Templo Choraku.

Como de costume, Naigu assumiu ares de quem não se apoquentava com o nariz, e de propósito deixou de manifestar interesse na imediata aplicação do novo processo. De outro lado, entretanto, cada vez que comia fazia entender ao discípulo que lhe era constrangedor o trabalho que dava. No íntimo, naturalmente, esperava que o discípulo o convencesse a experimentar o processo. A este não iria escapar o estratagema de Naigu, mas é provável que, a despeito da contrariedade, se tivesse compadecido do mestre que precisava valer-se de semelhante ardil. Tanto que, para satisfação do esperançoso Naigu, ele passou a propor-lhe insistentemente que se submetesse ao processo. Dessa maneira, Naigu, seguindo o que planejara, pôde aceder, finalmente, em acatar a sugestão feita com tanta insistência.

A receita, muito simples, mandava que o nariz fosse aquecido em água fervente e em seguida pisado por alguém.

Água quente havia todos os dias no banheiro do templo. Daí, sem perda de tempo o discípulo trouxe um jarro de água, tão quente que nem se podia nele enfiar um dedo. E como havia o perigo de o vapor queimar o rosto, caso o nariz fosse introduzido diretamente no jarro, tampou-se este com uma bandeja, depois de abrir nela um buraco; e por aqui Naigu introduziu o nariz na água fervente. Ficando-se com o nariz, tão só, mergulhado na água aquecida, não se tinha nenhum sofrimento. Depois de algum tempo, disse-lhe o discípulo:

— Já deverá estar refogado...

Naigu torceu os lábios em riso contrafeito. É que — pensou — ninguém que ouvisse essa frase acharia que se falava de nariz. Este, guisado pela água fervente, coçava como se houvesse sido mordido por pulgas.

---

[2] Bossatsu é o nome japonês de "Bodhisattva", dado a Gautama Sidharta antes de se tornar o Buda (a sabedoria plena).

Tendo Naigu retirado o nariz do orifício, o discípulo pôs-se a pisoteá-lo, ainda fumegante de vapor, fazendo força nas duas pernas. Deitado, com o nariz estendido no soalho, o trabalho de Naigu consistia em acompanhar com os olhos os pés do discípulo que se moviam para cima e para baixo bem à sua frente. Baixando a vista para a calva de Naigu, o discípulo indagava de tempo em tempo compondo uma expressão de solidariedade:

— Não está doendo? O médico disse que devia pisar com vontade. Mas... não está doendo?

Naigu tentou sacudir a cabeça, informando-o de que não sentia dor. Com o nariz pisado, porém, não conseguiu mexer a cabeça como queria. Daí que, erguendo a vista para os pés do discípulo, onde se notavam rachaduras provocadas pela frieira, respondeu em voz irada:

— Não, não está.

E não mentia, já que, pisoteado onde sentia comichão, por assim dizer chegava a sentir prazer.

Decorrido algum tempo de pisadela, começaram a nascer no nariz umas erupções do tamanho de um grão de alpiste. Dir-se-ia que o nariz tomara a forma de um passarinho depenado e tostado. Reparando nas erupções, o discípulo parou de pisar e disse como que de si para si:

— Mandou que as extraísse com uma pinça.

A contragosto, as bochechas infladas, Naigu sujeitou-se calado à operação. Reconhecia o favor que lhe fazia o moço, mas aborrecia-o o fato de ele tratar o seu nariz como se fora um objeto qualquer. Com o semblante do enfermo que se vê operado por um médico em quem não confia, de mau grado Naigu contemplava o discípulo extrair com uma pinça a gordura amontoada nos poros. E esta, em forma de raiz de pena de ave, tinha perto de um centímetro e meio de comprimento ao ser desprendida.

Terminada a extração em geral, disse o discípulo, como que aliviado:

— Agora, é aquecê-lo mais uma vez.

A testa franzida, Naigu continuou à mercê do que lhe ordenava o discípulo.

Retirado o apêndice refogado pela segunda vez, constatou-se que, de fato, havia encurtado. Como ficara, não se mostrava muito diferente dos narizes aduncos de certas pessoas. Acariciando o encolhido apêndice, Naigu mirou-se acabrunhado, medrosamente, no espelho que apresentou o discípulo.

O nariz — aquele nariz que pendia até abaixo do queixo — se contraíra como que num passe de mágica, e já agora, confinado acima do lábio superior, como que exibia covardemente o que lhe restara do antigo tamanho. As manchas vermelhas que se viam aqui e ali deveriam ser ferimentos produzidos pelas pisadas. "Agora, ninguém mais fará gracinhas." — Dentro do espelho, os olhos refletidos piscaram de satisfação para Naigu que se encontrava do lado de fora.

É certo, porém, que esse dia inteiro decorreu na apreensão de que o nariz voltasse a encompridar. Por isso, seja durante as orações, seja durante as refeições, a todo momento Naigu esticava a mão e tocava de leve na ponta do nariz. Todavia, este se conservava acima do lábio superior, bem comportado, e não parecia querer descer para mais baixo.

Ao despertar cedo, na manhã seguinte, a primeira ação praticada por Naigu foi a de acariciar o nariz. Este continuava curto. Foi então que, pela primeira vez em tantos anos, sentiu-se rei de si mesmo, como quando teve a felicidade de concluir o trabalho de copiar a sagrada escritura de Hokke.

Sucedeu que, passados dois ou três dias, ele descobriu um fato insólito. Um samurai, em visita ao Templo do Ikenoo para tratar de algo de seu interesse, ficou a examinar-lhe o nariz com a maior sem-cerimônia, nem se importando de dizer a que viera e parecendo achar muito mais graça do que antes. Mas não foi só. Aquele moleque que deixara cair o nariz dentro do caldo, ao cruzar com ele fora do salão de conferências, tentou de começo conter-se, mas logo mais, incapaz de resistir, rebentou-se de riso. E não foi nem por uma ou duas vezes que os bonzos subalternos, que ouviam compenetrados as ordens ditadas por ele, soltavam risadas mal lhes virava as costas.

A princípio, Naigu atribuiu o fato à alteração na sua fisionomia. A interpretação, porém, não lhe pareceu satisfatória, pois que, embora essa fosse a razão da caçoada do moleque e dos bonzos subalternos, a verdade era que a própria troça parecia diferente daquela que lhe era dirigida antes, na época em que o nariz era comprido. Se se disser que um nariz mais curto que o normal é mais risível que o mais comprido — ponto final. Acontece que alguma coisa mais deveria estar concorrendo para a risota.

— Antes não riam tão abertamente. — Assim murmurava por vezes, inclinando a careca e interrompendo a reza. Nessas ocasiões, o pobre do Naigu contemplava absorto o retrato do "bossatsu" Fugen, pendurado ao lado, e, a recordar a época que terminara quatro ou cinco dias atrás, quando tinha nariz comprido, fechava-se em copas como "um homem posto em decadência a lembrar o passado de fasto". Lamentavelmente, faltava a Naigu a clarividência que lhe desse uma resposta ao que o confundia.

Há em nós dois sentimentos que se contrapõem. Ninguém há que não se condoa da desgraça alheia. Sucede que quando o coitado consegue de algum modo desvencilhar-se da felicidade, então a gente passa a achar que, afinal, tudo foi pouco. Exagerando um pouco, pode-se ver que até chegamos a desejar que essa pessoa experimentasse outra vez a mesma desgraça. E, assim, sem nos darmos conta, passamos a abrigar, ainda que de uma forma passiva, uma certa hostilidade para com essa pessoa. Se Naigu, a despeito de ignorar a causa, se sentiu ofendido foi porque notou, ainda que vagamente, este tipo de egoísmo de um mero expectador nos bonzos e leigos de Ikenoo.

Daí, então, seu mau humor foi crescendo a cada dia que passava. Ralhava com todos, maldosamente, a todo momento. Por fim, até mesmo o discípulo que tratara do nariz dele passou a cochichar que "Naigu receberá o castigo budista por sua crueldade". Todavia, quem mais enfureceu Naigu foi o moleque travesso que deixara cair o nariz dele dentro do caldo. Certo dia, ao sair inadvertidamente do templo atraído pelos latidos de um cão, viu que esse moleque enxotava um "poodle" magrinho de pêlos compridos, brandindo uma tábua de cerca de setenta centímetros de comprimento. Acontece que não se limitava a enxotar simplesmente, senão que o fazia aos gritos de "Acerto-lhe no nariz, acerto-lhe no nariz!" Naigu arrancou a tábua das mãos do menino e deu-lhe com vontade uma bofetada. A tábua era precisamente aquela que antigamente servia para suspender-lhe o nariz.

Naigu chegou até a se odiar, pelo fato de o nariz haver-se-lhe encurtado, por assim dizer sem necessidade.

Mas eis que algo aconteceu certa noite. Tão logo escureceu o dia, pareceu-lhe que começara a ventar repentinamente, eis que teve o sono perturbado pelos sinos do pagode. Além do mais, o frio tornou-se mais intenso, pelo que Naigu, já avançado na idade, não conseguiu ferrar-se no sono. Foi então que, em meio à modorra, notou uma coceira inabitual incomodando o seu nariz. Levando a mão ao apêndice, sentiu-o intumescido e úmido. Parecia mesmo que tinha febre localizada nele.

— Tendo encurtado à força, quem sabe, posso ter ficado doente — assim murmurou, apertando o nariz num gesto respeitoso de quem faz oferenda de flores nobres a Buda.

Tendo despertado cedo na manhã seguinte, como de costume aliás, o quintal resplandecia de ouro, atapetado de folhas amarelas caídas durante a noite dos pés de ginkgoáceas e castanheiros da Índia. Na cobertura do pagode, certamente, teria geado, pois o pilar rebrilhava intensamente recebendo os raios ainda fracos do sol da manhã. De pé na varanda alpendrada, Zenti Naigu respirou fundo.

Foi nesse instante que voltou a experimentar uma certa sensação que procurara olvidar.

Levou a mão ao nariz, precipitadamente. O que sentiu ao contacto não era mais o curto nariz da noite anterior, mas o antigo, comprido, de uns quinze centímetros, a se esparramar de cima do lábio superior até abaixo do queixo. Deu-se conta de que, numa noite, ele voltara ao comprimento anterior. Depois, juntamente com a constatação, sentiu que lhe era restituída não se sabe donde aquela sensação de bem-estar, idêntica à que experimentou quando o nariz houvera encurtado.

— Agora ninguém mais voltará a rir — assim disse intimamente, numa espécie de murmúrio silencioso, a balançar o comprido nariz ao vento matinal de outono.

*Tradução de Antonio Nojiri e Katsunori Wakisaka*

## OS SEXOS

### DOROTHY PARKER
### (1893-1967 | Estados Unidos)

*Bem jovem, Dorothy Parker já escrevia para revistas sofisticadas de Nova York: aos 23 anos, era crítica teatral do* Vanity Fair; *aos 27, escrevia resenhas para o* New Yorker. *Revelou-se como contista ao ganhar o Prêmio O . Henry, com* Big Blonde. *Seu humor mundano e vivo pode ser lido em português na edição de* Big Loira e outras histórias, *em tradução de Ruy Castro. A velha e permanente história de Adão e Eva é o tema de* Os Sexos.

O rapaz de gravata extravagante olhou nervosamente para a jovem vestida de babados, ao seu lado no sofá. Ela examinava o seu lencinho com tal interesse que era como se aquela fosse a primeira vez que via um e tivesse se encantado pela sua forma, material e possibilidades. O rapaz pigarreou, produzindo um ruído baixinho e sincopado, sem necessidade e sem sucesso.

— Quer um cigarro? — perguntou.

— Não, obrigada — disse ela. — Imensamente obrigada, de qualquer maneira.

— Perdão, só tenho desta marca — disse ele. Você tem da marca que gosta?

— Não sei, talvez tenha — disse ela. — Mas obrigada assim mesmo.

— Porque, se não tiver, não me custaria mais que um minuto para ir à esquina e comprar um maço.

— Oh, obrigada, mas eu não lhe daria este trabalho por nada deste mundo — disse ela. — É extremamente gentil da sua parte oferecer-se para isso, mas muito obrigada.

— Droga, quer parar de ficar me agradecendo o tempo todo? — disse ele.

— Realmente — disse ela —, eu não sabia que estava dizendo nada inconveniente. Mil perdões se o magoei. Sei como a gente se sente quando é magoada. Nunca imaginei que fosse um insulto dizer "obrigada" a alguém. Não estou exatamente habituada a ouvir alguém gritar comigo quando digo "obrigada".

— Não gritei com você! — gritou ele.

— Ah, não? — disse ela. — Sei.

— Meu Deus — disse ele —, só lhe perguntei se podia ir lá fora comprar cigarros para você. É motivo para você subir pelas paredes?

— Quem está subindo pelas paredes? — disse ela. — Eu apenas não sabia que era um crime dizer que jamais sonharia em lhe dar esse trabalho. Talvez eu seja muito burra ou coisa assim.

— Afinal, quer ou não quer que eu vá lá fora lhe comprar cigarros? — disse ele.

— Pelo amor de Deus — disse ela —, se quer tanto ir, não se sinta na obrigação de ficar aqui. Não se sinta amarrado.

— Ora, não seja assim, tá bom? — disse ele.

— Assim como? — disse ela. — Não estou sendo assim nem assado.

— O que há com você? — disse ele.

— Ué, nada — disse ela. — Por quê?

— Você está esquisita esta noite — disse ele. — Mal me dirigiu a palavra desde que cheguei.

— Peço-lhe mil perdões se não está se divertindo — disse ela. — Por favor, não se sinta obrigado a ficar se está se aborrecendo. Aposto que há milhões de outros lugares onde você se divertiria muito mais. Acontece que eu deveria ter pensado um pouco melhor antes. Quando você disse que viria aqui esta noite, desmarquei um monte de compromissos para ir ao teatro ou algo assim. Mas não faz a mínima diferença. Preferia até que você fosse se divertir em outro lugar. Não é muito agradável ficar sentada aqui, achando que vou matar alguém de tédio.

— Não estou morrendo de tédio! — ele urrou. — E não quero ir a lugar nenhum! Por favor, querida, qual é o problema? Me conte.

— Não tenho a menor idéia do que você está falando — ela disse. — Não há o menor problema. Não sei o que você quer dizer com isso.

— Sabe, sim — disse ele. — Há algum problema. Foi alguma coisa que eu fiz?

— Deus do céu — disse ela —, não é absolutamente da minha conta qualquer coisa que você faça. Seja o que for, eu jamais teria o direito de criticá-lo.

— Quer parar de falar desse jeito, por favor? — disse ele.

— Falar de que jeito? — disse ela.

— Você sabe muito bem — disse ele. — Do mesmo jeito com que você falou comigo ao telefone hoje. Estava tão ranzinza quando liguei que tive até medo de falar.

— Perdão — disse ela. — Como é que eu estava mesmo?

— Está bem, desculpe — disse ele. — Retiro a expressão. É que, às vezes, você me enche o saco.

— Lamento — ela disse —, mas não estou habituada a ouvir esse tipo de linguagem. Ninguém nunca falou assim comigo, em toda a minha vida.

— Já lhe pedi desculpas, não pedi? — ele gemeu. — Juro, querida. Não sei como pude dizer uma coisa dessas. Vai me perdoar, vai?

— Oh, claro — disse ela. — Pelo amor de Deus, não fique se desculpando. Não faz a menor diferença. Só achei engraçado ver alguém que sempre considerei uma pessoa educada entrar na minha casa e usar um palavreado como este. Mas não faz a mínima diferença.

— Bem, acho que nada do que eu diga faz a menor diferença para você — ele disse. — Você parece magoada comigo.

— Eu, magoada com você? — ela disse. — Não sei de onde você tirou essa idéia. Por que eu estaria magoada com você?

— É o que eu gostaria de saber — ele disse. — Não vai me dizer o que houve? Fiz alguma coisa para magoá-la, querida? Do jeito que você estava no telefone, fiquei preocupado o dia inteiro. Nem consegui trabalhar direito.

— Eu certamente não gostaria de saber que estou interferindo no seu trabalho — disse ela. — Sei que muitas garotas fazem esse tipo de coisa sem a menor cerimônia, mas eu acho terrível. Não é muito agradável ficar aqui ouvindo que estou interferindo no trabalho de alguém.

— Eu não disse isso! — ele berrou.

— Ah, não? — ela disse. — Bem, foi o que entendi. Deve ser a minha estupidez.

— Acho que o melhor mesmo é ir embora — disse ele. — Nada dá certo. Tudo que eu digo só serve para chateá-la cada vez mais. Quer que eu vá?

— Por favor, faça exatamente o que estiver com vontade de fazer — ela disse. — A última coisa que eu gostaria de fazer seria obrigá-lo a ficar quando você prefere ir a outro lugar. Por que não vai a algum lugar onde não se aborreça tanto? Por que não vai à casa de Florence Leaming, por exemplo? Tenho certeza de que ela adoraria recebê-lo.

— Não quero ir à casa de Florence Leaming! — ele zurrou. — O que eu iria fazer na casa de Florence Leaming? Ela é um pé!

— Ah, é? — disse ela. — Não era o que você parecia pensar na festa de Elsie, ontem à noite, como eu notei. Ou não teria conversado com ela a noite toda, sem tempo para mais ninguém.

— Exatamente, e sabe por que eu estava conversando com ela? — disse ele.

— Bem, suponho que você a ache bonita — disse ela. — Algumas pessoas acham. É perfeitamente natural. Há quem a ache bonita.

— Não sei se ela é feia ou bonita — disse ele. — Se ela entrasse agora por esta porta, não sei se a reconheceria. Só fui conversar com ela porque você não me deu a mínima atenção ontem à noite. Eu me dirigia a você e você só sabia dizer, "Oh, como vai?". O tempo todo: "Oh, como vai?". E virava as costas imediatamente.

— Eu não lhe dava a mínima? — ela se espantou. — Oh, mas é tão engraçado! É engraçadíssimo! Não se importa que eu ria, não?

— Pode rir até engasgar — ele disse. — Mas que é verdade, é.

— Bem, no instante em que você chegou, começou a fazer um fuzuê por causa de Florence Leaming, como se o resto do mundo não existisse. Vocês dois pareciam estar se divertindo tanto que eu jamais teria me intrometido.

— Meu Deus — ele disse —, a tal moça Florence-não-sei-das-quantas veio falar comigo antes que eu visse qualquer conhecido. O que você queria que eu fizesse? Que lhe desse um soco no nariz?

— Bem, certamente, não o vi tentar — disse ela.

— Mas me viu tentar falar com você, não viu? — disse ele. — E o que você fez? Ficou repetindo "Oh, como vai?". Aí a tal Florence apareceu de novo e me segurou. Florence Leaming! Acho ela horrível. Quer saber o que eu acho dela? Que é uma pateta.

— Bem — disse ela —, claro que essa sempre foi a impressão que tive de Florence, mas sabe-se lá? Há quem a ache linda.

— Ora — disse ele —, como ela poderia ser linda estando na mesma sala com você?

— Nunca vi um nariz tão feio — disse ela. — Tenho pena de qualquer garota com um nariz como aquele.

— Pois é, um nariz horroroso — disse ele. — Já o seu nariz é lindo. Puxa, como o seu nariz é bonito!

— Ora, que nada — ela disse. — Você está louco.

— Ah, é? — ele disse. — E os seus olhos? E o seu cabelo e a sua boca? E olhe que mãos você tem! Venha cá, me empreste uma dessas mãozinhas. Ai, que mão! Quem tem as mãos mais gostosas do mundo? Quem é a garota mais gostosa do mundo?

— Não sei — ela disse. — Quem?

— Não sabe! — ele riu. — Claro que sabe.

— Não — ela disse. — Quem? Florence Leaming?

— Florence Leaming, uma ova! — ele disse. — Está puta comigo por causa de Florence Leaming! E eu sem dormir a noite toda e sem conseguir trabalhar o dia inteiro porque você não falava comigo! Uma garota como você se preocupando com um estupor como Florence Leaming!

— Acho que você é completamente louco — disse ela. — Não estava preocupada. O que o fez pensar que eu estava? Você é louco. Oh, minhas pérolas novas. Deixe-me tirá-las primeiro. Pronto.

*Tradução de Ruy Castro*

## O CÁGADO

### ALMADA-NEGREIROS
### (1893-1970 | Portugal)

*O futurista José de Almada-Negreiros, companheiro de geração de Fernando Pessoa, um dos maiores pintores lusos, além de escritor e agitador cultural, é uma presença de importância póstuma cada vez mais marcante na cultura portuguesa. Autor do romance* Nome de Guerra, *deixou contos espalhados por revistas de vanguarda de curta duração, como este irresistível* O Cágado, *que foi recolhido no volume* Contos e Novelas.

Havia um homem que era muito senhor da sua vontade. Andava às vezes sozinho pelas estradas a passear. Por uma dessas vezes viu no meio da estrada um animal que parecia não vir a propósito — um cágado.

O homem era muito senhor da sua vontade, nunca tinha visto um cágado; contudo, agora estava a acreditar. Acercou-se mais e viu com os olhos da cara que aquilo era, na verdade, o tal cágado da zoologia.

O homem que era muito senhor da sua vontade ficou radiante, já tinha novidades para contar ao almoço, e deitou a correr para casa. A meio caminho pensou que a família era capaz de não aceitar a novidade por não trazer o cágado com ele, e parou de repente. Como era muito senhor da sua vontade, não poderia suportar que a família imaginasse que aquilo do cágado era história dele, e voltou atrás. Quando chegou perto do tal sítio, o cágado, que já tinha desconfiado da primeira vez, enfiou buraco abaixo como quem não quer a coisa.

O homem que era muito senhor da sua vontade pôs-se a espreitar para dentro e depois de muito espreitar não conseguiu ver senão o que se pode ver para dentro dos buracos, isto é, muito escuro. Do cágado, nada. Meteu a mão com cautela e nada; a seguir até ao cotovelo e nada; por fim o braço todo e nada. Tinham sido experimentadas todas as cautelas e os recursos naturais de que um homem dispõe até ao comprimento do braço e nada.

Então foi buscar auxílio a uma vara compridíssima, que nem é habitual em varas haver assim tão compridas, enfiou-a pelo buraco abaixo, mas o cágado morava ainda muito mais lá para o fundo. Quando largou a vara, ela foi por ali abaixo, exatamente como uma vara perdida.

Depois de estudar novas maneiras, a ofensiva ficou de fato submetida a nova orientação. Havia um grande tanque de lavadeiras a dois passos e ao lado do tanque estava um bom balde dos maiores que há. Mergulhou o balde no tanque e, cheio até mais não, despejou-o inteiro para dentro do buraco do cágado. Um balde só já ele sabia que não bastava, nem dez, mas quando chegou a noventa e oito baldes e que já faltavam só dois para cem e que a água não havia meio de vir ao de cima, o homem que era muito senhor da sua vontade pôs-se a pensar em todas as espécies de buracos que possa haver.

— E se eu dissesse à minha família que tinha visto o cágado? — pensava para si o homem que era muito senhor da sua vontade. Mas não! Toda a gente pode pensar assim menos eu, que sou muito senhor da minha vontade.

O maldito sol também não ajudava nada. Talvez que fosse melhor não dizer nada do cágado ao almoço. A pensar se sim ou não, os passos dirigiam-se involuntariamente para as horas de almoçar.

— Já não se trata de eu ser um incompreendido com a história do cágado, não; agora trata-se apenas da minha força de vontade. É a minha força de vontade que está em prova, esta é a ocasião propícia, não percamos tempo! Nada de fraquezas!

Ao lado do buraco havia uma pá de ferro, destas dos trabalhadores rurais. Pegou na pá e pôs-se a desfazer o buraco. A primeira pazada de terra, a segunda, a terceira, e era uma maravilha contemplar aquela majestosa visibilidade que punha os nossos olhos em presença do mais eficaz testemunho da tenacidade, depois dos antigos. Na verdade, de cada vez que enfiava a pá na terra, com fé, com robustez, e sem outras intenções a mais, via-se perfeitamente que estava ali uma vontade inteira; e ainda que seja cientificamente impossível que a terra rachasse de cada vez que ele lhe metia a pá, contudo era indiscutivelmente esta a impressão que lhe dava. Ah, não! Não era um vulgar trabalhador rural. Via-se perfeitamente que era alguém muito senhor da sua vontade e que estava por ali por acaso, por imposição própria, contrafeito, por necessidade do espírito, por outras razões diferentes das dos trabalhadores rurais, no cumprimento de um dever, um dever importante, uma questão de vida ou de morte — a vontade.

Já estava na nonagésima pazada de terra; sem afrouxar, com o mesmo ímpeto da inicial, foi completamente indiferente por um almoço a menos. Fosse ou não por um cágado, a humanidade iria ver solidificada a vontade de um homem.

A mil metros de profundidade a pino, o homem que era muito senhor da sua vontade foi surpreendido por dolorosa dúvida — já não tinha nem a certeza se era a qüinquagésima milionésima octogésima quarta. Era impossível recomeçar, mais valia perder uma pazada.

Até ali não havia indícios nem da passagem da vara, da água ou do cágado. Tudo fazia crer que se tratava de um buraco supérfluo; contudo, o homem era muito senhor da sua vontade, sabia que tinha de haver-se de frente com todas as más impressões. De fato, se aquela tarefa não houvesse de ser árdua e difícil, também a vontade não podia resultar superlativamente dura e preciosa.

Todas as noções de tempo e de espaço, e as outras noções pelas quais um homem constata o quotidiano, foram todas uma por uma dispensadas de participar no esburacamento. Agora, que os músculos disciplinados num ritmo único estavam feitos ao que se quer pedir, eram desnecessários todos os raciocínios e outros arabescos cerebrais, não havia outra necessidade além da dos próprios músculos.

Umas vezes a terra era mais capaz de se deixar furar por causa das grandes camadas de areia e de lama; todavia, estas facilidades ficavam bem subtraídas quando acontecia ser a altura de atravessar uma dessas rochas gigantescas que há no subsolo. Sem incitamento nem estímulo possível por aquelas paragens, é absolutamente indispensável recordar a decisão com que o homem muito senhor da sua vontade pegou ao princípio na pá do trabalhador rural para justificarmos a intensidade e a duração desta perseverança. Inclusive, a própria descoberta do centro da Terra, que tão bem podia servir de regozijo ao que se aventura pelas entranhas do nosso planeta, passou infelizmente desapercebida ao homem que era muito senhor da sua vontade. O buraco do cágado era efetivamente interminável. Por mais que se avançasse, o buraco continuava ainda e sempre. Só assim se explica ser tão rara a presença de cágados à superfície devido à extensão dos corredores desde a porta da rua até aos aposentos propriamente ditos.

Entretanto, cá em cima na terra, a família do homem que era muito senhor da sua vontade, tendo começado por o ter dado por desaparecido, optara, por último, pelo luto carregado, não consentindo a entrada no quarto onde ele costumava dormir todas as noites.

Até que uma vez, quando ele já não acreditava no fim das covas, já não havia, de fato, mais continuação daquele buraco, parava exatamente ali, sem apoteose, sem comemoração, sem vitória, exatamente como um simples buraco de estrada onde se vê o fundo ao sol. Enfim, naquele sítio nem a revolta servia para nada.

Caindo em si, o homem que era muito senhor da sua vontade pediu-lhe decisões, novas decisões, outras; mas ali não havia nada a fazer, tinha esquecido tudo, estava despejado de todas as coisas, só lhe restava saber cavar com uma pá. Tinha, sobretudo, muito sono, lembrou-se da cama com lençóis, travesseiro e almofada fofa, tão longe! Maldita pá! O cágado! E deu com a pá com força no fundo da cova. Mas a pá safou-se-lhe das mãos e foi mais fundo do que ele supunha, deixando uma greta aberta por onde entrava uma coisa de que ele já se tinha esquecido há muito — a luz do sol. A primeira sensação foi de alegria, mas durou apenas três segundos, a segunda foi de assombro: teria na verdade furado a Terra de lado a lado?

Para se certificar alargou a greta com as unhas e espreitou para fora. Era um país estrangeiro; homens, mulheres, árvores, montes e casas tinham outras proporções diferentes das que ele tinha na memória. O sol também não era o mesmo, não era amarelo, era de cobre cheio de azebre e fazia barulho nos reflexos. Mas a sensação mais estranha ainda estava para vir: foi que, quando quis sair da cova, julgava que ficava em pé em cima do chão como os habitantes daquele país estrangeiro, mas a verdade é que a única maneira de poder ver as coisas naturalmente era pondo-se de pernas para o ar...

Como tinha muita sede, resolveu ir beber água ali ao pé e teve de ir de mãos no chão e o corpo a fazer o pino, porque de pé subia-lhe o sangue à cabeça. Então, começou a ver que não tinha nada a esperar daquele país onde nem sequer se falava com a boca, falava-se com o nariz.

Vieram-lhe de uma vez todas as saudades da casa, da família e do quarto de dormir. Felizmente estava aberto o caminho até casa, fora ele próprio quem o abrira com uma pá de ferro. Resolveu-se. Começou a andar o buraco todo ao contrário. Andou, andou, andou; subiu, subiu, subiu...

Quando chegou cá acima, ao lado do buraco estava uma coisa que não havia antigamente — o maior monte da Europa, feito por ele, aos poucochinhos, às pazadas de terra, uma por uma, até ficar enorme, colossal, sem querer, o maior monte da Europa.

Este monte não deixava ver nem a cidade onde estava a casa da família, nem a estrada que dava para a cidade, nem os arredores da cidade que faziam um belo pano-rama. O monte estava por cima disto tudo e de muito mais.

O homem que era muito senhor da sua vontade estava cansadíssimo por ter feito duas vezes o diâmetro da Terra. Apetecia-lhe dormir na sua querida cama, mas para isso era necessário tirar aquele monte maior da Europa, de cima da cidade, onde estava a casa da sua família. Então, foi buscar outra pá dos trabalhadores rurais e começou logo a desfazer o monte maior da Europa. Foi restituindo à Terra, uma por uma, todas as pazadas com que a tinha esburacado de lado a lado. Começavam já a aparecer as cruzes das torres, os telhados das casas, os cumes dos montes naturais, a casa da sua família, muita gente suja de terra, por ter estado soterrada, outros que ficaram aleijados, e o resto como dantes.

O homem que era muito senhor da sua vontade já podia entrar em casa para descansar, mas quis mais, quis restituir à Terra todas as pazadas, todas. Faltavam poucas, algumas dúzias apenas. Já agora valia a pena fazer tudo bem até ao fim. Quando já era a última pazada de terra que ele ia meter no buraco, portanto a primeira que ele tinha tirado ao princípio, reparou que o torrão estava a mexer por si, sem ninguém lhe tocar; curioso, quis ver porque era — era o cágado.

# O DEFUNTO INAUGURAL

### Relato de um fantasma

a Rodrigo M. F. de Andrade

## ANÍBAL MACHADO
### (1894-1964 | Brasil)

*Desde sua estréia em 1944, com* Vida Feliz, *Aníbal Machado — um mineiro de Sabará que, depois de passar a época do Modernismo em Belo Horizonrte, fez sua vida adulta no Rio de Janeiro — marcou sua presença de destaque no panorama do conto brasileiro. Escreveu contos antológicos, como* Viagem aos Seios de Duília, Tati, a Garota *e* A Morte da Porta-Estandarte. *Embora seu* O Piano *já tenha participado de uma antologia nacional de humor, optamos por* O Defunto Inaugural *para aqui representá-lo. É um humor contido, mineiro? Um humor negro, triste? A verdade é que se trata de uma idéia original que já andou sendo copiada pela televisão.*

Vamos subindo devagar. Quando alcançarmos o espigão, poderei saber para onde... Saber, não: desconfiar. Mas os homens não falam; apenas exalam um ou outro gemido nas rampas mais fortes. Eu não sou tão pesado assim. Pelo contrário: tantos dias exposto ao ar livre, o sol reduziu-me bastante, curtindo-me as carnes.

Conheço estes caminhos. Muitas vezes, bêbado ou vencido pelo cansaço, deixei-me ficar encostado à cangalha, sobre o pedregulho do leito, enquanto o meu cachorro farejava os bichos e a mula aproveitava o capinzinho das margens.

Só acordava quando trovejava lá em cima e me vinha o medo de ser arrastado pelas enxurradas; ou então quando se aproximavam esses caminhões enormes que começam a invadir a serra depois que se abriu a estrada que vira para a encosta de lá.

A garoa afastou-se do vale. Não sei por que os galos ainda cantam. Chegamos ao alto onde o pé de coqueiro joga uma sombra curta para o lado das jazidas.

Deve ser pouco mais de meio-dia. Tomara que o nosso rumo seja no sentido contrário ao dessa sombra. Conquanto para a minha pele seja indiferente sol ou chuva, prefiro a vertente de cá, onde deve ter ficado o molde irregular das patas da alimária.

Os homens param. Depois se decidem: será mesmo pela estrada nova! Tal como eu queria. O dia clareou bonito. Nunca o vira assim. Estou feliz. Circulo nele agora, participo-lhe da atmosfera.

Vem subindo Josefina com a criança ao colo. Eu queria dar-lhe bom-dia, mas não posso. Se ela soubesse quem vai aqui!... Passou sem desconfiar...

Na ponte provisória um dos homens falseia o pé, e meu corpo rola. Vão pescá-lo mais adiante. Tive receio de que o deixassem seguir com as águas. Já começo a ser menos indiferente ao destino de minha carcaça.

Ao longe — mancha de sangue na vegetação — uma bomba de gasolina. A primeira instalada nestes ermos de montanha. Depois, a estalagem. O dono grita, ao dar com os meus despojos:

— Que há lá em cima que estão mandando defuntos cá para baixo? Já é o segundo!...

Os homens não respondem. Desanimaram não sei por quê. Quererão largar-me ali mesmo, nalguma grota, tal como me encontraram. Se fosse antes, não me importaria. Mas já agora nasce em mim um capricho: chegar primeiro, ganhar a corrida. Eles prosseguem mais soturnos.

A que distância andaria o outro? Foi um tropeiro que informou mais adiante: — Cruzei com ele há coisa de duas léguas da Igrejinha; levantei o lenço. Imagine quem era? O Antão, caçador de parasitas. Catingando já, coitado...

E reconhecendo a qualidade da mercadoria que ia na rede: — Se vosmecês querem chegar na dianteira, carece andar ligeiro. A festança vai ser de arromba. Só estão esperando o material. Parece que pagam bem. Comprar defunto pra cemitério, foi coisa que nunca vi! concluiu o tropeiro soltando uma gargalhada. E depois de relancear o meu corpo embrulhado no lençol:

— Óiá! o pé dele tá aparecendo!...

Agora sim, compreendo por que, e sei para onde me estão carregando: fizeram cemitério nalgum lugar, mas faltou defunto para inaugurá-lo. Daí o pedido às redondezas. Que cemitério será?

O dia vinha escurecendo. Os homens tinham agora pela frente uma planície animada de sapos e pirilampos.

— Engulam a cachaça, disse eu, já impaciente. E toquem depressa!

Minha voz não ressoa, mas produz efeito. Tanto assim que os homens empunham logo o pau da rede e me erguem aos ombros.

E eu vou seguindo, o rosto voltado para a primeira estrela.

Um era careca, o outro tinha bigode. Atravessaram o pântano. Se não conhecessem tão bem o caminho, ficaríamos os três atolados na lama. Quase não se falavam.

— Espanta a varejeira da testa, gritei para o careca... Isto é, quis gritar. O homem sacudiu a cabeça.

— Por menos de quatrocentas pratas, nós voltamos com ele, disse o de bigode.

— Até trezentos, a gente fecha o negócio, responde o careca.

— Vosmecê vê que ele nem tá cheirando!...

Era a minha vantagem sobre o concorrente. Pelo que percebi da conversa deles, e pela marcha batida em que vínhamos, o outro devia ser alcançado na curva do Bananal, antes de o sol raiar. A esse pensamento, trocaram-me de ombro e apressaram a marcha.

Surgiram na cerração as primeiras mulheres que se encaminhavam para o eito. Ao darem comigo, caíram de joelhos, persignando-se. A mais moça fez uma pergunta; a que só de longe o careca respondeu:

— Foi tiro, não; morte de Deus.

— Toca depressa, toca! gritava eu sem poder gritar.

Receavam os homens que outros cadáveres, além do que seguia à frente, estivessem afluindo ao mesmo tempo para o Arraial Novo.

Morrer, sempre se morre por estas terras abandonadas. Mas com a friagem dos últimos dias e o advento dos caminhões, contando-se bem, é fácil encontrar defunto apodrecendo pelos caminhos, ou dentro da mata.

O interesse dos que me carregavam era chegar primeiro e negociar depressa os despojos: o meu, era ganhar a corrida com o colega que ia na frente.

— O outro já deve estar perto, diz o de bigode. Tá largando catinga...

Surge ao longe um bananal oscilando suas folhas tostadas de vento frio. Experimento certo bem-estar, como nunca na vida. Não propriamente um bem-estar comum, mas o sentimento, quase apagado em mim, quando me apanharam na grota, de que ainda vagueio e vaguearei algum tempo pelas imediações de meu corpo.

Mais de quarenta anos tem esta carcaça. À frente dela vou seguindo, como a projeção de uma luz distanciada mas não excluída de sua lanterna.

Que bom este passeio! Tudo tão fluido que posso perceber o que se faz e acontece na área mais próxima de meu corpo.

E lá vai o tropeiro Fagundes — eu me chamava Fagundes (Fagundes?) — descendo de rede para o cemitério do Arraial Novo!...

Por que, nesse arraial, tanta pressa em inaugurá-lo? Por que não esperar pelos defuntos da localidade? A vida lá é boa, eu sei. Tem aguadas, milharais, moinhos; terras férteis e homens fortes. Ninguém há de querer morrer ali, só para estrear cemitério!...

— Eh, Bigode!... Eh, Careca! Depressa!...

No Ribeirão das Mulatas alcançamos os outros. Vão perder a partida. Além do mais, a mercadoria que oferecem apodrece tão depressa que será capaz de ser recusada, mesmo que chegue em primeiro lugar; ao passo que meu corpo, magro e curtido, parece intacto.

E os meus homens passaram silenciosos. Os do outro defunto olharam com raiva. Meus fluidos atravessaram depressa aquela área, como que fugindo ao mau cheiro...

Ao avistarem o arraial que sorria ao longe, no meio do arvoredo, os dois homens suspiraram.

Fui recebido por um bando de crianças em meio do latido geral dos cães. Colocaram-me num estrado que me esperava no centro da igrejinha. Correram a avisar a professora rural, enquanto os meus carregadores, à porta, discutiam o preço.

Os curiosos foram chegando. Descobriram-me a cara. Era a primeira vez que viam defunto. Ante o meu dente único plantado na gengiva esbranquiçada, puseram-se a rir. A maioria eram rapazes.

— Agora o cemitério vai ser cemitério mesmo, dizia um.

— Lá se vai o nosso campo de futebol! suspirava outro.

— Acho que não se devia recorrer a defunto de fora, opinava um terceiro.

— Uma vergonha para nossa terra!

Entrou um cachorro. Dentro da pequena nave ecoavam-lhe os latidos. Entrou em seguida uma velha que se ajoelhou junto de mim, impondo silêncio aos rapazes e ao cachorro. Ao se retirarem de lenço ao nariz, os moços tropeçaram na escadaria com um fardo que cheirava mal, envolto em jornais e folhas de bananeira. Era o outro. Com bastante atraso, numa carrocinha, vinha chegando o terceiro concorrente. Três defuntos ao todo.

Os rapazes indignaram-se. Era a invasão do Arraial por gente podre. Revoltante, aquilo. Foram queixar-se ao Fundador: na pressa de inaugurar o cemitério as mulheres inundam o povoado de cadáveres! Um, ainda passava. Mas tantos assim!... Não acha um perigo, Fundador?

Assim chamava todo mundo a esse velho robusto, três vezes casado, figura principal e dono de quase todo o povoado, que enchera de filhos e netos.

— Vocês se entendam com as mulheres. Elas que inventaram esse negócio de cemitério. Eu, por mim, quando chegar a minha hora, vou morrer sozinho lá em cima, no mato, já disse.

Um dos jovens entristeceu subitamente.

— Não se amofine, rapaz, disse o Fundador batendo-lhe no ombro. Mandarei fazer outro campo para vocês.

— Não estou pensando no campo. Me refiro aos defuntos.

— Ele está fingindo, Fundador! interveio o companheiro. Está com o sentido é no campo mesmo. Não pensa noutra coisa. Eu também. Nosso clube foi desafiado, o senhor sabe. Estávamos treinando todos os dias. Agora, depois desse enterro, como é que vai ser? E com certa astúcia: — O senhor não acha que um só defunto é pouco para dar àquilo um ar de cemitério? Ainda mais um sujeito que ninguém conhece... que nem é cidadão do Arraial.

— Isso mesmo, isso mesmo! ciciava eu aos ouvidos do rapaz.

Mas ele não me ouvia, não me podia ouvir...

— São vocês os culpados, disse o Fundador. Eu mandei abrir um cemitério, vocês fizeram um campo de futebol.

— Saiu sem querer, Fundador, saiu sem querer...

— Até as medidas são iguais, me disseram!

Calou-se o primeiro rapaz, a fisionomia transtornada. E num impulso de paixão que lhe venceu a timidez, dirigiu-se ao velho:

— Fundador, nós nunca tivemos disso aqui! Ninguém falava em morte. Todo mundo só pensava em trabalhar e viver. O senhor bem que podia salvar o nosso time. O jogo está marcado para o fim do mês. Virá gente da redondeza. Nosso clube é novo, mas a vitória é certa. Vai ser uma honra para o Arraial. Se o senhor deixar, nós damos um jeito no cadáver, adia-se a inauguração e em três semanas fazemos outro cemitério. Talvez até melhor do que este...

— Agora é tarde, respondeu o Fundador.

Realmente, era tarde. As velhas já me tinham lavado e agora me vestiam.

Nunca me vi tão bem trajado. Larguei os trapos; enfiaram-me um casaco impreciso e negro, entre jaquetão e fraque. Fiquei um defunto bem passável. Pelo menos, limpo.

A professora assumiu um ar doloroso. Vestida também de preto, a face chorosa, embora sem lágrima — era a dona do enterro. Cercavam-na outras mulheres. Conduzia-se como se fora a minha viúva.

Notaram os rapazes nos modos reticentes do Fundador certa indiferença pelos preparativos do enterro. Combinaram não comparecer. Faziam mesmo trabalho surdo contra a cerimônia da inauguração. Serviam-se de dois argumentos: um, que eu não era do lugar; outro que, enchendo-se o povoado de cadáveres, uma epidemia era iminente ali. Se alguém duvidasse, fosse perguntar aos doutores da cidade vizinha.

O Fundador invalidou o último argumento mandando fechar as estradas e enterrar logo os defuntos restantes. À outra razão responderam as mulheres que ninguém sabe quando o nosso dia chegará. Que destino se daria então à nossa carne?

Os rapazes ouviram desconcertados. Jamais cuidaram de tal coisa.

— Sim, é porque vocês são moços, não pensam nisso, insistiam as mulheres. Saibam que não é só de velhice que se morre neste mundo. Vamos pensar um pouco no futuro. Lembrem-se de que a morte anda pegada à nossa pele.

E como os sinos começassem a repicar forte anunciando o meu enterro para o dia seguinte, os rapazes se retiraram desanimados. Desceram até a pracinha. Um sentimento novo amargava-lhes o coração.

— Tudo perdido. Temos que mandar avisar que o jogo foi adiado. Que azar!

Na conversa junto ao chafariz, circulavam uns termos até então desconhecidos no Arraial: "esquife", "féretro", "funeral" e outros, lançados pela professora.

As moças não pareciam tristes. Iam perder o futebol, é verdade; em compensação, o enterro valeria a pena como festa. A primeira cerimônia pública desse gênero que se ia realizar no Arraial. Muitas ficaram em casa, preparando os vestidos.

Vendo-me de preto entre círios e mulheres que rezavam ou fingiam rezar — os rapazes se impressionaram.

Ecoava neles a advertência fúnebre da velha, reforçada agora pelo sino que não parava de tocar. Desistiram da campanha contra o enterro. A cancha ia mesmo virar cemitério...

Eu estava de fato um defunto convincente. As crianças trepavam no estrado para espiar, e recuavam de pavor, repelidas sempre pela ponta de lança de meu dente único.

No dia seguinte, o povoado acordou cedo. Fora uma noite diferente, noite em que cada um se deitara com a convicção de que eu estava presente a seu lado. Os cães ganiam a cada minuto. Ninguém punha o rosto à janela.

Para todos, eu era um defunto imenso e difuso, presidindo à noite do Arraial.

Na verdade, não passei um minuto sequer junto a meu corpo. Quem se incumbira disso fora a professora e uma velha.

Flutuei por cima dos telhados, penetrei de mansinho nos lares. Quedei-me junto de várias criaturas, acompanhei-lhes os movimentos íntimos. Como toda essa gente é simples, a portas fechadas!

De alguns que dormitavam toquei-lhes de leve a nuca. Apenas toquei. O suficiente para apreciar-lhes o estremecimento de pavor. Ninguém me viu. Senti não poder apresentar meu vulto em forma de vapor, como no tempo em que se acreditava em fantasmas. Nem mesmo consegui apagar as lamparinas acesas por minha causa. Talvez porque meus fluidos estivessem enfraquecendo, talvez porque não tardasse a desintegração de meu corpo.

Estou reduzido ao mínimo, pensei. Mas posso perfeitamente dar uma chegadinha até o cemitério, onde vão instalar-me hoje à tarde.

O portão foi colocado, os muros caiados de novo. A cova está aberta. Retiraram as traves do gol. Foi pena. Aquilo tinha mesmo formato de cancha de futebol, mais que de campo-santo. Não sei como vão se arranjar agora os rapazes.

O sino começa a badalar. Os cachorros põem-se a latir. Está chegando a hora. Eu me recolho aonde se acha meu cadáver para assistir ao saimento. Lá está a mesma mulher. (— Mas a senhora não me larga, professora!)

Ah, se eu pudesse articular as palavras. Que olheiras as dela, que maneira suspeita de olhar para um corpo morto.

Já vou sendo levado. O ambiente é festivo. Todo mundo me acompanha, exceto o Fundador. Alegou que precisava cortar uns toros lá em cima, deixou Dona Maria doente e grávida na cama, sumiu-se. Não quer saber de nada com a morte; diz que não gosta de cemitério.

Eu também não gosto. Principalmente nas condições em que estou sendo enterrado, com esse péssimo sino que mais parece batucada confusa e sem ritmo. Nunca vi tocar tão mal a finados. A população me acompanha com relativa decência. Pelo menos, faz o possível. Os rapazes compareceram, afinal. Friamente.

Sob a aparência fúnebre, as senhoras escondem certo entusiasmo. Algumas quase sorrindo. Estou perto, e estou vendo. De vez em quando se lembram e simulam consternação. Consternação verdadeira, porém, reina atrás, perto da bandinha de música, onde os rapazes deploram ainda a perda do campo. Como compensação, namoram as moças.

— Aqui não, diz uma. Olha o morto.

— Deixa, deixa que ele te aperte, moça — insuflo aos ouvidos dela. Não te preocupes com o que vai lá na frente; aquilo é apenas um corpo abandonado, arranjo de velhas que só pensam na morte.

Parece que a moça me atendeu...

O préstito atravessa o portão de ferro. Meu caixão é colocado perto de seu lugar definitivo. Começo a achar aborrecido o papel a que me obrigaram. Despertar tantas idéias tristes numa aldeia tão despreocupada!... Não reclamo nenhum respeito pelo meu corpo. Será que já está descendo à sepultura? Um momento. Deixem-me voar até lá...

O padre terminava as palavras em latim. Referiu-se depois ao significado da cerimônia: entregava aos futuros mortos do Arraial Novo a sua verdadeira morada; e exortava o povo "a que pensasse sempre na morte!". Quando terminou, todos olhavam para o chão e simulavam tristeza.

Ouviu-se em seguida a voz bonita do vereador distrital. Disse que ali se enterrava um dos últimos tropeiros do nosso amado sertão, "raça que se extingue ante a avançada progressista dos caminhões"; que me conhecera (onde? como? se nunca me viu, se nunca votei!) e tinha importante declaração a fazer: "Eu não era um defunto estranho ao local, nascera ali mesmo!..." Baixa demagogia... Pois se o Arraial não tinha trinta anos! Os rapazes sorriram. E resolveram, baixinho, expulsar do clube o sujeito amarelento que se prestara ao papel de coveiro.

A professora avança e dá instruções. As moças me cercam e eu me surpreendo numa onda de alegria indefinida. Aura de juventude emanando delas! Que fazer de tanta primavera desaproveitada? Meus fluidos roçam-lhes o colo. Somente os fluidos. A invisível carícia arrepia-lhes a pele, enquanto a musiquinha toca uma coisa triste debaixo das árvores.

Que se passou com elas que enrubesceram de repente? Algumas cruzam os braços ou tapam com o xale o busto arrepiado; outras se escondem, perturbadas, no meio do povo.

Está na hora de eu ir para o fundo. Quem é que me aparece à boca do buraco? A mula com a cangalha! Ó mulinha, ainda bem que não esqueceste o antigo dono. Coitada! Meio desmanchada, como um brinquedo abandonado...

Logo atrás, sorrindo com os dentes brancos, a metade do corpo comida pela sombra, quem vejo? Isabela!

— Tu te lembras, pretinha, daquele banho no ribeirão? o único momento bom de minha vida. Ah! agora não posso, mulinha!... Agora não posso, Isabela! Pois vocês não vêem que estou muito ocupado, inaugurando?!

Os rojões explodem, rejubilam-se as velhas. Só não conseguem chorar. E com frenesi atiram sobre o meu corpo uma chuva de pétalas. Em seguida, torrões de terra, como se me apedrejassem. Abraçam-se e despedem-se felizes.

Tinham arranjado sede para os seus despojos.

O portão foi fechado. E eu fiquei lá dentro, como ovo de indez. A espera dos mortos que hão de vir...

Fiquei, é modo de dizer; saía sempre. A idéia de corpo sepultado sossegou a princípio os meus fluidos. Durante dias perdi a memória; alguma interrupção, talvez mergulho mais demorado no vazio. O fato é que reapareci depois. E ainda há pouco dei um giro até à pracinha.

Há lá um arbusto onde gosto de ficar. Uma moça que passava perto parou de repente, assustada, olhando para mim, sem me ver. Tratei de voltar logo ao cemitério. E foi bom, pois um vira-lata, o mesmo da chegada, o que mais latiu na igreja e rosnou todo tempo no enterro, o cachorro de sempre, esgravatava com fúria o meu túmulo em direção aos ossos! E eu, pensando em seus dentes, experimentava a sensação de mal-estar análoga à que em vida se chama pavor.

Afinal de contas, é mesmo ao meu corpo que pertenço; dele não devo afastar-me muito, sem risco de me dissolver para sempre.

Francamente, o que não me agrada é ser o usufrutuário único deste local. Se uma só andorinha não faz verão — disseram os rapazes —, uma única sepultura não devia fazer cemitério. Deram para chegar atrasados e abatidos ao eito. Põem-se a sorrir quando encontram as velhas. Elas não compreendem, sentem-se satisfeitas com o seu cemitério.

O Fundador desconfia, mas finge que não sabe. E para ter a certeza, usa um estratagema:

— Para apanhar?

— Que jeito! Não temos onde treinar...

— Então? Ficou de pé o desafio?

— Nós jogaremos assim mesmo.

— Por que não falam com a professora? Ela tem a chave do portão.

— Mas só abre quando vai rezar lá dentro.

— Para um morto que não conhecem... acrescentou o outro.

— É isso mesmo, exclama o Fundador. Inventaram a morte no Arraial Novo!

As velhas, de fato, não largam o cemitério. Entram ao cair da tarde e se ajoe-lham. Não rezam por mim, rezam pelo futuro defunto, rezam para a morte. Há pouco, entrou a professora. Debruçada sobre a sepultura não fez senão murmurar:

— José, meu José...

Ora, eu não me chamo José... Esqueci meu nome, é verdade; mas sei que não era José...

Razão tem o Fundador. O espírito da morte apoderou-se do Arraial. Ainda on-tem senti isso quando estive pousado nos arbustos da pracinha. Todo mundo silenci-oso e triste, aguardando a abertura da igreja. Só não vi os rapazes. É o cemitério, pensei; é a minha presença!

De alguns dias para cá, se uma parte da população se entrega aos trabalhos de rotina, a outra se ocupa em interrogar a alma.

As velhas dizem que se alguma dúvida houver, é só passar a noite pelas imediações. Ouvem-se barulhos estranhos, estrupidos de correria. E se não fosse o rumor dos moinhos, todo o arraial poderia escutar. Ao saber disso, tomou-se a população de certo orgulho: já havia fantasmas no cemitério do Arraial Novo!

Um defunto extranumerário, um simples tropeiro tivera a força de transformar em campo-santo uma área terraplenada, logradouro inexpressivo antes.

Que todos respeitassem agora o cemitério com as almas que nele transitam!...

Essas almas eram quase sempre vinte e duas, fora as que permaneciam a certa distância, olhando apenas. Escalavam o muro e, uma vez lá dentro, vestiam depressa os calções.

As lavadeiras que passavam perto mal ouviam o barulho, saíam correndo. Se tivessem coragem de verificar, poderiam reconhecer vultos familiares sob o projetor da lua cheia.

Eu adorava ficar ali. Acompanhava o movimento do jogo. Torcia. Metia-me no meio dos jogadores. Só faltava gritar. Não sei como ninguém dava pela minha presença. A bola saltava às vezes o muro e ia aninhar-se no capinzal de fora. Um dos jogadores cobria-se de uma capa escura e saía a buscá-la. O jogo então recomeçava forte. De repente, fora de propósito, parava.

— Que houve? quem apitou?

Ninguém apitara. Era eu que soprara no apito do juiz. Muitas e muitas vezes intervinha sem que ninguém soubesse, só para animar, só para mostrar que me achava ali, vendo, participando. Substituído o juiz, as marcações continuavam desencontradas. Ninguém desconfiava. Antes de raiar a madrugada, esvaziava-se o campo. Os "fantasmas" seguiam para o eito e eu ficava... Ficava...

Era bem triste, à hora quente dos comentários, continuar sozinho ali.

Deliciava-me só de pensar em novas noites de jogo. Às vezes os rapazes demoravam, e eu me tornava impaciente. Primeiro, atiravam a bola. Sabia então que estavam perto, preparando-se para a escalada. A bola corria até para junto de minha sepultura. Despertado do sono, eu subia depressa no muro e, sem garganta, sem voz, punha-me a chamá-los. Iniciava-se então mais uma partida animada.

Evitei repetir a proeza do apito, não só porque podia afugentar os jogadores, privando-me do espetáculo, como pelo receio de submeter a uma prova infeliz a força cada vez menor de meus fluidos.

As velhas já desconfiavam. Não todas. E, por certo, nenhuma, se a professora não deparasse com a minha cruz de madeira caída ao chão. Culpa dos rapazes que se esqueceram de recolocá-la quando, da última vez, fugiram do sol que raiara depressa.

— Fantasma não faz isso, disse a professora, suspeitosa. Quem teria sido?

As mulheres foram de novo queixar-se ao Fundador:

— Isso não é comigo. Falem com D. Maria, mas depois que nascer a criança, pois a minha velha já está em dores.

— Mas jogaram uma bola na cruz! É uma profanação! exclamava a professora.

— Deve ter sido algum fantasma, explicava um dos rapazes.

— Ou então chutaram de fora, disse outro.

— O muro não deixa, insistiu uma das mulheres.

— Só se foi um tiro de parábola e aqui ninguém sabe chutar assim...

— O Zequinha, lembrou o coveiro, chuta suspendendo a bola.

Ora, todo mundo sabe que Zequinha fugiu com a mulher do vereador. Jogava tão bem, que ela fugiu com ele...

Os rapazes só contavam agora com a mediação de Dona Maria que não estava bem, depois que lhe nascera a criança.

Daí por diante, nunca mais se bateu bola no cemitério. Reforçada a vigilância, meus fantasmas não apareciam.

Fiquei mais triste. Agora, nem para voar até o arraial tenho força. Para nada, aliás, tenho mais forças.

Já não percebo bem o que se passa atrás dos muros. A paisagem se dissolve ao meu olhar que está se apagando.

Parece que ainda resta para os ouvidos um canto de lavadeira batendo roupa. Tão longe...

Mas está acontecendo qualquer coisa lá na entrada. O portão se abriu todo! O povo chegando!...

Ah, é a senhora?! Pois entre, a casa é sua... Eu, sozinho, já não podia responder por todo este cemitério. Estou sumindo... O espaço endureceu. Meu prazo terminou.

Só vejo figuras opacas imobilizadas no gesto de chutar a bola. E essa coisa fixa, mancha final de luz remota que deve ser o Sol.


Entre, Dona Maria. Sirva-se de seu cemitério...

# FINANCIANDO FINNEGAN

## F. SCOTT FITZGERALD
### (1896-1940 | Estados Unidos)

*Autor de um dos maiores romances da primeira metade do século passado, O* Grande Gatsby, *Francis Scott Fitzgerald, famoso por sua vida mundana na Paris dos trepidantes anos de 1920, com sua esposa Zelda e seus companheiros de Geração Perdida (Hemingway, Gertrud Stein etc), foi também um contista prolixo com seus* Contos da Era do Jazz, *publicados na grande imprensa e posteriormente em livros. Esta "comédia de erros" do mundo editorial que é* Financiando Finnegan *encontra-se em* The crack-up with other pieces and stories *(1936).*

Finnegan e eu temos em comum o mesmo agente literário encarregado de vender o que escrevemos, mas nunca nos encontramos, embora eu esteja com freqüência no escritório do Sr. Cannon pouco antes ou pouco depois das visitas de Finnegan. Tínhamos também a mesma editora e muitas vezes cheguei quando Finnegan havia acabado de sair. Concluí pela maneira grave e cheia de suspiros como as pessoas se referiam a ele —"Ah, Finnegan...", "Ah, sim, Finnegan passou por aqui..." — que as visitas do distinto autor não eram de simples rotina nem destituídas de importância. Alguns comentários davam a entender que ele acabava saindo de lá com alguma coisa — manuscritos, suponho eu, um daqueles romances seus de muito êxito. Levara-o para a revisão final, um versão definitiva, pois constava que ele escrevia pelo menos umas dez versões, até atingir aquela graça de espontaneidade que caracterizava seus livros. Só aos poucos fui descobrindo que a maior parte das visitas de Finnegan relacionava-se a dinheiro.

— É pena que você já tenha de ir embora — dizia-me o Sr. Cannon. — Finnegan está para chegar hoje ou amanhã. — E depois de uma pausa reflexiva: — Provavelmente terei de gastar algum tempo com ele.

Não sei qual entonação na sua voz me lembrava uma conversa com um gerente de banco estressado, ao lhe anunciarem que Dillinger fora visto nas vizinhanças do banco. Seus olhos se perdiam na distância e como que falava para si mesmo.

— Claro, talvez traga algum manuscrito. Ele está trabalhando num romance, você sabia, não sabia? E também numa peça de teatro. — Falou como se aludisse a alguns acontecimentos remarcáveis embora remotos do *cinquecento*; mas seus olhos mostraram mais esperança ao acrescentar: — Ou quem sabe, ele traga um conto.

— Trata-se de um escritor versátil, não é mesmo? — disse-lhe eu.

— Ah, sim. Muito! — garantiu o Sr. Cannon, arrumando a postura. — É capaz de escrever de tudo, o que quiser, tudo, desde que decida concentrar seu espírito. Nunca vi talento como o dele.

— Nos últimos tempos não tenho visto muita coisa dele...

— Sim, mas está trabalhando como nunca. Algumas revistas estão guardando contos dele.

— Guardando para quê?

— Para publicar no momento apropriado... Quando esta Depressão desanuviar um pouco. Elas gostam de ter sempre material de Finnegan na gaveta, como se assim tivessem um bom investimento a prazo.

Um nome de peso, realmente. Sua carreira iniciara-se com brilhantismo e, embora não se mantivesse ao elogiado nível inicial, tinha a virtude, pelo menos, de reiniciar-se de tempos em tempos, depois de tantos anos. Ele era o eterno talento promissor das letras norte-americanas — o que ele podia realmente fazer com as palavras era um espanto; elas refulgiam e coruscavam; ele escreveu frases, parágrafos, capítulos que eram obras-primas de tessitura. Quando eu encontrava algum pobre roteirista de cinema, que se esforçara para extrair um argumento lógico de algum livro de Finnegan, é que eu me dava conta de quantos inimigos ele tinha.

— É tudo muito bonito quando se lê — disse-me um desses escribas, meio irritado —, mas quando se quer passar a coisa a limpo, em prosa escorreita, é o mesmo que passar uma semana no manicômio.

Saindo do escritório do Sr. Cannon, fui ao dos meus editores, na Quinta Avenida, onde novamente me disseram, assim que cheguei, que Finnegan estava sendo esperado no dia seguinte. Na verdade, ele projetara uma sombra tão alongada à sua frente que o almoço em que eu pretendia discutir meu próprio livro acabou sendo dedicado a Finnegan, em larga escala. E senti novamente que meu anfitrião, o Sr. George Jaggers, não falava para mim, mas para si mesmo:

— Finnegan é um grande escritor — disse ele.

— É indiscutível.

— E é realmente um ser humano cem por cento, como você sabe.

Como eu não colocara isso em xeque, perguntei-lhe se alguém tinha dúvidas a esse respeito.

— Ah, não! — atalhou ele. — Só que ele teve, nos últimos tempos, uma sucessão de azares.

Compreensivo, abanei a cabeça.

— Sim, eu sei. Aquele mergulho na piscina quase vazia foi duro de roer.

— Mas ela não estava quase vazia. Pelo contrário, estava cheia. Cheia até às bordas. Você devia ouvir Finnegan contando o caso: é uma história de estourar de rir. Parece que ele anda em má forma física e só mergulhava na borda da piscina, entende — o Sr. Jaggers descreveu com o garfo e a faca uma curva contra o tampo da mesa. — Mas viu uma garotas saltando do trampolim de cinco metros. Diz que pensou na sua própria juventude perdida e subiu para imitar as jovens. Parece que deu mesmo um salto de cisne espetacular, mas o ombro estalou quando ele ainda estava em pleno ar! — olhou para mim um tanto aflito. — Você já ouviu falar num caso desses? Um jogador de rugbi que destronca o braço sozinho, por exemplo?

Na hora não fui capaz de pensar em nenhum paralelo ortopédico.

— E depois — continuou Jaggers — passou a escrever de baixo pra cima.

— De baixo pra cima?

— Praticamente. Não deixou de escrever... É um cara cheio de coragem, quer você acredite ou não. Arrumou então uma geringonça que ficava suspensa no teto, e ele, preso pelas costas, escrevia no ar.

Fui obrigado a admitir que era um arranjo audacioso.

— E isso chegou a afetar o trabalho dele? — indaguei. — Já leu alguma vez os contos que ele escreveu ao contrário... como os chineses?

— No início me pareceram meio confusos, mas agora já não tem mais problema. Ele me mandou várias cartas que me lembraram o velho Finnegan dos bons tempos... cheio de vida e esperança, cheias de planos.

A expressão distante como que se refletiu no seu rosto e mudei de assunto para outros mais caros ao meu coração. Quando voltamos ao escritório o tema novamente veio à baila — e eu me envergonho ao escrever isto, porque envolve a confissão de algo que raramente faço: a leitura de um telegrama de uma outra pessoa. Aconteceu porque o Sr. Jaggers foi interceptado no corredor por um funcionário e quando entramos no seu gabinete e eu ia me sentar, o retângulo de papel estava aberto diante de mim:

"Com cinqüenta dólares poderei pelo menos pagar a datilógrafa e ir ao barbeiro e comprar lápis pt vida tornou-se impossível e vivo sonhando desesperadamente com boas notícias. FINNEGAN."

Não estava acreditando no que os meus olhos viam... Cinqüenta dólares! Mas eu sabia qual era o preço de Finnegan pelos seus contos: qualquer coisa em torno de três mil dólares. George Jaggers encontrou-me ainda de olhos presos no telegrama, a cabeça meio tonta. Leu-o e encarou-me, com uma expressão de quem estava chocado:

— Não sei como, em sã consciência, poderei fazer o que ele me pede — disse Jaggers.

Olhei à minha volta para me assegurar de que eu estava realmente na próspera editora de Nova York. E então compreendi tudo: interpretara mal o telegrama. Finnegan estava com certeza pedindo cinqüenta mil dólares de adiantamento... Um pedido que faria qualquer editor tremer nas bases, independentemente de quem fosse o autor.

— Só na semana passada — disse o Sr. Jaggers, desconsolado — enviei-lhe cem dólares. Assim meu departamento financeiro fica deficitário no começo de cada estação, de modo que já nem me atrevo a falar sobre isso com os meus sócios. Envio-lhe do meu próprio bolso, renunciando assim a um terno e um par de sapatos.

— Está querendo dizer que Finnegan está falido?

— Falido! — e olhou para mim e riu, nervoso. Não gostei da maneira como ele riu. Meu irmão uma vez teve um colapso nervoso e... Bem, deixa isso pra lá, que nada tem a ver com a presente história. Logo Jaggers refez-se e disse: — Não vai contar nada disso para os outros, não é? A verdade é que Finnegan tem estado numa depressão daquelas. Sofreu uma série de golpes desastrosos nos últimos anos e ficou duro, mas agora começa a levantar a cabeça e tenho certeza de que nos reembolsará até o último tostão que... — tentou escolher as palavras, mas a conclusão "que lhe demos" saiu-lhe sem querer. Desta vez ele estava ansioso para mudar de assunto.

Não é a minha intenção fazer crer que os negócios de Finnegan me absorveram durante uma semana inteira em Nova York, mas me parecia inevitável que, passando a maior parte do tempo nos escritórios do meu agente e do meu editor, isso tivesse de acontecer. Dois anos depois, por exemplo, usando o telefone do escritório do Sr. Cannon, surpreendi sem querer uma conversa na linha entre ele e George Jaggers. Fui indiscreto só em parte, porque eu ouvia apenas um dos interlocutores e isso não chega a ser tão condenável quanto ouvir a conversa toda.

— Mas tive a impressão que sua saúde estava ótima... Há alguns meses, ele falou qualquer coisa a respeito do coração, mas deduzi que a crise já passara e tudo ia bem... Sim, e falou ainda de uma operação que queria fazer... Acho que ele mencionou desconfiar de câncer...

— ...

— Bem, tive vontade de dizer para ele que também eu tinha uma pequena operação a fazer na axila e que já a teria feito se pudesse me dar a esse luxo.

— ...

— Não, não cheguei a falar nada. Ele me parecia tão animado que seria uma maldade desencorajá-lo. Começou a escrever um conto hoje e me leu alguns trechos pelo telefone. O quê?

— ...

— Sim, mandei 25 dólares pra ele, que estava sem um tostão no bolso.

— ...

— Ah, sim... Tenho certeza que agora ele vai entrar na linha. Pela maneira como me falou, me pareceu que estava decidido a levar a coisa a sério.

Agora eu estava percebendo tudo. Os dois tinham embarcado numa espécie de conspiração silenciosa para mutuamente se animarem em relação a Finnegan. O investimento que ambos tinham feito nele, investimento no seu futuro como escritor, assumira uma soma tão astronômica que Finnegan lhes pertencia de corpo e alma. Não iram suportar ouvir uma palavra contra ele... mesmo que dita por eles próprios.

## II

Resolvi falar com o Sr. Cannon sem meias-palavras:

— Se esse Finnegan estiver blefando, vocês podem continuar lhe dando dinheiro até a consumação dos séculos. Se ele estiver liquidado, está liquidando e ponto final. Vocês nada poderão fazer a esse respeito. É absurdo que você cancele uma operação enquanto Finnegan ande por aí mergulhando em piscinas sem água.

— Estava cheia — disse o Sr. Cannon, paciente. — Cheia até às bordas.

— Ora, cheia ou vazia, o cara me parece um desastre.

— Escute aqui — disse Cannon —, preciso atender um telefonema de Hollywood. Enquanto isso vai dando uma olhada nisso aqui — e atirou um manuscrito no meu colo. — Talvez lhe ajude a compreender...Chegou ontem.

Era um conto. Comecei a lê-lo contra a vontade, mas, cinco minutos depois, estava completamente mergulhado na narrativa, profundamente fascinado, profundamente seduzido e pedindo a Deus que me desse talento para escrever daquela maneira. Quando Cannon terminou o telefonema, fiz com que esperasse até o fim da minha leitura e, ao devolver-lhe o manuscrito, havia lágrimas nestes velhos e insensíveis olhos profissionais. Qualquer revista do país iria publicá-lo na primeira página, sem maiores discussões.

— Mas quem foi que negou que Finnegan era bom de prosa?

## III

Passaram-se meses antes de eu voltar a Nova York e, em relação aos escritórios do meu agente e do meu editor, acabei encontrando um mundo mais calmo e mais estável. Finalmente havia tempo para falar sobre minhas próprias e conscientes façanhas literárias, sem deixar de admitir suas falhas de inspiração; para visitar o Sr. Cannon na sua casa de campo; e para matar as noites estivais na companhia de George Jaggers onde a luz vertical das estrelas, nos retalhos do céu nova-iorquino, escorria como raios vagarosos para os restaurantes ao ar livre. Finnegan poderia estar no Pólo Norte... e de fato estava. Havia um grupo com ele, incluindo três antropólogos de Bryn Mawr, e era bem possível que Finnegan recolhesse farto material por aquelas bandas. Iriam permanecer por lá vários meses, e se a coisa me soava como uma farra só para convidados, isso talvez se devesse apenas a minha predisposição ao cinismo e ao ciúme.

— Estamos encantados — disse Cannon. — Para ele foi uma bênção. Andava cansado de tudo e era justamente o que ele estava precisando...

— Gelo e neve — acrescentei eu.

— Sim, gelo e neve. A última coisa que ele disse tinha a sua inconfundível marca. Disse que tudo o que iria escrever seria de uma brancura imaculada... Teria aquele fulgor de neve que chega a cegar.

— Imagino que sim. Mas me diga uma coisa... Quem está financiando esta excursão? Da última vez que estive aqui, se bem me lembro, o nosso homem estava falido.

— Bem, a esse respeito ele foi bastante decente. Ele estava me devendo algum dinheiro, e acho que também ao George Jaggers — "acho", disse o velho hipócrita. Ora, ele sabia-o muitíssimo bem. — De modo que, antes de partir, ele transferiu seu seguro de vida para nosso nome... Essas viagens são perigosas, claro.

— Calculo que sim — disse eu. — Especialmente com três antropólogos.

— Assim, Jaggers eu estamos absolutamente cobertos no caso de alguma coisa acontecer. Muito simples, como pode ver.

— Quer dizer que a companhia de seguros financiou a viagem?

Ele ficou visivelmente impaciente.

— Não, não. Realmente, quando ela tomou conhecimento da transferência de beneficiários, ficou um tanto contrariada. George Jaggers e eu decidimos que, já que Finnegan tinha um plano específico como este, com um livro específico no final, tínhamos uma justificativa para apoiá-lo um pouco mais.

— Não entendi — disse-lhe eu, sem rodeios.

— Não? — uma conhecida e algo encabulada expressão voltou aos olhos de Cannon. — Quer dizer, confesso que ainda hesitamos. Em princípio, sei que se trata de um erro. Eu costumava, de tempos em tempos, adiantar pequenas quantias aos autores, mas ultimamente decidi acabar com isso... E tenho mantido a norma. Só abri uma exceção nos últimos dois anos e foi em atenção a uma mulher que estava passando dificuldades... Margaret Thadill, conhece?  Por acaso foi uma das antigas namoradas de Finnegan.

— Você se esquece que não conheço nem o Finnegan...

— Ah, é verdade. Quando ele voltar vou te apresentar a ele... Você vai gostar ... É um homem fascinante.

Saí novamente de Nova York para os meus próprios pólos nortes imaginários, enquanto o ano deslizava através do verão e do outono. Quando os primeiros rigores climáticos de novembro se anunciaram, pensei na expedição de Finnegan com uma espécie de arrepio interior e sem inveja alguma de homem desterrado.  Provavelmente ele não estaria conquistando nenhum tesouro, literário ou antropológico, que lhe pudesse ser útil na sua volta. Depois, ao já me encontrar em Nova York há três dias, li no jornal que ele e alguns membros da expedição tinham se afastado do acampamento durante uma tempestade de neve, com os mantimentos escassos, e o Ártico reclamava assim mais um sacrifício de homens intrépidos.

Fiquei com pena dele, mas também fui prático ao me sentir contente com o fato de Cannon e Jaggers estarem protegidos pelo seguro. É claro, com Finnegan ainda congelado — se a comparação não for penosamente forçada, devido às circunstâncias — eles evitaram falar-me sobre o assunto, mas deduzi que as companhias de seguros tinham solicitado *habeas corpus* ou fosse lá o que fosse no jargão delas, como se

Finnegan e os outros tivessem caído no Atlântico. Mas parecia que, no frigir dos ovos, eles conseguiriam cobrar o seguro.

O filho de Finnegan, jovem de bela presença, adentrou no escritório de George Jaggers quando eu ali me encontrava e, através dele, pude adivinhar o charme do pai: uma franqueza tímida combinava com uma impressão de disposição de luta corajosa e muito silenciosa no seu íntimo, sobre a qual não era capaz de falar, mas que parecia se revelar por inteiro no calor brilhante de sua obra.

— O rapaz também escreve muito bem — disse George, depois dele ter saído. — Ele veio me trazer alguns poemas impressionantes. Ainda não está maduro para seguir as pegadas do pai, mas definitivamente trata-se de uma boa promessa.

— Posso ver um dos poemas dele?

George apanhou uma folha de papel na mesa, desdobrou-a e limpou a garganta. Encostou-se depois na poltrona e começou a ler:

"Caro Sr. Jaggers, não me é agradável ter de lhe pedir isto pessoalmente... — Jaggers parou e meus olhos continuaram rapidamente a leitura.

— Quanto ele quer desta vez? — perguntei.

George deu um suspiro.

— Achei que isso fosse um dos seus textos — disse ele, em tom de queixa.

— E é — consolei-o. — Claro, ainda não está maduro para seguir as pegadas do pai, mas que promete, promete.

Logo me arrependi de ter dito isso, pois afinal de contas Finnegan pagara todas as suas dívidas e era bom de saber que estivesse vivo, agora que tempos melhores se anunciavam e os livros já não eram mais considerados um luxo supérfluo. Muitos autores na corda bamba durante a Depressão realizavam agora viagens tantas vezes adiadas ou liquidavam hipotecas e produziam suas melhores obras, o que só era possível com certa paz de espírito e segurança. Eu mesmo acabara de receber um adiantamento de mil dólares para uma empreitada um tanto quanto arriscada lá em Hollywood e partiria de avião com todo o gás dos velhos tempos, quando havia galinha gorda em todas as panelas. Ao passar antes pelo escritório de Cannon para me despedir e receber o adiantamento, foi bom perceber que ele também estava lucrando: me convidou que o acompanhasse para ver uma lancha a motor que pretendia comprar.

Mas um impecilho de última hora fez com que ele se atrasasse e eu fiquei impaciente com a longa espera e decidi ir embora. Bati o punho na porta do seu santuário e, como não houvesse resposta, abri-a.

O gabinete particular dele era uma grande confusão. Sr. Cannon atendia numerosos telefonemas ao mesmo tempo e ditava qualquer coisa sobre uma companhia de seguros à estenógrafa. Uma secretária colocava o chapéu e o casaco às pressas e uma outra contava notas que despejara de sua bolsa em cima da mesa.

— Só um minuto — disse Cannon. — Apenas um pequeno tumulto administrativo, não mais do que isso... Você nunca nos viu assim...

— É o seguro do Finnegan? — não me contive. — Não tem validade?

— O seguro do... Não, perfeitamente correto. Não, não é isso. É questão de reunir às pressas algumas centenas de dólares. Os bancos estão fechados e estamos todos contribuindo....

— Tenho o dinheiro que você me adiantou — disse eu. — Não vou precisar dele todo para a viagem — separei duzentos dólares. — Isso chega?

— Excelente, excelente! Estamos salvos. Sra. Carlsen, não precisa mais. Sra. Mapes, não é mais necessário sair, obrigado.

— Bem, acho que vou andando — disse-lhe eu.

— Espere só mais dois minutos — pediu Cannon. — É só despachar este telegrama. De fato as notícias são ótimas. Daquelas que nos dão vida nova.

Era um telegrama de Oslo, Noruega... Antes de o ler, eu já fiquei cheio de pressentimentos.

"Salvo aqui milagrosamente mas detido autoridades favor telegrafar dinheiro passagem quatro pessoas e duzentos extra regresso cheio de material saudações do morto FINNEGAN."

— Sim, ótimas notícias — concordei. — Desta vez ele terá uma boa história para contar.

— Embora não acredito que venha a contá-la — disse Cannon. — Sra. Carlsen, envie um telegrama aos pais das moças... E você, é melhor informar o Sr. Jaggers.

Minutos depois, enquanto caminhávamos rua abaixo, percebi que Cannon, como que atordoado pelo maravilhosa notícia, caíra em profunda meditação e preferi não perturbá-lo: afinal, não conhecia Finnegan e não podia compartilhar sinceramente de sua alegria. Seu mutismo se prolongou até chegarmos à porta da exposição de equipamentos náuticos, onde Cannon queria me mostrar a lancha. Já debaixo do grande cartaz anunciando as lanchas, ele estacou, olhando para cima, como se desse conta pela primeira vez aonde estávamos indo.

— Ora, bolas — disse Cannon, recuando. — Agora é inútil entrarmos. Pensei que estávamos indo tomar um drinque.

Fomos. Cannon ainda hesitava, um pouco sob o sortilégio da imensa surpresa: rebuscou tanto tempo nos bolsos para encontrar o dinheiro com o que pagar a rodada, que precisei insistir que era por minha conta.

Creio que ele andou assim meio tonto o dia inteiro porque, embora fosse homem da maior probidade e extremamente meticuloso com suas coisas, os duzentos dólares que eu havia lhe emprestado no escritório nunca apareceram a meu crédito nos extratos de conta que regularmente me enviava. Imagino no entanto que algum dia eu os receberei e sei que há uma multidão ansiosa a espera de ler o que Finnegan escreve. Recentemente me dei ao trabalho de investigar algumas das histórias que correm a respeito dele e descobri que a maioria é tão inverídica quanto a história da piscina sem água. A piscina estava cheia até às bordas.

Até hoje apenas um conto apareceu a respeito da expedição polar. É uma história de amor. Talvez o tema não seja tão grandioso quanto seria de se esperar. Mas o cinema anda de olho nele. Se conseguirem primeiro chegar até ele, e tenho boas razões para acreditar que Finnegan será muito bem-sucedido. Pessoalmente, prefiro que assim seja.

# HISTÓRIA DE UMA TRAÇA

## PAULO CORRÊA LOPES
### (1898-1957 | Brasil)

*Poeta gaúcho pouco conhecido, Paulo Corrêa Lopes também excursionou pela prosa de ficção. Toda sua obra está contida num volume pequeno:* Obra Poética. *Sua inclusão nesta antologia deu-se pelo texto em si: basta ler este tipo de conto de difícil execução que é o conto mínimo ou miniconto. E que não merece ficar jogado às traças.*

Conheci uma traça que se tornou espírita por ter passado uma temporada dentro de um volume de Allan Kardec.

Nunca vi espetáculo mais engraçado do que ouvi-la dissertar sobre a teoria da reencarnação para o aperfeiçoamento das almas.

Por mais que eu tentasse convencê-la do absurdo do espiritismo, nada pude conseguir. Parece que a traça sentia certo bem-estar íntimo.

Certa vez confessou-me:

— Numa vida anterior fui um elefante que vivia feliz nas florestas da Abissínia. Uma tarde, quando me dirigia a um lago para matar a sede, fui ferido em pleno coração pelo poeta Rimbaud, que negociava com marfim para esquecer seu sonho de poesia.

— Você, que me ouve, dizia-me, talvez já tenha sido um tigre e um dia será uma árvore.

Era uma traça terrível. Falava com tanto ardor que muitas vezes pensei que fosse amiga do vinho. Porém, verifiquei com o tempo que detestava a bebida porque o álcool ataca o fígado. Não era, como se vê, por virtude que não bebia.

Ainda me lembro do meu último encontro com a traça. Foi numa noite fria de agosto. O minuano soprava com tanta força que parecia um demônio em liberdade. Nesse encontro ela me falou sobre a loucura. Disse-me que a loucura se dá quando o espírito de um morto encarna no corpo de um ser vivo. O espírito dono do corpo protesta contra o usurpador e o usurpador resiste; trava-se a luta e a luta é a loucura.

Depois dessa noite nunca mais a vi. Talvez a esta hora tenha voltado ao volume de Allan Kardec para resolver alguma dúvida que haja surgido em seu cérebro teimoso de traça.

# 77

# APÓLOGO BRASILEIRO SEM VÉU DE ALEGORIA

## ANTÔNIO DE ALCÂNTARA MACHADO
### (1901-1935 | Brasil)

*Qual seria o melhor conto de humor brasileiro? Numa enquete pessoal e despretensiosa que fiz com dez bons leitores de literatura, sete deles não hesitaram em responder que era este* Apólogo Brasileiro sem Véu de Alegoria. *(Os outros três lembraram de* O Colocador de Pronomes, *de Monteiro Lobato, também incluído nesta antologia). Um dos grandes nomes do nosso Modernismo, com Oswald e Mário de Andrade, o paulistano Antônio de Alcântara Machado, autor de* Brás, Bexiga e Barrafunda, *também publicado como* Novelas Paulistanas, *só não deixou uma obra maior e mais definitiva porque morreu jovem. Mesmo assim, sua realização como escritor é bem superior ao seu atual subestimado reconhecimento. Ele é um marco da literatura urbana brasileira e sua reavaliação crítica já está em curso. O humor, em AAM, não é episódico, mas essencial.*

O trenzinho recebeu em Maguari o pessoal do matadouro e tocou para Belém. Já era noite. Só se sentia o cheiro doce do sangue. As manchas na roupa dos passageiros ninguém via porque não havia luz. De vez em quando passava uma fagulha que a chaminé da locomotiva botava. E os vagões no escuro.

Trem misterioso. Noite fora noite dentro. O chefe vinha recolher os bilhetes de cigarro na boca. Chegava a passagem bem perto da ponta acesa e dava uma chupada para fazer mais luz. Via mal e mal a data e ia guardando no bolso. Havia sempre uns que gritavam:

— Vá pisar no inferno!

Ele pedia perdão (ou não pedia) e continuava seu caminho. Os vagões sacolejando.

O trenzinho seguia danado para Belém porque o maquinista não tinha jantado até aquela hora. Os que não dormiam aproveitando a escuridão conversavam e até gesticulavam por força do hábito brasileiro. Ou então cantavam, assobiavam. Só as mulheres se encolhiam com medo de algum desrespeito.

Noite sem lua nem nada. Os fósforos é que alumiavam um instante as caras cansadas e a pretidão feia caía de novo. Ninguém estranhava. Era assim mesmo todos os dias. O pessoal do matadouro já estava acostumado. Parecia trem de carga o trem de Maguari.

Porém aconteceu que no dia 6 de maio viajava no penúltimo banco do lado direito do segundo vagão um cego de óculos azuis. Cego baiano das margens do Verde de Baixo. Flautista de profissão, dera um concerto em Bragança. Parara em Maguari. Voltava para Belém com setenta e quatrocentos no bolso. O taioca guia dele só dava uma folga no bocejo para cuspir.

Baiano velho estava contente. Primeiro deu uma cotovelada no secretário e puxou conversa. Puxou à toa porque não veio nada. Então principiou a assobiar. Assobiou uma valsa (dessas que vão subindo, vão subindo e depois descendo, vêm descendo), uma polca, um pedaço do "Trovador". Ficou quieto uns tempos. De repente deu uma coisa nele. Perguntou para o rapaz:

— O jornal não dá nada sobre a sucesso presidencial?

O rapaz respondeu:

— Não sei: nós estamos no escuro.

— No escuro?

— É.

Ficou matutando calado. Claríssimo que não compreendia bem. Perguntou de novo:

— Não tem luz?

Bocejo.

— Não tem.

Cuspada.

Matutou mais um pouco. Perguntou de novo:

— O vagão está no escuro?

— Está.

De tanta indignação bateu com o porrete no soalho. E principiou a grita dele assim:

— Não pode ser! Estrada relaxada! Que é que faz que não acende? Não se pode viver sem luz! A luz é necessária! A luz é o maior dom da natureza! Luz! Luz! Luz!

E a luz não foi feita. Continuou berrando:

— Luz! Luz! Luz!

Só a escuridão respondia.

Baiano velho estava fulo. Urrava. Vozes perguntaram dentro da noite:

— Que é que há?

Baiano velho trovejou:

— Não tem luz!

Vozes concordaram:

— Pois não tem mesmo.

* * *

Foi preciso explicar que era um desaforo. Homem não é bicho. Viver nas trevas é cuspir no progresso da humanidade. Depois a gente tem a obrigação de reagir contra os exploradores do povo. No preço da passagem está incluída a luz. O governo não toma providências? Não toma? A turba ignara fará valer seus direitos sem ele. Contra ele se necessário. Brasileiro é bom, é amigo da paz, é tudo quanto quiserem: mas bobo não. Chega um dia e a coisa pega fogo.

Todos gritavam discutindo com calor e palavrões. Um mulato propôs que se matasse o chefe do trem. Mas João Virgulino lembrou:

— Ele é pobre como a gente.

Outro sugeriu uma grande passeata em Belém com banda de música e discursos.

— Foguetes também?

— Foguetes também.

— Be-le-za!

Mas João Virgulino observou:

— Isso custa dinheiro.

— Que é que se vai fazer então?

Ninguém sabia. Isto é: João Virgulino sabia. Magarefe-chefe do matadouro de Maguari, tirou a faca da cinta e começou a esquartejar o banco de palhinha. Com todas as regras do ofício. Cortou um pedaço, jogou pela janela e disse:

— Dois quilos de lombo!

Cortou outro e disse:

— Quilo e meio de toicinho!

Todos os passageiros magarefes e auxiliares imitaram o chefe. Os instintos carniceiros se satisfizeram plenamente. A indignação virou alegria. Era cortar e jogar pelas janelas. Parecia um serviço organizado. Ordens partiam de todos os lados. Com piadas, risadas, gargalhadas.

— Quantas reses, Zé Bento?

— Eu estou na quarta, Zé Bento!

Baiano velho quando percebeu a história pulou de contente. O chefe do trem correu quase que chorando.

— Que é isso? Que é isso? É por causa da luz?

Baiano velho respondeu:

— É por causa das trevas!

O chefe do trem suplicava:

— Calma! Calma! Eu arranjo umas velinhas.

João Virgulino percorria os vagões apalpando os bancos.

— Aqui ainda tem uns três quilos de colchão mole!

O chefe do trem foi para o cubículo dele e se fechou por dentro rezando. Belém já estava perto. Dos bancos só restava a armação de ferro. Os passageiros de pé contavam façanhas. Baiano velho tocava a marcha de sua lavra chamada *Às armas cidadãos!* O taioquinha embrulhava no jornal a faca surrupiada na confusão.

Tocando a sineta o trem de Maguari fungou na estação de Belém. Em dois tempos os vagões se esvaziaram. O último a sair, foi o chefe muito pálido.

* * *

Belém vibrou com a história. Os jornais afixaram cartazes. Era assim o título de um: *Os passageiros no trem de Maguari amotinaram-se jogando os assentos ao leito da estrada.* Mas foi substituído porque se prestava a interpretações que feriam de frente o decoro das famílias. Diante do Teatro da Paz houve um conflito sangrento entre populares.

Dada a queixa à policia foi iniciado o inquérito para apurar as responsabilidades. Perante grande número de advogados, representantes da imprensa, curiosos e pessoas gradas, o delegado ouviu vários passageiros. Todos se mantiveram na negativa menos um que se declarou protestante e trazia um exemplar da Bíblia no bolso. O delegado perguntou:

— Qual a causa verdadeira do motim?

O homem respondeu:

— A causa verdadeira do motim foi a falta de luz nos vagões.

O delegado olhou firme nos olhos do passageiro e continuou:

— Quem encabeçou o movimento?

Em meio da ansiosa expectativa dos presentes o homem revelou:

— Quem encabeçou o movimento foi um cego!

Quis jurar sobre a Bíblia mas foi imediatamente recolhido ao xadrez porque com a autoridade não se brinca.

## MISS CORISCO

### ANTÔNIO DE ALCÂNTARA MACHADO

Embora alguns nacionalistas teimassem em chamá-la de senhorita o título oficial era Miss Corisco. Dez casas no bairro tomavam conta da igreja pobre que primeiro nem caixa de esmolas tinha. Depois compraram uma caixa. Mas nunca viu um tostão porque o dinheiro que havia se gastou todo com ela. Miss Corisco foi eleita pelo sistema de exclusão. A filha do Bentinho era sardenta. A irmã do João tinha um defeito nas cadeiras. Logo de saída a Conceição se impôs: foi aclamada Miss Corisco.

Aí deu uma entrevista para *O Cachoeirense.* Perguntaram: Qual a maior emoção de sua vida? Respondeu: Três: minha primeira comunhão, uma fita do Rodolfo Valentino que eu vi na capital do meu querido Estado e... não conto porque é segredo. *Respeitamos o segredo* (escreveu o jornal) *pois naturalmente encobria uma linda história de amor.* Depois perguntaram: Qual o seu maior desejo? Respondeu: Sempre ver o Brasil na vanguarda de todos os empreendimentos. *Resposta admirável* (comentou *O Cachoeirense) que revela em Miss Corisco uma patriota digna de emparelhar com Clara Camarão, Anita Garibaldi, Dona Margarida de Barros e outras heroínas da nacionalidade.* Finalmente perguntaram: O que pensa do amor? Respondeu: O amor, na minha fraca opinião, é uma cousa incompreensível mas que governa o mundo. *Palavras* (acentuou o órgão) *que encerram uma profunda filosofia muito de admirar atentos o sexo e a juventude da encantadora Miss.*

Miss Corisco foi retratada em várias posições: com um cachorrinho no colo, apanhando rosas no jardim, as costas das mãos sustentando o queixo. Deu também um autógrafo. Papel cor-de-rosa de bordas douradas, risquinhos de lápis para sair bem direitinho e as letras se equilibrando neles. O cunhado ditou. Os representantes do *O Cachoeirense* se retiraram. Miss Corisco foi varrer a cozinha como era de sua obrigação todos os dias inclusive domingos e feriados e na manhã seguinte tomou a jardineira em companhia do irmão casado para comparecer na cidade perante o júri estadual.

\* \* \*

O Cine-Teatro Esmeralda estourava de tão cheio. No palco atrás do júri a Corporação Musical C. Gomes-G. Puccini tocava dobrados. De minuto em minuto a assistência entusiasmada erguia vivas ao Brasil e à raça. As candidatas desfilaram vestidas com apurado gosto. Os juízes eram cinco: um brasileiro, dois italianos, um filho de italiano e um português. Predominava neles o espírito nacionalista. Queriam escolher um tipo bem brasileiro. O doutor Noé Cavalheiro desenhou em dois traços incisivos o tipo-padrão: boca grande e olhos ternos. Miss Corisco foi eleita Miss Paraíba do Sul por quatro votos.

Ouviu então o primeiro discurso que foi proferido com emoção que lhe embargava a voz e lenço de seda na mão pelo doutor Noé Cavalheiro, segundo promotor público. Principiou este fazendo o elogio da beleza, notadamente da beleza feminina. Falou do culto que na antiga Grécia se votava à formosura física. Acentuou depois a desvantagem de uma *mens sana* desde que não seja num *corpore sano*. Disse que a beleza da mulher se tem provocado guerras e catástrofes tem também mais de uma vez contribuído para o progresso geral dos povos, citando vários exemplos históricos. Prosseguiu afirmando que o Brasil deveu muito do amor que lhe dedicou Dom Pedro I à influência benéfica da Marquesa de Santos. Referiu-se à competência do júri, à sua isenção de ânimo e confessou que a única nota dissonante tinha sido ele orador, o que provocou os protestos unânimes da assistência. Perorando entoou um hino inflamado à peregrina formosura de Miss Corisco. Disse então: *Unindo à beleza clássica da Vênus de Milo a sedução estonteante da lendária rainha de Nínive, Miss Paraíba do Sul, maior do que Beatriz e mais feliz do que Natércia, conquistou o coração de toda uma região! A Pátria não é somente, como soem pensar certos espíritos imbuídos de materialismo, a lei que garante a propriedade privada! A Pátria é mais alguma cousa de sublime e divino! A Pátria é a estrela que nos contempla do céu e a mulher que nos santifica o lar! A Pátria sois vós, Miss Paraíba do Sul, são os vossos olhos onde se espelham todas as forças viris da nacionalidade! Para nós, patriotas conscientes e eternos enamorados da Beleza, Miss Paraíba do Sul é neste momento o Brasil!* (Aplausos prolongados. O orador é vivamente cumprimentado. Vozes sinceras gritam: Bis! Bis!)

Um a um os membros do júri beijaram as mãozitas róseas e espirituais de Miss Paraíba do Sul enquanto a Corporação Musical C. Gomes-G. Puccini, sob a regência do Maestro Pietro Zaccagna, atacava vigorosamente a imortal protofonia do *Guarani*.

Muito vermelha e batendo com ar ingênuo as pálpebras aveludadas Miss Paraíba do Sul concedeu então as primeiras entrevistas. Externou sua opinião sobre a futura sucessão presidencial, a cultura da laranja, a questão religiosa no México, Mussolini, Padre Cícero, a estabilização cambial, Victor Hugo, Coelho Neto, os perfumes nacionais, a sentença que absolveu Febrônio, o diabo. No Grande Hotel Mundial era uma romaria de manhã à noite. Muito afável Miss Paraíba do Sul recebia toda a gente com um encantador sorriso brincando nos lábios purpurinos. O camareiro do apartamento chegou a declarar quando entrevistado por um jornalista: É de uma amabilidade extraordinária. Recebe todos. Quem bate no quarto entra. Mas o irmão pelo sim pelo não caiu de bofetadas em cima do camareiro. O caso foi parar na polícia onde o prestígio de Miss Paraíba do Sul conseguiu arranjar tudo do melhor modo possível.

Puseram à sua disposição um automóvel fechado, uma máquina de escrever portátil e um binóculo de corridas. Todos os dias choviam os presentes. O futuro arquiteto

Barros Jandaia pôs gratuitamente seus serviços profissionais às ordens de Miss Paraíba do Sul. O cabeleireiro não lhe quis cobrar nada e ainda por cima lhe deu vinte vales dando direito a outras tantas lavagens com Pixavon. A Livraria Cosmopolita ofereceu um rico exemplar do *Paraíso Perdido.* E assim por diante.

Miss Paraíba do Sul foi recebida em audiência especial pelo presidente do Estado, respondeu com muita graça às perguntas de S. Ex.ª e distribuiu cigarros *Petit Londrinos* (ovalados) aos presos da cadeia pública. Visitou também a Câmara Municipal. Aí foi saudada por um vereador que a comparou à *mimosa violeta dos nossos vergéis que não só atrai pela beleza como prende pelo seu perfume e conquista pela sua modéstia exemplar.*

Foram quinze dias bem cheios. Repletos. Não houve um minuto de folga. Miss Paraíba do Sul embora delicadamente deixou transparecer que a glória era um fardo pesado demais para seus ombros frágeis. E seguiu de vagão especial para a capital do país. Todas as cidades do percurso enviavam à estação o juiz de direito, o promotor, o delegado, o prefeito, o coletor federal e o sacristão da Matriz que se incumbia dos foguetes. O trem apitava, as palmas estalavam com o vivório, o trem seguia. Miss Paraíba do Sul chegou ao Rio com uma dor de cabeça que não agüentava mesmo.

\* \* \*

Começou a torcida brava. Para disfarçar, festas e mais festas. E sonetos na seção livre dos jornais. E bilhetes de apaixonados anônimos. E baile na torpedeira *Paraíba do Sul.* E retratos de todo o jeito nas revistas. E chás com as rivais. E tesouradas gostosas nas rivais. E entrevistas, entrevistas, entrevistas. Um repórter mais audacioso penetrou no quarto de Miss Paraíba do Sul e tirou uma fotografia muito original. Com efeito. No dia seguinte o povo carioca abrindo o jornal deu de cara com um pé de sapato enquadrado pela seguinte nota: — *Enquanto Miss Paraíba do Sul jantava conseguimos penetrar no seu aposento e cometemos a deliciosa maldade de fotografar um perfumado sapatinho que se encontrava sobre o toucador. Levamos a nossa indiscrição ao ponto de verificarmos o número; era trinta e três e meio! Para encanto dos nossos leitores publicamos um clichê do sapatinho da nova Maria Borralheira da Graça e da Beleza.*

Cousas assim comovem. Miss Paraíba do Sul deu ao repórter como lembrança o famoso sapatinho. Mesmo porque (observou muito bem o irmão casado) já estava imprestável com a sola até fura-não-fura. Enorme multidão teve a felicidade de vê-lo exposto na redação do jornal. Não houve um parecer discordante: era de fato um amor de sapatinho.

Enfim vieram as provas do concurso. Miss Paraíba do Sul passeou de roupa de banho para os velhos do júri apreciarem bem as formas dela e submeteu-se ao exame antropométrico no Museu Nacional. Sua ficha foi discutida nas sociedades científicas, empolgou a imprensa, provocou desinteligências entre pessoas que se davam desde os bancos escolares. Tudo inútil porém. Miss Paraíba do Sul não foi considerada a mais digna de representar o Brasil no torneio de Galveston.

Chorou é verdade. Não se pode negar. Chorou. Mas isso no hotel. Em público não perdeu a linha. Era toda sorriso diante de Miss Brasil. Entrevistada declarou que a escolha do júri tinha sido justa. Admiradores seus protestaram com energia. Um grupo de estudantes deitou manifesto a seu favor. Ela sorria agradecida e dizia cousas muito amáveis a respeito de Miss Brasil. Foi consagrada a Miss Pindorama, a Miss Terra de Santa Cruz, a Miss Simpatia Verde-Amarela. Todos reconheceram que a vitória moral lhe pertencia. Era um consolo.

De volta à capital do seu Estado no entanto ela resolveu mudar de atitude. Criticou duramente a decisão do júri. Miss Brasil? Uma beleza sem dúvida. Mas beleza impassível. E que vale a formosura sem a graça? Depois sem gosto algum. Cada vestido que só vendo. Todos de carregação. E era visível nos seus traços a ascendência estrangeira. O Brasil seria representado em Galveston. A raça brasileira não. E por aí foi. Nem os organizadores do concurso escaparam. Amáveis sim. Porém parciais. Um deles, careca barbado, vivia amolando as candidatas com galanteios muito bobos. Por isso mesmo levou um dia a sua. Uma das concorrentes lhe perguntou: Por que não corta um pedaço de barba e gruda na cabeça para fingir de cabelo? Disse isso sim. Como não. Na cara. Como não. E perto da gente. Ora se. Ele ficou enfiado.

Corisco recebeu de luto na alma a sua Vênus. O pai de Miss Paraíba do Sul sacudiu a cabeça murmurando: Que injustiça! Que injustiça! Inutilmente ela e o irmão casado falavam na vitória moral, na simpatia do povo, nos protestos da imprensa. Ela contava: Uma vez quando saía do hotel um popular me disse que eu era a eleita do coração dos brasileiros! Então, papai, que tal?

Mas o velho não se convencia. É. Muito bonito. Realmente. Mas os oitenta e quatro contos foi outra que abiscoitou. Aí é que está. Os oitenta e quatro contos foi outra que abiscoitou. Injustiça. Injustiça. O Brasil vai de mal a pior. Mas depois era preciso jurar que não, que o Brasil ia muito bem, que a vitória moral era mais do que suficiente, que dinheiro não faz a felicidade de ninguém porque Miss Corisco, Miss Paraíba do Sul, Miss Pindorama, Miss Terra de Santa Cruz, Miss Simpatia Verde-Amarela começava a chorar.

## UMA HISTÓRIA DE JUDAS

### JOÃO ALPHONSUS
### (1901-1944 | Brasil)

*"Grande contista"(Mário de Andrade dixit), o mineiro João Alphonsus publicou apenas três curtos livros do gênero:* Galinha Cega, Pesca da Baleia *e* Eis a Noite! *De uma família de escritores que remonta ao romântico Bernardo Guimarães, e filho do simbolista Alphonsus de Guimarães, foi também romancista (*Totônio Pacheco, Rola-moça*). Seu humor não nos leva ao riso franco, pois traduz "uma literatura humana, terrivelmente, miudamente, dolorosamente humana" (Drummond). É o brasileiro patético do interior, anos 1940, 1950, este "Judas" mineiro.*

Como Sexta-feira da Paixão fosse dia santo, um dia santo extraordinário em todo o mundo cristão, o homem teve a primeira contrariedade do dia quando a mulher lhe comunicou que não havia café com leite. Só café. O leiteiro anunciara de véspera que ele descansaria sexta-feira, que os úbres de suas vacas descansariam, isto é, que não haveria distribuição de leite. Sizenando, como burocrata que era, achava naturalíssimo não trabalhar de Quarta-feira de Trevas a Domingo da Ressurreição. Mas o leiteiro não tinha esse direito. Deixar de tirar o leite de suas vacas!

Bebeu o café simples. O líquido lhe fez certo bem ao estômago, tanto assim que sentiu uma disposição não para a alegria franca, que não era do seu feitio, mas para o humorismo. Brotou-lhe na cabeça um pensamento humorístico: — os bezerros hoje vão ter indigestão de leite; que festa para eles... Lembrou porém que a medida não era geral: haveria outros leiteiros que não respeitavam a santidade máxima do dia. Uma lástima. E um pecado. Os bezerros, afinal de contas, são dignos de uma certa consideração.

Depois que sua mulher saiu para a igreja, Sizenando tirou um cigarro do bolso do pijama de zefir estampado e caminhou para o alpendre florido de sua casa, um *bungalow* como outros muitos, suburbano e tranqüilo. Caminhou para a espreguiçadeira: fumar sossegado, gozar a paisagem da manhã, ler jornal, produzir outros pensamentos iguais ao dos bezerros, filosofar. Fica entendido que o seu filosofar não passava além daquilo: humorismo simples em torno das vacas, da repartição pública, das mulheres alheias, com sal e pimenta. Seria um homem feliz, se não houvesse um motivo para o contrário. O jornal anunciava bailes à fantasia para Sábado de Aleluia, o que o fez recordar um companheiro de repartição, seu rival na candidatura à promoção iminente. Tal colega era um sujeito carnavalesco, chefe de foliões, e safado como poucos! Perito em traições, como Judas... Mas logo teve pena de Judas: porque comparar o traidor de Jesus àquele sujeito, se o pobre Judas não devia ser tão mau assim, coitado?

Mal formulara essa pergunta sem resposta, viu aproximar-se do portão de sua casa, olhando-a atentamente com o ar de quem almejasse lhe penetrar os umbrais, um desconhecido vestido de preto, luto por algum parente, ou respeito à tradição de se enlutar a pessoa, quando religiosa, naquele dia. Sizenando deslizou ligeiro da espreguiçadeira para dentro de casa, agachado atrás da jardineira que circulava o alpendre.

— Tem um sujeito aí. Já está batendo palmas... Pergunte o nome e venha saber se estou em casa.

A criada cumpriu a recomendação e voltou com os olhos muito abertos, cara de espanto:

— Ele disse que é Judas. Judas Iscariotes.

— É?!

O homem teve um minuto de hesitação, depois do que ordenou calmamente à criada que introduzisse o sujeito na sala. Nova hesitação, depois da qual resolveu aparecer-lhe mesmo de pijama. e barba de dois dias. Para que cerimônias? Pediria desculpas. O visitante matutino devia ser algum pândego. Ou doido? Entrou na sala com uma certa inquietude.

— Bom dia.

— Bom dia. O senhor como vai?

— Regularmente. Às ordens.

O estranho era banal e comum, embora grave e solene; nem alto, nem baixo; nem gordo, nem magro. Parecia sentir calor dentro do terno preto; mesmo cansaço, desânimo. Os olhos, no entanto, brilhavam com animação, de um modo esquisito, como se não fossem da mesma pessoa.

— Às ordens, insistiu Sizenando. Peço desculpas pela falta de cerimônia do pijama.

— E eu, peço desculpas pela importunação matutina. Sou Judas Iscariotes; ou de Kerioth, que é mais erudito e pedante. Sou e não sou. Sou o espírito de Judas invocado pelo sujeito que está sentado nesta cadeira. Fui invocado no Domingo de Ramos; tenho que permanecer no corpo dele a semana inteira...

Sizenando notou que a voz era pura, franca, simpática: como os olhos, não parecia pertencer ao mesmo indivíduo; não sendo espírita, nenhuma conclusão tirou do fenômeno presente; continuou calado, cortesmente incrédulo, sorrindo.

— Quer provas? Para um espírito, não era necessário que o senhor fizesse o homem invisível, pois se entrei aqui foi porque talvez tenha sido o senhor a única pessoa que nesta emergência anual me dedicou um pensamento de relativa simpatia. O senhor acha mesmo que não sou tão traidor como aquele seu colega de repartição?

O espanto de Sizenando foi imenso. Era verdade! Um fato real... E tão natural, com discrição e polidez, à luz do dia, que não lhe causava medo nenhum, aquela alma do outro mundo, Judas...

— A minha encarnação neste indivíduo foi divertida. A técnica é diferente: nunca apareci em sessão espírita nenhuma; quando um sujeito está realizando uma traição, nas proximidades do meu dia de cada ano, eu entro no corpo dele. Por uns dias. Este meu hospedeiro foi visitar um amigo no último domingo. Visitar a mulher do amigo, que estava sozinha em casa. No momento em que externava o seu desejo à mulher, me apossei do corpo dele, dei uma desculpa esfarrapada para não continuar o assunto e fui saindo. A esposa do outro ficou surpresa e contrariada, porque já se ia no embalo; e tive uma tentação de apanhar pedras na rua para apedrejar a adúltera, biblicamente, como no meu tempo. Mas, como dizia o Mestre, quem é que pode atirar a primeira pedra? Além disso, o calçamento era de asfalto, e eu tinha pressa de perambular, perambular, perambular... Isto faz parte dos castigos impostos a Judas Iscariotes. Mas penso que qualquer dessas traições que há por aí é muito pior que a minha.

— Eu também penso.

— O senhor assim pensa quando é o traído. E quando é o traidor? Aquela sua intriga foi malsucedida. E o seu colega tinha pistolões mais fortes... Quanto a mim, prefiro encarnar nos traidores políticos (quis variar, este ano). O terreno é fértil e simpático, pois a minha traição foi eminentemente política. Do meu beijo perjuro dependia a redenção da humanidade. Ora, eu conhecia as profecias, acreditava no Divino Mestre, sabia que era o momento de surgir o traidor. Se eu explicasse tudo isso aos perseguidores do Nazareno? Talvez lhes tivesse aberto os olhos. Preferi aceitar os trinta dinheiros, que perdi no jogo, e fazer o papel profetizado, estabelecido, benemérito. Benemérito pelas suas conseqüências. Sofri muito ao aceitar a imposição da profecia. Estou sofrendo ainda.

— Tenho pena do senhor.

— Que é que me adianta a sua pena? A minha tese é esta: pode alguém ficar eternamente responsável por um ato, que já estava divinamente pré-estabelecido numa cadeia de acontecimentos inadiáveis?

— Não pode não. É um absurdo!

— Pode. Tanto pode, que estou responsável. Eu podia ter recusado o papel. E o senhor acredita no livre arbítrio... Falou — não pode não! — quando pensava o contrário: que seria incapaz de trair como eu, com um beijo... Traidor! O senhor sabe que vai ser processado por calúnia? Jurou que o seu competidor na vaga da repartição havia feito desaparecer o processo referente ao desfalque. O processo foi encontrada no segundo escaninho da estante quarta do arquivo, lá onde o senhor o tinha escondido... O competidor vitorioso quer processá-lo judicialmente.

— Sei disso. Já procurei saber qual é a pena de prisão. Mas o processo não pega.

— Pega sim. Para mim, não existe passado, nem presente, nem futuro. Tudo é a mesma coisa. A eternidade. O senhor será condenado. E perderá o emprego, além da reputação, pois a falta é também funcional. Perderá tudo. Ficará na miséria. MISÉRIA!

O estranho visitante, de pé, se debruçou brutalmente sobre Sizenando e os seus olhos ardentes olhavam tanto, tão agudamente, que o nosso homem sentiu no corpo uma impressão irremediável de punhais que lhe estraçalhassem as vísceras, de acabamento integral: não tinha cor no rosto e tremia. A voz quente de Judas ciciou no seu ouvido esquerdo:

— O senhor não tem no quintal uma figueira?

— Não, mas tenho no quarto um revólver.

— Então, adeus. Até à eternidade.

Passou a porta, o portão. Na rua, parecia um homem como outro qualquer. Mas não era. Tanto não era que Sizenando foi automaticamente à gaveta onde guardava o revólver. Não, pensou: vou esperar minha mulher voltar da missa e lhe conto tudo. Os olhos eternos de Judas não saíam da sua memória: a impressão, do corpo. Será possível que eu seja a vítima escolhida para tanta perseguição, por causa de uma caluniazinha? E os outros, os outros que pululam por aí, sem processo e sem miséria!

Sua perturbação era extrema. Raciocinou: estas coisas estão absurdas, tão absurdas que só podem ser sonho; se não estou acordado e se não tenho revólver real na mão, vou dar um tiro na cabeça com este revólver de mentira, pois despertarei com o estampido. Raciocinando desse modo, com todo o seu bom senso, Sizenando puxou o gatilho. A criada, que estava na cozinha, saiu correndo como louca na direção do quarto, ouvindo a detonação, e o baque do corpo.

# MÓVEIS "EL CANÁRIO"

### FELISBERTO HERNÁNDEZ
### (1902-1964 | Uruguai)

*Um gênio uruguaio, aqui editado pela primeira vez em português, Felisberto Hernández não escrevia profissionalmente. Ele vivia tocando piano pelo interior do seu país, em bares de segunda, festinhas e batizados. Dizem que era um homem gordíssimo que consumia pratos e pratos de batata frita. No seu enterro, houve uma saia-justa generalizada, com a presença simultânea de três ou quatro viúvas. De* Nadie Encendía las Lámparas *(1947), seu melhor livro, recolhemos esta sátira contundente e implacável da publicidade do nosso mundo moderno, e que consegue também ser um belo exemplo de conto fantástico (como tal, um dos melhores do século XX, segundo Italo Calvino).*

A propaganda destes móveis me pegou desprevenido. Eu recém passara um mês de férias num lugar próximo e não quis me inteirar do que acontecia na cidade. Quando cheguei de volta fazia muito calor e nesta mesma noite fui à praia. Voltei cedo para meu quarto e um pouco mal-humorado pelo que me havia acontecido no bonde. Tomei-o na praia e me aconteceu de me sentar num lugar perto do corredor. Como no entanto fazia muito calor, colocara meu casaco nos joelhos e trazia os braços expostos, pois minha camisa era de manga curta. Entre as pessoas que passavam pelo corredor houve uma que sem mais aquela me disse:
— Com sua permissão, por favor...
E eu respondi com rapidez:
— Pois não.
Mas não apenas não compreendera o que estava acontecendo como também me assustei. Naquele instante muitas coisas aconteceram. A primeira foi que, mal aquele senhor me pediu permissão, e enquanto eu lhe respondesse, ele já me esfregava o braço desnudo com alguma coisa fria que não sei por que acreditei que fosse saliva. E quando eu terminara de dizer "pois não" já sentia uma picada, e vi uma seringa grande com letras. Ao mesmo tempo uma senhora gorda que viajava num outro banco dizia:

— Depois sou eu.

Eu devo ter feito um movimento brusco com o braço, porque o homem da seringa disse:

— Assim vou machucá-lo... quieto um...

Logo retirou a seringa em meio ao sorriso dos outros passageiros que tinham visto a minha cara. Depois começou a esfregar o braço da senhora gorda e ela olhava a operação com a maior complacência. Apesar da seringa ser grande, só emitia um pequeno jorro com um golpe preciso. Só então li as letras amarelas escritas ao longo do seringa: *Móveis "El Canário".* Senti vergonha de perguntar do que se tratava e decidi me informar no dia seguinte pelos jornais. Mas foi só descer do bonde e pensei: "Não pode ser um fortificante; deve ser alguma coisa que deixe conseqüências visíveis se de fato se tratar de propaganda." No entanto, eu não sabia bem do que se tratava; mas estava muito cansado e resolvi esquecer do assunto. De qualquer maneira, tinha certeza que não iriam permitir dopar as pessoas pelas ruas com qualquer droga que fosse. Antes de dormir, pensei que no máximo pretendiam criar algum estado físico de prazer ou de bem-estar. Porém nem havia passado ao sono quando ouvi em mim um canto de passarinho. Não tinha as características de algo lembrado nem do som que nos chega de fora. Era anormal como uma nova doença; mas tinha também um matiz de ironia: como se a doença se sentisse contente e se pusesse a cantar. Essas sensações passaram rapidamente, e em seguida apareceu algo mais concreto: escutei soar na minha cabeça uma voz que dizia:

— Alô, alô; a difusora "O Canário" transmite... alô, alô, numa audição especial. As pessoas sensibilizadas para estas transmissões... etc. etc.

Escutava tudo isso de pé, descalço, perto da cama e sem coragem de acender a luz; tinha dado um pulo e ficado duro naquela posição; parecia impossível que aquilo soasse dentro da minha cabeça. Voltei a me jogar na cama, mas finalmente decidi esperar. Agora passavam informações a respeito dos pagamentos a crédito dos *Móveis "El Canário".* E em seguida disseram:

— Como primeiro número ouviremos o tango...

Desesperado, me meti debaixo de uma coberta grossa; ouvi então tudo com mais nitidez, pois a coberta atenuava os ruídos da rua e eu percebia melhor o que estava acontecendo dentro da minha cabeça. Em seguida tirei a coberta e comecei a caminhar pelo quarto; o que me aliviava um pouco, mas eu sentia um encantamento íntimo em ouvir tudo aquilo e em me queixar da minha desgraça. Me deitei de novo e ao segurar o espaldar da cama voltei a ouvir o tango com maior nitidez.

Num segundo me encontrava na rua; procurava outros ruídos que atenuassem o que sentia na cabeça. Pensei em comprar um jornal, descobrir o endereço da rádio e perguntar o que precisava fazer para anular o efeito da injeção. Mas vinha um bonde e eu entrei nele. Um poucos instantes o bonde passou por um lugar onde a rua estava em mal estado de conservação e aquele barulho me aliviou de outro tango que tocava agora; mas logo olhei para dentro do bonde e vi outro homem com outra seringa; ele estava dando injeção a uns meninos que iam sentados nos bancos transversais. Fui até lá e perguntei a ele o que eu precisava fazer para anular o efeito de uma injeção que me deram algumas horas atrás. Ele me olhou assombrado e disse:

— Não gostou da transmissão?

— Nem um pouco.

— Espere um pouco que logo vai começar uma novela em capítulos.

— Horrível — disse a ele.

Ele continuou com as injeções e sacudia a cabeça com um sorriso. Eu não ouvia mais o tango. Voltavam agora a falar dos móveis. Finalmente o homem da injeção me disse:

— Senhor, em todos os jornais saiu a notícia dos comprimidos "El Canário". Se o senhor não gostou das transmissões, é só tomar um comprimido desses e pronto...

— Mas a esta hora todas as farmácias estão fechadas e eu vou acabar enlouquecendo.

Nesse instante ouvi anunciarem:

— E agora transmitiremos uma poesia intitulada "Meu querido sofá", soneto composto especialmente para os Móveis "El Canário".

Depois o homem da injeção se aproximou de mim para dizer-me em forma de segredo:

— Vou resolver seu problema de outra maneira. Vou cobrar-lhe só um peso, porque estou vendo que o senhor me parece um homem honrado. Se o senhor falar com alguém, eu perco o emprego, porque para a firma convém mais que os comprimidos sejam vendidos.

Falei que ele poderia me confiar seu segredo. Ele então abriu a mão e disse:

— Primeiro um peso. — E assim que eu dei a moeda, ele acrescentou: — Tome um escalda-pés bem quente.

# PHILIMOR, ALMA DE CRIANÇA

### WITOLD GOMBROWICZ
### (1904-1969 | Polônia)

*Autor de alguns dos mais importantes romances do século XX, como* Ferdiduke *e* A Porno-
grafia, *o polonês Witold Gombrowicz, de origem aristocrática, viveu a maior parte de sua vida anoni-
mamente em Buenos Aires, onde chegou a ser bancário. Foi redescoberto pela intelectualidade européia, principalmente francesa, já no fim da vida, ocasião em que voltou para a Europa. Antes de
morrer, foi cogitado para o Prêmio Nobel. É autor de um diário magistral, além de um único livro de
contos,* Bakakai.

Em fins do século XVIII, um camponês parisiense teve uma criança; a criança,
por sua vez, teve uma criança, que teve uma criança por sua vez. Depois, houve outra
criança... e a última criança, que se tornara campeã mundial, disputava, certo dia, nas
quadras do Racing Club de Paris, em ambiente tenso e sob torrentes de aplausos, uma
partida de tênis.

No entanto, (oh, que traições horríveis nos reserva a vida!) um certo coronel dos
zuavos, que estava sentado na tribuna lateral, tomou-se de inveja pelo jogo assombro-
so e impecável dos dois campeões. E, subitamente, querendo mostrar sua capacidade
aos seis mil espectadores presentes, — e também à amiguinha que o acompanhava —
sacou do revólver e deu um tiro na bola, no momento em que ela voava entre as duas
raquetas. A bola estourou e caiu. Privados da bola, os campeões continuaram, por
algum tempo, a dar raquetadas no ar, mas, exasperados pelo absurdo daquele movimento sem sentido, caíram nos braços um do outro. Uma torrente de aplausos sacudiu a assistência.

O caso poderia ter-se resumido nisso, é claro. Mas, circunstância imprevista, o
coronel, em sua excitação, não prestou atenção suficiente (oh, como é preciso ser
atento!) aos espectadores que estavam sentados na tribuna em frente. Imaginara, não
se sabe por que, que o projétil, depois de ter atravessado a bola de tênis, terminaria sua
trajetória; mas infelizmente isso não aconteceu... e, prosseguindo adiante, a bala atingiu o pescoço de um espectador. O sangue jorrou da artéria seccionada. A mulher do

ferido quis atirar-se sobre o coronel e arrancar-lhe o revólver, mas vendo que isso seria impossível, pois estava cercada pela multidão, contentou-se em esbofetear seu vizinho da direita. Isso porque não havia outro meio de expandir sua indignação e porque, segundo uma lógica muito feminina, achava (no mais íntimo recanto de seu subconsciente) que, sendo mulher, podia permitir-se qualquer coisa.

Mas, evidentemente, as coisas não se desenrolaram como ela imaginara. Pois o esbofeteado (ah, como nossos cálculos são incertos e imprevisíveis nossos destinos!) era nada mais nada menos que um epilético em estado de latência. Com o choque do bofetão, o infeliz jorrou de si mesmo um gêiser. A pobre mulher viu-se entre dois homens, um dos quais cuspia sangue e o outro espuma. A multidão explodiu numa torrente de aplausos.

Foi então que, num acesso de pânico, um senhor que estava sentado ali perto atirou-se em cima da cabeça de uma senhora, sentada mais embaixo. Esta se levantou, tomou impulso e pulou para a quadra, carregando-o nas costas, em doida corrida. A multidão explodiu numa torrente de aplausos. E tudo poderia ter-se resumido nisso. Mas aconteceu ainda (tudo! seria preciso prever tudo, pensar em tudo!) que a alguns passos dali estava sentado um pobre-diabo, um obscuro sonhador aposentado que, havia anos, a cada vez que assistia a um espetáculo público, ardia de vontade de pular em cima da cabeça das pessoas sentadas mais embaixo, e só a muito custo conseguia controlar-se. Estimulado pelo exemplo, atirou-se sem mais tardar sobre seu vizinho de baixo que (era uma funcionariazinha chegada havia pouco tempo de Tanger) pensou que era assim mesmo, que era moda, e que essa era a maneira certa de comportar-se nos meios elegantes... Assim sendo, atirou-se também para a quadra, atenta a que seus movimentos não a traíssem, denotando alguma timidez.

O setor mais culto do público pôs-se a aplaudir diplomaticamente, para dissimular o escândalo aos olhos dos representantes das embaixadas e delegações estrangeiras. Mas deu-se um mal-entendido, pois outros espectadores menos cultos tomaram esses aplausos como sinal de aprovação... e cada um pôs-se a cavalgar sua dama. Os estrangeiros demonstravam espanto crescente. Que saída restava, portanto, a gente tão fina, diante de tais circunstâncias? Para dissimular o escândalo, puseram-se também eles a cavalgar suas damas.

E tudo poderia ter-se resumido nisso, quase que certamente. Mas então, um certo Marquês de Philimor, sentado na tribuna de honra ao lado de sua esposa e da família desta, achou-se na obrigação de portar-se como um cavalheiro.

E, vestido num terno claro de verão, surgiu no centro da quadra, pálido porém decidido, perguntando em tom glacial se alguém, e quem era esse alguém, desejava ofender sua mulher, a Marquesa de Philimor. E atirou à multidão um punhado de cartões de visita, nos quais estava gravado: "Philippe de Philimor". (Ah! Como é preciso prestar atenção, como a vida é difícil e perigosa!) Fez-se um silêncio mortal.

Subitamente, pelo menos trinta e seis senhores, montados em mulheres de raça, de finos jarrêtes, aproximaram-se da Marquesa, a passo, com a intenção de ofendê-la,

para poderem sentir-se tão cavalheiros quanto o Marquês, seu esposo. Mas a Marquesa (oh, quão louca é a existência!), apavorada, deu à luz — e ouviu-se, aos pés do
Marquês, sob os cascos das mulheres que relinchavam, um vagido de criança!

O Marquês, subitamente apanhado em flagrante criancice, em terrível, completa infantilidade, quando até o presente momento agira de modo muito amadurecido,
como um cavalheiro que era, partiu, envergonhado, enquanto os espectadores explodiam
numa torrente de aplausos.

*Tradução de Vera Pedroso*

# UM ACIDENTE CHOCANTE

## GRAHAM GREENE
### (1904-1991 | Inglaterra)

*Um autor que sempre conseguiu unir o respeito da crítica e a admiração do leitor comum, Graham Greene deixou como legado romances marcantes, como* O Poder e a Glória, O Terceiro Homem, Nosso Homem em Havana *e tantos outros. Seu humor moderado e inteligente — o* wit *inglês — perpassa por toda sua obra, mas é mais visível em livros como* Viagens com a Minha Tia *e em muitos de seus contos. É o caso de* Um Acidente Chocante.

Jerome foi chamado ao gabinete do prefeito no intervalo entre a segunda e a terceira aula numa manhã de quinta-feira. Não tinha receio de encrenca, pois era uma sentinela — nome que o proprietário e diretor de uma dispendiosa escola preparatória resolvera dar a garotos estudiosos e dignos de confiança das séries mais atrasadas (de sentinela passava-se a guardião e por fim, antes de se sair, como era de esperar, para Marlborough ou Rugby, cruzado). O prefeito, Mr. Wordsworth, sentado atrás de sua mesa, tinha um ar de perplexidade e apreensão. Ao entrar, Jerome teve a estranha impressão de estar causando certo temor.

— Sente-se, Jerome — disse Mr. Wordsworth. — Vai tudo bem com a trigonometria?

— Vai, sim senhor.

— Recebi um telefonema, Jerome. Da sua tia. Lamento dizer que tenho más notícias para você.

— É?

— Seu pai sofreu um acidente.

— Oh!

Mr. Wordsworth encarou-o com alguma surpresa. — Um acidente grave.

— É mesmo?

Jerome adorava o pai: o verbo é correto. Como o homem recria Deus, Jerome recriou seu pai, transfigurando um irrequieto escritor viúvo num misterioso aventureiro que viajava por lugares remotos: Nice, Beirute, Maiorca, até mesmo as Canárias. Mais ou menos aos oito anos Jerome passara a acreditar que o pai era ou traficante de armas ou agente do Serviço Secreto Britânico. Então veio-lhe à mente a possibilidade de seu pai ter sido ferido numa "saraivada de balas de metralhadora".

Mr. Wordsworth brincou com a régua sobre a escrivaninha. Parecia sem saber como continuar. Afinal disse: — Sabia que seu pai estava em Nápoles?

— Sabia, sim senhor.

— Sua tia recebeu comunicação hoje do hospital.

— Oh!

Mr. Wordsworth explicou em desespero: — Foi um acidente de rua.

— Mesmo, senhor? — A Jerome parecia perfeitamente natural que chamassem a isso acidente de rua. A polícia naturalmente atirara primeiro: seu pai não mataria a não ser em último recurso.

— Infelizmente seu pai ficou de fato gravemente ferido.

— Oh!

— Na realidade, Jerome, ele morreu ontem. Sem sentir dores.

— O tiro pegou bem no coração?

— Como? Como disse, Jerome?

— O tiro pegou bem no coração?

— Não houve tiro nenhum, Jerome. Um porco caiu em cima dele. — Uma convulsão inexplicável apoderou-se dos nervos faciais de Mr. Wordsworth; por um momento pareceu que ele ia estourar na gargalhada. Fechou os olhos, compôs a fisionomia e falou depressa como se fosse necessário expelir a história com a maior rapidez possível: — Seu pai ia andando numa rua de Nápoles quando um porco caiu em cima dele. Um acidente chocante. Ao que tudo indica, nos bairros mais pobres de Nápoles é costume criar porcos nos balcões das janelas. Esse tal estava no quarto andar. Tinha engordado demais. O balcão quebrou-se. O porco caiu em cima de seu pai.

Mr. Wordsworth deixou a escrivaninha e foi para a janela, dando as costas a Jerome. Estremeceu um pouco, emocionado.

## II

— Que aconteceu com o porco? — perguntou Jerome.

Isso não era insensibilidade da parte de Jerome, como foi interpretado por Mr. Wordsworth para seus colegas (com quem chegou até a discutir, achando que talvez Jerome ainda não estivesse apto para ser uma sentinela). Jerome estava apenas tentando visualizar a estranha cena e obter todos os pormenores. Tampouco era Jerome um menino dado a chorar; era um menino que meditava, e nunca lhe acudiu à mente, durante o período da escola preparatória, que as circunstâncias da morte de seu pai eram cômicas — eram ainda parte do mistério da vida. Só mais tarde, no primeiro ano de colégio, ao contar a história a seu melhor amigo, foi que começou a notar a reação que ela provocava nos outros. Naturalmente, depois dessa revelação, ganhou o apelido, um tanto desarrazoado, de Porco.

Infelizmente sua tia não tinha senso de humor. Havia um instantâneo ampliado de seu pai em cima do piano: um homem alto e triste metido num inadequado terno escuro, posando em Capri com um guarda-chuva (para protegê-lo contra insolação), os rochedos de Faraglione ao fundo. Aos dezesseis anos Jerome deu-se conta de que o retrato parecia-se mais com o autor de *Luz e Sombra* e *Perambulações nas Baleares* do que com um agente do Serviço Secreto. Apesar de tudo, reverenciava a memória do pai: ainda possuía um álbum cheio de cartões postais (havia muito tempo que tirara os selos para a outra coleção), e era-lhe doloroso ver a tia narrar a desconhecidos a história da morte de seu pai.

— Um acidente chocante — começava ela, e o estranho ou estranha ia tratando de dar à fisionomia uma expressão compatível com o interesse e a comiseração. As reações eram, evidentemente, falsas, mas era terrível para Jerome ver como de repente, no meio da divagante fala da tia, o interesse se tornava sincero. — Não consigo imaginar como se permitem tais coisas num país civilizado — dizia a tia. — Suponho que temos de considerar civilizada a Itália. Normalmente se está preparado para toda sorte de coisas no exterior, é claro, e meu irmão era um grande viajante. Sempre levava consigo um filtro. Você sabe, sai muito menos dispendioso do que comprar todas aquelas garrafas de água mineral. Meu irmão dizia sempre que seu filtro pagava o vinho do jantar. Por aí pode-se ver como ele era cuidadoso. Mas quem podia esperar que quando ele estivesse andando pela Via Dottore Manuele Panucci, a caminho do Museu Hidrográfico, um porco lhe cairia na cabeça? — Esse era o momento em que o interesse se tornava sincero.

O pai de Jerome não fora um escritor dos mais eminentes, mas sempre parece chegar o momento, depois da morte de um autor, em que alguém acha que vale a pena mandar uma carta para o *Times Literary Supplement* anunciando a preparação de uma biografia e pedindo para ver cartas ou documentos ou receber anedotas dos amigos do morto. A maioria das biografias, é claro, nunca aparece — a gente se pergunta se tudo aquilo não é uma obscura forma de chantagem e se muito autor potencial de biografia ou tese não encontra desse modo o meio de concluir sua educação em Kansas, em Nottingham. Jerome, porém, sendo um perito-contador, vivia longe do mundo literário. Não percebia que a ameaça era realmente muito pequena; nem que a fase de perigo para uma pessoa obscura como seu pai passara havia muito. Às vezes ensaiava o método de narrar a morte do pai de modo a reduzir o elemento cômico às suas dimensões mais insignificantes. Seria inútil recusar-se a dar informações, pois em tal caso o biógrafo indubitavelmente faria uma visita à tia que marchava para uma idade bastante avançada, sem indícios de debilitação.

Afigurava-se a Jerome que havia dois métodos possíveis: o primeiro conduzia de mansinho ao acidente, de sorte que, no momento em que era escrito, o ouvinte estava tão bem preparado que a morte surgia realmente como um anticlímax. O principal perigo de gargalhada em tal história era sempre a surpresa. Ao ensaiar esse método, Jerome começava de maneira bastante tediosa.

— Conhece Nápoles e aqueles altíssimos edifícios de apartamentos? Certa vez me contaram que o napolitano sempre se sente à vontade em Nova York, exatamente como o sujeito de Turim se sente à vontade em Londres porque o rio corre mais ou menos do mesmo jeito nas duas cidades. Onde era que eu estava? Ah, sim. Nápoles, claro. Você ficaria surpreendido com as coisas que nos bairros mais pobres o povo põe nas sacadas daqueles arranha-céus... não roupa suja, compreende? mas coisas como animais domésticos, galinhas ou até mesmo porcos. Naturalmente os porcos não têm oportunidade de fazer exercícios e engordam com a maior rapidez. — Imaginava como a essa altura os olhos do ouvinte estariam arregalados. — Não tenho a mínima idéia, e você? do peso a que pode chegar um porco, mas aqueles edifícios velhos precisam todos de reparos urgentes. Uma sacada no quarto andar cedeu sob o peso de um desses porcos. Atingiu a sacada do terceiro andar na queda e como que ricocheteou na rua. Meu pai ia passando para o Museu Hidrográfico quando o porco o alcançou. Vindo daquela altura e daquele ângulo, quebrou o pescoço de meu pai. Essa era de fato uma tentativa magistral de tornar enfadonho um assunto intrinsecamente interessante.

O outro método ensaiado por Jerome tinha a virtude da concisão.

— Meu pai foi morto por um porco.

— Foi mesmo? Na Índia?

— Não. Na Itália.

— Interessante. Nunca imaginei que na Itália se caçava porco com chuço. Seu pai era fã de pólo?

No devido tempo, nem muito cedo nem muito tarde, exatamente como se em sua condição de perito-contador Jerome tivesse estudado as estatísticas e tirado a média, ficou noivo — noivo de uma moça de vinte e cinco anos, agradável, de rosto juvenil, cujo pai era médico em Pinner. Chamava-se Sally, seu autor favorito era ainda Dornford Yates, e adorava crianças desde que ganhara de presente aos cinco anos uma boneca que movia os olhos e fazia xixi. Como convinha aos amores de um perito-contador, as relações entre os dois eram marcadas mais pelo contentamento que pela excitação: não seriam corretas se atrapalhassem as contas.

Entretanto, um pensamento preocupava Jerome. Agora que dentro de um ano ele mesmo podia vir a ser pai, seu amor pelo morto aumentava; sabia quanta afeição banhava os cartões-postais. Sentia um intenso desejo de proteger a memória do morto e não tinha certeza de que esse seu amor tranqüilo sobreviveria se Sally se mostrasse tão insensível a ponto de rir quando ouvisse a história da morte do pai dele. Inevitavelmente ela iria ouvi-la quando Jerome a levasse a jantar com a tia. Várias vezes ele próprio tentou contar, já que ela, como era natural, estava ansiosa de saber tudo a respeito do noivo.

— Você era bem pequeno quando seu pai morreu?

— Tinha nove anos.

— Coitadinho — disse ela.

— Eu estava na escola. Eles é que me deram a notícia.

— Você sofreu muito?

— Não me recordo.

— Nunca me contou como é que foi.

— Foi muito de repente. Um acidente de rua.

— Você nunca vai dirigir em alta velocidade, vai, Jemmy? — (Ela começara a chamá-lo "Jemmy".) Era muito tarde então para tentar o segundo método, o da caçada de porco com chuço.

Iam casar-se sossegadamente num cartório e passar a lua-de-mel em Torquay. Ele evitou levar a noiva à casa da tia até uma semana antes do casamento, mas então chegou a noite de ir lá, e não pôde deixar de perguntar a si mesmo se sua apreensão era mais pela memória do pai ou pela segurança de seu amor.

O momento não tardou a aparecer. — Esse é o pai de Jemmy? — perguntou Sally, pegando no retrato do homem com o guarda-chuva.

— É, sim, querida. Como adivinhou?

— Ele tem os olhos e a testa de Jemmy, não tem?

— Jerome emprestou a você os livros dele?

— Não.

— Eu lhe darei uma coleção como presente de casamento. Ele escrevia com muita ternura sobre suas viagens. Meu favorito é *Recantos e Frinchas*. Tinha um belo futuro pela frente. Foi isso que tornou aquele acidente ainda mais chocante.

— Verdade?

Como Jerome desejou ardentemente deixar a sala para não ver aquele rosto amado encrespar-se com a vontade irresistível de rir!

— Recebi muitas cartas dos seus leitores depois que o porco caiu em cima dele. — A tia nunca fora tão abrupta antes.

E então ocorreu o milagre. Sally não riu. Sally sentou-se com os olhos esbugalhados de horror enquanto a tia contava a história, e no fim: — Que coisa horrível! — exclamou. — Faz a gente pensar, não é mesmo? Acontecer assim. Despencar lá de cima.

O coração de Jerome cantou de alegria. Era como se ela lhe tivesse aplacado o medo para sempre. No táxi, a caminho de casa, ele beijou-a com mais paixão do que jamais revelara, e ela retribuiu do mesmo jeito. Havia bebês nas pupilas azul-claro da moça, bebês que reviravam os olhos e faziam xixi.

— De hoje a uma semana — disse Jerome, e ela lhe apertou a mão. — Em que está pensando, meu amor?

— Fiquei curiosa de saber — disse Sally — o que aconteceu com o pobre do porco.

— É quase certo ter sido comido no jantar — disse Jerome feliz e beijou novamente a criaturinha adorada.

*Tradução de José Laurênio de Melo*

# O AUMENTO

### DINO BUZZATI
### (1906-1972 | Itália)

*"Surrealista doméstico ou caseiro, pois sua metafísica sempre se reconduz ao cotidiano, passando do transcendente ao imediato", segundo um crítico italiano, o milanês Buzzati (que foi editor do* Corriere della Sera, *durante muito tempo) é autor, entre outros, do consagrado romance* O Deserto dos Tártaros *e de alguns volumes de contos, como* A Noite Difícil.

Quando ficou sabendo que seu jovem colega Bossi, a mais recente admissão da firma, ganhava mais de vinte mil liras por mês do que ele, Giovanni Battistela viu-se tomado de uma raiva espantosa. E teve uma coragem do que em condições normais lhe pareceria uma loucura: de fazer-se receber pelo diretor e dizer-lhe poucas e boas. E ei-lo que se apresenta no solene escritório em cujo fundo estava sentado o chefe.

— Por favor, por favor. Pode se aproximar...

— Queria me desculpar, senhor comendador, mas...

— Desculpar por quê? Não me fale em se desculpar. Não faltava mais nada, meu caro Battistela. Eu é que devo lhe agradecer por ter vindo.

— O senhor!?

— Eu, sim. E estou contente, contentíssimo em revê-lo. Mas por favor, sente-se, sim, porque as pessoas que nos são caras, em quem temos mais confiança, são precisamente aquelas que mais negligenciamos. Esta é a cruel lei da vida, não é mesmo? Diga, diga, meu caro Battistela, há quanto tempo não trocamos duas palavras em santa paz? Semanas, não é mesmo? Semanas o quê! Meses, talvez. Muitos meses. Eu mesmo não me surpreenderia se, em vez de meses, fossem anos...

— Faz exatamente dois anos e meio...

— Dois anos e meio! Mas acredite, meu caro Battistela, que durante esses dois anos e meio, todas as noites — sabe disso? —, na hora em que fazemos nosso exame de consciência, eu pensava sempre no senhor. Todas as noites antes de dormir, dizia comigo mesmo: "E Battistela? E o excelente Battistela? Não estás te esquecendo dele?" Era o que eu mesmo me dizia: "Quando irás te decidir a lhe dar o cargo que ele merece?

Um trabalhador como ele, uma coluna mestra da administração, um homem desses, hoje cada vez mais raros..." Assim falava eu, e todas as noites sentia remorsos pode acreditar.

— Pois então, senhor comendador...

— Estou disposto a ajudá-lo, não era isso que ia me perguntar? Ah, não fale, não me diga nada. Acha que eu não o compreendo? Que eu não tenho o condão de captar o seu pensamento? Palavra por palavra, poderei lhe repetir tudo quanto tinha a intenção de me dizer... Que existe quem, com muito menos títulos, está ganhando mais do que o senhor, que isso é uma injustiça, que o senhor perdeu a paciência etc, etc. Não é isso mesmo?

— É, realmente...

— E o senhor, meu caro Battistela, teve um ímpeto de exasperação, não é verdade? Quem não teria tido, não é mesmo? A injustiça consegue transformar criaturas mansas e humildes em verdadeiros tigres, não é mesmo?

— Bem, em suma...

— Está vendo? E o senhor pensava que eu não compreenderia, que eu não sabia, que eu não me interessava. Homem de pouquíssima fé!... Bem, este deve ser um belo dia para nós. Esta noite ambos estaremos satisfeitos um com o outro. Que me diz de 150?

— Como?

— Creio que agora o senhor ganha entre 95 e 98, se não me engano, não é isso?

— 97.

— Bem. Podemos dar um passo adiante. Um pequeno passo. Cento e cinqüenta. Não chega?

— Bem, confesso que não esperava...

— Está vendo? Não sou mais aquele dragão, aquele carniceiro, aquele devorador de cristãos, aquele lobo esfomeado — não é isso que dizem de mim?

— Eu...eu lhe agradeço.

— Não tem nada que me agradecer. Eu é que lhe agradeço pelo seu trabalho... Um cigarro?

— Obrigado, não fumo...

— Bravo, é mais uma virtude... Quanto a mim, fumo como um desesperado... Bem, bem, quer me parecer que ficou tudo resolvido...

— Bem, quer dizer, não quero mais tirar o seu tempo...

— Não sou eu que vou retê-lo, meu caro Battistela. E faço os melhores votos para que... — suspirou. — É pena!

— "É pena", por quê?

— Nada, nada... Eu... para você... eu tinha outros projetos. Mas agora é inútil... O que está feito, está feito.

— Outros projetos?

— Sim, projetos, que eu fazia... Mas, agora...

— Comendador, não quer fazer a gentileza de me dizer...?

— Não, eu te conheço. Aquilo que se faz para o seu bem, o senhor leva a mal...

— Isso não é verdade...

— Seria como lhe dar uma prova de confiança, uma demonstração de amizade. Seria. Mas compreendo que poderia lhe dar uma impressão esquisita...

— Esquisita como?

— Além do mais é um assunto... é um assunto extremamente reservado...

— Não confia em mim?

O diretor levantou-se devagar, atravessou o escritório com ar circunspecto, fechou a porta com a chave, parou como se escutasse a passagem de alguém lá fora, avizinhou o indicador dos lábios num gesto de silêncio, voltou à escrivaninha e começou a falar em voz baixa:

— Battistela... me escuta... Eu estou ficando velho...

— Não é verdade.

— Velho, sim. O coração às vezes anda falhando. De um dia para o outro...

— Não diga isso nem brincando...

— E onde? Aqui mesmo, nesta escrivaninha? No meu posto, quem sabe? Mas escuta, Battistela...

— Estou ouvindo.

— Recomendo que guarde isso só para você. Porque em você eu confio... De algum tempo para cá fala-se em grandes mudanças...

— Mudanças?

— Com certeza já deve ter ouvido falar, pelo menos por alto: mudança de proprietários, segundo se diz, passando a firma para as mãos de outro grupo financeiro. E sabe o que isso significa?

— Que os chefes atuais vão-se embora e outros virão.

— E isso não lhe diz mais nada? Não compreende o que pode acontecer em tais circunstâncias?

— Não faço a menor idéia...

— Podem vir medidas de contenção de despesas. Porque se esta mudança ocorrer, o motivo é um só: é que as coisas não vão bem, que a crise está sendo sentida também por nós. Razão, portanto, para que a preocupação dos novos donos seja, sem dúvida, a de poupar ao máximo. E de que maneira? É simplicíssimo. Sabe o que se faz, nestes casos?

— Não. O quê?

— Redimensionamento. Bela palavra, não é? Redimensionamento. Sabe o que ela significa? Significa desembaraçar-se do peso excessivo, eis a solução genial. Elimina-se a escória. Aperta-se o cinto. Passa-se uma vista d'olhos na folha de pagamento. E quem tem alta remuneração, zapt! Estes são os primeiros a se fritarem. Como em todos os casos, são só os peixes miúdos que se salvam.

— E então?

— E então, quer que eu fique contente com a idéia de ver liquidado um elemento como o senhor? O meu dever, neste caso, uma vez que tenho um peso na consciência, é o de alertá-lo, meu caro Battistela. Não só o de alertá-lo, como o de ajudá-lo a evitar essa possível ameaça.

— Evitar?

— Claro. Quero subtrai-lo à dizimação, mimetizá-lo, colocá-lo numa posição segura. Mas é inútil. Os senhores, os jovens, não se dão conta de que...

— Ao contrário. Pode dizer, comendador, pode dizer...

— Quer que eu lhe fale com o coração nas mãos? Como se o senhor fosse o meu próprio filho? Bem... se eu fosse o senhor, frente a uma conjectura desta ordem, sabe que coisa...

— Que coisa o senhor faria?

— É fácil compreender. A moral da história é a seguinte: melhorando a sua situação financeira, no fundo eu lhe prestei um péssimo serviço. Foi a mesma coisa que se eu o atirasse na rua, para falar tipo pão-pão, queijo-queijo...

— De maneira que eu...

— Caro Battistela, não quero que amanhã venha a ter motivos para me recriminar. Se amanhã o senhor vier a me perguntar: mas, comendador, por que não me avisou antes? Por que não me abriu os olhos? Meu querido, as coisas estão chegando a um ponto tal que, mude-se ou não de patrões, um dia eu me verei constrangido a adotar medidas severas. E por que haverá de ser com o seu sacrifício?

— Mas, eu... Bem, não estou compreendendo... Está me falando de aumento? Acha que é melhor eu esperar?

— Não, nada de esperar! Se prevenir, sim. O que fazem os soldados, quando os inimigos abrem fogo? Abaixam a cabeça, agacham-se no chão para não serem atingidos. Agache-se também, Battistela.

— Agachar-me?

— Em sentido figurado, bem entendido. No momento, convém uma manobra, uma dissimulação, um subterfúgio estratégico. No momento, convém exagerar no seu zelo. Compreendeu, Battistela?

— Realmente...

— E depois, que importância teria para o senhor, que é solteiro, uma pequena redução no salário? Se em vez de 97 fossem apenas 80, isso não causaria a morte de ninguém. Digo-lhe isso porque agora até os ordenados de 90 estão dando na vista! Mas em compensação... considere a segurança, a tranqüilidade, a certeza de não ir de encontro com nenhum desprazer.

— Redução de salário?

— Está vendo como eu não estava enganado? Como era melhor me manter calado? O senhor já está dando às minhas palavras uma interpretação negativa!

— O senhor disse oitenta mil?

— Setenta talvez fosse melhor, mas creio que oitenta será o suficiente...

— Mas comendador...

— Eu sabia. O senhor é um rapaz inteligente, pega as coisas no ar, toma decisões com rapidez... Pense agora se eu, em vez de lhe falar sobre isso, me calasse... O senhor teria lá o seu aumento. De cinqüenta mil por mês. Mas, e depois? Ia se meter em poucas e boas! Seria carregado pela primeira onda. Menos mal, menos mal que existe alguém que lhe quer bem...

— Quer dizer que acha mesmo que o aumento...?

— Não resta a menor dúvida, meu filho: seria o mesmo que estar com uma corda no pescoço.

— Bem, comendador, eu lhe agradeço. O senhor me poupou de um grande aborrecimento.

— Não precisa agradecer... Vá, volte contente, volte tranqüilo para o seu trabalho. E, meu caro Battistela, saiba que o meu desgosto é apenas um: o de não poder fazer pelo senhor — eu lhe juro — um pouco mais do que fiz.

## O PERU DE NATAL

### ALBERTO MORAVIA
### (1907-1990 | Itália)

*Romano de origem judaica, Alberto Moravia é um dos grandes escritores do século XX. Romancista consagrado com títulos como* Os Indiferentes, A Romana, As Ambições Frustradas, *teve alguns de seus romances filmados por Bertolucci (*O Conformista*) e Godard (*Le Mépris*), entre outros. Moravia escreveu ainda centenas de contos, a maioria deles disponíveis em português:* Contos Romanos, Novos Contos Romanos, A Casa de Praia das Sextas-feiras, A Coisa e outros contos *e* Contos Surrealistas e Satíricos, *de onde tiramos este hilariante* O Peru de Natal.

No dia de Natal, quando o comerciante Policarpi-Curcio ouviu no telefone a mulher pedindo-lhe que chegasse em casa pontualmente porque tinha peru, alegrou-se muito, visto que, com o passar dos anos, não lhe restara outra paixão a não ser a gula. Imensa porém foi sua surpresa quando, ao chegar em casa por volta de meio-dia, encontrou o peru não na cozinha, enfiado no espeto e girando lentamente sobre um fogo de carvão, mas na sala de visita. O peru, vestido com elegância antiquada, com um paletó preto com debruns de seda, calças em tecido xadrez preto e branco e colete cinza com botões de osso, conversava com a filha de Curcio. A surpresa de Curcio ao encontrar o peru numa atitude e num lugar tão insólitos foi tão grande que, após as apresentações, aproveitando um momento de silêncio, ele não pôde deixar de inclinar-se para frente e dizer com cortesia mas também com firmeza: "Com licença, senhor... não sei se estou enganado... mas... mas me parece que o seu lugar não deveria ser aqui... repito, não sei se estou enganado... mas... o seu lugar deveria ser..." ia dizer "na panela", quando a mulher que, como ela mesma dizia, conhecia o seu rebanho, pisou-lhe no pé; e Curcio, que sabia por longa experiência o que significava aquele gesto, calou-se. A mulher, então, fez-lhe um sinal e, arrastando-o para fora da sala, disse-lhe em voz baixa e excitada que, pelo amor de Deus, não estragasse tudo. O peru era nobre, rico e influente; enfim, um excelente partido; e já demonstrava um interesse particular e evidentíssimo por Roseta; por acaso, com seus estúpidos comentários, ele queria acabar com o casamento que estava quase para se concretizar? Curcio desculpou-se com a mulher e jurou que não abriria mais a boca. Quanto ao peru, a pergunta do anfitrião desavisado teve apenas o efeito de fazê-lo pegar o monóculo e examinar o infeliz de cima a baixo. Logo depois voltou a conversar com a filha de Curcio.

"Não adianta falar", pensava Curcio daí a pouco, sentado à mesa, enquanto a mulher se desdobrava em cortesias com o peru, "com um tipo como este, mais que dar-lhe a filha em casamento, a gente gostaria de torcer-lhe o pescoço". Curcio estava irritado sobretudo com o ar de superioridade e displicência que o peru assumia toda vez que lhe dirigia a palavra. Curcio sabia muito bem que vinha, como se costuma dizer, do nada, e que suas maneiras não eram tão elegantes como a mulher e a filha desejariam que fossem. Mas ele trabalhara a vida toda e ganhara muito dinheiro, era essa a razão pela qual não tinha tido tempo de cuidar da sua educação. O peru, ao contrário, com toda aquela empáfia, não poderia dizer o mesmo. Belas maneiras, sem dúvida, ares de grão-senhor, mas no final das contas, Curcio poderia jurar, pouca substância. Outra coisa que irritava Curcio era a maneira com a qual o peru, após ter dito alguma coisa espirituosa ou profunda, atirava a cabeça para trás, enfiando o bico e os barbilhões na gravata preta de plastrão e estufando o peito debaixo do colete. E finalmente o peru falava com a mulher de Curcio com a mesma escolha cuidadosa de palavras e a mesma modulada preciosidade de acento com que se dirigiria a uma duquesa. Mas Curcio enfurecia-se porque lhe parecia perceber certa dose de ironia neste respeito excessivo. "Para a panela", pensava, "para a panela..."

Contudo, essa antipatia de Curcio era mais do que compensada pela enfatuação das duas mulheres, mãe e filha, pelo peru. A mulher de Curcio e Roseta ficavam simplesmente suspensas aos lábios, ou melhor, aos barbilhões do peru, que as fascinava com seus relatos incríveis de festas, divertimentos, viagens, sucessos mundanos. A familiaridade respeitosa de um peru como aquele, que tinha intimidade com a alta sociedade, envaidecia a mãe. Quanto a Roseta, ela enrubescia, empalidecia, tremia e dirigia ao peru olhares ora suplicantes, ora inflamados, ora lânguidos, ora assustados. Acontece que desde o início do almoço o pé do peru, calçado numa antiquada mas elegante bota de camurça cinza com botões de madrepérola, não parava um instante sequer de molestar a sapatilha da moça.

Depois que o peru foi embora, houve uma discussão violentíssima entre Curcio e a mulher. Curcio dizia que estava na hora de parar com esses elegantões sofisticados e esnobes que, como todo mundo sabe, escondem sob a arrogância um monte de trapaças. Ele tinha trabalhado a vida toda e não se sentia inferior a nenhum peru deste mundo. A mulher respondia que este furor era inútil; o peru nunca afirmou que era superior a ele; que bicho o tinha mordido? Quanto a Roseta, tendo-se deitado como costumava fazer todo dia depois do almoço, já estava sonhando com o peru. Via-o inclinado sobre ela que estava deitada de costas, as asas em volta de seus ombros, o bico sobre seus lábios entreabertos. O peru olha para ela carrancudo, e começa a estufar-se, a estufar-se, enchendo o quarto com suas penas cinzentas; mas, embora seja imenso, ele parece leve ao colo de Roseta que suspira no sono e murmura: "Querido peru".

Nos dias seguintes, apesar da crescente e visível antipatia de Curcio, o peru acabou se instalando na casa. Almoçava com eles; em seguida, ia para a sala de visita com a filha e lá ficava até a hora do jantar. Os dois, disse a mulher a Curcio, estavam praticamente noivos, embora o peru por motivos de família não quisesse que fosse feito, por enquanto, o anúncio oficial. "Belo genro", resmungava Curcio, "aceito um homem trabalhador, simples, de bom coração, mas um peru..." Curcio, entrando em casa, podia ver, através dos vidros da porta da sala, a graciosa cabeça da filha ao lado da cabeça oca, feroz e estúpida do peru. Ele pensava que aquelas mãozinhas tão brancas e miúdas podiam estar acariciando aqueles barbilhões vermelhos e enrugados e sua antipatia aumentava.

Acontece que, mesmo continuando a cortejar Roseta, o peru não se decidia a pedi-la em casamento. Até a mãe começava a ficar preocupada. Se era um peru sério, disse ela um dia para a filha, devia apresentar-se aos pais e pedi-la em casamento. Roseta, ao ouvir essas palavras, olhou assustada para a mãe e não disse nada. Na realidade, o peru tinha conseguido desde os primeiros dias obter da moça os extremos favores. E agora ela, não menos que a mãe, estava ansiosa para que o peru regularizasse, por assim dizer, sua situação.

Um dia Roseta recebeu o peru na sala com um rio de lágrimas. Ela não podia viver daquela maneira, balbuciava entredentes, mentindo para si mesma e para os pais. O peru percorria a sala com largas passadas, as penas desalinhadas fora do colete, o bico entreaberto e enfurecido, os olhos injetados de sangue. Finalmente disse-lhe que ela podia tirar da cabeça a idéia de casamento. Em vez de casar, se ela quisesse, podia fugir com ele para o exterior. Naquela noite ou nunca mais. Após muitas hesitações, Roseta acabou concordando.

Naquela noite, Curcio, que sofria de insônia, levantou-se para ir tomar um pouco de ar na janela. Era uma noite de verão com a lua no auge de seu esplendor. Os Curcio moravam num palacete. Olhando pela janela, sem fazer barulho nem acender as luzes para não acordar a mulher, a primeira coisa que viu foi a sombra gigantesca do peru, com a cabeça erguida e o pescoço estufado, o bico verruguento virado para cima, refletida nitidamente na parede da casa inundada pela branca luz do luar. Ele baixou os olhos .e ainda teve tempo de ver a filha pular de uma janela do primeiro andar entre os braços do peru. Este, carregando-a nos braços como se fosse uma trouxa, com uma força de que ninguém suspeitaria, rapidamente levava a moça em direção ao portão. Curcio acordou a mulher, correu a buscar uma velha espingarda. Mas quando desceu não encontrou nenhum sinal dos fugitivos.

No dia seguinte, Curcio deu parte à policia do rapto. Mas nas delegacias ninguém acreditou. Um peru, diziam, como é possível que um peru tenha raptado sua filha. Os perus ficam nas gaiolas. Aliás a filha era maior de idade e não havia nada a fazer.

Mas as trapaças do peru foram descobertas assim mesmo. Descobriu-se que era casado, com filhos. Descobriu-se ainda que não era nem nobre nem rico, mas apenas um simples garçom expulso de vários lugares por furto. Curcio exultava, embora cheio de bílis. A mulher só chorava e chamava a filha.

Tudo acabou com o costumeiro pedido de resgate; e Curcio teve que desembolsar muitos daqueles "belos tostões" ganhos com tanto sacrifício para ter de volta em casa a filha desonrada. Isso aconteceu em dezembro. No dia de Natal, a mulher telefonou para Curcio pedindo que não demorasse a voltar para casa já que havia peru; para eliminar qualquer equívoco, acrescentou que se tratava de uma pessoa muito séria que demonstrava uma visível inclinação por Roseta. Não era, enfim, um peru como aquele do ano passado, quanto a isso podia confiar. "Eis como são as mulheres", pensou Curcio. Mas desta vez ele jurou que abriria bem os olhos, e não se deixaria enganar pelas falsas aparências e pelas palavras vazias de nenhum peru, fosse ele aristocrático ou plebeu.

*Tradução de Álvaro Lorencini e Letícia Zini Arantes*

## PORCALOCA

### CARLO MANZONI
### (1908-      | Itália)

*Carlo Manzoni, um milanês que foi redator de periódicos de humor, e autor de alguns livros como* Brava Gente *e* É Sempre Festa, *entre outros, mistura como poucos o patético, o grotesco, o non-sense, o absurdo neste, exemplo de humor negro que é também uma revelação para o leitor brasileiro: este,  digamos assim, contundente* Porcaloca.

"Desculpe, foi o senhor que telefonou para que eu viesse amputar a sua perna?"

"Eu? O que é isso? Nem sonhando!"

"Mas o senhor se chama Dante del Torro, não é? Faz meia-hora, um fulano me telefonou para que viesse alguém que lhe cortasse uma perna."

"Eu não telefonei. Deve ser outro Dante del Torro."

"Não, não... O endereço que me deram foi este. E neste endereço só há um Dante del Torro, que é o senhor. Um parente seu deve ter telefonado."

"Impossível. Hortênsia, por acaso você telefonou para que viessem cortar a minha perna?"

"Eu, não. Telefonei para o mercadinho pedindo que mandasse  marmelada."

"Aí está, viu? Se o senhor tiver um doce de marmelada..."

"Como posso ter um doce de marmelada? Eu trouxe uma serra, pois quem me telefonou me pediu que trouxesse a serra, uma vez que na casa não existia uma serra."

"Engana-se. Eu tenho uma serra."

"Mas é evidente que a sua não deve servir para cortar uma perna."

"Como não? É igual a sua."

"Mas se é igual a minha, por que me levaram ao incômodo de trazer outra serra?"

"Ó Dante, deixa de discussão, homem de Deus. Deixa logo cortar esta maldita perna, mande-o embora e acabe logo com isso."

"Desculpa, Hortênsia, mas por que haverei eu de mandar cortar a minha perna quando não fui eu que telefonei? Tenho ou não tenho razão?"

"O senhor tem razão. Mas o que é que eu faço agora? Alguém telefona, eu compro uma serra nova, gasto meu dinheiro, venho até aqui e acabo perdendo o meu dia a troco de nada. O senhor também deve me compreender..."

"Bem, com boa vontade sempre se pode encontrar uma maneira de se chegar a um acordo. Tampouco ele, coitado, tem culpa. Escuta, Dante, você devia de algum modo concordar com ele. Por que não deixa que ele ampute um dedo seu?"

"Epa! Pára lá!, minha senhora: um dedo não é o suficiente!"

"Antes isso de que nada. Compreenda: é apenas para agradá-lo, porque eu poderia mandá-lo embora de mãos abanando, mesmo porque não fui eu quem o chamou."

"Bem, nesse caso, dois dedos."

"Ou um ou nada."

"Está bem, como quiser. Mas nesse caso, precisa que seja um polegar."

"Vá lá, vá lá... Que seja o polegar, já que me coloca nesta posição, está bem? E que seja esta a última vez, ouviu? Da próxima vez me telefone de volta para confirmar a chamada... Se o senhor não fosse um cara tão simpático... Pode... Ai!... porc... ahhh....vá aos poucos, isso, aos pouquinhos... Uuuuh!"

# A COROA DE ORQUÍDEAS

## NELSON RODRIGUES
### (1912-1980 | Brasil)

*O patético da condição humana é quase uma marca registrada da obra de Nelson Rodrigues. Com* A Coroa de Orquídeas, *escrito originariamente para a imprensa, e extraído aqui do volume de mesmo nome, temos um exemplo de humor negro brasileiro (carioca?) em história curta, daquele que é hoje considerado o nosso maior dramaturgo.*

Quando a mulher entrou em agonia, ele caiu em crise. Atirou-se em cima da cama, aos soluços. Foi agarrado, arrastado. Debatia-se nos braços dos parentes e vizinhos; esperneava. E houve um momento em que, no seu desvario de quase viúvo, cravou os dentes numa das mãos próximas. A vítima uivou:

— Ui!

Então, na sala, cercado e contido, chorou alto, chorou forte. Seu gemido grosso atravessava o espaço e era ouvido no fim da rua. Enquanto isso, o amigo mordido, na cozinha, exibia a mão: "Tirou um naco de carne!". Alguém perguntou baixo, com admiração: "Mas os dentes dele não são postiços?". Eram. E, em torno, houve um espanto profundo. Ninguém compreendia que um indivíduo que usava na boca uma chapa dupla pudesse morder com tanta ferocidade e resultado. E, súbito, veio espavorido lá de dentro um irmão da moribunda. Pousou a mão no ombro do Juventino. Pigarreia e soluça:

— Morreu.

Várias pessoas espichavam o pescoço para ver as reações. Primeiro, Juventino levantou-se, esbugalhando os olhos. Depois que assimilou o fato, desprendeu-se de vários braços, num repelão. Dava socos no próprio peito e estrebuchava:

— Me dêem um revólver! Quero meter uma bala na cabeça!

## DOR AUTÊNTICA

Essa dor agressiva e autêntica arrepiava. E havia, disseminado no ar, o medo de que o infeliz ferrasse os dentes em alguma mão ainda intacta. Durou o paroxismo de dez a quinze minutos. Por fim, a própria exaustão física serviu de sedativo. Gemia baixo. Mas, quando o sogro o convocou para ver a esposa, recuou como diante de uma blasfêmia. Num tremor de maleita, rilhando os dentes, soluçou:

— Não vou! Não quero!

Era a sua antiga e irredutível pusilanimidade diante da morte. Desde criança tinha medo de qualquer defunto, fosse conhecido ou desconhecido, parente próximo ou remoto. A idéia de ver a mulher morta o arrepiava. Defendia-se: "Não!". E corrigiu: "Agora, não!". Com o coração disparado, não pôde evitar a seguinte quase irreverente reflexão: "Por que não pintam os cadáveres?". Perguntaram:

— O enterro vai sair daqui?

Virou-se:

— Claro!

Um dos vizinhos, o mesmo que fora mordido na mão, vacila e sugere:

— Não será mais negócio capelinha?

— Por quê?

E o outro, alvar:

— É mais prático. Mais cômodo.

Então, o viúvo exaltou-se. Enfiou o dedo na cara do vizinho:

— Considero um desaforo essa mania de capelinha! É uma falta de respeito! Ora veja!

## SAUDADE

Um vizinho e um cunhado partiram, de táxi, para tratar do atestado de óbito e do enterro. Então, andando de um lado para o outro, numa excitação de possesso, Juventino surpreendeu e confundiu os presentes com uma série de confidências, legítimas umas, extravagantes outras. Na sua euforia retrospectiva, deblaterava:

— Nunca houve marido tão feliz como eu! Duvido!

Elogiou a mulher de alto a baixo, chamou-a de "anjo dos anjos", "flor das flores". E, súbito, diante dos vizinhos atônitos e maravilhados, baixa a voz:

— Era tão séria que namorou um ano comigo, noivou dois e só topou beijo na boca depois do casamento! Quer dizer, mulher batata!

Havia um aspecto de sua vida conjugal que ainda o envaidecia: o recato da mulher. Sempre conservaria, perante o marido, um mínimo de cerimônia. Cutucou o vizinho e segredou: "Teve pudor de mim até o último momento!". Pausa, arqueja e conclui:

— Nunca tomou injeção que não fosse no braço!

Parecia evidente que esse pudor frenético o deleitava, ainda agora. Numa brusca cólera, desafiou os circunstantes:

— Isso é que era mulher no duro, cem por cento! O resto é conversa fiada!

# CÂMARA-ARDENTE

As providências de ordem prática estavam sendo tomadas. Uma hora depois ou pouco mais, apareceram os funcionários da empresa funerária. Armara-se a câmara-ardente na sala de visitas. Em dado momento, o viúvo teve de levantar-se para atender o telefone. Era o cunhado. Estava na casa de flores e desejava fazer uma consulta até certo ponto delicada. Perguntou:

— Tua coroa pode ser de orquídeas?

Admirou-se no telefone:

— Pode. Por que não?

Pigarreia o cunhado:

— Mas é puxado!

— Quanto?

O outro disse uma quantia. Juventino esbravejou:

— Ladrões!

Vacila. Lembra-se de que a doença da mulher já lhe custara uma fortuna; contraíra dívidas, tinha na farmácia uma conta estratosférica. Acabou optando por outra solução:

— Vamos fazer o seguinte; orquídea é uma flor besta, sofisticada. Arranja uma coroa mais em conta.

Do outro lado da linha, veio a pergunta: "Qual é a dedicatória?". Hesita novamente. Decide-se:

— Põe assim: "À Ismênia, saudade eterna do teu Juventino".

## ÀS COROAS

Do telefone, veio para a sala. Até então, fiel à própria covardia, não fora espiar o rosto da mulher no caixão. E o pior é que seu medo estava mesclado de curiosidade. Costumava dizer, numa frase rebuscadíssima, que o verdadeiro rosto da mulher aparece só no amor ou na morte. Mas o diabo era o seu preconceito contra a morte. Acendendo um cigarro, pensava: "Os defuntos são muito feios!". Por outro lado, ocorria-lhe que, com ou sem pusilanimidade, teria de beijar a esposa antes de sair o enterro. Na sua meditação de viúvo, cogitou de uma solução que lhe parecia praticável, qual seja: a de beijar sem ver, isto é, beijar fechando os olhos.

Mais uns quarenta minutos e começam a chegar as coroas. Uma das primeiras foi a sua. Correu, sôfrego; leu a legenda fúnebre, em letras douradas. As orquídeas tinham sido substituídas pelas dálias. E Juventino, recuando dois passos, considerava o efeito. Não pôde furtar-se a um sentimento de satisfação. Disse de si para si: "Bacana!". À medida que iam chegando mais flores, ele se convencia de que a sua coroa não fazia feio no meio das outras. Pelo contrário. Se não fosse a melhor, podia figurar entre as melhores.

## SURPRESA

Às onze horas, a casa estava apinhada. Tinha vindo gente até de Vigário Geral. O inconsolável viúvo era abraçado por uma série de parentes, inclusive alguns que ele julgava mortos e enterrados. Às onze e meia, Juventino passa por uma nova crise. E uma coisa o atribulava de maneira particular e dolorosíssima: a doença da mulher. Aos soluços, interpelava os presentes:

— Como é possível morrer de pneumonia? Se fosse câncer, vá lá. Mas pneumonia! — Virou-se para um vizinho; estrebucha: — Sabe que eu estou desconfiado que penicilina é um conto-do-vigário?

Neste momento, todos os olhos se voltaram para a direção da porta. Acabava de entrar uma coroa. Era, porém, uma coisa realmente insólita e gigantesca. Dir-se-ia uma coroa de chefe de Estado, de rainha ou, no mínimo, de ministro. Toda feita de orquídeas, ofuscou automaticamente as demais. Atônito, Juventino balbuciou: "Parei!". Trôpego, a boca torcida e já distraído da própria dor, veio rompendo os grupos, no seu espanto e na sua curiosidade. E, com a mão trêmula, desenrolou a fita. Soletrou, a meia voz, para si mesmo: "À inesquecível Ismênia, com todo o amor, de Otávio."

Antes de mais nada, aquele "inesquecível" foi nele uma espécie de punhalada material. Ocorria-lhe uma reminiscência cinematográfica: *Rebecca, a mulher inesquecível*. Virou-se para os presentes, que pareciam também impressionadíssimos. Perguntava de um para outro:

— Otávio? Quem é Otávio? Vocês conhecem algum Otávio?

Não, ninguém conhecia. Mas ele corria, um por um, todos os parentes: "Mas como é possível? Que negócio é esse?".

## DRAMA

A obsessão passou a dominá-lo: voltou para perto da coroa e leu, releu a legenda. Apertava a cabeça entre as mãos: "Todo amor por quê?". Concentrou-se. Procurava descobrir, no fundo da memória, alguém que tivesse este nome. E uma coisa o enfurecia: aquela coroa espetacular, tão mais bonita e até mais cara que as outras. Fazia seus cálculos, em voz alta:

— O cara que mandou isto gastou os tubos. E por quê, meu Deus, por quê?

Houve um momento em que o próprio Juventino se julgou também um milionário, mas da loucura. Meteu-se num canto; já não falava mais com ninguém, feroz e incomunicável. Quase ao amanhecer, alguém veio oferecer um cafezinho. Saltou: "Vai-te para o diabo que te carregue!".

Passam-se os minutos, as horas. Todos os que chegam pasmam para a fabulosa coroa. Finalmente, na hora de fechar o caixão, a própria sogra, soluçando, vem chamar o genro: "Você não vai beijar fulana?". Ergueu-se. Antes, foi ao escritório apanhar não sei o quê. Atravessou por entre os parentes e vizinhos. Estava diante do caixão. E, súbito, mete a mão no bolso e... Só viram quando ergueu um punhal e o afundou na defunta, aos berros de:

— Cínica! Cínica!

A lâmina penetrou por entre as duas costelas. E a morta parecia rir.

# MANUAL DE INSTRUÇÕES

### JULIO CORTÁZAR
### (1914-1984 | Argentina)

*Um dos grandes nomes do romance (Jogo de Amarelinha, Os Prêmios) e do conto (As Armas Secretas, Bestiário etc) latino-americanos, Cortázar nasceu em Bruxelas, mas viveu na Argentina até se exilar em Paris, onde passou a maior parte de sua vida. Fomos pinçar uma amostra do seu humor intelectual, meio fantástico, meio surrealista, não num conto tradicional, mas naqueles textos bem cortazarianos de* Histórias de Cronópios e Famas.

A tarefa de amolecer diariamente o tijolo, a tarefa de abrir caminho na massa pegajosa que se proclama mundo, esbarrar cada manhã com o paralelepípedo de nome repugnante, com a satisfação canina de que tudo esteja em seu lugar, a mesma mulher ao lado, os mesmos sapatos e o mesmo sabor da mesma pasta de dentes, a mesma tristeza das casas em frente, do sujo tabuleiro de janelas de tempo com seu letreiro HOTEL DE BELGIQUE.

Enfiar a cabeça como um touro apático contra a massa transparente em cujo centro bebemos café com leite e abrimos o jornal para saber o que aconteceu em qualquer dos cantos do tijolo de cristal. Resistir a que o ato delicado de girar a maçaneta, esse ato pelo qual tudo poderia se transformar, possa cumprir-se com a fria eficácia de um reflexo cotidiano. Até logo, querida. Passe bem.

Apertar uma colherinha entre os dedos e sentir seu latejar metálico, sua advertência suspeita. Como custa negar uma colherinha, negar uma porta, negar tudo o que o hábito lambe até dar-lhe uma suavidade satisfatória. Quanto mais simples é aceitar a fácil solicitação da colher, usá-la para mexer o café.

E não é mau que as coisas nos encontrem outra vez todo dia e sejam as mesmas. Que a nosso lado esteja a mesma mulher, o mesmo relógio e que o romance aberto em cima da mesa comece a andar outra vez na bicicleta de nossos óculos, por que haveria de ser mau? Mas como um touro triste é preciso baixar a cabeça, do centro do tijolo de cristal empurrar para fora, em direção ao outro tão perto de nós, inacessível como o toureiro tão perto do touro. Castigar os olhos fitando isso que anda no céu e aceita astuciosamente seu nome de nuvem, sua resposta catalogada na memória. Não pense que o telefone vai lhe dar os números que procura. Por que haveria de dá-los? Virá somente o que você tem preparado e resolvido, o triste reflexo de sua esperança, esse macaco que se coça em cima de uma mesa e treme de frio. Quebre a cabeça desse macaco, corra do centro em direção à parede e abra caminho. Oh, como cantam no andar de cima! Há um andar em cima nesta casa, com outras pessoas. Há um andar em cima onde moram pessoas que não percebem seu andar de baixo, e estamos todos dentro do tijolo de cristal. E se, de repente, uma traça parar pertinho de um lápis e palpita como um fogo cinzento, olhe-a, eu a estou olhando, estou apalpando seu coração pequenino, e ouço-a: essa traça ressoa na pasta de cristal congelado, nem tudo está perdido. Quando abrir a porta e assomar à escada, saberei que lá embaixo começa a rua; não a norma já aceita, não as casas já conhecidas, não o hotel em frente; a rua, a floresta viva onde cada instante pode jogar-se em cima de mim como uma magnólia, onde os rostos vão nascer quando eu os olhar, quando avançar mais um pouco, quando me arrebentar todo com os cotovelos e as pestanas e as unhas contra a pasta do tijolo de cristal, e arriscar minha vida enquanto avanço passo a passo para ir comprar o jornal na esquina.

### Instruções para Chorar

Deixando de lado os motivos, atenhamo-nos à maneira correta de chorar, entendendo por isto um choro que não penetre no escândalo, que não insulte o sorriso com sua semelhança desajeitada e paralela. O choro médio ou comum consiste numa contração geral do rosto e um som espasmódico acompanhado de lágrimas e muco, este no fim, pois o choro acaba no momento em que a gente se assoa energicamente.

Para chorar, dirija a imaginação a você mesmo, e se isto lhe for impossível por ter adquirido o hábito de acreditar no mundo exterior, pense num pato coberto de formigas e nesses golfos do estreito de Magalhães *nos quais não entra ninguém, nunca.*

Quando o choro chegar, você cobrirá o rosto com delicadeza, usando ambas as mãos com a palma para dentro. As crianças chorarão esfregando a manga do casaco na cara, e de preferência num canto do quarto. Duração média do choro, três minutos.

### Instruções para Cantar

Comece por quebrar os espelhos de sua casa, deixe cair os braços, olhe vagamente a parede, *esqueça.* Cante uma nota só, escute por dentro. Se ouvir (mas isto acontecerá muito depois) algo como uma paisagem afundada no medo, com fogueiras entre as pedras, com silhuetas seminuas de cócoras, acho que estará bem encaminhado, e do mesmo modo se ouvir um rio por onde descem barcos pintados de amarelo e preto, se ouvir um gosto de pão, um tato de dedos, uma sombra de cavalo.

Depois compre cadernos de solfejo e uma casaca e por favor não cante pelo nariz e deixe Schumann em paz.

### Instruções-Exemplos sobre a Forma de Sentir Medo

Numa aldeia da Escócia vendem-se livros com uma página em branco perdida em algum lugar do volume. Se o leitor desembocar nessa página ao soarem as três da tarde, morre.

Na Praça do Quirinal, em Roma, há um lugar conhecido pelos iniciados até o século XIX e do qual, em noites de lua cheia, vêem-se mexer lentamente as estátuas dos Dióscuros que lutam com seus cavalos empinados.

Em Amalfi, no fim da zona costeira, há um dique que penetra pelo mar e pela noite. Ouve-se um cão latir para além do último farol.

Um senhor está pondo pasta nos dentes na escova. De repente, vê, deitada de costas, uma diminuta imagem de mulher, feita de coral ou talvez de miolo de pão pintado.

Ao abrir o armário para apanhar uma camisa, cai um antigo calendário que se desmancha, se desfolha, cobre a roupa branca com milhares de sujas traças de papel.

Sabe-se de um caixeiro-viajante que começou a sentir dor no pulso esquerdo, justo debaixo do relógio de pulso. Ao arrancar o relógio, o sangue jorrou: a ferida mostrava os sinais de uns dentes muito finos.

O médico acaba de nos examinar e nos tranqüiliza. Sua voz grave e cordial precede os remédios, cuja receita ele escreve agora sentado à mesa. De vez em quando levanta a cabeça e sorri, animando-nos. Não é nada demais e daqui a uma semana estaremos passando bem. Nos refestelamos no sofá, felizes, e olhamos distraidamente em volta. De repente, na penumbra debaixo da mesa, vemos as pernas do médico. Ele arregaçou as calças até as coxas e veste meias de mulher.

### Instruções para Matar Formigas em Roma

As formigas vão comer Roma, já se disse. Elas andam entre as lajes; loba, que fio de pedras preciosas secciona sua garganta? Por algum lado saem as águas das fontes, as lousas vivas, os trêmulos camafeus que no meio da noite criticam a história, as dinastias e as comemorações. Seria preciso achar o coração que faz latejar as fontes para preveni-lo das formigas e organizar nesta cidade de sangue intumescido, de cornucópias eriçadas como mãos de cegos, um rito de salvação para que o futuro lixe os dentes nos montes, se arraste manso e sem força, totalmente sem formigas.

Primeiro procuraremos a orientação das fontes, o que é fácil porque nos mapas coloridos, nas plantas monumentais, as fontes também têm abastecedores e cascatas de cor azul-celeste; só que é preciso procurá-las muito e envolvê-las num recinto de lápis azul, não vermelho, pois um bom mapa de Roma é vermelho como Roma. Por cima do vermelho de Roma o lápis azul marcará um recinto roxo em torno de cada fonte, e agora temos certeza de que as pegamos todas e conhecemos a folhagem das águas.

Mais difícil, mais obscuro e sigiloso é o mister de perfurar a pedra opaca sob a qual serpenteiam as veias de mercúrio, compreender à força de paciência a cifra de cada fonte, montar nas noites de lua penetrante uma guarda apaixonada junto dos vasos imperiais, até que de tanto sussurro verde, de tanto borbulhar de flores, comecem a nascer os caminhos, as confluências, *as outras ruas*, as esquinas. E sem dormir segui-las com varas de avelã em forma de forquilha, de triângulo, com duas varinhas em cada mão, com uma só agarrada entre os dedos fracos, mas tudo isso invisível à polícia e à população amavelmente temerosa, andar pelo Quirinal, subir ao *Campidoglio*, correr aos gritos pelo Pincio, aterrorizar com uma aparição imóvel como um balão de fogo a ordem da *Piazza della Esedra*, e assim extrair dos surdos metais do solo a nomenclatura dos rios subterrâneos. E não pedir ajuda a ninguém, nunca.

Depois se irá percebendo como nessa mão de mármore esfolado as veias correm em harmonia, por prazer de águas, por artifício de jogo, até se aproximar pouco a pouco, confluir, enlaçar-se, transformar-se em artérias, derramar-se duras na praça central onde palpitam o tambor de vidro líquido, a raiz das copas pálidas, o cavalo profundo. E logo saberemos onde está, em que fundo de abóbadas calcárias, entre miúdos esqueletos de lêmures, bate seu tempo o coração da água.

Será difícil saber, mas se saberá. Então mataremos as formigas que cobiçam as fontes, calcinaremos as galerias que esses mineiros horríveis tecem para aproximar-se da vida secreta de Roma. Mataremos as formigas só em chegar antes à fonte central. E partiremos num trem noturno, fugindo a tubarões vingadores, sentindo-nos obscuramente felizes, misturados a soldados e freiras.

### Instruções para Subir uma Escada

Ninguém terá deixado de observar que freqüentemente o chão se dobra de tal maneira que uma parte sobe em ângulo reto com o plano do chão, e logo a parte seguinte se coloca paralela a esse plano, para dar passagem a uma nova perpendicular, comportamento que se repete em espiral ou em linha quebrada até alturas extremamente variáveis. Abaixando-se e pondo a mão esquerda numa das partes verticais, e a direita na horizontal correspondente, fica-se na posse momentânea de um degrau ou escalão. Cada um desses degraus, formados, como se vê, por dois elementos, situa-se um pouco mais acima e mais adiante do anterior, princípio que dá sentido à escada, já que qualquer outra combinação produziria formas talvez mais bonitas ou pitorescas, mas incapazes de transportar as pessoas do térreo ao primeiro andar.

As escadas se sobem de frente, pois de costas ou de lado tornam-se particularmente incômodas. A atitude natural consiste em manter-se em pé, os braços dependurados sem esforço, a cabeça erguida, embora não tanto que os olhos deixem de ver os degraus imediatamente superiores ao que se está pisando, a respiração lenta e regular. Para subir uma escada começa-se por levantar aquela parte do corpo situada embaixo à direita, quase sempre envolvida em couro ou camurça e que salvo algumas exceções cabe exatamente no degrau. Colocando no primeiro degrau essa parte, que para simplificar chamaremos pé, recolhe-se a parte correspondente do lado esquerdo (também chamada pé, mas que não se deve confundir com o pé já mencionado), e levando-a à altura do pé faz-se que ela continue até colocá-la no segundo degrau, com o que neste descansará o pé, e no primeiro descansará o pé. (Os primeiros degraus são os mais difíceis, até se adquirir a coordenação necessária. A coincidência de nomes entre o pé e o pé torna difícil a explicação. Deve-se ter um cuidado especial em não levantar ao mesmo tempo o pé e o pé.)

Chegando dessa maneira ao segundo degrau, será suficiente repetir alternadamente os movimentos até chegar ao fim da escada. Pode-se sair dela com facilidade, com um ligeiro golpe de calcanhar que a fixa em seu lugar, do qual não se moverá até o momento da descida.

### Preâmbulo às Instruções para dar Corda no Relógio

Pense nisto: quando dão a você de presente um relógio estão dando um pequeno inferno enfeitado, uma corrente de rosas, um calabouço de ar. Não dão somente o relógio, muitas felicidades e esperamos que dure porque é de boa marca, suíço com âncora de rubis; não dão de presente somente esse miúdo quebra-pedras que você atará ao pulso e levará a passear. Dão a você — eles não sabem, o terrível é que não sabem — dão a você um novo pedaço frágil e precário de você mesmo, algo que lhe pertence mas não é seu corpo, que deve ser atado a seu corpo com sua correia como um bracinho desesperado pendurado a seu pulso. Dão a necessidade de dar corda todos os dias, a obrigação de dar-lhe corda para que continue sendo um relógio; dão a obsessão de olhar a hora certa nas vitrinas das joalherias, na notícia do rádio, no serviço telefônico. Dão o medo de perdê-lo, de que seja roubado, de que possa cair no chão e se quebrar. Dão sua marca e a certeza de que é uma marca melhor do que as outras, dão o costume de comparar seu relógio aos outros relógios. Não dão um relógio, o presente é você, é a você que oferecem para o aniversário do relógio.

### Instruções para dar Corda no Relógio

Lá no fundo está a morte, mas não tenha medo. Segure o relógio com uma mão, pegue com dois dedos o pino da corda, puxe-o suavemente. Agora se abre outro prazo, as árvores soltam suas folhas, os barcos correm regata, o tempo como um leque vai se enchendo de si mesmo e dele brotam o ar, as brisas da terra, a sombra de uma mulher, o perfume do pão.

Que mais quer, que mais quer? Amarre-o depressa a seu pulso, deixe-o bater em liberdade, imite-o anelante. O medo enferruja as âncoras, cada coisa que pôde ser alcançada e foi esquecida começa a corroer as veias do relógio, gangrenando o frio sangue de seus pequenos rubis. E lá no fundo está a morte se não corremos, e chegamos antes e compreendemos que já não tem importância.

*Tradução de Gloria Rodríguez*

# TRÊS HISTÓRIAS DO INTERIOR

## JOSÉ CÂNDIDO DE CARVALHO
### (1914-1989 | Brasil)

*Fluminense de Campos, e autor de um romance já na nossa história literária,* O Coronel e o Lobisomem, *José Cândido de Carvalho manteve durante anos uma coluna em jornais dos Diários Associados. Ali publicou centenas de casos "contados, astuciados, sucedidos e acontecidos do povinho do Brasil", muitos deles reunidos em dois volumes publicados pela antiga José Olympio Editora:* Porque Lulu Bergantim Não Atravessou o Rubicon *e* Um Ninho de Mafagafes Cheio de Mafagafinhos. *São minicontos de humor e neles o que se destaca é a linguagem.*

### Anão no Vento das Quatro Horas da Tarde

E por causa de uma discussão sobre coisas de zepelim e assentador de moça, o anão Azevedinho Codó levou, de um certo Chico Pereira, pescoção de tal modo peçonhento que atravessou de foguete toda a cidade de Guarus e sumiu para o lado do Piauí numa poeirinha de não ser mais visto. No meio da semana, o delegado Xexé Barroso, encarregado de desvendar o paradeiro de Azevedinho, recebeu do seu colega do Palmeiral do Livramento o seguinte telegrama: PASSOU PELA RUA DO COMÉRCIO UM NANICO VOANDO DE PASSARINHO, QUE SÓ PODE SER O PROCURADO AZEVEDINHO CODÓ. NO MEU FRACO PENSAR, O PESCOÇÃO MINISTRADO AINDA TEM CARVÃO PARA MAIS DOIS DIAS, PELO QUE TELEGRAFEI PARA LAGOINHAS DE MODO QUE A AUTORIDADE COMPETENTE ESPERE O INDIGITADO ANÃO NO CAMPO DE POUSO, ONDE DEVE CHEGAR NO VENTO DAS QUATRO HORAS DA TARDE SE NÃO SOFRER ATRASO NO PESCOÇÃO. SÓ QUERO SABER SE A GENTE DEVOLVE AZEVEDINHO CODÓ POR VIA MANUAL OU PELA ESTRADA DE RODAGEM.

### De como o Tabelião Sá Barbalho Lavrou a Ata
### do Descobrimento das Américas

E de repente, na sala do Cartório Raul Pimenta, o tabelião Ludovico de Sá Barbalho estancou a pena no meio de uma lavratura e disse com voz de mar alto:

— Comunico e participo que de hoje em diante não sou mais o tabelião juramentado de Crubixais do Rio Novo. Sou Cristóvão Colombo pela vontade de Deus e do rei. Amanhã lavrarei a competente ata do Descobrimento das Américas.

Estava maluco. E no dia seguinte, que era domingo, toda Crubixais do Rio Novo viu o tabelião Barbalho sair em passo de 12 de Outubro e ganhar a Rua das Flores. Levava embaixo do braço uma luneta e na cabeça um chapéu de almirante. Quando chegou na Praça da Matriz, gritou em feitio de escritura pública:

— Ao mar!

Como não havia mar em Crubixais, Barbalho navegou mesmo em seco e em seco ancorou a caravela na porta da Barbearia Central. Os filhos, com seu compadre Juquinha Azambuja na frente, correram para desencalhar o barco do velho Ludovico de Sá Barbalho. E mansamente bordejaram pelo fundo da Praça da Matriz de modo a colocar o tabelião em águas de casa. Na soleira da porta, antes de entrar, Barbalho voltou a gritar:

— Sou Cristóvão Colombo vitalício do que não abro mão nem faço acordo!

Loucura pega de galho. E tanto pega que houve um derramamento de doido em Crubixais. Um era pajem do rei, outro nobre da corte e outro ouvidor-geral. Quando o Dr. Sabugosa Leitão, circunspecto juiz da comarca, que não ria nem brincava com ninguém, veio de Rui Barbosa, careca e de pincenê, o tabelião Barbalho deixou no mesmo instante de ser Cristóvão Colombo. Reuniu o pessoal graúdo e avisou:

— Deu tanto maluco em Crubixais que alguém, meus senhores, deve ser o juiz. Comunico e participo que de agora em diante sou o Doutor Sabugosa Leitão.

E desandou a despachar os processos em pauta. Com muito acerto e competência.

### Tatão, o Esquartejador

Era domingo que pita cachimbo e Tatão Chaves aproveitou para pedir Lili Mercedes, mestra de letras, em casamento. A cidadezinha de Monte Alegre, sabedora da novidade, botou a cabeça de fora para presenciar Tatão em cima das botinas de lustro e por baixo das panos engomados. Para avivar a coragem, Tatão bebeu, no Bar da Ponte, meio dedo de licor, coisinha de aligeirar a língua e aromar a boca. Como achasse o licor educado demais, mandou cruzar a bebidinha com cachaça de fundo de garrafa. E recomendativo:

— Daquele parati mimoso que até parece flor de jardim.

De talagada em talagada Tatão perdeu a mira da cabeça. Embaralhou o pedido de casamento com negócio de disco-voador, imposto de renda e busto de moça. A essa altura, gravata desabada e camisa fora da calça, Tatão preveniu:

— Sou o maior dedilhador dos desabotoados das meninas já aparecido em Monte Alegre. Sou Tatão Chupeta!

Gritava que era monarquista, que era a favor da escravidão e que o prefeito de Monte Alegre não passava de uma perfeita e acabada mula-sem-cabeça. E para arrematar, ganhando a porta do Bar da Ponte, garantiu:

— Só queria que aparecesse neste justo instante um boi cornudo para Tatão esfarinhar o chifre do sem-vergonha a bofetada!

Nisso, um boizinho desgarrado apontou na esquina da Rua do Comércio. Tatão cumprindo a promessa, armou o maior soco do mundo. E atrás do soco saiu Tatão, atravessou a Praça 13 de Maio, entrou no Mercado Municipal, desmontou duas barracas, esfarelou um comício de tomates e só parou no Açougue Primavera. E meio adernado sobre um quarto de boi que sangrava em cima do balcão:

— Soco de Tatão é pior que canhão de guerra. Mata e esquarteja!

# ASSIM FALAVA TCHI-SAN

**VLAS DOROCHEVITCH**
(?-1920 | Rússia)

*Uma das personalidades mais pitorescas da Rússia czarista, Dorochevitch foi um "publicista e panfletário", como se dizia então. Viajou muito pela Europa e pelo Oriente, cujos costumes narrou em vários livros. Seu humor costuma ser crítico, porém não cáustico, e geralmente saudável e inteligente, como as sabedorias de Tchi-San.*

Como tudo que nos vem da China, este conto é maravilhosamente sábio, profundo e do mais alto grau de cultura.

As pessoas são como fuzis: costumam ser carregadas por trás.

Apesar de os educadores afirmarem que é pela cabeça que devemos incutir às pessoas idéias sadias, os governos continuam, em todos os lugares, a incuti-las pela parte de trás, das costas e mesmo um pouco mais embaixo.

Os chineses, como se sabe, levaram ao ápice a aplicação deste sistema. Costumam eles sugerir a seus compatriotas boas idéias por meio da aplicação de golpes de bambu nos calcanhares.

Por que nos calcanhares?

Sem dúvida, porque a alma, do ponto de vista do castigo, desce para os pés.

Ora, uma vez abrigada nos calcanhares, recebe o chinês a lição no local adequado.

O filho do sol, irmão da lua, pai de todas as estrelas do céu, vencedor de todos os povos da Terra, senhor de todos os reis, imperadores, czares, sultões e outros príncipes, o grande, glorioso, poderoso e muito sábio Bogdykhan Tching-Tchang presidia o Conselho do Império, em meio à elite de seus mandarins. Era mais gordo do que todos, sua pele era a mais fina.

Bogdykhan refletiu e falou:

(Sua voz ressoou pelo salão, como uma campainha.)

— Em nossa grande sabedoria, revelamos a vontade de conhecer o que se passa na China. Entre vós, gloriosos mandarins da elite, vemos nosso glorioso Toun-Li. Mais do que qualquer outro, ele está em contato com o povo. Como chefe de polícia, alimenta-o com arroz e bambu, já que inspeciona o abastecimento e os costumes. Glorioso e sábio Toun-Li, levantai-vos e, sem nenhum receio para com vossos calcanhares, contai-nos como vive o povo da China.

Todos os presentes ergueram o dedo, em sinal de respeito para com Bogdykhan.

Toun-Li levantou-se, por sua vez; depois de fazer as 472 reverências de praxe, falou:

— Filho do Céu! O cão ladra para a lua. Eis por que me animo a falar em vossa presença. O verme dirá a verdade. É necessário inventar a mentira. Ora, onde iria um verme buscar espírito para tanto? As pessoas de espírito têm o hábito de mentir para os imbecis, todavia a própria verdade nos serve... Pequim luta contra Nanquim, Nanquim contra Cantão, Cantão contra Shangai. Apesar disso, a China prospera. A prosperidade de nossa grande China é tal que leva os diabos estrangeiros a murchar de tanta inveja. Um exemplo, grande sábio Bogdykhan: a prosperidade de nossa terra é tal que as galinhas, na China, põem ovos de ouro.

— Como? Ovos de ouro? — exclamou Bogdykhan, e sua voz ressoou como uma campainha de prata. — Mas... isso é o tipo de coisa que só acontece nos contos de fada!

Toun-Li, depois de fazer, segundo o cerimonial, 472 reverências, respondeu:

— Acontece também no país da prosperidade legendária: a China. Se vós não fôsseis Bogdykhan, eu vos diria: "Ide em pessoa ao mercado, sem esmagar, de passagem, este vosso pobre servidor." Quanto custa uma dezena de ovos? Dez ducados! Um ducado por cada ovo! Em outros países, para ganhar um ducado um homem é obrigado a trabalhar de manhã à noite. E aqui? A galinha canta... um ducado. Có-có-ró-có... um ducado.

Em sinal de surpresa, todos levantaram os dedos. Apenas o sábio Tchi-San observou:

— Em terra onde a vida das galinhas é por demais agradável, em geral as pessoas morrem de fome.

Bogdykhan, com benevolência, fez-lhe um sinal para que se calasse e comentou:

— Nosso grande mestre Tchi-San é muito sábio, de fato; Toun-Li, não lhe presteis atenção... A sabedoria existe na terra para perturbar a alegria. Como existem nuvens no céu para obscurecer o sol. Como foi mesmo que dissestes? Có-có-ró-có... um ducado?

— Có-có-ró-có... um ducado! Có-có-ró-có... um ducado!

E todo o conselho, entusiasmado, fez-se de coro:

— Có-có-ró-có... um ducado!

Nunca houvera no Congresso sessão tão divertida como aquela.

Bogdykhan ordenou que se tocassem os tambores e declarou:

— Declaro encerrada a Sessão do Conselho do Império! O Conselho do Império sempre foi sede da chateação, da preocupação e da tristeza. Ora, sinto-me hoje suficientemente alegre para ficar sentado num lugar tão aborrecido! Ordeno-vos que durante três dias festas populares se celebrem em Pequim, em comemoração a tão feliz acontecimento!

O Conselho do Império dispersou-se aos gritos:

— Có-có-ró-có... um ducado!

De excelente humor, Bogdykhan resolveu passear pelo jardim do palácio.

Promoveu a ama de seu filho mais velho que passava pela redondeza a marechal-de-campo.

Promoveu à primeira classe o primeiro mandarim de quarta classe que encontrou em seu caminho, e prosseguiu pródigo em condecorações do Dragão, vestidos floridos e chapéus ornados de botões, como quem vai semeando estrelas pela Via Láctea.

Chegou assim a um quiosque onde vivia, por entre flores, o sábio Tchi-San.

— Gosto muito de sábios, mas à distância — proferiu Bogdykhan. — Quando me aproximo deles, fico sem saber o que dizer! Não se pode conceder a um sábio a Ordem do Dragão, seja de terceira classe, de segunda ou mesmo de primeira. Os vestidos amarelos ou ainda mais. Eram vendidos a dois ducados cada nos mercados. Os camponeses explicavam o fenômeno da seguinte maneira:

— Um ducado pelo ovo, um pelos bambus. Os calcanhares também têm seu preço...

O sábio Tchi-San, estirado em sua habitação, morria de fome entre as flores... Bogdykhan procurou por ele.

— Já mandei açoitar os camponeses com bambu, sem nenhum resultado — disse ele, desesperado.

O sábio, recolhendo as últimas forças, murmurou:

— Os calcanhares estão trocados, Filho do Céu!

Bogdykhan mandou convocar imediatamente o Conselho do Império.

Suas ordens foram logo cumpridas.

— Quero falar-vos com toda a franqueza, mandarins — declarou Bogdykhan. Suas palavras se assemelhavam ao chá frio. — Detesto os sábios. É uma raça que só serve para criar embaraços. As pessoas simples têm a vantagem de, pelo menos, não serem sábias... Vivem o tempo que lhes é determinado e, quando a morte chega, expiram suavemente; a alma se rejubila! Deus nos livre, no entanto, de ter a nosso cargo uma celebridade. Somos responsáveis por ela perante a posteridade. Quando um sábio morre, todo mundo quer logo saber como, por quê, de que modo ele morreu. O grande Tchi-San está de novo numa situação muito precária. Os ovos estão cada vez mais caros, e nunca o nosso sábio se aproximou tanto da posteridade como agora. Todos os vossos esforços foram em vão, Toun-Li.

— Filho do Céu, poupai vosso divino fígado. Ele é mais do que necessário à pátria! — exclamou Toun-Li, depois de fazer as 472 reverências prescritas pela etiqueta.

— Conhecemos o grande mal: trata-se do encarecimento dos ovos. Encontramos o remédio: os bambus. O que houve foi apenas um ligeiro engano quanto à aplicação: os açoites não foram aplicados nos calcanhares que os mereciam.

— É isso mesmo, é isso mesmo — disse Bogdykhan. — Foi o que me disse o sábio Tchi-San: "Os calcanhares estão trocados."

— E eu, o estúpido filho de meu pai, sinto-me contente por saber que o grande sábio concorda comigo. Agora precisamos apenas aplicar os golpes de bambu nos calcanhares competentes. Já aplicamos o bambu salvador nos calcanhares dos camponeses. Ocorre porém que entre a compra e a venda existem sempre dois culpados, o que vende caro e o que compra caro. Os habitantes de Pequim têm a liberdade de comprar um ovo por dois ducados. Ora, desta maneira, estão encorajando a carestia, provocando a cobiça e corrompendo os camponeses. Que seus calcanhares passem a conhecer os bambus. Não podemos permitir a propalação do vício. É preciso reprimir a cobiça, embora não seja menos necessário reprimir o gasto excessivo.

— Toun-Li — exclamou Bogdykhan —, teu raciocínio tem como inspiração as normas da lógica e da justiça. Toun-Li, tomai as providências necessárias!

— Desta vez vamos precisar de um grande número de bambus — observou o mandarim, cujo cargo era a direção do Tesouro.

— Será que algum dia conseguirei economizar bambus para castigar os meus súditos? — exclamou Bogdykhan, cheio de boas intenções.

E teve início a luta contra a prodigalidade em todos os mercados de Pequim.

Durou três dias inteiros.

No quarto dia os ovos custavam quatro ducados cada um.

Ninguém ousava comprá-los ostensivamente, nos mercados. Eram vendidos às escondidas, de modo que o preço duplicou.

O sábio Tchi-San, sem coragem de ir pessoalmente ao mercado, mandou a cozinheira.

A empregada demorou muito e voltou na ponta dos pés, como uma bailarina. Em vez de quatro ovos, no entanto, trazia apenas um.

Bogdykhan, infinitamente solícito em relação à sabedoria, veio em pessoa saber notícias de Tchi-San. Encontrou-o quase agonizante.

O sábio limitou-se a apontar-lhe os calcanhares e a murmurar:

— Estão trocados...

Bogdykhan começou a soluçar.

— Tchi-San! Sábio! Grande! Mestre! Tente ficar bom! Aguarde um dia, pelo menos, para morrer! Juro por todos os dragões que tudo será resolvido amanhã. Coitada da cabeça daquele incapaz do Toun-Li!

E Bogdykhan convocou imediatamente o Conselho do Império.

O Filho do Céu estava indignado. Saíam-lhe chispas dos olhos. A voz retumbava como um trovão. Exclamou:

— Toun-Li, vós sois um infame! Preparai-vos para pôr no cutelo a cebola podre que ousais chamar de cabeça! O grande Tchi-San encontra-se à beira da morte, e a História se prepara para nos cobrir de opróbrios!

Toun-Li empertigou-se diante de Bogdykhan, exclamando:

— Filho do Céu! Não é a mesma coisa uma cabeça inútil como esta minha ser cortada hoje ou amanhã? Dai-me um dia a mais de vida, Senhor do Universo! Juro-vos que os verdadeiros calcanhares serão descobertos. Examinamos todos os calcanhares da China, faltam apenas os que já deveríamos ter examinado. Acabo de encontrá-los! Quem pôs os ovos? As galinhas! É preciso castigá-las com golpes de bambu nos calcanhares, para que não continuem pondo ovos tão caros!

Todo o Conselho do Império pareceu radiante, ao ouvir aquela decisão tão simples, clara e justa.

— Toun-Li, tomai as providências necessárias — ordenou Bogdykhan.

Suas ordens foram cumpridas.

Ao longo de um dia inteiro, em toda a China, era preciso que as pessoas gritassem para se fazer escutar, tal o escarcéu feito pelas galinhas. Por toda parte eram elas apanhadas, viradas de cabeça para baixo e golpeadas nos calcanhares.

Ora, no dia seguinte as galinhas pararam de pôr ovos.

Tomado de mortal inquietação, Bogdykhan foi visitar o sábio Tchi-San, em sua habitação cercada de flores.

Tchi-San agonizava.

Reunindo suas últimas forças, e com um sorriso doce de sábio para Bogdykhan, que soluçava a seus pés, disse o velho:

— Vós vos preocupais, Filho do Céu, com o que sobre vós dirá a História? Nada de preocupações, nada de especialmente desagradável registrarão os anais. Dirão apenas: "Tching-Tchang foi um bom Bogdykhan. Tinha as melhores intenções. Uma infelicidade sempre o perseguiu, no entanto: enganava-se com os calcanhares." Não vos preocupeis, pois, Filho do Céu. Este é o destino de muitos Bogdykhan no mundo. Errar eternamente de calcanhares.

Assim falava Tchi-San.

E expirou.

# O MACACO QUE QUIS SER ESCRITOR SATÍRICO

## AUGUSTO MONTERROSO
### (1921-    | Guatemala)

*Monterroso é um mestre da sátira contemporânea, segundo Garcia Márquez e Carlos Fuentes. Isaac Asimov não deixou por menos: "Os pequenos textos de* A Ovelha Negra e Outras Fábulas, *de Augusto Monterroso, aparentemente inofensivos, mordem os que dele se aproximam sem a devida cautela e deixam cicatrizes. Não por outro motivo são eficazes. Depois de ler* O Macaco que Quis Ser Escritor Satírico, *jamais voltarei a ser o mesmo." O autor é guatemalteco, mas vive no México desde seus vinte anos.*

Na Selva vivia uma vez um Macaco que quis ser escritor satírico.

Estudou muito, mas logo se deu conta de que para ser escritor satírico lhe faltava conhecer as pessoas e se aplicou em visitar todo mundo e ir a todos os coquetéis e observá-las com o rabo do olho enquanto estavam distraídas com o copo na mão.

Como era verdadeiramente muito gracioso e as suas piruetas ágeis divertiam os outros animais, era bem recebido em toda parte e aperfeiçoou a arte de ser ainda mais bem recebido.

Não havia quem não se encantasse com sua conversa, e quando chegava era recebido com alegria tanto pelas Macacas como pelos esposos das Macacas e pelos outros habitantes da Selva, diante dos quais, por mais contrários que fossem a ele em política internacional, nacional ou municipal, se mostrava invariavelmente compreensivo; sempre, claro, com o intuito de investigar a fundo a natureza humana e poder retratá-la em suas sátiras.

E assim chegou o momento em que entre os animais ele era o mais profundo conhecedor da natureza humana, da qual não lhe escapava nada.

Então, um dia disse vou escrever contra os ladrões, e se fixou na Gralha, e começou a escrever com entusiasmo e gozava e ria e se encarapitava de prazer nas árvores pelas coisas que lhe ocorriam a respeito da Gralha; porém de repente refletiu que entre os animais de sociedade que o recebiam havia muitas Gralhas e especialmente uma, e que iam se ver retratadas na sua sátira, por mais delicada que a escrevesse, e desistiu de fazê-lo.

Depois quis escrever sobre os oportunistas, e pôs o olho na Serpente, a qual por diferentes meios — auxiliares na verdade de sua arte adulatória — conseguia sempre conservar, ou substituir, por melhores, os cargos que ocupava; mas várias Serpentes amigas suas, e especialmente uma, se sentiriam aludidas, e desistiu de fazê-lo.

Depois resolveu satirizar os trabalhadores compulsivos e se deteve na Abelha, que trabalhava estupidamente sem saber para que nem para quem; porém com medo de que suas amigas dessa espécie, e especialmente uma, se ofendessem, terminou comparando-a favoravelmente com a Cigarra, que egoísta não fazia mais do que cantar bancando a poeta, e desistiu de fazê-lo.

Depois lhe ocorreu escrever contra a promiscuidade sexual e desenvolveu sua sátira contra as Galinhas adúlteras que andavam o dia inteiro inquietas procurando Frangotes; porém tantas dessas o tinham recebido que teve medo de ofendê-las, e desistiu de fazê-lo.

Finalmente elaborou uma lista completa das debilidades e defeitos humanos e não encontrou contra quem dirigir suas baterias, pois tudo estava nos amigos que sentavam à sua mesa e nele próprio.

Nesse momento renunciou a ser escritor satírico e começou a se inclinar pela Mística e pelo Amor e coisas assim; porém a partir daí, e já se sabe como são as pessoas, todos disseram que ele tinha ficado maluco e já não o recebiam tão bem nem com tanto prazer.

*Tradução de Millôr Fernandes*

## O HOMEM NU

FERNANDO SABINO

(1923 -        | Brasil)

*Autor de* O Encontro Marcado, *romance admirado por mais de uma geração, o mineiro-carioca Fernando Sabino destacou-se na crônica em uma época particularmente rica deste gênero: ainda na companhia do decano Rubem Braga, surgiu com cronistas e poetas como Paulo Mendes Campos, Otto Lara Resende, Carlinhos de Oliveira e outros. Suas crônicas sempre revelaram o humor dos relacionamentos humanos, e às vezes revelam um alcance ficcional de conto. Não foi à toa que este* O Homem Nu *por duas vezes foi transformado em longa-metragem (por Roberto Santos e por Hugo Carvana).*

Ao acordar, disse para a mulher:

— Escuta, minha filha: hoje é dia de pagar a prestação da televisão, vem aí o sujeito com a conta, na certa. Mas acontece que ontem eu não trouxe dinheiro da cidade, estou a nenhum.

— Explique isso ao homem — ponderou a mulher.

— Não gosto dessas coisas. Dá um ar de vigarice, gosto de cumprir rigorosamente as minhas obrigações. Escuta: quando ele vier a gente fica quieto aqui dentro, não faz barulho, para ele pensar que não tem ninguém. Deixa ele bater até cansar — amanhã eu pago.

Pouco depois, tendo despido o pijama, dirigiu-se ao banheiro para tomar um banho, mas a mulher já se trancara lá dentro. Enquanto esperava, resolveu fazer um café. Pôs a água a ferver e abriu a porta de serviço para apanhar o pão. Como estivesse completamente nu, olhou com cautela para um lado e para outro antes de arriscar-se a dar dois passos até o embrulhinho deixado pelo padeiro sobre o mármore do parapeito. Ainda era muito cedo, não poderia aparecer ninguém. Mal seus dedos, porém, tocavam o pão, a porta atrás de si fechou-se com estrondo, impulsionada pelo vento.

Aterrorizado, precipitou-se até a campainha e, depois de tocá-la, ficou à espera, olhando ansiosamente ao redor. Ouviu lá dentro o ruído da água do chuveiro interromper-se de súbito, mas ninguém veio abrir. Na certa a mulher pensava que já era o sujeito da televisão. Bateu com o nó dos dedos.

— Maria! Abre aí, Maria. Sou eu — chamou, em voz baixa.

Quanto mais batia, mais silêncio fazia lá dentro.

Enquanto isso, ouvia lá embaixo a porta do elevador fechar-se, viu o ponteiro subir lentamente os andares... Desta vez, *era* o homem da televisão!

Não era. Refugiado no lanço de escada entre os andares, esperou que o elevador passasse, e voltou para a porta de seu apartamento, sempre a segurar nas mãos nervosas o embrulho de pão:

— Maria, por favor! Sou eu!

Desta vez não teve tempo de insistir: ouviu passos na escada, lentos, regulares, vindos lá de baixo... Tomado de pânico, olhou ao redor, fazendo uma pirueta, e assim despido, embrulho na mão, parecia executar um *ballet* grotesco e mal-ensaiado. Os passos na escada se aproximavam, e ele sem onde se esconder. Correu para o elevador, apertou o botão. Foi o tempo de abrir a porta e entrar, e a empregada passava, vagarosa, encetando a subida de mais um lanço de escada. Ele respirou aliviado, enxugando o suor da testa com o embrulho do pão. Mas eis que a porta interna do elevador se fecha e ele começa a descer.

— Ah, isso é que não! — fez o homem nu, sobressaltado.

E agora? Alguém lá embaixo abriria a porta do elevador e daria com ele ali, em pêlo, podia mesmo ser algum vizinho conhecido... Percebeu, desorientado, que estava sendo levado cada vez para mais longe de seu apartamento, começava a viver um verdadeiro pesadelo de Kafka, instaurava-se naquele momento o mais autêntico e desvairado Regime do Terror!

— Isso é que não — repetiu, furioso.

Agarrou-se à porta do elevador e abriu-a com força entre os andares, obrigando-o a parar. Respirou fundo, fechando os olhos, para ter a momentânea ilusão de que sonhava. Depois experimentou apertar o botão de seu andar. Lá embaixo continuavam a chamar o elevador. Antes de mais nada: "Emergência: parar." Muito bem. E agora? Iria subir ou descer? Com cautela desligou a parada de emergência, largou a porta, enquanto insistia em fazer o elevador subir. O elevador subiu.

— Maria! Abre esta porta! — gritava, desta vez esmurrando a porta, já sem nenhuma cautela. Ouviu que outra porta se abria atrás de si. Voltou-se, acuado, apoiando o traseiro no batente e tentando inutilmente cobrir-se com o embrulho de pão. Era a velha do apartamento vizinho:

— Bom dia, minha senhora— disse ele, confuso. — Imagine que eu...

A velha, estarrecida, atirou os braços para cima, soltou um grito:

— Valha-me Deus! O padeiro está nu!

E correu ao telefone para chamar a radiopatrulha:

— Tem um homem pelado aqui na porta!

Outros vizinhos, ouvindo a gritaria, vieram ver o que se passava:

— É um tarado!

— Olha, que horror!

— Não olha não! Já pra dentro, minha filha!

Maria, a esposa do infeliz, abriu finalmente a porta para ver o que era. Ele entrou como um foguete e vestiu-se precipitadamente, sem nem se lembrar do banho. Poucos minutos depois, restabelecida a calma lá fora, bateram na porta.

— Deve ser a polícia — disse ele, ainda ofegante, indo abrir.

Não era: era o cobrador da televisão.

## AS SALVAGUARDAS
## NEM SEMPRE SALVAM

### MILLÔR FERNANDES
### (1924-        | Brasil)

*No começo, era o Vão Gogo, que assinava a coluna* Pif-Paf, *do antigo* O Cruzeiro, *lá pelos anos de 1950. ("Ah, esta falsa cultura!") Já em 1954, como Millôr Fernandes, ele publicava seu primeiro livro — e livro de humor, coisa rara então —:* Tempo e Contratempo. *Seu* Lições de um Ignorante *teve o reconhecimento de pelo menos um (bom) crítico literário: Fausto Cunha. Sua obra é extensa, como humorista (em todas as variações que essa palavra pode encerrar), na nossa imprensa e em forma de livro, culminando com* A Bíblia do Caos. *Participou da época de ouro do* Pasquim, *e é também tradutor. O conto desta antologia foi tirado de* Fábulas Fabulosas *(1964).*

Selvagem Furibundo, a quem os pais deram esse nome na esperança de que crescesse violento e áspero, apto a enfrentar um mundo maldoso e feroz, transformou-se num homem moderado e ameno, respeitador do próximo e do longínquo, visível a quilômetros de distância em sua bondade[1], jamais daria razão a um cão na briga com um gato, nem pensaria em apoiar as mais legítimas reivindicações de um gato se isso viesse a prejudicar um rato. Seu senso de justiça e de respeito aos outros lhe era tão natural quanto peixe morto na lagoa Rodrigo de Freitas, roubalheira indecente em áreas estatais e tráfico de influência no BNH. Um homem assim mais cedo ou mais tarde teria que ser recompensado.

Já Risonho Meigo Cordiale era exatamente o contrário. De Selvagem Furibundo e de seu próprio nome. Irritado, anti-social, mau-caráter, irresponsável, era desses choferes que aceleram ao passar pelas escolas públicas na hora da saída das crianças, buzinam ao passar por hospitais altas horas da noite e jamais deixam — literalmente — de cuspir no prato em que comeram[2]. Sua brincadeira preferida era rodar o tambor do

---

[1] O halo, brilhante, ao longe.
[2] Cordiale escarrava.

45 que sempre trazia a tiracolo e, quando o tambor parava, apertar o gatilho depois de levá-lo rapidamente à testa... de quem estivesse mais perto[3]. E sua idéia geral de espírito público era inverter os sinais de tráfego em ladeiras e curvas perigosas, dar trotes telefônicos noturnos tirando velhinhas da cama com notícia de acidentes com seus mais queridos parentes e esvaziar saleiros de restaurantes colocando nos mesmos cloreto de potássio. Está visto que um tipo desses não podia ter bom fim.

Pois bem, em certa noite muito especial Selvagem Furibundo ia, a bem menos dos 80 quilômetros regulamentares[4], por uma estrada deserta do Espírito Santo, conduzindo a bordo de sua caminhonete quatro *gangsters* americanos de passagem por esta ilha de paz no meio da violência universal. Como é que a missão de transportar quatro *gangsters* americanos pelo bucólico Espírito Santo foi parar em suas mãos é mistério que não desvendarei. Nada, na vida pregressa de Furibundo (sem falar de seu temperamento), parecia destiná-lo ao transporte de *gangsters* americanos. Mas o fato é que Furibundo aceitara essa missão e a estava cumprindo com a perfeição e o cuidado com que fazia tudo na vida. Eram exatamente 11h30 da noite quando, evitando o perigo das grandes estradas, Furibundo pegou uma estrada menor, que só ele conhecia, pouco transitada, sobretudo àquela hora. Dessa forma evitava, para os *gangsters*, o perigo de serem vistos por guarda-de-bem. E livrava os guardas do perigo maior de serem avistados pelos *gangsters*. Eis senão quando os faróis superpotentes com que Furibundo sempre equipava seus carros mostraram uma enorme barreira que deslizara impedindo a estrada, barreira essa evidentemente provocada pelas últimas chuvas[5]. Furibundo freou seu carro rapidamente e embora concluísse, depois de rápido exame, que poderia continuar viagem, preferiu descer a encosta até uma casa iluminada que havia embaixo, na esperança de telefonar[6] para o DNER denunciando a barreira que punha em perigo vidas humanas. Antes de descer, porém, ele acendeu os 38 pisca-piscas coloridos da traseira de sua caminhonete e deixou luzes de mercúrio, também intermitentes, acesas em volta do veículo.

Bom, acontece que, enquanto Furibundo estava ausente, as luzes que deixara acesas atraíram e mataram 576 espécimes raros de beija-flores da famosa chácara do não menos famoso naturalista Ruschi. Ruschi, acordando furioso, dirigiu-se para o carro em altos berros ecológicos e foi abatido pelos *gangsters*, que, como primeira medida de segurança, antes de atirar, matar e fugir, quebraram todas as lâmpadas que tornavam o carro um alvo fácil. Ponto. Passemos agora a Risonho Meigo Cordiale. Que fazia Risonho Meigo Cordiale no entrementes?

Risonho Meigo Cordiale, também por razões que não pretendo explicar, vinha na mesma estrada, à mesma hora, com o pé embaixo, fazendo uma média de 200 horári-

---

[3] Roleta Russa anticomunista.
[4] Na verdade ia a 25.
[5] E pela corrupção da última concorrência pública.
[6] ?!!!?

os. Porém não entrara nessa estrada por qualquer motivo de segurança. Na verdade nem sequer a conhecia. Bêbado, errara o caminho. E, bêbado, conduzia para uma morte certa o ônibus com dezoito turmas de meninos e meninas[7] de um colégio interestadual. Eram ao todo 135 vidas nas mãos do monstro irresponsável. Aliás, 140, se você é desses que também conta as professoras[8].

Quando Risonho viu o carro parado à sua frente, em cima da curva, freou violentamente. É evidente que, como sempre, seu carro estava completamente sem freios. Risonho não teve dúvida: saltou do carro para salvar a própria pele. Mas eis que, num verdadeiro milagre, o carro parou a 3 metros do outro e o acidente terrível não aconteceu. Claro! Bêbado como sempre estava, e ainda com umas bolinhas de barato na cuca, Risonho Meigo Cordiale tinha esquecido de pôr gasolina no ônibus. Este parara por falta de combustível.

No dia seguinte todos os pais dos meninos, agradecidos, prestaram comovida homenagem a Risonho[9] e lhe ofereceram uma caderneta de poupança com juros e correção monetária protegida pelo governo brasileiro, e as mães dos meninos lhe deram muitos beijos atrevidos que ele retribuiu com atrevimento ainda maior[10].

Quanto a Selvagem Furibundo, preso como assassino de Ruschi, ainda está sendo processado pelo DNER, por negligência criminosa e abandono de veículo em situação perigosa. E não adianta nada ele dizer que os responsáveis por tudo foram os quatro *gangsters* que iam no seu carro porque, com sua folha-corrida exemplar, nenhuma autoridade acredita que ele fosse capaz de conduzir *gangsters*[11].

MORAL: *SEMPRE CHEGA O DIA EM QUE O BEM RECEBE O SEU MERECIDO CASTIGO.*

---

[7] Os pais, hoje em dia, deixam os meninos nas mãos de qualquer um.
[8] Você acha que isso é vida?
[9] Teve que ser carregado do botequim.
[10] Algumas, depois, deram pra ele. Mas foi só de pura gratidão.
[11] O negócio é você se corromper bem cedinho. Senão tão sempre dizendo:
"Mas do Millôr eu não esperava isso!"

# O VAMPIRO DE CURITIBA

## DALTON TREVISAN
### (1926-      | Brasil)

*Não é de hoje que o paranaense Dalton Trevisan (Novelas Nada Exemplares, O Vampiro de Curitiba, e dezenas de outros títulos) é um dos mais destacados contistas brasileiros. Seu livro Guerra Conjugal já foi levado para o cinema, por Joaquim Pedro de Andrade. O conto O Vampiro de Curitiba, do livro homônimo, é um irresistível retrato de um pequeno conquistador de província.*

Ai, me dá vontade até de morrer. Veja, a boquinha dela está pedindo beijo — beijo de virgem é mordida de bicho-cabeludo. Você grita vinte e quatro horas e desmaia feliz. É uma que molha o lábio com a ponta da língua para ficar mais excitante. Por que Deus fez da mulher o suspiro do moço e o sumidouro do velho? Não é justo para um pecador como eu. Ai, eu morro só de olhar para ela, imagine então se. Não imagine, arara bêbada. São onze da manhã, não sobrevivo até à noite. Se fosse me chegando, quem não quer nada — ai, querida, é uma folha seca ao vento — e encostasse bem devagar na safadinha. Acho que morria: fecho os olhos e me derreto de gozo. Não quero do mundo mais que duas ou três só para mim. Aqui diante dela, pode que se encante com o meu bigodinho. Desgraçada! Fez que não me enxergou: eis uma borboleta acima de minha cabecinha doida. Olha através de mim e lê o cartaz de cinema no muro. Sou eu nuvem ou folha seca ao vento? Maldita feiticeira, queimá-la viva, em fogo lento. Piedade não tem no coração negro de ameixa. Não sabe o que é gemer de amor. Bom seria pendurá-la cabeça para baixo, esvaída em sangue.

Se não quer, por que exibe as graças em vez de esconder? Hei de chupar a carótida de uma por uma. Até lá enxugo os meus conhaques. Por causa de uma cadelinha como essa que aí vai rebolando-se inteira. Quieto no meu canto, ela que começou. Ninguém diga sou taradinho. No fundo de cada filho de família dorme um vampiro — não sinta gosto de sangue. Eunuco, ai quem me dera. Castrado aos cinco anos. Morda a língua, desgraçado. Um anjo pode dizer amém! Muito sofredor ver moça bonita — e são tantas. Perdoe a indiscrição, querida, deixa o recheio do sonho para as formigas? Ó, você permite, minha flor? Só um pouquinho, um beijinho só. Mais um, só mais um.

Outro mais. Não vai doer, se doer eu caia duro aos seus pés. Por Deus do céu não lhe faço mal — o nome de guerra é Nelsinho, o Delicado.

Olhos velados que suplicam e fogem ao surpreender no óculo o lampejo do crime? Com elas usar de agradinho e doçura. Ser gentilíssimo. A impaciência é que me perde, a quantas afugentei com gesto precipitado? Culpa minha não é. Elas fizeram o que sou — oco de pau podre, onde floresce aranha, cobra, escorpião. Sempre se enfeitando, se pintando, se adorando no espelhinho da bolsa. Se não é para deixar assanhado um pobre cristão por que é então? Olhe as filhas da cidade, como elas crescem: não trabalham nem fiam, bem que estão gordinhas. Essa é uma das lascivas que gostam de se coçar. Ouça o risco da unha na meia de seda. Que me arranhasse o corpo inteiro, vertendo sangue do peito. Aqui jaz Nelsinho, o que se finou de ataque. Gênio do espelho, existe em Curitiba alguém mais aflito que eu?

Não olhe, infeliz! Não olhe que você está perdido. É das tais que se divertem a seduzir o adolescente. Toda de preto, meia preta, upa lá lá. Órfã ou viúva? Marido enterrado, o véu esconde as espinhas que, noite para o dia, irrompem no rosto — o sarampo da viuvez em flor. Furiosa, recolhe o leiteiro e o padeiro. Muita noite revolve-se na cama de casal, abana-se com leque recendendo a valeriana. Outra, com a roupa da cozinheira, à caça de soldado pela rua. Ela está de preto, a quarentena do nojo. Repare na saia curta, distrai-se a repuxá-la no joelho. Ah, o joelho... Redondinho de curva mais doce que o pêssego maduro. Ai, ser a liga roxa que aperta a coxa fosforescente de brancura. Ai, o sapato que machuca o pé. E, sapato, ser esmagado pela dona do pezinho e morrer gemendo. Como um gato!

Veja, parou um carro. Ela vai descer. Colocar-me em posição. Ai, querida, não faça isso: eu vi tudo. Disfarce, vem o marido, raça de cornudo. Atrai o pobre rapaz que se deite com a mulher. Contenta-se em espiar ao lado da cama — acho que ficaria inibido. No fundo, herói de bons sentimentos. Aquele tipo do bar, aconteceu com ele. Esse aí um dos tais? Puxa, que olhar feroz. Alguns preferem é o rapaz, seria capaz de? Deus me livre, beijar outro homem, ainda mais de bigode e catinga de cigarro? Na pontinha da língua a mulher filtra o mel que embebeda o colibri e enraivece o vampiro.

Cedo a casadinha vai às compras. Ah, pintada de ouro, vestida de pluma, pena e arminho — rasgando com os dentes, deixá-la com os cabelos do corpo. Ó bracinho nu e rechonchudo — se não quer por que mostra em vez de esconder? —, com uma agulha desenho tatuagem obscena. Tem piedade, Senhor, são tantas, eu tão sozinho.

Ali vai uma normalista. Uma das tais disfarçada? Se eu desse com o famoso bordel. Todas de azul e branco — ó mãe do céu! — desfilando com meia preta e liga roxa no salão de espelhos. Não faça isso, querida, entro em levitação: a força dos vinte anos. Olhe, suspenso nove centímetros do chão, desferia vôo não fora o lastro da pombinha do amor. Meu Deus, fique velho depressa. Feche o olho, conte um, dois, três e, ao abri-lo, ancião de barba branca. Não se iluda, arara bêbada. Nem o patriarca merece confiança, logo mais com a ducha fria, a cantárida, o anel mágico — conheci cada pai de família!

Atropelado por um carro, se a polícia achasse no bolso esta coleção de retratos? Linchado como tarado, a vergonha da cidade. Meu padrinho nunca perdoaria: o menino que marcava com miolo de pão a trilha na floresta. Ora uma foto na revista do dentista. Ora na carta a uma viuvinha de sétimo dia. Imagine o susto, a vergonha fingida, as horas de delírio na alcova — à palavra alcova um nó na garganta.

Toda família tem uma virgem abrasada no quarto. Não me engana, a safadinha: banho de assento, três ladainhas e vai para a janela, olho arregalado no primeiro varão. Lá envelhece, cotovelo na almofada, a solteirona na sua tina de formol.

Por que a mão no bolso, querida? Mão cabeluda do lobisomem. Não olhe agora. Cara feia, está perdido. Tarde demais, já vi a loira: milharal ondulante ao peso das espigas maduras. Oxigenada, a sobrancelha preta — como não roer unha? Por ti serei maior que o motociclista do Globo da Morte. Deixa estar, quer bonitão de bigodinho. Ora, bigodinho eu tenho. Não sou bonito, mas sou simpático, isso não vale nada? Uma vergonha na minha idade. Lá vou eu atrás dela, quando menino era a bandinha do Tiro Rio Branco.

Desdenhosa, o passo resoluto espirra faísca das pedras. A própria égua de Átila — onde pisa, a grama já não cresce. No braço não sente a baba do meu olho? Se existe força do pensamento, na nuca os sete beijos da paixão.

Vai longe. Não cheirou na rosa a cinza do coração de andorinha. A loira, tonta, abandona-se na mesma hora. Ó morcego, ó andorinha, ó mosca! Mãe do céu, até as moscas instrumento do prazer — de quantas arranquei as asas? Brado aos céus: como não ter espinha na cara?

Eu vos desprezo, virgens cruéis. A todas poderia desfrutar — nem uma baixou sobre mim o olho estrábico de luxúria. Ah, eu bode imundo e chifrudo, rastejariam e beijavam a cola peluda. Tão bom, só posso morrer. Calma, rapaz: admirando as pirâmides marchadoras de Quéops, Quéfren e Miquerinos, quem se importa com o sangue dos escravos? Me acuda, ó Deus. Não a vergonha, Senhor, chorar no meio da rua. Pobre rapaz na danação dos vinte anos. Carregar vidro de sanguessugas e, na hora do perigo, pregá-las na nuca?

Se o cego não vê a fumaça e não fuma, ó Deus, enterra-me no olho a tua agulha de fogo. Não mais cão sarnento atormentado pelas pulgas, que dá voltas para morder o rabo. Em despedida — ó curvas, ó delícias — concede-me a mulherinha que aí vai. Em troca da última fêmea pulo no braseiro — os pés em carne viva. Ai, vontade de morrer até. A boquinha dela pedindo beijo — beijo de virgem é mordida de bicho-cabeludo. Você grita vinte e quatro horas e desmaia feliz.

# O PROFESSOR SUBSTITUTO

### JULIO RAMÓN RIBEYRO
### (1929-1994 | Peru)

*Publicado, nesta antologia, pela primeira vez no Brasil, Julio Ramón Ribeyro é um dos melhores contistas do nosso continente. (Ele é pouco conhecido por razões circunstanciais: ficou de fora do chamado boom latino-americano). Seus contos completos foram recolhidos nos três volumes de* La Palabra del Mudo, *de onde foi escolhido este* O Professor Substituto.

Por volta do entardecer, quando Matias e sua mulher sorviam um triste chá e se queixavam da miséria da classe média, da necessidade de ter de andar sempre com a camisa limpa, do preço dos transportes, dos aumentos por força de lei, enfim, daquilo que conversam na hora do crepúsculo os pobres casais, escutaram baterem na porta e a abriram e irrompeu casa adentro o doutor Valência, bengala na mão, sufocado pelo colarinho duro.

— Meu querido Matias! Venho te dar uma grande notícia! De agora em diante serás professor. Não me digas que não... Espere um pouco! Como vou precisar me ausentar uns meses do país, decidi deixar-te minhas classes de História no colégio. Não se trata de um grande posto e os rendimentos não são grandiosos, mas é uma magnífica ocasião para te iniciar no ensino. Com o tempo poderás conseguir outras horas de aula, se abrirão as portas de outros colégios, quem sabe não poderás chegar à universidade... Isso depende de você. Eu sempre tive muita confiança em você. É injusto que um homem da tua qualidade, um homem ilustrado, que cursou faculdade, tenha de ganhar a vida como cobrador... Não, senhor, isso não está direito, eu sou o primeiro a reconhecer. Teu lugar é no magistério... Não penses duas vezes. No ato vou chamar o diretor para dizer a ele que já encontrei um substituto. Não há tempo a perder, um táxi está me esperando na porta... Me dê lá um abraço, Matias, e diga se não sou teu amigo...

Antes de Matias ter tempo sequer de emitir sua opinião, o doutor Valência já havia ligado para o Colégio, falado com o diretor, abraçado seu amigo pela quarta vez e partido como um raio sem ter sequer tirado o chapéu.

Durante alguns minutos, Matias ficou pensativo, acariciando a bela calva que fazia a delícia dos garotos e o terror das empregadas. Com um gesto enérgico, impediu que sua mulher intercalasse um comentário e, em silêncio, se aproximou da cômoda, se serviu do vinho do Porto reservado às visitas e provou-o sem pressa, depois de tê-lo observado contra a luz.

— Nada disso me surpreende — disse, finalmente. — Um homem de qualidade como eu não podia ficar sepultado no esquecimento.

Depois do jantar, trancou-se na sala, pediu uma cafeteira, tirou o pó de seus velhos textos de estudo e ordenou a sua mulher que não queria ser interrompido por ninguém, nem mesmo por Baltazar e Luciano, seus colegas de trabalho, com quem costumava se reunir todas as noites para jogar cartas e fuxicar contra os patrões do escritório.

Às dez da manhã, Matias saía de sua casa, com a aula inaugural bem apreendida, reagindo com um pouco de impaciência à solicitude de sua mulher que o perseguia pelo pátio tirando-lhe as últimas sujeiras de seu terno de cerimônia.

— Não se esqueça de colocar o cartaz na porta — recomendou Matias antes de partir. — Bem legível: "Matias Palomino, professor de História."

No caminho se distraiu repassando mentalmente os parágrafos da lição. Durante a noite anterior não conseguira evitar um pequeno tremor de prazer quando, para referir-se a Luís XVI, havia descoberto o epíteto de Hidra. O epíteto pertencia ao século XIX e caíra em certo desuso, mas Matias, pelo seu porte e suas leituras, permanecia ainda no século XIX, e sua inteligência, por onde a víamos, era uma inteligência em desuso. Há uns doze anos, quando por duas vezes consecutivas fora reprovado no exame de bacharelado, não havia folheado um só livro de estudo sequer e nem submetido o apetite algo lânguido de seu espírito a nenhum desafio. Ele sempre atribuíra seu fracasso acadêmico à má vontade dos professores somada a essa espécie de amnésia repentina que o acometia toda vez que tinha de pôr em evidência seus conhecimentos. Mas se não conseguira o título de advogado, havia escolhido a aparência e a gravata do notário: quando não por ciência pelo menos por aparência, ficava sempre dentro dos limites da profissão.

Quando chegou diante da porta do colégio, ficou meio perplexo. O grande relógio da frente lhe indicou estar uns dez minutos adiantado. Ser pontual demais lhe pareceu pouco elegante e resolveu que era bem melhor caminhar até a esquina. Ao cruzar a faixa escolar, viu um porteiro nada simpático que vigiava a calçada, mãos cruzadas nas costas.

Na esquina do parque parou, tirou um lenço e enxugou o rosto. Fazia um pouco de calor. Um pinheiro e uma palmeira, confundindo suas sombras, fizeram com que se lembrasse de um verso, cujo autor tentou em vão identificar. Dispunha-se a voltar — o relógio municipal acabava de bater onze horas — quando atrás da vitrine de uma loja de discos percebeu um homem pálido que o espiava. Com surpresa constatou que aquele homem não era outro senão seu próprio reflexo. Observando-se dissimuladamente, endireitou-se como que para disfarçar uma expressão algo melancólica que a noite quase em claro e o café haviam desenhado em suas feições. Mas a expressão, longe de desaparecer, despertou novos sinais, e Matias comprovou que sua calva convalescia tristemente por entre as mechas da testa e que seu bigode caía sobre seus lábios com um ar de absoluto envelhecimento.

Um pouco mortificado por essa observação, se retirou de um golpe de frente da vitrine. Um sufoco de manhã estival fez com que afrouxasse a gravata. Mas quando chegou frente à porta do colégio, sem que aparentemente nada o provocasse, uma dúvida tremenda tomou-o de assalto: nesse momento não conseguia precisar se a Hidra era um animal marinho, um monstro mitológico ou uma invenção do doutor Valência que empregava figuras semelhantes para demolir seus inimigos no parlamento. Confundido, abriu a maleta para examinar suas anotações, quando se apercebeu que o porteiro não lhe tirava os olhos de cima. Aquele olhar, vindo de um homem uniformizado, despertou em sua consciência de pequeno contribuinte tenebrosas associações e, sem conseguir evitá-lo, continuou a caminhar até a esquina oposta.

Na esquina parou, raciocinando. O problema da Hidra já não o interessava: essa dúvida havia puxado outras muitíssimo mais urgentes. Tudo se confundia agora em sua cabeça. Fazia de Colbert um ministro inglês, as culpas de Marat colocava-as sobre os ombros de Robespierre e, por um artifício de sua imaginação, os finos alexandrinos de Chenier foram parar nos lábios do verdugo Sanson. Aterrorizado pelos deslizamentos de idéias, girou os olhos avidamente à procura de um botequim. Uma sede inadiável o abrasava.

Durante um quarto de hora percorreu inutilmente as ruas adjacentes. Naquele bairro residencial só se encontravam cabeleireiros e salões de beleza. Depois de infinitas voltas, deu de cara com a loja de discos e sua imagem voltou a aparecer do fundo da vitrine. Desta vez Matias a examinou: em volta dos olhos apareceram dois anéis pretos que descreviam sutilmente um círculo que não podia ser outro do que o círculo do terror.

Desconcertado, virou-se e ficou contemplando o panorama do parque. O coração batia como um pássaro enjaulado. Apesar dos ponteiros do relógio continuarem girando, Matias se manteve impávido, teimosamente ocupado com coisas insignificantes, como contar os galhos de uma árvore e em seguida decifrar as letras de um anúncio perdido por entre as folhagens.

Um campainha paroquial fez com que voltasse a si. Matias se deu conta de que ainda estava no horário. Lançando mão de todas as suas virtudes, inclusive aquelas virtudes equívocas como a teimosia, conseguiu compor algo que poderia ser uma convicção e, ofuscado por tanto tempo perdido, rumou para o colégio. Com o movimento sua coragem aumentou. Ao divisar o portal assumiu um ar profundo e ocupado de um homem de negócios. Dispunha-se a cruzá-lo quando, ao erguer os olhos, percebeu ao lado do porteiro um verdadeiro conclave de homens encanecidos e agrupados que, inquietos, o espionavam. Aquela inesperada composição — que lhe fez lembrar as bancas de exame de sua infância — foi suficiente para desatar uma profusão de reflexos defensivos; e, virando com rapidez, ele escapou em direção à avenida.

A uns vinte passos se deu conta que alguém o seguia. Uma voz soava às suas costas. Era o porteiro.

— Por favor — dizia ele —, o senhor não é o senhor Palomino, o novo professor de História? O corpo docente está à sua espera...

Matias virou o rosto, roxo de raiva.

— Eu sou cobrador! — respondeu bruscamente, como se tivesse sido vítima de alguma vergonhosa confusão.

O porteiro lhe pediu desculpas e se afastou. Matias continuou caminhando, chegou à avenida, virou para o parque, andou sem rumo entre as pessoas que iam às compras, tropeçou num tijolo, quase derrubou um cego e finalmente caiu num banco, entorpecido como se tivesse um queijo no lugar do cérebro.

Quando os meninos que saiam do colégio começaram a fazer algazarra à sua volta, ele despertou de sua letargia. Ainda confuso, sob a impressão de ter sido objeto de uma humilhante estafa, se recompôs e tomou a direção de casa. Inconscientemente, escolheu uma rota cheia de meandros. Se distraía. A realidade se lhe escapava por todas as fissuras de sua imaginação. Pensava que algum dia seria milionário por um golpe de sorte. Somente quando chegou em casa e viu que sua mulher o esperava em frente da porta com um avental amarrado na cintura, foi que ele tomou consciência de sua enorme frustração. No entanto conseguiu se recompor; ensaiou um sorriso e se preparou para receber sua mulher que já corria para ele com os braços abertos.

— Como foi? Deu a aula? O que os alunos acharam?

— Sensacional!... Foi tudo sensacional! — balbuciou Matias. — Chegaram a me aplaudir! — mas ao sentir os braços de sua mulher enlaçarem seu pescoço e ao ver em seus olhos, pela primeira vez, uma chama de invencível orgulho, inclinou a cabeça para frente com força e se pôs a chorar desoladamente.

## A CURIOSA METAMORFOSE
## POP DO SENHOR PLÁCIDO

### ZULMIRA RIBEIRO TAVARES
#### (1930-      | Brasil)

*A paulista Zulmira Ribeiro Tavares, desde sua estréia com* Termos de Comparação, *sempre ousou um caminho próprio e experimental dentro da atual ficção brasileira.* O Nome do Bispo, O Mandril *e* O Japonês dos Olhos Redondos *são alguns de seus títulos. O mais recente,* Cortejo em Abril *contém alguns minicontos que não envergonhariam o Sr. Kafka. O humor, que permeia sua literatura, adquire forma de sátira à nossa vida cultural, ou ao mundo das bienais de artes plásticas (e que, com certeza, nossa Hipocrisia Oficial da Cultura não assinaria em baixo), neste pop-texto, de seu livro de estréia.*

Na loja de eletrodomésticos onde é o gerente, o Sr. Plácido ouviu soar o relógio. O amigo do Sr. Plácido, entendido em arte, disse a ele:
— A Bienal fecha domingo. Você já foi?
O Sr. Plácido avisou em casa:
— A Bienal fecha domingo. Vou hoje lá; aproveito que tenho a tarde livre.
A senhora do Sr. Plácido respondeu-lhe:
— Morreu o Tancredo Carvalho. O enterro é às cinco da tarde. Não atrase.
"O Tancredo!"
"A sua idade!"
— E do quê?
— "Enfisema pulmonar" — disse a senhora do Sr. Plácido.
O Sr. Plácido ficou muito impressionado.
— Lembre-se também do "recipiente" — ajuntou ainda a senhora do Sr. Plácido.
— Compre logo para não esquecer.
— O "recipiente"!?
— Para o exame amanhã. Compre de plástico que é mais leve e barato.
"O penico!"

— Não desista — disse o amigo entendido em arte. — Vá assim mesmo. Dá tempo.

— Mas estou tão por fora de tudo! — lamentou-se o Sr. Plácido. Pensou: "Onde será que o encontro? e de plástico?"

— Escute — disse-lhe o amigo — não se preocupe. Isso é que é o bom. Chegar à Bienal inocente.

— Como assim? — estranhou o Sr. Plácido.

— Veja tudo com olhos de criança.

— Quando eu era criança — disse o Sr. Plácido — detestava museus.

— Mas a Bienal é outra coisa!

O amigo do Sr. Plácido ficou calado por muito tempo.

O Sr. Plácido percebeu que cometera uma gafe séria.

Esperou.

Por fim o amigo do Sr. Plácido disse; pacientemente:

— Não procure na Bienal a eternidade dos museus e dos mármores. Busque o "provisório", o "precário", o "perecível".

— Como? — disse o Sr. Plácido; e começou a transpirar um pouco. Pensou no Tancredo. "Teria alguma relação com a arte, o enfisema?"

— Arte é vida! — disse o amigo entendido em arte.

Bom, o Tancredo estava morto.

— A arte — ajuntou o amigo — e a vida, não estão mais separadas por um abismo; a arte cá, limpinha, asséptica, quadrada; a vida lá, turbulenta, suja, não senhor, são uma coisa só. Os limites entre a arte e a não-arte foram borrados.

O Sr. Plácido indagou timidamente:

— Mas então para quê?

— Para que o quê?

— A arte; ou a vida, tanto faz; digo, para que duas coisas se são uma só?

O amigo se calou por muito tempo.

O Sr. Plácido estava tranqüilo. "Fui inteligente, sem dúvida."

— Veja — disse por fim o amigo entendido em arte; pacientemente: — O que tem você aí na loja, diante dos olhos?

O Sr. Plácido enumerou:

— Geladeiras, máquinas de lavar roupa, rádios, televisores, ventiladores.

— É suficiente. E lá fora na rua?

O Sr. Plácido enumerou:

— Gente, automóveis, prédios.

— Sinais de trânsito, — ajudou o amigo — anúncios, cartazes, vitrinas. Você não mencionou o principal.

— É — aquiesceu o Sr. Plácido.

— Tudo isso você sabe como se chama? — perguntou o amigo do Sr. Plácido. (Referia-se ao principal.)

O Sr. Plácido permaneceu calado.

— "Folclore Urbano"! E aqui dentro, na loja, os eletrodomésticos, bem, esses eu os denominaria assim, mais por minha conta, sabe, "Vegetação Urbana"!

O Sr. Plácido permaneceu calado.

— Tudo isso está na Bienal, entende? Noutro contexto a coisa salta aos olhos!

— Que coisa? — estranhou o Sr. Plácido.

— A vida — respondeu o amigo.

O Sr. Plácido ficou muito impressionado.

— Veja ainda — apontou o amigo entendido em arte — o que é isto? e isso? e aquilo? e aquele outro? — e mostrou com o dedo os desenhos feitos no lado interno da porta do lavatório.

— Todo o dia mando apagar e todo o dia voltam — disse o Sr. Plácido. — Gostaria de saber quem os faz. Não são maus.

— Estão na Bienal! — ajuntou triunfante o amigo.

— Como?

— Noutro contexto. Bem, mas não quero me adiantar muito. Vá. Vá inocente. Espere. Volte.

— Estou atrasado já — disse o Sr. Plácido.

— Não seja passivo, entendeu?

O Sr. Plácido pensou na porta do lavatório e ficou vermelho. Talvez a morte do Tancredo o estivesse impedindo de pensar com clareza.

— Atue! Co-autoria. Mexa em tudo o que for para mexer! Participe. Adeus.

---

— É para criança ou adulto? — perguntou o vendedor.

O Sr. Plácido teve pejo.

— Para criança — respondeu. Imediatamente pensou: "Não vou caber".

— Que cor prefere?

— Rosa — disse o Sr. Plácido para não deixar mesmo nenhuma pista. — O senhor tem caixa?

— Não — disse o vendedor. — Mas embrulhamos de maneira que a forma, o sentido do objeto, entende, desapareça completamente. Ninguém vai saber.

— Obrigado — disse o Sr. Plácido. — É que devo ir ainda à Bienal e a um enterro antes de voltar para casa.

---

— Caro Plácido! Na Bienal e com um penico na mão!

— Ele jurou que o significado desapareceria.

— Nunca, meu caro Plácido. Os significados deslocam-se, transformam-se, mas não perecem.

— Você é um acadêmico — disse o Sr. Plácido. Busca a "eternidade dos mármores". Claro que perecem.

Sentiu que dominava o assunto. Contudo era preciso não saber demais. Manter um certo grau de inocência.

— E para onde vai você com esse significado pela mão, ainda que mal pergunte?

— Daqui para um enterro. Você poderia me ajudar? Como faço com isso?

— Pegue ali dois catálogos do pavilhão americano que são os mais graúdos. Ponha o negócio no meio.

— Escorrega.

— Meu caro Plácido! Não se vence sem luta. Não se substituem significados na maciota. Faça assim.

— Agora não posso mexer.

— Como?

— Participar. O braço ficou preso. Não quero ser passivo.

---

— Caro Plácido! Que faz você em um enterro com catálogos do pavilhão americano?

— Nada. Qualquer coisa que eu fizer, o penico aparece.

— Que delicioso *nonsense* meu caro Plácido! Que delicioso *nonsense*! Esteve na Bienal?

— É.

— Gostou? Acha que arte é denúncia?

— Procuro manter a inocência.

— Ah.

— O "olhar das crianças", sabe, esta estória toda.

— Seja mais explícito, meu caro Plácido. Exemplifique.

— Não posso, já disse. Se lhe passar o catálogo, o penico vai junto.

— E ele insiste! Simplesmente delicioso! Britânico o humor! Nunca o supus! "De enfisema pulmonar e na minha idade."

---

— Cor rosa e tamanho infantil! Mas Plácido! Onde tem você a cabeça?

— Se o problema é o traseiro, que interessa a você a cabeça?

— O teu amigo entendido em arte subverte a ordem das coisas! Você, por você, nunca me daria uma resposta dessas!

"De fato o equilíbrio é precário. Há um descompasso grande demais entre as duas partes: a minha e a outra. Mas quem busca a estabilidade dos "mármores e museus"? A "paz dos túmulos" é para quem já se foi. Estive na Bienal. E isso não se apaga numa vida."

— Vou fechar a porta. Concentre-se e relaxe.

"Esta mulher não diz mais coisa com coisa! Como é possível? Se me concentro, não relaxo. Se relaxo, caio. É preciso ficar alerta. Algo deve cair, bem sei. Porém não eu:

*de mim.* Devo, muito ao contrário, para que tal se dê, procurar manter-me a todo o custo."

— Mas que faz você balançando o corpo de lá para cá? São *fezes* para *exame*, homem, isto é *Ciência* com *C* maiúsculo, não se trata de uma brincadeira. Veja se se concentra. Disso pode depender a sua vida, pense no Tancredo.

"Não consigo acertar, não consigo acertar; foi tolice, foi tolice, não há nenhuma correspondência. *A Timidez Vencida em 12 Lições.* Se fosse verdade não teria feito o que fiz. Fui longe demais, reconheço. De um lado, rosa e tamanho infantil, de outro, eu no ramo dos eletrodomésticos. E com a idade do Tancredo. A idade do Tancredo. Um abismo; nenhum contato. Mas... não, não é verdade; ainda que mal, ... deu, coube. Os limites foram borrados. Uma coisa só. Uma coisa só."

Pela primeira vez em sua vida o Sr. Plácido se observa. Agora, nesse momento. Inclinado para a frente, despido da cintura para baixo, as pernas finas e cabeludas ligeiramente abertas, as nádegas imensas e brancas apoiadas na pequena e leve circunferência rosa. Tem ele a impressão de ser este o único apoio para o seu corpo, que os seus pés mal tocam o chão; paira. Dois pares de aspas, como frágeis mãos, colhem-no por baixo, delicadamente, pelas nádegas e guardam-no consigo. Novos limites? Não pode evitar. Exatamente como descreve o catálogo. *Está no catálogo.* Colhido pelas aspas como dentro de uma cápsula, aguarda a revelação; uma revelação de ponta-cabeça; mas que, se vier, fugirá imediatamente a este estado de graça pois que de pronto será encaminhada ao laboratório para exame. Arte e ciência. Arte e não-arte! Os limites depostos, outra vez? As respostas acham-se retidas dentro da cápsula com o Sr. Plácido. O sinal da revelação ainda é apenas o roxo na sua fisionomia congesta. O sinal é esforço, mas esforço suspenso, sem quase apoio, roxo, roxo-solferino. A suspensão é auréola: o plástico rosa, frio e leve. Um precário estado de graça iluminado pelos antípodas: roxo violento, rosa tênue. Duas cores, ou uma: dois tons, ou um

puro
perfeito
objeto
Pop.

# O AMIGO DA ONÇA

## ANÔNIMO
### (S/d | Brasil)

*A literatura popular brasileira também tem seu riso próprio, suas boas histórias e seus personagens marcantes. É o caso do Amigo da Onça, que virou a marca registrada do desenhista de humor Carlos Estêvão na revista* Cruzeiro *dos anos de 1950. E acabou consagrando-se como uma expressão de uso corrente na nossa língua. Uma das melhores versões desta literatura de origem oral foi registrada por Lindolfo Gomes em 1931, em* Contos Populares Brasileiros.

A Onça, que é bicho valente — mas nem sempre atilado, como se pensa —, estava quietinha no seu canto, quando lhe apareceu o compadre Lobo e lhe foi dizendo:

— Saiba de uma coisa, comadre Onça: você — com perdão da palavra — não é, como supõe, o bicho mais valente e destemido que existe no mundo, nem também o Leão, com toda a sua prosa de rei dos animais.

— Como assim! — gritou a Onça, enfurecida. — Então, como é isso, grande pedaço de idiota? Haverá bicho mais valente e poderoso do que eu?

O Lobo, adoçando a voz, respondeu:

— Ó comadre, me perdoe. Estou arrependido de dizer tal coisa... Mas a minha intenção foi preveni-la contra um "bicho" terrível que apareceu nesta paragem. Uma pessoa prevenida vale por duas.

— Sim, não deixa você de ter alguma razão — acudiu a Onça mais acomodada. — Mas sempre quero saber o nome desse bicho. Como se chama?

— Esse bicho, compadre, chama-se "homem", conforme me disse o amigo papagaio. Nunca vi em minha vida animal de mais perigosa valentia. Ele sim, e ninguém mais, é o que me parece ser mesmo o verdadeiro rei dos animais. Basta dizer que, de longe, o vi matar, com dois *espirros*, nada menos do que um leão e uma hiena. Ih! Compadre, com o estrondo dos *espirros* parecia que tudo ia pelos ares. Deus nos livre!

— Oh! Compadre, não me diga!

— É como lhe conto. E o que mais admira é ser o "bicho-homem" de pequeno porte. Parece até fraco, e é muito mal servido de unhas e dentes. Deve ser um "bicho" misterioso e encantado.

— Pois bem, compadre, estou curiosa, e desejo que, sem demora, me conduza ao lugar onde se encontra tão estranho animal.

— Ah, compadre, peça-me tudo, menos isso. Pelos estragos que, de longe, vi o homem fazer, com seus malditos *espirros,* nunca me atreveria a tal aventura...

— Pois queira ou não queira, tem de mostrar-me o "bicho", ou então, agora mesmo perderá a vida.

— Lá por isso não seja — disse o Lobo amedrontado. — Iremos. Mas havemos de tomar todas as precauções. Eu — com a sua licença — posso correr mais do que a comadre. Assim, levaremos uma embira daquelas que não arrebentam nunca. Amarro uma das pontas no pescoço da comadre e a outra em minha cintura. Em caso de perigo, se for preciso fugir, a comadre e eu corremos...

— Fugir! Veja lá o que diz! Você já viu, "seu" *podrela,* alguma vez onça fugir?

— Não me expliquei bem. Eu é que fugirei. A comadre será apenas arrastada por mim. Isso não é fugir. Está certo?

— Está bem. Faremos como propõe.

E partiram. A Onça com a embira atada ao pescoço, e o Lobo, muito respeitoso e tímido, a puxá-la.

Quando chegaram ao destino, o "bicho-homem", surpreendido ao avistá-los, tirou da cinta a garrucha e, atarantado, *bateu fogo,* isto é, *espirrou,* uma, duas vezes, que foi mesmo um estrondo de todos os diabos.

O Lobo então mais que depressa disparou numa corrida desabalada, redobrando quanto podia as forças para arrastar a Onça pela forte embira "que tinha atado no pescoço dela".

De repente, já muito distante, o Lobo sentiu que a Onça estava mais pesada. Parou então e contemplou a companheira estendida no chão, com os dentes arreganhados, sem o mais leve movimento.

O Lobo, sem perceber que a Onça havia morrido enforcada no laço da embira — antes pensando que estivesse apenas cansada —, disse-lhe, tremendo como varas verdes:

— He lá, comadre! Não ri não que o negócio é sério!

# O ARQUIVO

### VICTOR GIUDICE
### (1934-1997 | Brasil)

*Já no seu livro de estréia,* O Necrológio *(1972), o carioca Victor Giudice nos revelava esta pequena obra-prima que é* O Arquivo, *na qual o imaginário do autor consegue fundir tão bem o fantástico com o humor, como um bom discípulo de Kakfa, Dino Buzzati ou Cortázar. Giudice escreveu outros livros de contos, além do romance* Bolero. *Foi crítico de música clássica do* Jornal do Brasil. *Morreu antes de consolidar sua obra.*

No fim de um ano de trabalho, joão obteve uma redução de quinze por cento em seus vencimentos.

joão era moço. Aquele era seu primeiro emprego. Não se mostrou orgulhoso, embora tenha sido um dos poucos contemplados. Afinal, esforçara-se. Não tivera uma só falta ou atraso. Limitou-se a sorrir, a agradecer ao chefe.

No dia seguinte, mudou-se para um quarto mais distante do centro da cidade. Com o salário reduzido, podia pagar um aluguel menor.

Passou a tomar duas conduções para chegar ao trabalho. No entanto, estava satisfeito. Acordava mais cedo, e isto parecia aumentar-lhe a disposição.

Dois anos mais tarde, veio outra recompensa.

O chefe chamou-o e lhe comunicou o segundo corte salarial.

Desta vez, a empresa atravessava um período excelente. A redução foi um pouco maior: dezessete por cento.

Novos sorrisos, novos agradecimentos, nova mudança.

Agora, joão acordava às cinco da manhã. Esperava três conduções. Em compensação, comia menos. Ficou mais esbelto. Sua pele tornou-se menos rosada. O contentamento aumentou.

Prosseguiu a luta.

Porém, nos quatro anos seguintes, nada de extraordinário aconteceu.

João preocupava-se. Perdia o sono, envenenado em intrigas de colegas invejosos. Odiava-os. Torturava-se com a incompreensão do chefe. Mas não desistia. Passou a trabalhar mais duas horas diárias.

Uma tarde, quase ao fim do expediente, foi chamado ao escritório principal. Respirou descompassado.

— Seu joão. Nossa firma tem uma grande dívida com o senhor.

joão baixou a cabeça em sinal de modéstia.

— Sabemos de todos os seus esforços. É nosso desejo dar-lhe uma prova substancial de nosso reconhecimento.

O coração parava.

— Além de uma redução de dezesseis por cento em seu ordenado, resolvemos, na reunião de ontem, rebaixá-lo de posto.

A revelação deslumbrou-o. Todos sorriam.

— De hoje em diante, o senhor passará a auxiliar de contabilidade, com menos cinco dias de férias. Contente?

Radiante, joão gaguejou alguma coisa ininteligível, cumprimentou a diretoria, voltou ao trabalho.

Nesta noite, joão não pensou em nada. Dormiu pacífico, no silêncio do subúrbio.

Mais uma vez, mudou-se. Finalmente, deixara de jantar. O almoço reduzira-se a um sanduíche. Emagrecia, sentia-se mais leve, mais ágil. Não havia necessidade de muita roupa. Eliminara certas despesas inúteis, lavadeira, pensão.

Chegava em casa às onze da noite, levantava-se às três da madrugada. Esfarelava-se num trem e dois ônibus para garantir meia hora de antecedência.

A vida foi passando, com novos prêmios.

Aos sessenta anos, o ordenado equivalia a dois por cento do inicial. O organismo acomodara-se à fome. Uma vez ou outra, saboreava alguma raiz das estradas. Dormia apenas quinze minutos. Não tinha mais problemas de moradia ou vestimenta. Vivia nos campos, entre árvores refrescantes, cobria-se com os farrapos de um lençol adquirido há muito tempo.

O corpo era um monte de rugas sorridentes.

Todos os dias, um caminhão anônimo transportava-o ao trabalho.

Quando completou quarenta anos de serviço, foi convocado pela chefia:

— Seu joão. O senhor acaba de ter seu salário eliminado. Não haverá mais férias. E sua função, a partir de amanhã, será a de limpador de nossos sanitários.

O crânio seco comprimiu-se. Do olho amarelado, escorreu um líquido tênue. A boca tremeu, mas nada disse. Sentia-se cansado. Enfim, atingira todos os objetivos. Tentou sorrir:

— Agradeço tudo que fizeram em meu benefício. Mas desejo requerer minha aposentadoria.

O chefe não compreendeu:

— Mas seu joão, logo agora que o senhor está desassalariado? Por quê? Dentro de alguns meses terá de pagar a taxa inicial para permanecer em nosso quadro. Desprezar tudo isto? Quarenta anos de convívio? O senhor ainda está forte. Que acha?

A emoção impediu qualquer resposta.

joão afastou-se. O lábio murcho se estendeu. A pele enrijeceu, ficou lisa. A estatura regrediu. A cabeça se fundiu ao corpo. As formas desumanizaram-se, planas, compactas. Nos lados, havia duas arestas. Tornou-se cinzento.

joão transformou-se num arquivo de metal.

## METAMORFOSE

### LUIS FERNANDO VERISSIMO
(1936-      | Brasil)

*Poucos cronistas tiveram um sucesso tão abrangente no Brasil quanto o do gaúcho Luis Fernando Verissimo, desde que estreou nos anos de 1970. Participando de páginas dos maiores jornais e revistas do país, com passagem pelo teatro e televisão, Verissimo disfarça, na crônica diária, um talento de ficcionista nato. Não fosse ele filho do romancista Erico Verissimo. Tem vários livros publicados, a partir de* O Popular, *sua estréia, mas o conto desta antologia foi escolhido nas páginas de* O Globo *de setembro de 2001, e ainda é inédito em livro.*

Quando Gregório Souza acordou certa manhã de uma noite mal dormida cheia de sonhos perturbadores, olhou seus pés que emergiam da outra extremidade da coberta curta e viu que tinha se transformado em Franz Kafka. Na verdade, levou algum tempo para descobrir quem era. Começou certificando-se que aqueles pés, decididamente, não eram os dele. Examinou-os com interesse e deduziu que eram pés da Europa Central, possivelmente checos. Mas só quando sua mãe entrou no quarto e ele respondeu ao seu "bom-dia!" em checo, espantando-se tanto quanto a ela, deu-se conta de quem era. Não sabia explicar como acontecera aquilo. Não só ele era Kafka como toda a situação era puro Kafka. Sua mãe gritando, perguntando quem ele era e o que estava fazendo na cama do seu filho — pelo menos ele imaginava que era isto que ela dizia, pois não conseguia entendê-la — e ele, apalpando-se, ao mesmo tempo assustado e maravilhado, eu Franz Kafka! Levantou-se da cama e foi se olhar no espelho, enquanto sua mãe  corria do quarto para chamar seu pai, que chamou a polícia, que veio e cercou o prédio errado, causando uma enorme confusão no trânsito e ferimentos a bala em três pessoas, e viu que era mesmo Franz Kafka, com as olheiras e tudo. Foi preso. Tentou inutilmente se comunicar com os policiais mas nenhum falava checo ou alemão. Tentaram levá-lo para a delegacia no carro da polícia, mas nada se mexia no trânsito  engarrafado e um camelô meteu a cabeça para dentro do carro e ofereceu "Saquinho de limão, doutor? Limpador de pára-brisa? Assistência legal?", que Kafka aceitou, tanto que quando os policiais decidiram bater nele ali mesmo e jogá-lo na calçada foi seu advogado que o levou a um hospital, onde ele esperou uma hora na fila de um guichê só para dizer se era conveniado ou se era pelo SUS. Em seguida, foram à repartição competente para regularizar sua situação como estrangeiro no país e quando Kafka indicou, com gestos, que não tinha dinheiro para pagar seus serviços, já que a carteira de Gregório Souza estava vazia, o advogado sorriu, levantou a palma da mão e disse "Xacomigo". Com a situação de Kafka regularizada por meio de uma propina e um documento de identidade provisório para seu cliente comprado de outro camelô, o advogado daria entrada  com um pedido de pensão da Previdência Social, pois o fato de ter-se transformado em checo da noite para o dia o abalara psiquicamente, e os dois ganhariam uma fortuna, ainda mais que o advogado tinha um cúmplice na Previdência que acrescentava zeros às guias de pagamento, quanto zeros se quisesse. A todas estas Kafka tomava notas, maravilhado. Em casa, Kafka conseguiu acalmar os pais de Gregório e, com paciência, recorrendo a algumas palavras em inglês que sabia, explicou o que tinha acontecido. Para sua sorte — e para a sua surpresa, pois antes de morrer dera ordens para que toda sua obra fosse queimada — havia um livro do Kafka numa prateleira do quarto de Gregório, com sua fotografia na capa, e os pais  acabaram compreendendo que aquilo tudo era um tipo de acontecimento literário, talvez uma parábola, e que Gregório não corria perigo, salvo o de perder seu emprego na companhia de seguros. Adotaram o filho substituto. E com sua situação doméstica resolvida, o português que aprendeu ouvindo as novelas e lendo as traduções dos seus próprios livros e o dinheiro que o advogado conseguiu da Previdência — R$ 500 milhões —  Kafka se sentiu em condições de recomeçar a carreira literária interrompida com sua morte. Comprou um computador e preparou-se para escrever o seu primeiro livro brasileiro, apenas duvidando que estivesse à altura da tarefa.

# O DIA EM QUE MATAMOS JAMES CAGNEY

## MOACYR SCLIAR
(1937-     | Brasil)

*O contista e romancista gaúcho Moacyr Scliar transforma a memória da infância — as matinês emocionantes dos fins de semana na Porto Alegre dos anos de 1940/50 — numa peça de rara delicadeza criativa, em que a ingenuidade dos espectadores infantis tem uma correspondência na aparente ingenuidade da feitura do conto. Em outras palavras: a interação espectador- filme (que mais tarde inspiraria Woody Allen) provoca um humor involuntário, quando os pequenos "cinemaníacos" não se contentavam em ser meros espectadores, neste conto que integra o seu livro de estréia,* O Carnaval dos Animais.

Uma vez fomos ao Cinema Apolo.

Sendo matinê de domingo, esperávamos um bom filme de mocinho. Comíamos bala café-com-leite e batíamos na cabeça dos outros com nossos gibis. Quando as luzes se apagaram, aplaudimos e assobiamos; mas depois que o filme começou, fomos ficando apreensivos...

O mocinho, que se chamava James Cagney, era baixinho e não dava em ninguém. Ao contrário: cada vez que encontrava o bandido — um sujeito alto e bigodudo chamado Sam — levava uma surra de quebrar os ossos. Era murro, e tabefe, e chave-inglesa, e até pontapé na barriga. James Cagney apanhava, sangrava, ficava de olho inchado — e não reagia.

A princípio estávamos murmurando, e logo batendo os pés. Não tínhamos nenhum respeito, nenhuma estima por aquele fracalhão repelente.

James Cagney levou uma vida atribulada. Muito cedo teve de trabalhar para se sustentar. Vendia jornais na esquina. Os moleques tentavam roubar-lhe o dinheiro. Ele sempre se defendera valorosamente. E agora sua carreira promissora terminava daquele jeito! Nós vaiávamos, sim, nós não poupávamos os palavrões.

James Cagney já andava com medo de nós. Deslizava encostado às paredes. Olhava-nos de soslaio. O cão covarde, o patife, o traidor.

Três meses depois do início do filme ele leva uma surra formidável de Sam e fica estirado no chão, sangrando como um porco. Nós nem nos importávamos mais. Francamente, nosso desgosto era tanto, que por nós ele podia morrer de uma vez — a tal ponto chegava nossa revolta.

Mas aí um de nós notou um leve crispar de dedos na mão esquerda, um discreto ricto de lábios.

Num homem caído aquilo podia ser considerado um sinal animador.

Achamos que, apesar de tudo, valia a pena trabalhar James Cagney. Iniciamos um aplauso moderado, mas firme.

James Cagney levantou-se. Aumentamos um pouco as palmas — não muito, o suficiente para que ele ficasse de pé. Fizemos com que andasse alguns passos. Que chegasse a um espelho, que se olhasse, era o que desejávamos no momento.

James Cagney olhou-se ao espelho. Ficamos em silêncio, vendo a vergonha surgir na cara partida de socos.

— Te vinga! — berrou alguém. Era desnecessário: para bom entendedor nosso silêncio bastaria, e James Cagney já aprendera o suficiente conosco naquele domingo à tarde no Cinema Apolo.

Vagarosamente ele abriu a gaveta da cômoda e pegou o velho revólver do pai. Examinou-o: era um quarenta e cinco! Nós assobiávamos e batíamos palmas. James Cagney botou o chapéu e correu para o carro. Suas mãos seguravam o volante com firmeza; lia-se determinação em seu rosto. Tínhamos feito de James Cagney um novo homem. Correspondíamos aprovadoramente ao seu olhar confiante.

Descobriu Sam num hotel de terceira. Subiu a escada lentamente. Nós marcávamos o ritmo de seus passos com nossas próprias botinas. Quando ele abriu a porta do quarto, a gritaria foi ensurdecedora.

Sam estava sentado na cama. Pôs-se de pé. Era um gigante. James Cagney olhou para o bandido, olhou para nós. Fomos forçados a reconhecer: estava com medo. Todo o nosso trabalho, todo aquele esforço de semanas fora inútil. James Cagney continuava James Cagney. O bandido tirou-lhe o quarenta e cinco, baleou-o no meio da testa: ele caiu sem um gemido.

— Bem feito — resmungou Pedro, quando as luzes se acenderam. — Ele merecia.

Foi o nosso primeiro crime. Cometemos muitos outros, depois.

# JÁ PODEIS DA PÁTRIA FILHOS

### JOÃO UBALDO RIBEIRO
### (1941-      | Brasil)

*Baiano de Itaparica, formado em Salvador, de uma geração que teve no cineasta Glauber Rocha seu expoente, João Ubaldo conquistou a fama a partir do romance* Viva o Povo Brasileiro. *O humor quase rabelaisiano de seu estilo, às vezes presente em suas crônicas semanais em* O Globo, *tem uma realização mais permanente nos contos de* Já Podeis da Pátria Filhos, *de onde tiramos o conto homônimo para esta antologia. Sobre uma partida de futebol: um tema e um humor brasileiríssimos.*

Sabe-se que o estrangeiro, ao jogar futebol, ataca o balão de couro como se fosse inimigo. Há quem diga que o joelho empedrado é natural do gringo, variando uma besteirinha de acordo com a espécie. Isto devido à comida que eles comem, que é muito melhor do que a comida que o brasileiro come, com exceção de que o joelho fica empedrado. Porém a comida dá enormes sustanças e além disso eles usam foguetes e o raio leise. Ninguém me diga que a Hungria não usou o raio leise em cinqüenta e quatro, quando eles davam de 11 a 8 e 19 a 15 e 48 a 0 em quem aparecesse, eles não facilitavam. Disse seu Góes, que não esteve nessa copa, aliás não esteve em copa nenhuma, mas esteve com Pongó que o primo esteve nessa copa, que eles vinham lá de baixo do campo parecendo uns cavalos, tudo falando hurunguês e dando aqueles passes de joelho empedrado, situque-situque. Pela cara de abestalhado que eu vi numa revista, pela cara de abestalhado que ficou um beque, quando esse cabeceador pulou de um jeito que quase amunta nas costas do beque e olhe que o beque tinha subido e era maior do que Chico do Correio, a gente via que o beque só podia estar estontecido pelo leise, eles usam todos os recursos, a copa é uma guerra. No Brasil mesmo enfiaram 4 a 2, se não me engano, assim mesmo porque o comprido cabeceador deles não estava cabeceando bem naquele dia, visto que o americano foi lá e roubou o leise e ficou com a invenção para ele, mas não quero saber dessas coisas porque não suporto política. Estólei Mattos, o grande ponteiro inglês, enfiou uma bola pelo meio das pernas do Nilton Santos, coisa que só foi possível porque o inglês guarda o segredo do espitifaire, aeroplano que derrotou o alemão na guerra, em razão de que continha o segredo da bomba atômica – em inglês, espeito-faire, bomba atômica. Essas coisas, quem sabe esperanto sabe. Nesse dia de Estólei Mattos, Gilmar pegou dois pênaltis, naturalmente porque a bomba atômica também fez efeito nele, isto devido que ele sempre se vestiu à inglesa e isto influi. O alemão ganhou em cinqüenta e quatro porque primeiro quebraram a canela do grande Purcas e também o cabeceador deles, se não me engano Costas, ainda estava zonzo com o roubo do leise e explicaram a ele que iam mandar o time todo para a Libéria, que é para onde eles mandam time russo que perde na copa. Toda copa tem um time russo na Libéria, só não teve nesta última, porque os russos não foram para a Argentina, menos porque não concordam com o governo da Argentina, que dizem que não pode ver um russo que não meta logo na cadeia por questão de prevenção, do que porque nenhum jogador de lá quer ir para a Libéria. O que mais se joga na Libéria é futebol. No inverno, faz frio que as partes de baixo vão encristalando, encristalando que quebra tudo igual a pedra. Razão por que o russo fugido fala fino, senão repare. No verão, faz um calor péssimo e eles todos andam de camelo. Para conhecer essas coisas todas, é preciso ter viagem. Ou então ler e prestar atenção nas conversas ilustradas. O homem da Hungria não é russo, mas tem bastantes russos no lugar onde eles moram, de forma que, quando eles dizem quero me mudar, vem o russo e diz não muda nada aí. Tudo isso são políticas internacionais. O russo que marcou Garrincha em cinqüenta e oito está na Libéria até hoje e conta o povo que todo mundo que passa cospe na cara dele. Aliás, deles, porque quem marcou Garrincha foram sete e todos os sete estão lá com o povo todo cuspindo na cara deles e dizendo tavares-tavares, que é mais ou menos vá sentar num birro de chuteira na língua deles. Pelo menos dois eu sei que botaram para marcar Garrincha de sacanagem, porque todo mundo sabia que não podia ser, mas os outros cinco o pessoal de lá botou na esperança. Tinha uma medalha de heróis do socialismo para quem marcasse Garrincha e segurasse, mas ninguém ganhou.

Essas coisas eu estou falando para mostrar que não desconheço o que estou falando, quando estou falando sobre o futebol ou sobre esse problema ocorrido com os americanos e os japoneses. O time aqui forma no dabliú-mê, o povo aqui ainda não adotou essas viadagens, aqui é um goleiro, dois beques, três ralfes e cinco linhas, como sempre foi. Então nós alinhamos Chupeta, Cremildo e Didi. Poroba, Bertinho e João Baguinha. Geraldo Tuberculoso (conhecido pelo vulgo de Tubério, mas ele não gosta), Pingüim, Delegado, Jonga, Digai e Honorino, este na reserva de qualquer posição, ou então se resolvessem fazer baba de doze. Tem críticas porque nesse time escalamos dois tuberculosos, que são Geraldo Tuberculoso, como o nome indica, e João Baguinha, que pegou a tuberculose e o apelido pela mania de ficar catando baga de cigarro no chão e fumando. Mas Geraldo é amarelo assim mas é o diabo com a bola e é aporrinhado e ponta-direita necessita ser aporrinhado. E João Baguinha é o tipo do tuberculoso diferente, nem dá sinal, e além do mais eu quero ver esse bom daqui que não tem doença, se fosse assim não jogava ninguém. Tem também um que é avariado da idéia, que é Digaí, que ficou meio abestalhado porque dizem que não comia em pequeno, mas para mim foi alguma pancada que o pai dele deu na moleira dele, o velho só vivia melado. Digaí tem esse apelido porque ele tinha um papagaio que ele vivia querendo ensinar e tanto disse diga aí ao papagaio que o bicho só dizia diga aí. Ele acabou se acostumando com esse apelido de Digaí, mas, quando está jogando, o povo grita "diga aí, louro!" e aí ele se reta e fecha pelo meio igual a um inglês e chuta tudo que estiver na frente. Considero um jogador de valor.

Então recebemos aqui a visita de uns homens do governo. No começo, todo mundo pensou que eles tinham vindo para uma dessas eleições modernas, que eles se sentam lá dentro e depois saem dando risada e dizendo: "Fulano tá eleito". Mas não era isso, era uma coisa do ministério. Dá-se mais ou menos que esse ministério vai fazer umas pesquisas para ver se não temos uns metais, na certa a mesma coisa que fizeram a umas dez léguas daqui e agora lá está entupido de americanos e japoneses, não deram emprego a ninguém e ainda botam para fora todo mundo que encostar, está uma novidade. Para não dizer que não fizeram nada, botaram um lugar que você pode ir arrancar o dente, se o dente doer, assim mesmo só nas sextas e sábados, no resto da semana você pode chiar à vontade que ninguém tira seu dente. Estamos acordados para essas pesquisas, mas ninguém pode fazer nada, é tudo povo do sul do país e ainda mais tem os americanos.

Naquelas conversas, o prefeito, que vive dizendo que aqui vai entrar dinheiro que nem ladrão acaba, quando acharem os metais, mas todo mundo está sabendo que o prefeito é meio aluado, por isso mesmo que deu para prefeito, disse que ia dar um almoço para a comitiva e ia fazer um jogo de futebol. O nosso time é por nome São Lourenço, mas está sem camisa, desde quando Aurélio alfaiate se mudou daqui e levou as camisas, que eram tudo dele. Também só quem tem chuteira é Digaí, inclusive faz questão de usar sempre e ninguém consegue que ele tire. Ele diz que está dentro da regra. Mas então o prefeito explica que arranja os equipamentos com os gringos da mineração e de fato arranja. Digaí não gostou que todo mundo agora tivesse chuteira, mas foi obrigado a se conformar. Quiseram até mudar o nome do São Lourenço para Brasil, levando em conta que o jogo ia ser contra os estrangeiros, mas ninguém ia envergonhar o santo numa hora dessas, por sinal podendo também envergonhar o Brasil, ficando assim mal com os dois.

Então permaneceu São Lourenço mesmo e no dia do jogo Arnaldino atendeu uma grande encomenda de foguetes para o prefeito e mais dois que o time se cotizou, esses dois sendo marcados um para a entrada do time e outro para o caso de vitória. Para o almoço o time não foi convidado, mesmo porque tivemos que almoçar bem antes do jogo, para não dar congestão. Teve arroz e carne, uma festa completa, embora com uma certa preocupação da maior parte do time, visto que a maioria é de capinadores da prefeitura e, se o prefeito já não paga a ninguém desde março, veja-se como vai ser depois dessas despesas de almoço, inclusive ele mandou buscar uns matos especiais para servir ao povo da comitiva e esses matos são tudo os olhos da cara.

Também ninguém capina mais, justiça seja feita, mas também contamos com os jegues, que fazem um serviço mais ou menos, só não fazem no meio das pedras. Está uma situação assim — nem ele paga nem ninguém capina, ainda se aqui se comesse capim como o pessoal da cidade até que ia ser melhor. Para quem viu o almoço do prefeito, estava tudo nojentíssimo, até papas brancas tinha misturado com os bifes e a mulher de Antenor da Bodega, que é vereador, ficou com vergonha de comer na frente daquele povo todo, também a mulher de Antenor — cala-te, boca, mas por aí se vê que quem nasce para vintém nunca chega a derréis, não estou dizendo nada.

Os gringos chegaram de uniforme vermelho e o São Lourenço entrou de camisa amarela e calção variando um pouco, porque o prefeito esqueceu de pedir calção também, mas é mentira que Poroba jogou de cueca, isto espalham os que não se conformam com a vitória, os entreguistas. Esses calções a maior parte nós conseguimos quando passou uma gente aqui do programa da rua do lazer, mas ninguém ligou para a rua do lazer, que aqui qualquer uma é, e então eles deixaram esses calções aqui, uns dois ou três já tendo virado calçolas, pois o que tem de mulher descalçolada nestas bandas é mais do que abóbora quando a terra baixa molha, e o marido se torna desassossegado se a mulher está desprevenida, não fica bem. De forma que esses calções do lazer umas mulheres pegaram e usaram de calçolas e já estavam acostumadinhas, teve dificuldades na coleta.

A situação do time não ficou boa logo na saída, porque, se você já viu japonês fazendo qualquer coisa, você sabe como é. Japonês, você diz uma coisa a ele, ele acredita. Então esses japoneses acreditavam em todas as coisas que diziam a eles e aí saíam todos de bolo, menos o goleiro que também era japonês, e quatro americanos que também estavam jogando. Os americanos davam bicudas. Porém eram bicudas de americanos, cada bicuda da porra. Chupeta dá na direita para Cremildo, com aquela intenção de que ele devolva, que é para execução das piruetas que fazem os profissionais, nisso quando seu Cremildo escorrega, porque não está acostumado com chuteiras e aí chegam uns duzentos mil japoneses, tudo chutando para a frente, tudo zumbindo e dando uns grunhidos de japoneses. Um japonês adentra a grande área, gritando como uma jega deflorada, com outro japonês um de cada lado e prepara a zorra para cima de Chupeta, que essas alturas está xingando a mãe de Cremildo, que é irmã da mãe dele e isso já rende complicação na família, porque Nascimento, marido da irmã da mãe dele, era bandeirinha e passou o resto do jogo dizendo se aquele filhodaputa não fosse goleiro toda vez que ele pegasse na bola eu marcava ofiçáide. Nisso chega seu Didi, que era beque porque tinha as canelas grossas e tinha quebrado a clavícula de Caetano com uma calcanhada e nem conversou: caiu de dois pés no joelho do japonês. O japonês apagou, porque, se você nunca viu um elefante, você nunca viu Didi, e então o japonês deu aquele uai de japonês, cambalhotou três vezes e caiu parado. Nisso seu Cremildo, que ficava desresvalando nas chuteiras, levanta a cara e passa um japonês na carreira e dá um chute na cara de Cremildo, que mais que depressa corre atrás do japonês e, não tendo como pegar, pega o japonês pelas pernas e dá uma dentada nele, no que o japonês se vira e dá um golpe de jojitso em Cremildo e Cremildo quase ficou sem nariz, quando bateu numa jaqueira que está assim do lado do campo, todo mundo conhece. João Baguinha quis puxar as pernas do japonês que Didi tinha acertado, mas chegou um americano e segurou João Baguinha pelo cabelo e parece que ia até dar uma bicuda em João Baguinha, quando entraram no campo o prefeito e a comitiva e então tudo se organizou, mais ou menos com meia hora de trabalho. Teve um americano que ficava dando sorrisos o tempo todo e abrindo os braços, porém foi vaiado.

Quando chegou o fim do primeiro tempo, a situação não estava boa para a nossa agremiação, apesar, verdade seja dita, de que não se usou qualquer daquelas armas secretas, que se saiba. O juiz marcou pênalti na jogada de Didi contra o japonês e Chupeta defendeu, nem ele até hoje sabe como. Mas eu sei e Bertinho, chamado Bertinho Pinico, por ter umas manchas na cara escritinho aquelas manchas de ferrugem que dá em pinicos velhos, também sabe, porque foi Bertinho quem encarcou a bola na marca, afundando bastante, de maneira que o americano que cobrou o pênalti deu uma bicuda para o chão. São recursos do jogador de experiência e Bertinho já jogou até em Alagoinhas, quanto mais. Mas assim mesmo os gringos enfiaram dois na gente, um de japonês e outro de americano, sendo que nesse Chupeta quase sai de baixo, porque o americano chutou que parecia que queria lançar um satélio no espaço, só que esse satélio ia na direção de Chupeta, como de fato foi. Se tivesse rede, furava.

Tubério, que não estava bem, por causa da marcação homem a homem do beque americano, nós substituímos por Honorino, com a missão de chegar na linha de fundo e centrar para Jonga ou Delegado subirem na cabeçada, visto que a zaga americana não sabia cabecear e sempre metia a cara na bola e relava o nariz todo e a zaga japonesa gostava de meter a mão na bola, quando ela subia demais. O problema era o goleiro japonês. O homem era o cão, o que tinha de pequeno tinha de abusado e só ia na bola fazendo ará-ará e outros gritos, com a cara de quem pretendia esfarelar a bola com os dentes, espantava bastante o atacante. Delegado quis mandar pegar um cachorro dele para a torcida iscar no japonês, mas não foi possível, mesmo porque esse cachorro, que se chama Menezes, em homenagem a um coletor que teve aqui, tinha sido preso por pedido do prefeito, pois esse Menezes não somente se ousa com todas as cachorras como também com qualquer perna que aparece e, quando o dono da perna não deixa, ele morde. Então não ficava bem para o bom nome da cidade soltar Menezes. A tática resolvida foi que Jonga e Delegado somente um subia de cada vez, o outro procurando ficar em cima dos pés do goleiro, para não deixar que ele subisse. Possa ser que o japonês não fosse gostar, mas ninguém estava disposto a tomar lavagem daqueles gringos, o metal é deles, mas o futebol é nosso, é a lei da vida.

O time deles entrou também com uma modificação, que foi outro japonês no lugar do que Didi tinha acertado, que estava todo triste junto da comitiva, com o joelho maior do que a cabeça. Eu disse a Didi que não se animasse, que não ficasse quebrando os joelhos todos do adversário, a não ser quando fosse por providência, que aí todo mundo entende. Pois então Honorino começou a correr pela ponta direita. Honorino não tem assim um controle de bola muito bom, mas ele é especialista em dar um chutão para a frente e sair atrás da esfera galopando acelerado e depois centra. Nessa posição, ele só sabe fazer isso, quer dizer é melhor do que Gil. Honorino então deu uma porção de corridas, mas nem Delegado nem Jonga estavam acertando direito a pisar nos pés do goleiro. Jonga chegou na beira do campo e me disse que o desgraçado ficava sapateando e, quando subia, espalhava os joelhos para os lados e que se ele, Jonga, ainda tivesse dentes, já tinha perdido todos das caqueradas do japonês. Nessa hora foi que nós resolvemos que, quando o goleiro fosse subir, Jonga metia o dedo por debaixo dele, tendo para nós que nem japonês, nem americano, nem ninguém — talvez o francês, que é o povo mais descarado — ia tolerar que enfiassem o dedo nas partes traseiras, isso assim de repente dá um sobressalto em qualquer homem. O jogo até que tinha facilitado, porque Pingüim caiu dentro da área quando ia passar pelo americano que abria os braços e o americano pensou que tinha matado Pingüim e aí largou a bola para ver, quando que Pingüim se levanta ligeirinho e marca o São Lourenço! O goleiro ficou retado, porque o americano atrapalhou na hora da defesa, mas esses problemas de brancos eles resolvem lá entre eles mesmos e Pingüim ainda sacudiu a camisa na direção do americano, essa gente miúda gosta muito de pirraçar.

Mesmo assim estamos perdendo e Honorino já vai dando sinal de que não agüenta mais correr e na defesa temos grande pressão japonesa, no mesmo jeito, tudo de bolo. Felizmente, Cremildo já tinha tido permissão do juiz para jogar sem chuteira e cada pontapé que ele dava com aqueles cascos que Deus lhe deu espalhava diversos japoneses e descontrolava o ataque estrangeiro. Poroba também aprendeu a escorar as bicudas dos americanos. De vez em quando, o americano acertava a bicuda em cheio e Poroba calçava e subia com bola e tudo. Mas escorava e esse é o heroísmo do atleta brasileiro, porque, depois do jogo, Poroba passou muito tempo com zumbido nos ouvidos, dos solavancos que ele levava, toda vez que escorava uma bicuda.

Está se vendo que a situação não era boa, mas podia ser notado que o japonês do gol estava cada vez mais aporrinhado com as dedadas de Jonga, inclusive porque Delegado também tirava suas tasquinhas de vez em quando. O japonês fez diversas caretas e foi piorando depois do gol mais sensacional da tarde, que foi Digaí, que até agora não tinha pegado na bola. Digaí pegou a bola solto na ponta esquerda, porque um beque americano foi rebater de primeira e ela espirrou para o lado e o americano ficou carrapeteando sem entender nada. Digaí ficou até meio sem graça e começou a dar com o canto do pé na bola, doido para aparecer alguém para receber um passe, mas — é por isso que eu digo, torcida vale muito — todo mundo começou a gritar "digaí, louro, digaí, louro!" e Digaí ficou mais do que emputecido. Até hoje eu fico pensando se Digaí, que o nome cristão é Juvenal mas só a mãe dele chama ele de Juvenal, acha que aquela gritaria toda vem do goleiro, porque ele parte para cima do goleiro. Quem já quis segurar um maluco atacado sabe como é para segurar Digaí, precisa um destacamento de homens dobrados e mesmo assim com uns porretes.

Então seu Digaí faz uma diagonal pelo bico da área e um japonês que cercou ele tomou uma peitada que até hoje aquele japonês não compreendeu e, quando chega bem no bico da área, seu Digaí me dá um cacete que quase a bola fica encaixada no ânglio superior direito da trave do japonês, mas não ficou: bateu no ânglio, voltou, bateu na cabeça do japonês e entrou e sacudiu o véu da noiva, só que não tinha véu, mas também não tinha noiva e gol do Brasil! Carlito Bofe, que estava tomando conta do foguete da vitória, não agüentou e soltou a pamonha, catapriutabum! Marcador igualado e Digaí abraçadíssimo e perguntando cadê meu papagaio, cadê o papagaio, me dê meu papagaio. Esqueci de dizer que o papagaio de Digaí é finado, porque ele enchia a boca de água e barrufava o papagaio para ele aprender a falar, de sorte que deve de ter afogado o bicho numa certa feita dessas; ou então matado de defluxo.

Mas o empate não serve a quem defende o seu país, mesmo quando ele empata a gente. Honorino já está botando os bofes pela boca, mesmo porque, agora, além do americano está um japonês marcando ele. Não pegam, mas chateiam, inclusive japonês não cansa, todo mundo sabe disso. Mas como ninguém marcava João Baguinha, que até agora não tinha feito nada a não ser reclamar do juiz e correr para abraçar quem fazia gol, a redonda acabou sobrando para ele na intermediária dos gringos e ele aí deu um esticão para dentro da área, uma coisa linda, que só se acredita que foi João Baguinha porque se viu. O goleiro deles sai e arma o bote, mas nisso Delegado vem de lá e enfia o dedo na bunda do japonês e o japonês não quis acordo. Revirou o corpo e deu uma pezada na cara de Delegado que Delegado nem catou ficha. Caiu inteiro no meio da área. Temos aí um pênalti claro, mas o japonês avançou para o juiz e disse ele mete dedo no meu trazezo, ele mete no meu trazezo, isto seu Delegado todo estatelado no gramado, com um lado da cara inchado e fazendo careta com o outro. João Baguinha, que era especialista nisso, veio logo esticar as pernas de Delegado, mas ele só se levantou quando disseram que iam aplicar uma injeção e assim mesmo estava meio bambo. Então o juiz botou Delegado para se perfilar assim com as mãos nas costas e disse seu Delegado, o senhor dá a sua palavra de honra de esportista? Dou sim senhor, disse Delegado. O senhor, disse o juiz, dá sua palavra de honra de esportista como não meteu o dedo no traseiro do goleiro adversário? E Delegado não era besta de dizer que não dava, senão depois do jogo ele ia ver onde a gente socava a honra de esportista dele, honra é a da pátria amada que ali a gente está defendendo, eles levam o metal mas não levam a flâmula. Aí o juiz apontou para a marca do pênalti e o japonês quase vira um baiacu de tanto inchar as bochechas, sabe-se que o japonês e o chinês são os povos de maior capacidade de inchar as bochechas. Eu adentrei o tapete verde, com a finalidade de declarar que o São Lourenço não aprovava o tumulto e que ou respeitavam o juiz ou eu tirava o time do campo e considerava o jogo ganho e aí não me responsabilizava pela conduta dos meus atletas, que era tudo rapazes de sangue quente. Eu sei que acabou Cremildo se dirigindo para a marca penal e a última coisa que o japonês viu foi o pé de Cremildo se levantando, porque se tem uma coisa que Cremildo sabe fazer, essa coisa é dar um porrete fixe, desses que a bola entorta. Tive que dar um esporro em Carlito Bofe, porque ele já tinha gasto nosso foguete no gol de empate e o jogo terminando e o time todo se fechando na defesa. Didi aprendeu que, se batesse os pés na frente do gringo que estava com a bola, o gringo se assustava pensando que Didi ia dar um chute nele e soltava o esférico. Vitória do Brasil, ninguém envergonhou a pátria. Muita gente pergunta se, em vez de ganhar no futebol, não era melhor a gente viver bem, igual aos gringos vivem? Isso demonstra ignorância, porque se sabe que ao gringo interessa mais mostrar que a raça deles é melhor, por isso que Hitler mandou matar todos os alemães que não ganharam nas olimpíadas, para não envergonhar a raça. Daí se vê que, ganhando no futebol, a melhor raça somos nós.

# REFERÊNCIAS BIBLIOGRÁFICAS

AKUTAGAWA, Ryunosuke. Nariz. In: _____. In: *Rashomon e outros contos*. Rio de Janeiro: Civilização Brasileira, s.d.

AL-DIN, Khawajah Nasr. Como Nasrudin criou a verdade. In: _____. *Histoires de Nasroudin*. Paris: Éditions Dervish, s.d.

_____. O relógio. In: _____. *Histoires de Nasroudin*. Paris: Éditions Dervish, s.d.

_____. O sermão de Nasrudin. In: _____. *Histoires de Nasroudin*. Paris: Éditions Dervish, s.d.

ALLAIS, Alphonse. Deus. In: *Oeuvres anthumes*. Paris: Robert Laffond, 1999.

_____. Uma Petição. In: *Oeuvres anthumes*. Paris: Robert Laffond, 1999.

ALPHONSUS, João. Uma história de Judas. In: _____. *Contos e novelas*. Rio de Janeiro, Ed. do Autor, 1965.

O AMIGO da onça. In: *Contos populares brasileiros*. São Paulo: Melhoramentos, 1948.

ASSIS, Machado de. O empréstimo. In: _____. *Contos: uma antologia*. Seleção, introdução e notas de John Gledson. São Paulo: Companhia das Letras, 1998.

_____. Teoria do medalhão. In: *Viver de rir*. Seleção, tradução e organização de Flávio Moreira da Costa. 3. ed. Rio de Janeiro: Record, 1999. v.1.

AVERCHENKO, Arkadi. A odisséia de uma vaca. In: *Viver de rir*. Seleção, tradução e organização de Flávio Moreira da Costa. 3. ed. Rio de Janeiro: Record, 1999. v.1.

_____. Édipo rei. In: *The russian short stories*. Cincinnati: HMC Editors, s.d.

AZEVEDO, Artur. De cima para baixo. In: *As melhores histórias de humor de todos os tempos*. Rio de Janeiro: Ediouro, s.d.

_____. O telefone. In: *Viver de rir*. Seleção, tradução e organização de Flávio Moreira da Costa. Rio de Janeiro: Record, 1997. v.2.

BARRETO, Lima. Carta de um defunto rico. In: *Nova Califórnia e outras histórias*. Rio de Janeiro: Revan, 1993.

_____. O homem que sabia javanês. In: *Nova Califórnia e outras histórias*. Rio de Janeiro: Revan, 1993.

BERNARD, Tristan. Ménage à trois. In: _____. *Un jeune-homme rangé*. Paris: Omnibus, 1994.

BIERCE, Ambrose. O capitão do Camelo. In: _____. *The complete short stories of Ambrose Bierce*. Lincoln: University of Nebraska Press, 1985.

BOCCACIO, Giovanni. Com arte e malícia, uma siciliana alivia um mercador toscano de tudo aquilo que levara a Palermo para vender; mas ele, por sua vez, fazendo crer que voltara com muito mais mercadorias que antes, consegue com ela dinheiro emprestado e deixa-lhe, em troca, estopa e água. In: _____. *Decameron*. Torino: Einaudi, 1992.

_____. Masetto de Lamporecchio finge-se de mudo e torna-se jardineiro em um convento de freiras, as quais terminam, todas, por se deitar com ele. In: _____. *Decameron*. Torino: Einaudi, 1992.

BUZZATI, Dino. O aumento. In: _____. *Sessanta Ranconti*. Milano: Mondadori, 1958.

CAPEK, Karel. A empregada está me roubando. In: _____. *Tales from to pockets*. North Haven: Catbird Press, 1994.

CARVALHO, José Cândido de. Três histórias do interior. In: _____. *Porque Lulu Bergantim não atravessou o Rubicon*. Rio de Janeiro: Ed. José Olympio, 1974.

CERVANTES SAAVEDRA, Miguel de. O casamento enganoso. In: _____. *Novelas ejemplares*. Madrid: Taurus Ediciones, 1994.

CHESTERTON, G.K. Deitado na cama. In: *The Oxford book of humorous prose*. New York: Oxford University Press, 1990.

O CORCUNDA recalcitrante. In: *As mil e uma noites*. Tradução de Rolando Roque Silva. São Paulo: Brasiliense, 1991. v.4.

CORTÁZAR, Julio. Manual de instruções. In: _____. *Histórias de cronópios e de famas*. Tradução de Gloria Rodríguez. 2. ed. Rio de Janeiro: Civilização Brasileira, 1973.

DAUDET, Alphonse. A mula do papa. In: _____. *Lettres de mon moulin*. Paris: Flammarion, 1943.

DOROCHEVITCH, Vlas. Assim falava Tchi-San. In: *Viver de rir*. Seleção, tradução e organização de Flávio Moreira da Costa. 3. ed. Rio de Janeiro: Record, 1999. v.1.

DUAS Histórias Zen. In: *Le bol et le batôn*. Paris: Zen Éditions, 1983.

ESOPO. As mãos, os pés e o ventre. In: *Las mejores fábulas*. Seleção de José Repolles. Madrid: Editorial Optima, 2000.

_____. O asno e o cachorrinho. In: *Las mejores fábulas*. Seleção de José Repolles. Madrid: Editorial Optima, 2000.

_____. O galo e a raposa. In: *Las mejores fábulas*. Seleção de José Repolles. Madrid: Editorial Optima, 2000.

_____. O homem bom, o falso e os macacos. In: *Las mejores fábulas*. Seleção de José Repolles. Madrid: Editorial Optima, 2000.

_____. O leão vencido pelo homem. In: *Las mejores fábulas*. Seleção de José Repolles. Madrid: Editorial Optima, 2000.

FERNANDES, Millôr, As salvaguardas nem sempre salvam. In: _____. *Novas fábulas fabulosas*. Rio de Janeiro: Editorial Nórdica: 1997.

FITZGERALD, Scott. Financiando Finnegan. In: _____. *The crack-up*. New York: New Directions, 1993.

GEORGES, Courteline. Condenação. In: *Theatre, contes, romans et nouvelles philosophiques, ecrits divers et fragments retrouvés*. Paris: Robert Laffond, 1999.

GIUDICE, Victor. O arquivo. In: _____. *O necrológio*. Rio de Janeiro: O Cruzeiro, 1972.

GOGOL, Nicolai. O capote. In: *The best russian short stories*. New York: The Modern Library, 1925.

_____. O nariz. In: *Viver de rir*. Seleção, tradução e organização de Flávio Moreira da Costa. 3. ed. Rio de Janeiro: Record, 1999. v.1.

GOMBROWICZ, Witold. Philimor, alma de criança. In: _____. *Bakakai*. Tradução de Vera Pedroso. Rio de Janeiro: Expressão e Cultura, 1968.

GREENE, Graham. Um acidente chocante. In: _____. *Empreste-nos seu marido e outras comédias da vida sexual*. Tradução de José Laurênio de Melo. Rio de Janeiro: Civilização Brasileira, 1968.

HASEK, Jaroslav. O porco Xaver. In: *Nouvelles tchèques & slovaques*. Paris: Éditions Seghers, s.d.

HENRY, O. Ética de Porco. In: _____. *41 stories*. New York: Signet Classics, 1984.

_____. Jeff Peters e a hipnose magnética. In: _____. *41 stories*. New York: Signet Classics, 1984.

HERNÁNDEZ, Felisberto. Móveis "El Canário". In: _____. *Nadie encendía las lámparas*. Montevidéu: Ed.Arca, 1967.

HOMERO. Batracomiomáquia. In: _____. *Obras completas*. Buenos Aires: Ed. Emecé, s.d.

JOÃO, do Rio. O homem de cabeça de papelão. In: *As melhores histórias de humor de todos os tempos*. Rio de Janeiro: Ediouro, s.d.

JOKAI, Mör. O catavento infeliz. In: _____. *The collected works of Mör Jokai*. London: Giorgi Fabian, 2000.

KAFKA, Franz. Comunicado a uma academia. In: _____. *Ein landartz*. Frankfurt: Fisher Verlag, s.d.

LAMB, Charles; LAMB, Mary. A megera domada. In: *Contos de Shakespeare*. Tradução de Mário Quintana. São Paulo: Ed. Globo, 1996.

LEACOCK, Stephen. A pílula. In: _____. *Sunshine sketches of a little town*. Toronto: McClelland & Stewart, 1997.

LOBATO, Monteiro. O colocador de pronomes. In: _____. *Urupês*. São Paulo: Ed. Brasiliense, 1996.

LOPES NETO, J. Simões. O papagaio. In: _____. *Contos do Romualdo*. Porto Alegre: Globo, 1952.

LOPES, Paulo Corrêa. História de uma traça. In: _____. *Obra poética*. Porto Alegre: Instituto Estadual do Livro, 1958.

MACHADO, Aníbal. O defunto inaugural. In: _____. *Os melhores contos de Aníbal Machado*. Seleção de Antônio Dimas. São Paulo: Global, 1984.

MACHADO, Antônio de Alcântara. Apólogo brasileiro sem véu de alegoria. In: _____. *Novelas paulistanas*. Rio de Janeiro: Ediouro, 1999.

_____. Miss Corisco. In: _____. *Novelas paulistanas*. Rio de Janeiro: Ediouro, 1999.

MAQUIAVEL, Nicolau. Belfagor. In: _____. In *Il Principe e scritti minori*. Milão: Ed. Hoepli, s.d.

MARX, Groucho. Cartas a Warner Brothers. In: _____. *Groucho and me*. New York: Da Capo Press, 1995.

MAUPASSANT, Guy de. Pequeno acidente de percurso. In: _____. *Oeuvres complètes*. Paris: Louis Conard, 1925.

_____. Santo Antônio. In: _____. *Oeuvres complètes*. Paris: Louis Conard, 1925.

MELANDER, Otto. A mulher e o cachorro. In: *Mar de histórias*. Tradução de Paulo Rónai e Aurélio Buarque de Holanda. 2. ed. Rio de Janeiro: Nova Fronteira, 1979. v.2.

MONTERROSO, Augusto. O macaco que quis ser escritor satírico. In: _____. *A ovelha negra e outras fábulas*. Tradução de Millôr Fernandes. Rio de Janeiro: Record, s.d.

MORAVIA, Alberto. O peru de natal. In: _____. *Contos surrealistas e satíricos*. Tradução de Álvaro Lorencini e Letícia Zini Arantes. São Paulo: Difel, 1986.

NAVARRA, Margarida de. O velho caolho. In: _____. *L'Heptaméron*. Paris: Garnier, 1950.

NEGREIROS, José de Almada. O cágado. In: _____. *Obras completas*. Lisboa: Editorial Estampa, 1970. v.1.

PARKER, Dorothy. Os sexos. In: _____. *Big loira e outras histórias de Nova York*. Tradução de Ruy Castro. São Paulo: Companhia das Letras, 1990.

PERETZ, Isaac Leib. Bontsha, o silencioso. In: *A treasury of yiddish literature*. New York: Viking Press, 1954.

POE, Edgar Allan. O sistema do doutor Tarr e do professor Fether. In: _____. *The complete tales & poems of Edgar Allan Poe*. New York: The Modern Library, 1965.

QUEVEDO, Francisco de. O alguazil endemoninhado. In: *Mar de histórias*. Tradução de Paulo Rónai e Aurélio Buarque de Holanda. 2. ed. Rio de Janeiro: Nova Fronteira, 1979. v.2.

RIBEIRO, João Ubaldo. Já podeis da pátria filhos. In: _____. *Já podeis da pátria filhos e outras histórias*. 2. ed. Rio de Janeiro: Nova Fronteira, 1991.

RIBEYRO, Julio Ramón. O professor substituto. In: _____. *La palabra del mudo*. Lima: Milla Batres Editorial, 1973.

RODRIGUES, Nelson. A coroa de orquídeas. In: _____. *A coroa de orquídeas*. Organização de Ruy Castro. São Paulo: Companhia das Letras, 1993.

RUNYON, Damon. O Cabeça vai para casa. In: _____. *Guys and dolls*. New York: Penguin, 1992.

SAADI. Amor. In: *Mar de histórias*. Tradução de Paulo Rónai e Aurélio Buarque de Holanda. 2. ed. Rio de Janeiro: Nova Fronteira, 1979. v.1.

SABINO, Fernando. O homem nu. In: _____. *O homem nu*. 39. ed. Rio de Janeiro: Record, 2000.

SACCHETTI, Franco. Dom Pompório, monge, é denunciado ao abade pela sua exagerada gula; e criticando o abade com uma fábula, livra-se da censura. In: *Mar de histórias*. Tradução de Paulo Rónai e Aurélio Buarque de Holanda. 2. ed. Rio de Janeiro: Nova Fronteira, 1979. v.1.

SADE, Marquês de. O preceptor filósofo. In: _____. *Oeuvres complètes*. Paris: Ed. Jean-Jacques Anvers, 1987.

SAKI. O santo e o duende. In: *The complete short stories of Saki*. London: Penguin Books, 1982.

SALTYKOV, Michael. De como um mujique alimentou dois burocratas. In: The *best russian short stories*. New York: The Modern Library, 1925.

SCLIAR, Moacyr. O dia em que matamos James Cagney. In: _____. *O carnaval dos animais.* São Paulo: Ediouro, 2001.

SOREL, Charles. História daquele que se fez mudo para obedecer à sua esposa e afinal a desposou. In: *Mar de histórias.* Tradução de Paulo Rónai e Aurélio Buarque de Holanda. 2.ed. Rio de Janeiro: Nova Fronteira, 1979. v.2.

SWIFT, Jonathan. Uma modesta proposta. In: _____. *Panfletos satíricos.* Tradução de Leonardo Fróes. Rio de Janeiro: Topbooks, 1999.

TAVARES, Zulmira Ribeiro. A curiosa metamorfose pop do senhor Plácido. In: _____. *Termos de comparação.* São Paulo: Editora Perspectiva, 1974.

TCHECOV, Anton. A obra de arte. In: *Viver de rir.* Seleção, tradução e organização de Flávio Moreira da Costa. 3. ed. Rio de Janeiro: Record, 1999. v.1.

TCHECOV, Anton. No escuro. In: *Viver de rir.* Seleção, tradução e organização de Flávio Moreira da Costa. 3. ed. Rio de Janeiro: Record, 1999. v.1.

OS TRÊS ceguinhos de Compiègne. In: *Babliaux du XIII^{ème} siècle.* Paris: H. Champion, 1932.

TREVISAN, Dalton. O vampiro de Curitiba. In: _____. *O vampiro de Curitiba.* 4. ed. Rio de Janeiro: Civilização Brasileira, 1975.

TWAIN, Mark. A famosa rã saltadora do condado de Calaveras. In: _____. *The homorous stories and sketches.* New York: Dover Publications, 1996.

_____. O roubo do elefante branco. In: *Viver de rir.* Seleção, tradução e organização de Flávio Moreira da Costa. Rio de Janeiro: Record, 1997. v.2.

UMA DAS de Pedro Malas-Artes. In: *Contos populares do Brasil.* São Paulo: Landy Editores, 2000.

VERISSIMO, Luis Fernando. Metamorfose. *O Globo,* Rio de Janeiro, 09 set. 2001.

VOLTAIRE. Carta de um turco. In: _____. *Oeuvres complètes.* Paris: Kraus Reprint, 1867.

_____. Mêmnon ou a sabedoria humana. In: _____. *Oeuvres complètes.* Paris: Kraus Reprint, 1867.

WILDE, Oscar. O fantasma de Canterville. In: _____. *As obras-primas de Oscar Wilde.* Rio de Janeiro: Ediouro, 2000.

ZANGWILL, Israel. O dragão apaixonado. In: _____. *The grey wig.* Londres: Classic Books, 1903.

Impressão e Acabamento

**GEOGRÁFICA**
editora